DODE ZIELEN

Van Ian Rankin zijn verschenen:

Kat en Muis
Blindeman
Hand en Tand
De Gehangene
Strip Jack
Zwartboek
Vuurwerk
Gerechtigheid
Laat maar bloeden
Door het lint
Schuld & Boete (geschenkboekje CPNB)
De rechtelozen
Lazarus
Gedenk de doden
Een kwestie van bloed
Dode zielen

IAN RANKIN

Dode zielen

Vertaald door Rob Kuitenbrouwer
en Frank Lekens

Uitgeverij Luitingh

Oorspronkelijke titel: *Dead Souls*
Omslagontwerp: Pete Teboskins
Omslagfotografie: Arcangel/Hollandse Hoogte

ISBN 978 90 245 2811 0
NUR 305

www.boekenwereld.com

Voor mijn zwaarbeproefde redactrice,
Caroline Oakley

De wereld is vol vermiste personen en hun aantal neemt alleen maar toe. De ruimte die zij in beslag nemen, wordt begrensd door wat wij weten over in leven zijn en wat wij horen over de manieren waarop men dood kan gaan. Daar dolen ze rond, alleen en ongekend, als schimmen.

ANDREW O'HAGAN, *Vermist*

Ik heb een keer per ongeluk de trein naar Cardenden genomen. (...) Toen we in Cardenden kwamen, stapten we uit en wachtten op de volgende trein terug naar Edinburgh. Ik was heel moe en als Cardenden er veelbelovender had uitgezien, denk ik dat ik er gewoon gebleven was. En als je ooit in Cardenden bent geweest, weet je hoe erg de zaken ervoor stonden.

KATE ATKINSON, *Achter de schermen*

INLEIDING

Dode zielen is helemaal in Edinburgh bedacht en geschreven, het is de eerste keer dat dit is gebeurd sinds Rebus' debuut in *Kat en Muis*. De romans daartussenin waren geschreven tijdens mijn verblijf van vier jaar in Londen of in de zes jaar dat ik op het Franse platteland woonde. Ik was terug in Edinburgh... en was bang dat ik niet meer over de stad zou kunnen schrijven. En niet zonder reden. Ik had gebruikgemaakt van de geografische afstand om Edinburgh te herscheppen tot een fictieve stad. Hoe zou ik het redden nu ik maar een wandelingetje hoefde te maken om te zien wat ik me al die jaren verkeerd had voorgesteld?

Ik had me geen zorgen hoeven maken.

'Dead Souls' is een nummer van Joy Division. Zoals de titel al aangeeft, is het geen nummer voor bruiloften en partijen, tenzij je schoonfamilie de Addams Family heet. Ik wist natuurlijk waar de bron van het nummer lag, namelijk in de onvoltooide roman *Dode zielen* van de Russische schrijver Nikoluj Gogol. De term 'gekweld genie' kan wel zijn bedacht met Gogol als voorbeeld. Nadat hij de eerste helft van *Dode zielen* had gepubliceerd, verbrandde hij de eerste versie die hij van deel twee had geschreven. Later begon hij opnieuw aan het boek, tot zijn godsdienstig leidsman hem ertoe bracht de literatuur helemaal vaarwel te zeggen. Zo ging ook de volgende versie van deel twee grotendeels in vlammen op, en tien dagen later stierf Gogol.

Dit boek bestaat ook uit twee delen, getiteld 'Verloren' en 'Gevonden'. Beide worden voorafgegaan door een citaat uit Gogols werk, en het citaat dat 'Gevonden' inluidt zijn de laatste woorden die van hem bewaard zijn gebleven. De titel had ik al vroeg. Ik wist dat ik wilde schrijven over vermiste personen. Die waren me gaan interesseren toen ik research deed voor *Gerechtigheid*. Ik las een non-fictieboek getiteld *Vermist* omdat het passages bevatte over de Glasgowse seriemoordenaar Bible John. De auteur, de journalist Andrew

O'Hagan, besprak hierin het verschijnsel van de vermissing en het gat dat in het weefsel van ons bestaan achterblijft als een naaste verdwijnt. Geïnspireerd door het werk van O'Hagan schreef ik een novelle van zeventig pagina's, *Death is Not The End* (wat weer een titel is van een Bob Dylan-nummer, dat ik alleen ken in de latere bewerking door Nick Cave). Die novelle schreef ik op verzoek van een Amerikaanse uitgever, die er vervolgens niet direct een markt voor zag. Bang dat er misschien helemaal niets mee zou gebeuren, besloot ik delen van dat verhaal te 'kannibaliseren' voor mijn volgende roman, zodat het verhaal nu in twee versies bestaat, zij het met verschillende ontknopingen.

Dat was dus één: de novelle verwerken tot een roman. Maar intussen was mijn oog gevallen op een ander, waargebeurd verhaal. De inwoners van een achterstandswijk in Stirling waren opgeschrikt door het nieuws dat er een veroordeelde pedofiel stilletjes in hun midden woonde. De eigenrichting kreeg de overhand en de man werd verjaagd. Daar vielen me twee dingen aan op. In de eerste plaats sloot het gebeuren aan bij het thema dat ik in mijn vorige roman *Door het lint* had aangeroerd, namelijk: wie kan precies het onderscheid maken tussen goed en kwaad? In de tweede plaats leek me dat Rebus net zo zou reageren op het nieuws van een verborgen pedofiel als veel anderen van zijn generatie, klasse en levensbeschouwing: hij zou de smeerlap aan de schandpaal nagelen, wat er ook van kwam. En ik ben een uitdaging nog nooit uit de weg gegaan: ik wilde eens zien of ik hem over een paar dingen op andere gedachten kon brengen...

Ik wilde hem ook mee terug naar huis nemen, naar het midden van Fife waar hij is opgegroeid. Hoewel ik Rebus wel vaker naar Fife heb gestuurd in mijn boeken, ga ik in *Dode zielen* dieper op zoek naar mijn eigen achtergrond. Als Rebus' oude vlam Janice met hem herinneringen ophaalt aan hun schooltijd, gebruikt ze mijn herinneringen en anekdotes. We komen ook meer te weten over Rebus' jeugd, zoals het feit dat hij werd geboren in een prefabwoning (evenals ik) maar al snel verhuisde naar een rijtjeshuis in een doodlopende straat (evenals ik). We komen erachter dat hij net als ik in zijn geboortedorp de Goth bezocht (voluit Gothenburg – volkscafés opgezet om het drankmisbruik te temperen en de winst ervan terug te sluizen naar de gemeenschap) en dat zijn vader een zijden sjaal had meegebracht toen hij terugkwam uit de Tweede Wereldoorlog (net als de mijne). De namen van Rebus' schoolvrienden zijn niet voor niets Janice en Brian Mee: 'mij' in het Engels, zoals vele andere personages, en vooral Rebus natuurlijk, eigenschappen van mij dragen.

Zo zitten er meer grapjes voor insiders in het boek, al behandelt het geen vrolijke thema's. We ontmoeten Harry, de 'onbeschoftste barman van Edinburgh' (die in het echte leven eigenaar is geworden van de Oxford Bar en zijn onbeschoftheden nu moet voorbehouden aan die paar vaste klanten zoals ik, die niet minder van hem verwachten). We krijgen te maken met Gaitano's, de club genaamd naar de Amerikaanse misdaadauteur Nick Gaitano, die ook schreef onder zijn werkelijke naam, Eugene Izzi. Hij was kort voordat ik aan dit boek begon dood aangetroffen onder wat, althans in eerste instantie, verdachte omstandigheden leken. De koetsier zonder hoofd die in het begin wordt genoemd (en die later terugkeert in de naam van een pub) is gebaseerd op Major Weir, een legendarisch figuur in de duistere geschiedenis van Edinburgh. Weir en zijn zuster werden in 1678 aangeklaagd als heksenmeester en heks en uiteindelijk beiden ter dood gebracht, hoewel ze een voorbeeldig en vroom leven hadden geleid. Het enige 'bewijs' waren de onsamenhangende en verwarde bekentenissen van de majoor.

Is de tijd van de heksenjacht voorbij? Kijk maar eens naar de manier waarop de populaire pers omgaat met verdachten van pedofilie...

Dode zielen was voor mij ook een mijlpaal in de zin dat ik voor het eerst namen van personages in het boek liet veilen voor het goede doel. Tegenwoordig zijn dat er zo'n zes per boek, maar in *Dode zielen* was het er maar één. De prijs werd gewonnen door een vriendin, maar ze wilde de eer niet voor zichzelf. Nee, die was bedoeld voor weer een vriendin van haar in de Verenigde Staten, een vrouw die Fern Bogot heette.

'Maar Fern klinkt niet erg Schots,' protesteerde ik.

Uiteindelijk bedacht ik dat 'Fern' een goede schuilnaam kon zijn. En wie zou haar werk liever niet doen onder haar eigen naam? Juist: een prostituee! Aldus werd besloten, en na enig tegenstribbelen werd de nette Fern Bogot een hoer in Edinburgh...

Nog één ding over *Dode zielen*. Bij een bijeenkomst met fans ben ik er ooit op gewezen dat ik het over 'trellis tables' [lattentafels] had terwijl ik eigenlijk 'trestle tables' [schraagtafels] bedoelde. Die fan had gelijk en ik heb de fout laten staan om de lezer een plezier te doen. Bovendien wees ze me erop dat ik in mijn boeken wel érg vaak 'lattentafels' gebruik... En nu ik de serie herlees om inleidingen te schrijven voor de nieuwe uitgaven, kan ik bevestigen dat ze ook op dat punt gelijk heeft. Vraag me niet wat ik ermee heb, het vloeit me zomaar uit de pen.

Lattentafels.

Zie je? Daar ga ik alweer.

Mei 2005

PROLOOG

Van deze hoogte is de slapende stad net een speelgoeddorp, gemaakt door een kind met een ongebreidelde fantasie. De vulkaanprop zou zwarte boetseerklei kunnen zijn, het kasteel een grillige opeenstapeling van bouwsteentjes. De straatlantaarns lollystokjes met propjes oranje cellofaan erop geplakt.

In de Forth liggen speelgoedbootjes op zwart crêpepapier, verlicht door de zwakke gloed van fietslampjes. In dit universum zouden de priemende torenspitsen van de Old Town lucifers zijn, en Princes Street Gardens een lap groene vilt. De flatgebouwen kartonnen dozen waar met kleurstift gedetailleerd deuren en ramen op zijn getekend. Van rietjes kun je dakgoten en regenpijpen maken, en met een scherp mes – misschien een scalpel – snij je de deuren open. Maar naar binnen gluren... naar binnen gluren zou de betovering verbreken.

Naar binnen gluren zou álles veranderen.

Hij duwt zijn handen in zijn zakken. De wind schuurt langs zijn oren. Hij kan net doen alsof het een kind is dat ertegen blaast, maar de werkelijkheid spreekt hem vermanend toe.

Ik ben de laatste kille wind die je zult voelen.

Hij zet een stap vooruit en kijkt over de rand, de diepe duisternis in. Achter hem rijst Arthur's Seat op als een zwijgende massa die zich stoort aan zijn aanwezigheid en klaarligt om hem te bespringen. Hij houdt zichzelf voor dat het maar papier-maché is. Strijkt met zijn handen nat krantenpapier glad, zonder oog voor de tekst, tot hij beseft dat hij in het luchtledige staat te boetseren. Dan trekt hij zijn handen met een schuldbewust lachje terug. Ergens achter zich hoort hij een stem.

Vroeger kwam hij hier wel eens overdag. Jaren geleden, met een geliefde misschien, hand in hand naar boven wandelen en zien hoe de stad zich als een belofte uitspreidt aan je voeten. En later met zijn vrouw en dochter, foto's nemen op de top, goed opletten dat niemand te dicht bij de rand kwam. Vader en echtgenoot was hij. Liet zijn kin achter zijn kraag zinken en zag een Edinburgh in grijstinten, maar ook een Edinburgh in perspectief, een Edinburgh dat hij met zijn gezin was ontstegen. Als hij dan zijn hoofd van links naar rechts liet gaan en de hele stad in zich opnam, had hij het gevoel dat alle problemen beheersbaar waren.

Maar nu, in het duister, weet hij wel beter.

Hij weet dat het leven een val is, dat de berenklem uiteindelijk dichtspringt om iedereen die dom genoeg is om te denken dat je met vals spel kunt zegevieren. In de verte jankt een politiesirene, maar die komt niet voor hem. Aan de voet van de Salisbury Crags staat een zwarte koets op hem te wachten. De koetsier zonder hoofd wordt ongeduldig. De paarden rillen en hinniken. Onderweg naar huis zal het schuim ze op de flanken staan.

'Salisbury Crag' is in deze stad ook een term voor iets anders: voor heroïne. Morningside Speed is cocaïne. Een snuifje coke zou hem nu goed doen, maar het zou niet genoeg zijn. Al was heel Arthur's Seat één grote berg coke: dat zou nu geen donder meer uitmaken.

Achter hem doemt in het duister een gestalte op, komt dichterbij. Hij draait zich half om ter begroeting en kijkt dan toch de andere kant op, durft de ander ineens niet aan te kijken. Hij begint iets te zeggen.

'Ik weet dat je het niet zult geloven, maar ik heb...'

Die zin maakt hij nooit meer af. Want nu vliegt hij boven de stad, de jas over zijn hoofd dempt een laatste hartenkreet. Terwijl zijn maag ineenkrimpt en zich leegperst, vraagt hij zich af of er echt een koetsier op hem staat te wachten.

En hij voelt zijn hart openbarsten bij het besef dat hij zijn dochter nooit meer zal zien, in deze wereld noch in enige andere.

Deel een

Verloren

Wij zijn bij voortduring onrechtvaardig, zelfs met de beste bedoelingen, en ieder moment zijn wij de oorzaak van andermans ongeluk.

I

John Rebus deed alsof hij naar de stokstaartjes zat te kijken toen hij de man zag en wist meteen dat hij niet degene was die hij zocht.

Al bijna een uur deed Rebus zijn best een kater te verdrijven door met zijn ogen te knipperen, zo ongeveer de zwaarste fysieke inspanning die hij kon opbrengen. Dan zakte hij neer op een bankje, of leunde hij tegen een muur en voortdurend veegde hij het zweet van zijn voorhoofd, ook al was het vroege voorjaar in Edinburgh familie van de winter. Zijn overhemd was vochtig en kleefde bij het opstaan telkens onaangenaam aan zijn rug. De capibara's hadden hem bijna medelijdend aangekeken, en hij had gemeend een blik van herkenning en medeleven te bespeuren achter de lange wimpers van de witte neushoorn, die weliswaar als een standbeeld naar de grond stond te kijken, maar die in al zijn eenzaamheid toch een zekere waardigheid uitstraalde.

Rebus voelde zich ook alleen, en ongeveer net zo waardig als een chimpansee. Hij was in geen jaren in de dierentuin geweest; de laatste keer was waarschijnlijk toen hij met zijn dochter was gaan kijken naar Palango de gorilla. Sammy was nog zo klein geweest dat hij haar zonder moeite op zijn schouders kon dragen.

Vandaag droeg hij niets anders bij zich dan een portofoon, diep weggestopt in zijn binnenzak, en een stel handboeien. Hij vroeg zich af of hij niet opviel, omdat hij steeds hetzelfde kringetje maakte, bij de kiosk af en toe een blikje Irn-Bru kocht, maar niet doorliep naar de attracties verderop. De pinguïnoptocht was langsgewaggeld zonder dat hij van zijn plaats was gekomen. Vreemd genoeg was het pas toen de kijkers doorliepen op zoek naar meer actie dat het eerste stokstaartje verscheen die meteen op zijn achterpoten ging staan; het magere lijfje kwam trillend van de grond om het terrein te verkennen. Er waren er nog twee uit het hol gekropen, die rondcirkelden met hun neus aan de grond. Ze hadden geen oog voor de zwijgende figuur die op het muurtje van hun terrein zat, maar snelden telkens langs hem heen, doorkruisten onophoudelijk hun kleine lapje harde grond en sprongen pas verschrikt op toen hij een zakdoek naar zijn gezicht bracht. Hij voelde het gif nog borrelen in zijn aderen: niet de alcohol, maar een dubbele espresso van een tot koffiekraam omgebouwde telefooncel bij de Meadows. Dat was onderweg naar zijn werk, toen hij nog te horen moest krijgen dat ze vandaag dierentuindienst hadden.

De spiegel op de wc van het bureau had hem aangestaard zonder een greintje tact. Greenslade: 'Sunkissed You're Not'. Overvloeiend in Jefferson Airplane: 'If You Feel Like China Breaking'.

Maar het kon altijd erger, had Rebus zichzelf voorgehouden, terwijl hij zich probeerde te concentreren op de centrale vraag van die dag: wie vergiftigde de dieren in Edinburgh Zoo? Want er moest iemand zijn die dat deed. Een harteloos en berekenend persoon die de bewakingscamera's en het dierentuinpersoneel tot dan toe te slim af was geweest. De politie had een vaag signalement en de tassen en jaszakken van de bezoekers werden steekproefsgewijs doorzocht, maar waar iedereen nu naar verlangde – behalve misschien de media – was iemand achter de tralies, bij voorkeur met wat vergiftigd voer als bewijs.

Wrang genoeg was het werk van de dierenbeul goed voor de bezoekersaantallen, zo had de dierentuindirectie laten doorschemeren. De dader had nog geen navolgers, maar Rebus vroeg zich af hoe lang dat zou duren...

Er werd omgeroepen dat de zeeleeuwen gevoerd gingen worden. Rebus was eerder die dag langs hun bassin gelopen en vond het niet erg groot voor drie zeeleeuwen. Bij het verblijf van de stokstaartjes verdrong zich inmiddels een groep kinderen en de stokstaartjes zelf waren verdwenen. Rebus voelde zich gevleid dat ze hem hun gezelschap wel waardig hadden geacht.

Hij liep een eindje weg maar niet te ver, en begon een van zijn schoenen opnieuw te strikken – zo markeerde hij het verstrijken van elk kwartier. Dierentuinen en dat soort zaken hadden hem nooit erg kunnen boeien. Van de huisdieren die hij als kind had gehad was een flink aantal niet verder gekomen dan de aantekening 'vermist op het slagveld' dan wel 'omgekomen in de strijd'. Zijn schildpad was spoorloos verdwenen, ook al stond de naam van zijn baasje op zijn schild geschilderd; diverse kanariepietjes hadden het stadium van volwassenheid nooit bereikt; en zijn enige goudvis (gewonnen op de kermis in Kirkcaldy) was ten onder gegaan aan een slechte gezondheid. Eenmaal volwassen woonde hij in een appartement en was het nooit in hem opgekomen om een kat of een hond te nemen. Hij had een keer geprobeerd op een paard te rijden, en het enige wat hij daaraan overhield waren schrale dijen en het stellige voornemen om dat edele dier niet dichter meer te naderen dan het bookmakerskantoor.

Maar de stokstaartjes bevielen hem om meerdere redenen: de klank van hun naam, hun koddige manier van doen, hun instinct voor zelfbehoud. De kinderen hingen nu over het muurtje, hun voeten bungelden in het luchtledige. Rebus stelde zich voor dat het andersom was: kooien gevuld met kinderen waar de dieren langsliepen, terwijl de kinderen stoeiden en gilden, verguld met al die aandacht. Maar dieren waren niet zo nieuwsgierig als mensen. Vertoon van behendigheid of tederheid zou hun koud laten, ze zouden niet begrijpen wanneer er een spelletje werd gespeeld of wanneer iemand een knie had geschaafd. Dieren zouden geen dierentuin oprichten, ze zouden er geen behoefte aan hebben. Rebus vroeg zich af waarom mensen dat wel hadden.

De hele dierentuin kwam hem ineens belachelijk voor, een lapje peperdure grond op een toplocatie midden in de stad waar het surrealisme had toegeslagen... En toen zag hij de camera.

Zag hem omdat hij voor het gezicht schoof dat hij had moeten zien. De man stond op een grastalud een meter of zestig verderop en draaide aan een flinke telelens. De mond die onder de camera zichtbaar was, was een dunne streep van concentratie die af en toe trok terwijl wijsvinger en duim het apparaat scherp stelden. Hij droeg een zwart spijkerjack, een gekreukelde katoenen broek en sportschoenen. Hij had een vaalblauwe honkbalpet van zijn hoofd gehaald. Die bungelde aan een vrije vinger terwijl hij foto's nam. Dun bruin haar, voorhoofd gefronst. De herkenning kwam zodra hij de camera liet zakken. Rebus draaide zijn hoofd in de richting van wat de man fotografeerde: kinderen. Kinderen die over de omheining van de stokstaartjes hingen. Het enige wat je zag waren schoenzolen en benen, rokjes van meisjes en hier en daar een streep blote rug waar T-shirt en trui omhoogkropen.

Rebus kende de man. De context maakte herkenning makkelijker. Hij had hem waarschijnlijk al vier jaar niet gezien maar zulke ogen kon hij niet vergeten, de gretigheid die opgloeide boven die rode wangen waarin littekens van acne wit afstaken. Vier jaar geleden was zijn haar langer geweest, hing het in krullen over zijn misvormde oren. Rebus tastte zijn geheugen af naar een naam terwijl hij in zijn binnenzak naar de portofoon greep. De fotograaf zag de beweging en zocht met zijn ogen Rebus' blik, die al ergens anders op gericht was. De herkenning was wederzijds. De zoomlens ging van de camera en werd in een schoudertas gepropt. Kapje op de lens. En daar ging de man, in stevige pas heuvelafwaarts. Rebus rukte zijn portofoon uit zijn zak.

'Hij loopt heuvelafwaarts vanaf waar ik zit, aan de westkant van het Mansion House. Zwart spijkerjack, lichtbruine broek...' Rebus bleef kenmerken opnoemen terwijl hij achter de man aanliep. De fotograaf keek om en begon te hollen, daarbij gehinderd door zijn zware fototas.

De portofoon kwam krakend tot leven, agenten die zijn kant op kwamen. Langs een restaurant en cafetaria, langs stelletjes die hand in hand liepen, kinderen met een ijsje. Pekari's, otters, pelikanen. Steeds heuvelafwaarts, tot Rebus' opluchting, en doordat de man moeilijk liep – één been was iets korter dan het andere – haalde hij hem langzaam in. Het pad werd smaller juist op het punt waar het drukker werd. Rebus begreep eerst niet wat de opstopping veroorzaakte, maar toen hoorde hij een plons, gevolgd door gejuich en applaus.

'Bij de zeeleeuwen!' riep hij.

De man draaide zich half om, zag Rebus in zijn portofoon praten, keek weer voor zich en zag daar een zee van mensen die eventuele aanstormende agenten aan het zicht onttrok. Uit zijn ogen sprak nu geen berekening meer, maar angst. Hij had de zaken niet langer in de hand. Toen Rebus hem bijna bereikt had, duwde hij twee toeschouwers opzij en klom over het lage muurtje. Aan de andere kant van het bassin was een rotsformatie waar de verzorgster over twee zwarte plastic emmers gebogen stond. Rebus zag dat achter de verzorgster nauwelijks mensen stonden te kijken omdat de rotsen daar het zicht op de zeeleeuwen belemmerden. Door de toeschouwers zo te ontlopen kon de man aan de andere kant weer over de muur klimmen en was hij vlak bij de uitgang. Rebus vloekte binnensmonds, zette een voet op de muur en hees zich eroverheen.

De toeschouwers floten en er klonk hier en daar zelfs gejoel, terwijl videocamera's gericht werden op de capriolen van de twee mannen die behoedzaam langs de steile wanden van het bassin klauterden. Rebus keek naar het water, zag een schim langsschieten en hoorde de verzorgster een waarschuwing roepen terwijl een zeeleeuw over de rotsen naar haar toe glibberde. Het glanzende zwarte lijf bleef daar liggen tot ze een vis in zijn bek liet vallen, toen keerde hij zich meteen om en gleed het water in. Het dier zag er niet bijzonder groot of gevaarlijk uit, maar had Rebus' prooi toch van zijn stuk gebracht. De man draaide zich even om, waarop zijn cameratas van zijn schouder gleed. Haalde zijn arm eruit zodat de tas om zijn nek hing. Hij leek van plan om terug te keren, maar toen hij zijn achtervolger in het oog kreeg veranderde hij weer van gedachten. De verzorgster stond ook in een portofoon te praten om de bewaking op te roepen. Maar de bewoners van het bassin werden ongeduldig. Bij Rebus leek het water te deinen en bruisen. Een golf klotste tegen hem op en een enorme inktzwarte gestalte rees op uit de diepte, verduisterde de zon en kletste op de rotsen. De menigte gilde toen het mannetjesbeest, minstens vier- of vijfmaal zo groot als zijn nakomeling, luid snuivend om zich heen keek op zoek naar voedsel. Toen hij zijn bek opende en een woeste jammerkreet uitstiet, slaakte de fotograaf een gil en verloor zijn evenwicht, zodat hij met cameratas en al in het bassin plonsde.

In het water bewogen twee gedaanten – moeder en jong – zich naar hem toe. De verzorgster blies op het fluitje dat om haar hals hing, als een scheidsrechter die tijdens een zondags potje voetbal ineens te maken krijgt met een opstootje. Het mannetjesdier keek nog eenmaal naar Rebus en dook toen weer het water in, waar hij net als het wijfje met zijn neus tegen de nieuwkomer begon te porren.

'Godallemachtig,' riep Rebus, 'gooi dan wat vis in het water.'

De verzorgster hoorde het en schopte een emmer vis in het water, waar de drie zeeleeuwen meteen op afsnelden. Rebus waagde het erop en waadde het water in, sloot zijn ogen en dook, greep de man en sleurde hem naar de rotsen. Een paar toeschouwers kwamen helpen, gevolgd door twee rechercheurs in burger. Rebus' ogen prikten. Er hing een zware lucht van rauwe vis.

'Kom, ik trek je eruit,' zei iemand die een hand uitstak. Rebus liet zich op het droge trekken. Hij rukte de camera van de hals van de drijfnatte fotograaf.

'Hebbes,' zei hij. Toen knielde hij op de rotsen, begon te rillen en kotste in het bassin.

2

De volgende ochtend zat Rebus midden tussen de herinneringen.

Niet van hemzelf, maar van zijn commissaris: diens kleine kamer stond vol fotolijstjes. Alleen waren dat dus herinneringen die een buitenstaander niets zeiden. Rebus had net zo goed in een museumzaal kunnen staan. Kinderen, veel kinderen. De kinderen van de commissaris, met gezichten die steeds ouder werden, en vervolgens die van zijn kleinkinderen. Rebus had het gevoel dat zijn chef de foto's niet zelf had genomen. Het waren geschenken, hij had ze gekregen en had het nodig geacht om ze hier neer te zetten.

De manier waarop ze waren opgesteld sprak boekdelen: ze stonden met de rug naar de commissaris toe zodat iedereen die zijn kamer in kwam de foto's kon zien, maar niet de man die hier elke dag achter het bureau zat. Er stonden er ook op de vensterbank achter het bureau – zelfde effect – en nog meer boven op een archiefkast in de hoek. Rebus ging op de stoel van commissaris Watson zitten om zijn theorie te verifiëren. De kiekjes stonden daar niet voor Watson zelf; ze waren bedoeld voor zijn gasten. En de boodschap die ze uitdroegen was dat Watson een huisvader was, een rechtschapen mens, een man die iets bereikt had in het leven. Ze waren er niet om die saaie bureaukamer op te fleuren, het waren stukken in een tentoonstelling.

Er was onlangs een nieuw exemplaar aan de collectie toegevoegd. Een oude foto, net niet helemaal scherp, alsof de camera bewogen had. Geribbelde witte rand en onder in de hoek de onleesbare handtekening van de fotograaf. Een gezinsportret: vader staand, met zijn hand – als om zijn eigendom te claimen – op de schouder van zijn vrouw, die naast hem zit met een kleuter op schoot. De andere hand van de vader grijpt de schouder van een jongetje met opgeschoren haar en een stuurse blik. Er sprak een zekere spanning uit: vlak voordat de foto werd genomen had de jongen geprobeerd zijn schouder los te wrikken uit de greep van zijn vader. Rebus liep met de foto naar het raam en verwonderde zich over de opgesteven plechtigheid. Hij voelde zichzelf ook opgesteven, in zijn donkere wollen pak, witte overhemd en zwarte das. Zwarte sokken en schoenen, die ochtend nog even gepoetst. De lucht was bewolkt, dreigde met regen. Mooi weer voor een begrafenis.

Commissaris Watson kwam de kamer binnengeslenterd met een luie tred die niet strookte met zijn aard. Achter zijn rug werd hij 'de Boer' genoemd, omdat hij uit het noorden kwam en wel iets weg had van een herkauwer. Hij droeg zijn mooiste uniform, pet in de ene hand, witte A4-envelop in de andere. Hij legde ze beide op zijn bureau terwijl Rebus de foto terugzette, met de voorkant naar de stoel van de Boer gedraaid.

'Bent u dat, commissaris?' vroeg hij, met een tikje op het boos kijkende kind.

'Inderdaad.'

'Dapper om ons een blik op uzelf te gunnen in korte broek.'

Maar de Boer liet zich niet afleiden. Rebus kon drie verklaringen bedenken voor de rode adertjes die hij in Watsons gezicht zag: fysieke inspanning, drank of woede. Geen spoor van kortademigheid, dus de eerste mogelijkheid kon hij al wegstrepen. En áls de Boer whisky dronk, zag je dat niet alleen in zijn wangen: dan kreeg zijn hele gezicht een roze gloed en een ondeugende uitdrukking.

Dan bleef alleen woede over.

'Ter zake,' zei Watson, met een blik op zijn horloge. Ze hadden geen van beiden veel tijd. De Boer opende de envelop en schudde er een pakje foto's uit op het bureau, vouwde het open en gooide de foto's in Rebus' richting.

'Kijk zelf maar.'

Rebus keek. Het waren de foto's uit de camera van Darren Rough. De Boer trok een map uit zijn bureaula. Rebus bleef de foto's bekijken. Dieren in de dierentuin, in kooien en achter omheiningen. En op sommige kiekjes – niet op allemaal, maar op een flink aantal – kinderen. De camera was daarop scherp gesteld, op kinderen die met elkaar stonden te praten of snoep stonden te eten of gekke bekken trokken naar de dieren. Rebus was meteen opgelucht en keek naar de Boer, zoekend naar een bevestiging die hij niet vond.

'Volgens de heer Rough,' zei de Boer, met een blik op een pagina uit de map, 'maken de foto's deel uit van een reeks.'

'Dat geloof ik graag.'

'Over een dagje in de Edinburgh Zoo.'

'Tuurlijk.'

De Boer schraapte zijn keel. 'Hij doet een avondcursus fotografie. Dat heb ik nagetrokken en het klopt. Het klopt ook dat hij een project doet over de dierentuin.'

'En op bijna elke foto staan kinderen.'

'Op minder dan de helft, om precies te zijn.'

Rebus schoof de foto's terug over het bureau. 'Kom nou, commissaris.'

'Darren Rough is alweer bijna een jaar op vrije voeten en er is nog niets wat erop wijst dat hij in zijn oude zonden is vervallen.'

'Ik had gehoord dat hij naar het zuiden was gegaan.'

'En teruggekomen.'

'Hij nam de benen toen hij mij zag.'

De Boer keek hem slechts aan. 'Er is niks van te maken, John,' zei hij.

'U denkt toch zeker niet dat zo'n kerel als Rough naar de dierentuin gaat om naar de bloemetjes en de bijtjes te kijken?'

'Hij had deze opdracht niet eens zelf gekozen. Het was een opdracht van zijn docent.'

'Ja, Rough was liever naar een speeltuin gegaan.' Rebus zuchtte. 'Wat zegt zijn advocaat? Rough was altijd heel handig met advocaten.'

'Meneer Rough wil gewoon met rust gelaten worden.'

'Net zoals hij die kinderen met rust liet?'

De Boer leunde achterover in zijn stoel. 'Zegt de term "boetedoening" je iets, John?'

Rebus schudde zijn hoofd. 'Niet van toepassing.'

'Hoe weet je dat?'

'Ooit een vos zijn streken zien verliezen?'

De Boer keek op zijn horloge. 'Ik weet dat jullie een verleden hebben.'

'Die klacht van hem was niet tegen mij gericht.'

'Nee,' zei de Boer. 'Tegen Jim Margolies.'

Dat lieten ze even in de lucht hangen, allebei in gedachten verzonken.

'We doen dus niks?' vroeg Rebus uiteindelijk. Het woord 'boetedoening' fladderde onder zijn schedeldak. Hij kende het uit de mond van een bevriende priester: verzoening tussen God en mens door het offer van Christus. Heel andere koek dan Darren Rough. Rebus vroeg zich af waarvoor Jim Margolies boete had gedaan toen hij van de Salisbury Crags sprong...

'Hij begint met een schone lei.' De Boer stak zijn hand in de onderste la van zijn bureau en haalde er een fles en twee glazen uit. Maltwhisky. 'Ik weet niet hoe het met jou zit,' zei hij, 'maar voor een begrafenis heb ik altijd een borrel nodig.'

Rebus knikte en keek hoe hij inschonk. Het geluid van een klaterende bergstroom. *Usquebaugh* in Gaelic. *Uisge*: water; *beatha*: leven. Levenswater. *Beatha* klonk ook als *birth*: geboorte. Elke slok was een geboorte voor Rebus' hersenen. Maar zoals zijn dokter zei, was elke slok ook een stukje dood. Hij hield het glas onder zijn neus en knikte goedkeurend.

'Weer een goeie vent minder,' zei de Boer.

En ineens dwarrelden de geesten van overledenen door de kamer, aan de randen van Rebus' blikveld, met Jack Morton voorop. Jack, zijn oude collega, drie maanden dood nu. The Byrds: 'He Was A Friend of Mine'. Een vriend die maar niet rustig in het graf wilde blijven. De Boer volgde Rebus' blik maar zag niets. Leegde zijn glas en borg de fles weer op.

'Minder, maar vaker,' zei hij. En alsof de whisky een deal tussen hen had beklonken: 'Er zijn betere methoden, John.'

'Waarvoor, commissaris?' De geest van Jack was weer opgelost in de vensterbank.

'Om het te verwerken.' De whisky begon zijn werk al te doen in het gezicht van de Boer, het kreeg een spitse uitdrukking. 'Wat er met Jim Margolies is gebeurd... nou ja, veel collega's gaan daardoor nadenken over de stress van het werk.' Hij zweeg even. 'Te veel fouten, John.'

'Ik heb gewoon een dip, meer niet.'

'Elke dip heeft zijn redenen.'

'Zoals?'

De Boer gaf geen antwoord op die vraag, wetend dat Rebus bij zichzelf de antwoorden al opsomde: de dood van Jack Morton; Sammy in een rolstoel.

En whisky was een therapie die hij zich kon veroorloven, althans in financieel opzicht.

'Ik red me wel,' zei hij uiteindelijk, op een toon waarmee hij zichzelf niet eens kon overtuigen.

'In je eentje?'

'Zo hoort het toch?'

De Boer haalde zijn schouders op. 'En ondertussen mogen wij leven met je fouten?'

Fouten: de mannen afsturen op Darren Rough, niet de man waar ze achteraan zaten. Zodat de gifmenger vrij spel had bij de stokstaartjes – waar hij een appel over de muur had gegooid. Gelukkig was er een verzorger langsgelopen die hem had opgeraapt voordat de dieren eraan hadden gezeten. Hij was gewaarschuwd en had de appel ingeleverd voor nader onderzoek.

Bleek er rattenvergif in te zitten.

Fout van Rebus.

'Kom,' zei de Boer, na een laatste blik op zijn horloge. 'Tijd om te gaan.'

Zodat Rebus zijn verhaal weer niet had kunnen doen, over dat hij de zin van zijn werk niet meer inzag, dat hij al zijn optimisme over de rol – over het hele bestáán – van de politie had verloren. Over de angst die zulke gedachten hem aanjoegen, de slapeloze nachten en de nachtmerries die ze hem bezorgden. Over de geesten die hem achtervolgden, zelfs overdag.

Over het feit dat hij geen politieman meer wilde zijn.

Jim Margolies had alles mee gehad.

Tien jaar jonger dan Rebus, maar getipt voor een snelle promotie. Nog even wachten tot hij een paar laatste proeven had doorstaan en dan zou hij de rang van inspecteur definitief kunnen afschudden. Intelligent, vlot, een gewiekst strateeg met gevoel voor bureaupolitiek. Knappe man ook, die in conditie bleef door rugby te spelen voor zijn oude school, Boroughmuir. Hij was van goede komaf en had contacten in het Edinburghse establishment. Charmante, stijlvolle vrouw, beeldschone jonge dochter. Populair bij zijn collega's, en een jaloersmakend aantal opgeloste zaken. Het gezin leefde in alle rust in The Grange, ging daar ter kerke, leek in alle opzichten een modelgezin.

De Boer raakte er niet over uitgepraat, al was zijn stem nauwelijks hoorbaar. Hij was begonnen tijdens de rit naar de kerk, bleef doorpraten tijdens de dienst en sloot nu af met een grafrede.

'Hij had alles mee, John. En dan doet hij zoiets. Hoe komt een man... Ik bedoel, wat gaat er door zijn hoofd? Zelfs oudere collega's keken tegen hem op – van die cynische ouwe zakken die tegen hun pensioen aan zitten, bedoel ik. Die lui die alles al hebben gezien, maar zo iemand als Jim Margolies hadden ze nog nooit gezien.'

Rebus en de Boer – de afvaardiging van hun bureau – stonden achteraan. Een grote opkomst. Veel hoge politiefunctionarissen, rugbyspelers, kerkgenoten en buren. Plus de familie. Bij het open graf stond de weduwe, in het zwart, ze slaagde erin een kalme indruk te maken. Ze had haar dochter opgetild. Die droeg een wit kanten jurkje, had een dikke bos lang blond krulhaar en wuifde met een blozend gezicht naar de kist in het graf. Met haar blonde krullen en die witte jurk leek ze net een engel. Misschien was dat de bedoeling. Ze sprong in ieder geval in het oog.

Margolies' ouders waren er ook. De vader zag eruit als een oud-militair, stijf rechtop als een staande klok, maar zijn bevende handen omklemden de zilveren knop van een wandelstok. De moeder droeg een sluier die aan haar betraande gezicht kleefde. Ze had haar beide kinderen nu verloren. Volgens de Boer had Jims zus ook zelfmoord gepleegd, jaren geleden. Psychiatrisch verleden, en toen haar polsen doorgesneden. Rebus keek nog eens naar de ouders, die nu beide kinderen hadden overleefd. Moest meteen denken aan zijn eigen dochter, vroeg zich af hoe beschadigd zij was, wat voor onzichtbare littekens ze had.

Andere leden van de familie bleven dicht bij de ouders, om troost te zoeken of te bieden – dat kon Rebus niet goed bepalen.

'Hechte familie,' fluisterde de Boer. Rebus meende bijna iets van afgunst te bespeuren. 'Hannah heeft schoonheidswedstrijden gewonnen.'

Hannah was de dochter. Ze was acht, kreeg Rebus te horen. De blauwe ogen van haar vader, en een prachtige huid. De weduwe heette Katherine.

'Goeie god, doodzonde.'

Rebus dacht aan de foto's van de Boer, aan hoe de paden van mensen elkaar kruisten en met elkaar verweven raakten, een patroon vormden waar anderen in betrokken werden, kleuren die in elkaar overvloeiden of juist schril contrasteerden. Je maakte vrienden, trouwde en werd deel van een nieuwe familie, kreeg kinderen die weer speelden met de kinderen van andere ouders. Je ging naar je werk, leerde collega's kennen waarmee je bevriend raakte. Beetje bij beetje werd je identiteit daarmee opgevuld, je was geen alleenstaand individu meer maar kwam er op een of andere manier toch sterker uit naar voren.

Alleen ging het niet altijd zo. Er konden zich problemen voordoen: op het werk misschien, of het groeiende besef dat je lang geleden een verkeerde beslissing had genomen. Rebus had het in zijn eigen leven gezien, hij had gekozen voor zijn werk ten koste van zijn huwelijk, had zijn vrouw van zich vervreemd. Zij was vertrokken, met zijn dochter. Nu had hij het gevoel dat hij het juiste besluit had genomen om de verkeerde redenen, dat hij meteen in het begin zijn tekortkomingen had moeten opbiechten. Zijn werk had hem alleen maar een excuus gegeven om zich te drukken.

Hij dacht aan Jim Margolies, die in het donker zijn dood tegemoet was gesprongen. Hij vroeg zich af wat de man tot die radicale laatste beslissing had gedreven. Niemand leek een flauw idee te hebben. Rebus had in de loop der jaren al heel wat gevallen van zelfmoord gezien, van mislukte pogingen tot hulp bij zelfdoding, en alles daartussenin. Maar altijd was er een of andere verklaring geweest, een duidelijk breekpunt in iemands leven, een diepgeworteld gevoel van gemis, van falen of angst voor naderend onheil. Leaf Hound: 'Drowned My Life in Fear'.

Maar nam je dan Jim Margolies... het klopte niet. Het was onverklaarbaar. Zijn weduwe, ouders, collega's... niemand had ook maar een begin van een verklaring te bieden. Hij was zo gezond als een vis. Op het werk liep alles gesmeerd en thuis al evenzeer. Hij hield van zijn vrouw, van zijn dochter. Geen geldzorgen.

Maar blijkbaar wel andere zorgen.

Goeie god, doodzonde.

En zo harteloos ook: iedereen achterlaten, niet alleen met het verdriet, maar met al die vragen, de twijfel of het misschien hun schuld was.

Een eind maken aan je leven, terwijl het leven zoiets kostbaars was.

Rebus keek naar de bomen en zag Jack Morton staan, op het oog zo jong als toen ze elkaar hadden leren kennen.

Er werd aarde op de kist gegooid, het gebons klonk haast als een laatste poging hem wakker te maken. De Boer liep weg, handen op de rug.

'Ik zal het nooit begrijpen,' zei hij. 'Mijn leven lang niet.'

'Je weet nooit,' zei Rebus.

3

Hij stond boven op de Salisbury Crags. De wind was stevig, hij sloeg zijn kraag op. Hij was naar huis gegaan om zijn begrafenispak te verwisselen voor andere kleren en moest eigenlijk terug naar het bureau – hij kon St. Leonard van hieraf zien – maar iets had hem hierheen gedreven.

Achter hem, een eind hoger, hadden een paar doorzetters de top van Arthur's Seat bereikt. Hun beloning: schitterend uitzicht, plus oren die nog uren zouden tintelen. Door zijn hoogtevrees durfde Rebus niet te dicht bij de rand te komen. Het was een wonderlijk landschap. Alsof God met zijn vlakke hand een deel van Holyrood Park had platgeslagen maar deze steile rotswand had laten staan, als herinnering aan de oorsprong van de stad.

Hier was Jim Margolies gesprongen. Of meegesleurd door een plotselinge windvlaag: dat was het minder plausibele, maar beter verteerbare alternatief. Zijn weduwe had verklaard dat ze dacht dat hij hier had gelopen, 'gewoon een wandeling', en zich in het donker had verstapt. Maar dat riep vragen op. Waarom was hij midden in de nacht opgestaan? Als hij zorgen had, waarom overdacht hij die dan boven op de Salisbury Crags, kilometers ver van huis? Hij woonde in The Grange, in het oude huis van de ouders van zijn vrouw. Het regende die nacht, maar hij was niet met de auto gegaan. Zou een wanhopig man niet merken dat hij kletsnat werd?

Beneden zag Rebus de plek waar de oude brouwerij had gestaan, waar het nieuwe Schotse parlement zou worden gebouwd. Het eerste in driehonderd jaar, pal naast een pretpark. Vlakbij was de wijk Greenfield, een dichtbebouwd doolhof van hoogbouw en verzorgingsflats. Hij vroeg zich af waarom de Crags zoveel indrukwekkender waren dan de met veel menselijk vernuft gemaakte torenflats, en trok toen een opgevouwen vel papier uit zijn zak. Controleerde het adres, keek weer naar Greenfield en wist dat hij nog één bezoekje moest afleggen voor hij naar het bureau ging.

De torenflats in Greenfield waren blokkendozen uit de jaren zestig en vertoonden sporen van hun leeftijd. Donkere vlekken op de verkleurde pleisterlaag. Regenpijpen waarlangs water op gebarsten straattegels druppelde. Verrotte raamkozijnen waar de houtschilfers vanaf kruimelden. Een woning op de begane grond met dichtgespijkerde ramen; de voormalige bewoner werd met grote verfletters aangeduid als 'vuile junk'.

Geen planoloog van de gemeente had hier ooit zelf gewoond. Geen directeur van Huisvesting of stadsarchitect. Het enige wat de gemeente had gedaan was probleemhuurders hierheen verkassen en tegen iedereen zeggen dat er centrale verwarming aan zat te komen. De wijk was gebouwd op het laagste punt van een kom in het terrein, zodat de Salisbury Crags er dreigend boven uittorenden. Rebus keek nog eens naar het adres op het papier. Hij was al vaker in Greenfield geweest. Het was lang niet de ergste wijk van de stad, maar er waren problemen. Het was vroeg in de middag en stil op straat. Iemand had een fiets zonder voorwiel midden op de weg laten liggen. Verderop stonden twee winkelwagentjes neus aan neus, alsof ze met elkaar stonden te roddelen. En midden tussen de zes torenflats van elf verdiepingen stonden vier rijtjes eengezinshuizen, compleet met een zakdoekje van een voortuin en een kniehoge houten omheining. Voor de meeste ramen hing vitrage en boven iedere deur zat een inbraakalarm.

Op het asfalt tussen de torenflats was een speelplaats aangelegd. Daar werd een jongen door een andere voortgetrokken op een slee. Hij schraapte over de grond, de sneeuw dachten ze er blijkbaar bij.

'Cragside Court?' riep Rebus, en de jongen op de slee zwaaide in de richting van een van de flats. Toen Rebus dichterbij kwam, zag hij graffiti op een bord met de naam van de flat. In plaats van 'Cragside' stond er nu 'Crap-site', strontbuurt. Op de tweede verdieping zwaaide een raam open.

'Doe geen moeite,' schalde een vrouwenstem naar buiten. 'Hij is er niet.'

Rebus deed een stap achteruit en keek omhoog.

'Voor wie kom ik dan?'

'Wou je slim zijn?'

'Nee, maar ik wist niet dat hier een helderziende woonde. Kom ik voor je man of voor je vriend?'

De vrouw staarde hem aan en realiseerde zich dat ze voor haar beurt had gesproken. Ze zei: 'Laat maar zitten,' trok haar hoofd terug en sloot het raam.

Er was een intercom maar daar stonden alleen huisnummers bij, geen namen. Hij trok aan de voordeur; die zat niet op slot. Hij wachtte op de lift, die hem hortend en stotend naar de vijfde verdieping bracht. Over een winderige galerij passeerde hij zes voordeuren tot hij voor Cragside Court 5/14 stond. Er was een raam, maar daar hing iets voor wat op een gerafeld blauw laken leek. De deur was flink gehavend: mislukte inbraakpogingen misschien, of mensen die ertegen hadden getrapt omdat er geen bel of klopper was. Geen naambordje, maar dat gaf niet. Rebus wist wie hier woonde.

Darren Rough.

Het adres was nieuw voor Rebus. Toen hij vier jaar geleden aan de zaak-Rough had gewerkt, woonde Rough in een flat in Buccleuch Street. Nu was hij dus terug in Edinburgh, en Rebus wilde hem laten weten hoe welkom hij was. Bovendien had hij een paar vragen voor Darren Rough, vragen over Jim Margolies...

Alleen kreeg hij het gevoel dat er niemand in de woning was. Hij klopte eenmaal halfslachtig op de deur en op het raam. Toen dat geen reactie opleverde, bukte hij om door de brievenbus te turen, maar die bleek vanbinnen te zijn dichtgetimmerd. Of Rough wilde geen pottenkijkers, of hij had ongewenste post gekregen. Hij kwam overeind, draaide zich om en legde zijn armen op de reling van de galerij. Daar keek hij recht op de speelplaats uit. Kinderen: in een wijk als Greenfield stikte het van de kinderen. Hij draaide zich weer naar Roughs woning. Geen graffiti op deur of muren, niets om de buurman te laten weten dat hij een 'vuile pedo' was. Beneden was de slee te snel door de bocht gegaan en was de berijder eraf gevallen. Op een lagere verdieping ging met veel gekraak een raam open.

'Dat heb ik wel gezien, Billy Horman! Dat deed je expres!' Dezelfde vrouw, haar woorden gericht aan de jongen die de slee trok.

'Nietes!' gilde die terug.

'Je deed het verdomme expres! Ik maak je af.' En op heel andere toon: 'Gaat het, Jamie? Ik heb toch gezegd dat je niet met die kleine schooier moet spelen? Kom naar binnen!'

De gevallen jongen wreef met een hand onder zijn neus – de openlijkste vorm van protest die hij aandurfde – en liep terug naar de flat, terwijl hij nog een blik achterom wierp naar zijn vriend. Het oogcontact duurde maar een seconde of twee, maar het was genoeg om duidelijk te maken dat ze nog steeds vrienden waren, dat de volwassenen daar niet tussen konden komen.

Rebus keek hoe de trekker van de slee, Billy Horman, wegsjokte, en nam toen de trap naar de tweede verdieping. De flat van de vrouw was makkelijk te vinden. Hij hoorde haar al brullen van dertig meter afstand. Hij vroeg zich af of dit een van de probleemgezinnen was; had zo'n flauw vermoeden dat de buren niet snel bij de vrouw zelf kwamen klagen...

De deur was ongeschonden, onlangs donkerblauw geverfd, en er zat een spionnetje in. Vitrage voor het raam. Die bewoog toen de vrouw keek wie er had aangebeld. Zodra ze de deur opende, schoot haar zoon naar buiten en snelde de galerij over.

'Even naar de winkel, ma!'

'Kom hier, jij!'

Maar hij deed alsof hij het niet hoorde en verdween om de hoek.

'Ik draai hem nog eens zijn nek om,' zei ze.

'Maar eigenlijk bent u dol op hem.'

Ze keek hem strak aan. 'Heb ik wat met jou te maken?'

'U heeft mijn vraag niet beantwoord: man of vriend?'

Ze legde haar armen over elkaar. 'Oudste zoon, als u het zo nodig moet weten.'

'En u dacht dat ik voor hem kwam?'

'U bent toch van de politie?' Ze snoof schamper toen hij geen antwoord gaf.

'Moet ik hem dan kennen?'

'Calumn Brady,' zei ze.

'Bent u de moeder van Cal?' Rebus knikte langzaam. Cal Brady kende hij van horen zeggen: hopeloos geval. Over Cals moeder had hij ook het een en ander gehoord.

Ze mat dik een meter zeventig in haar schapenvachtpantoffels. Zwaar gebouwd, dikke armen en polsen en een gezicht dat al lang geleden had geleerd dat make-up geen verbetering zou brengen. Haar haar, dik en platinablond, bruin bij de wortels, hing langs weerszijden van haar gezicht omlaag. Ze droeg een glanzend trainingspak, blauw met een zilvergrijze streep op de armen en benen.

'U komt dus niet voor Cal?' zei ze.

Rebus schudde zijn hoofd. 'Tenzij u denkt dat hij iets uitgevreten heeft.'

'Wat komt u dan doen?'

'Nooit te maken gehad met een van uw buren, jonge knul, ene Darren Rough?'

'Waar woont die?' Rebus gaf geen antwoord. 'Het is een komen en gaan hier. Het maatschappelijk werk stopt ze hierin, soms blijven ze een paar weken. Joost mag weten waar ze dan naartoe gaan. Ze knijpen ertussenuit of krijgen weer wat anders.' Ze haalde haar neus op. 'Hoe ziet ie eruit?'

'Doet er niet toe,' zei Rebus. Jamie was weer op de speelplaats, zijn vriend was nergens te bekennen. Hij rende rondjes met de slee achter zich aan. Rebus kreeg de indruk dat hij zo de hele dag kon doorgaan.

'Moet Jamie niet naar school vandaag?' vroeg hij terwijl hij zich omdraaide in de richting van de deur.

'Gaat je geen donder aan,' zei mevrouw Brady, en gooide de deur voor zijn neus dicht.

4

Op het bureau tikte Rebus de naam Calumn Brady in op de computer. Zeventien jaar, maar nu al een indrukwekkend strafblad: geweldpleging, winkeldiefstal, dronkenschap en huisvredebreuk. Nog geen teken dat Jamie zijn voorbeeld volgde, maar de moeder, Vanessa Brady, kortweg Van, was wel met de politie in aanraking gekomen. Ruzies met buren waren uitgemond in geweld, en ze was betrapt op het verschaffen van een vals alibi voor Cal bij een van de aanklachten wegens geweldpleging. In het hele stuk kwam geen echtgenoot voor. Terwijl hij 'We Are Family' floot, kuierde Rebus naar de wachtbrigadier om te vragen wie de wijkagent voor Greenfield was.

'Tom Jackson,' kreeg hij te horen. 'En ik weet waar die is, want ik heb hem zojuist nog gezien.'

Tom Jackson stond op de parkeerplaats achter het bureau de laatste trekjes van een sigaret te nemen. Rebus ging bij hem staan, stak er zelf een op en bood hem er nog een aan. Jackson schudde zijn hoofd.

'Ik moet een beetje minderen, inspecteur,' zei hij.

Jackson was een man van halverwege de veertig, brede tors en zilvergrijs haar met bijpassende snor. Donkere ogen, zodat hij altijd een sceptische blik had. Dat beschouwde hij als een groot pluspunt, want als hij verdachten alleen maar zwijgend aankeek, vertelden ze op den duur vanzelf meer dan ze wilden, louter om van die blik af te komen.

'Ik hoor dat jij nog steeds in Greenfield werkt, Tom.'

'Helaas wel.' Jackson tipte de as van zijn sigaret en veegde een paar deeltjes van zijn uniform. 'Ik had in januari eigenlijk overgeplaatst moeten worden.'

'Wat is er misgegaan?'

'Ze hadden een kerstman nodig voor hun kerstmiddag. Iets van de kerk, organiseren ze elk jaar. Voor achtergestelde kinderen. Dus vroegen ze Lamme Goedzak hier.'

'En?'

'En ik zei ja. En die kinderen... de arme drommels. Ik ging er bijna van janken.' Hij zweeg even bij de herinnering. 'Een paar buurtbewoners kwamen na afloop naar me toe, begonnen me dingen toe te fluisteren.' Hij glimlachte. 'Het was net een biechtstoel. Ze wilden me graag bedanken, en het enige wat ze konden bedenken was mij een paar tips geven.'

Rebus glimlachte. 'Hun buren verlinken.'

'Waardoor mijn aantal opgeloste zaken ineens flink steeg. De ellende is alleen dat ze hebben besloten me daar te laten zitten, nu ik ineens zo'n kei ben geworden.'

'Slachtoffer van je eigen succes.' Rebus nam een haal van zijn sigaret en hield de rook binnen terwijl hij het gloeiende puntje inspecteerde. Toen blies hij uit en schudde zijn hoofd. 'Jezus, wat kan ik genieten van een sigaret.'

'Ik niet. Zit ik een knul te ondervragen en hem te waarschuwen voor drugs, en ondertussen snak ik de hele tijd naar een peuk.' Hij schudde zijn hoofd. 'Ik wou dat ik kon stoppen.'

'Heb je die pleisters al eens geprobeerd?'

'Hielp niet, ze vielen steeds van mijn ogen.'

Ze lachten.

'U zegt het wel als u zover bent, hè?' zei Jackson.

'Wat? Als ik stop met roken?'

'Nee, waarom u me wilt spreken.'

'Druipt het er zo vanaf?'

'Misschien is het mijn vlijmscherpe intuïtie.'

Rebus tikte op zijn sigaret en de as woei weg. 'Ik was daarnet in Greenfield. Ken je een zekere Darren Rough?'

'Nooit van gehoord.'

'Ik heb een akkefietje met hem gehad in de dierentuin.'

Jackson knikte en trapte zijn sigaret uit. 'Heb ik gehoord. Pedofiel, hè?'

'En hij woont in Cragside Court.'

Jackson staarde hem aan. 'Dat wist ik niet.'

'De buren blijkbaar ook niet.'

'Anders zouden ze hem vermoorden.'

'Misschien kan iemand eens met ze gaan praten...'

Jackson fronste. 'Jezus, dat lijkt me geen goed idee. Ze knopen hem op.'

'Beetje overdreven, Tom. Misschien dat ze hem de stad uit jagen.'

Jackson rechtte zijn rug. 'En daar bent u op uit?'

'Wil jij graag een pedofiel in je wijk?'

Jackson dacht na. Hij haalde zijn pakje sigaretten weer tevoorschijn en zat er al in te voelen toen hij op zijn horloge keek: rookpauze voorbij.

'Moet ik even over denken.'

'Snap ik.' Rebus mikte zijn eigen sigaret op de grond. 'Ik kwam een van Roughs buren tegen. Van Brady.'

Jackson grimaste. 'Geen katje om zonder handschoenen aan te pakken.'

'Mét handschoenen wel dan?'

'Bokshandschoenen.'

Terug achter zijn bureau belde Rebus naar de gemeente, waar hij uiteindelijk werd doorverbonden met Darren Roughs maatschappelijk werker, een zekere Andy Davies.

'Vond u dat nou een slimme zet?' vroeg Rebus.

'Wilt u misschien even uitleggen waar u het over heeft?'

'Veroordeeld pedofiel, sociale huurwoning in Greenfield, mooi uitzicht op de speelplaats.'

'Wat heeft hij gedaan?' De man klonk ineens vermoeid.

'Niks waar ik hem op kan pakken.' Rebus zweeg even. 'Nog niet. Ik bel nu er nog tijd is.'

'Waarvoor?'

'Om hem te verkassen.'

'Waarheen?'

'Genoeg onbewoonde eilandjes voor de kust.'

'Of een kooi in de dierentuin misschien?'

Rebus leunde achterover in zijn stoel. 'Hij heeft het u verteld.'

'Natuurlijk heeft hij het verteld. Ik ben zijn maatschappelijk werker.'

'Hij was kinderen aan het fotograferen.'

'Dat is allemaal al uitgelegd aan commissaris Watson.'

Rebus keek de recherchekamer rond. 'Niet naar mijn tevredenheid, meneer Davies.'

'Dan stel ik voor dat u dat aankaart bij uw superieur, inspecteur.' Hij deed geen moeite om zijn irritatie te verbergen.

'Dus u gaat niets ondernemen?'

'Jullie waren zelf degenen die hem hier wilden hebben.'

Stilte, en toen Rebus: 'Wat zei u daar?'

'Ik heb verder niets te zeggen. Bespreek het maar met uw commissaris, oké?'

De verbinding werd verbroken. Rebus draaide Watsons nummer, maar zijn secretaresse zei dat hij er niet was. Hij kauwde op zijn pen en wenste dat plastic nicotine bevatte.

Jullie waren zelf degenen die hem hier wilden hebben.

Agent Siobhan Clarke zat aan haar bureau te bellen. Op de muur achter haar zag hij een prentbriefkaart van een zeeleeuw hangen. Hij liep erheen en zag dat iemand een tekstballon bij de zeeleeuw had getekend met daarin de tekst: 'Doe mij maar een Rebus als lunch.'

'Ha ha,' zei hij, en trok de kaart van de muur. Clarke legde de hoorn op de haak.

'Moet je niet naar mij kijken,' zei ze.

Hij keek de kamer rond. Agent Grant Hood zat een tabloid te lezen, brigadier George Silvers tuurde ingespannen naar zijn computerscherm. Toen kwam inspecteur Bill Pryde de kamer in en Rebus wist dat hij zijn dader had. Blonde krullen, rossige snor: het gezicht van iemand die graag streken uithaalt. Rebus zwaaide met de kaart naar hem en zag een uitdrukking van gekwetste onschuld over het gezicht glijden. Terwijl hij op hem af liep, ging er een telefoon.

'Dat is die van jou,' zei Pryde, terugdeinzend. Onderweg naar zijn bureau gooide Rebus de kaart in een prullenbak.

'Inspecteur Rebus,' zei hij.

'O, hallo. Met Mee.'

'Met wie?'

Een kort lachje. 'Ja, dat grapje maakten we op school ook altijd.'

Rebus was inmiddels immuun voor alle soorten gekken en leunde tegen zijn bureau. 'Hoe dat zo?' vroeg hij, benieuwd welke grap hem te wachten stond.

'Omdat ik zo heet: Mee.' De beller spelde het. 'Brian Mee.'

In Rebus' hoofd begon zich een wazige foto te ontwikkelen: mond vol grote tanden, sproeten, bloempotkapsel.

'Barney Mee?' zei hij.

Weer gelach aan de andere kant. 'Nooit gesnapt waarom iedereen me zo noemde.'

Dat had Rebus hem kunnen vertellen: naar Barney Rubble van *The Flintstones*. Hij had erbij kunnen zeggen: omdat je zo'n achterlijk opdondertje was. Maar hij vroeg alleen wat hij voor Mee kon doen.

'Nou, Janice en ik dachten... of eigenlijk kwam het idee van mijn moeder. Zij heeft je vader nog gekend. Allebei mijn ouders hebben hem gekend, maar ja, mijn vader is al overleden. Ze kwamen alle vier vaak voor een borrel in de Goth.'

'Woon je nog steeds in Bowhill?'

'Nooit uit weggekomen. Maar ik werk in Glenrothes.'

De foto was scherper geworden: aardige voetballer, type pitbull, roodbruin haar. Liet zijn tas over de grond slepen tot hij uitscheurde. Liep altijd te slobberen op een grote toverbal of zoiets, altijd een loopneus.

'Wat kan ik voor je doen, Brian?'

'Het was m'n moeders idee. Ze herinnerde zich dat jij in Edinburgh bij de politie werkt en dacht dat je misschien kunt helpen.'

'Waarmee?'

'Onze zoon. Van mij en Janice. Damon heet ie.'

'Wat heeft die gedaan?'

'Hij is verdwenen.'

'Weggelopen?'

'Meer in rook opgegaan. Hij was met vrienden in een danstent –'

'Heb je de politie gebeld?' Rebus vulde zichzelf aan: 'Het bureau in Fife bedoel ik.'

'Maar die danstent is nou juist in Edinburgh. De politie hier zegt dat ze het hebben onderzocht, navraag hebben gedaan. Damon is namelijk negentien. Ze zeggen dat hij het recht heeft ertussenuit te knijpen als ie daar zin in heeft.'

'Daar zit wat in. Er verdwijnen voortdurend mensen. Misschien problemen met een meisje.'

'Hij was verloofd.'

'Misschien zat ie in de rats.'

'Helen is een schat. Ze hadden nooit ruzie.'

'Heeft ie een briefje achtergelaten?'

'Dat heb ik de politie allemaal al moeten vertellen. Geen briefje, en ook geen kleren meegenomen of niks.'

'Denk je dat hem iets is overkomen?'

'We willen gewoon weten of het wel goed met hem gaat...' Zijn stem stierf weg. 'Mijn moeder geeft altijd hoog op van je vader. Hij was geliefd bij de mensen hier in het dorp.'

En hij is er begraven, dacht Rebus. Hij pakte zijn pen. 'Zeg maar wat ik moet weten, dan zal ik zien wat ik kan doen.'

Even later liep Rebus naar het bureau van Grant Hood en viste diens krant uit de prullenbak. Hij bladerde erdoor tot hij de opiniepagina vond. Onderaan stond vet gedrukt: 'Heeft u een verhaal voor ons? Bel onze redactie, dag en nacht.' Met het telefoonnummer. Rebus schreef het in zijn notitieboekje.

5

De geluidloze dans werd hervat. Schuifelende stelletjes kronkelden tegen elkaar, gooiden het hoofd achterover of haalden handen door hun haar, de ogen op zoek naar een nieuwe partner om te versieren of een oude geliefde om jaloers te maken. Het beeldscherm verleende het hele tafereel een vettige glans.

Geen geluid, alleen beeld, dat steeds schakelde tussen de dansvloer, de hoofdbar, de tweede bar en de gang bij het toilet. Dan de entree en de buitenkant, voor en achter. De achteruitgang kwam uit op een steegje vol plassen water, vuilnisbakken en de Mercedes van de clubeigenaar. De club heette Gaitano's, niemand wist waarom. Klanten noemden hem meestal Guiser's en zo kende Rebus hem ook.

De club lag aan Rose Street en de drukte begon elke avond rond halfelf. De vorige zomer was in het steegje aan de achterkant iemand neergestoken, waarna de eigenaar had geklaagd over de bloedvlekken op zijn Mercedes.

Rebus zat op een kleine ongemakkelijke stoel in een slecht verlicht kamertje. Op de andere stoel zat agent Phyllida Hawes, haar hand op de afstandsbediening van de video.

'Daar gaan we weer,' zei ze. Rebus leunde iets naar voren. Het beeld schakelde van het steegje over naar de dansvloer. 'Komt ie aan...' Weer een beeldwissel: hoofdbar, met een lange rij wachtenden. Ze zette het beeld stil. Het was eerder sepia dan zwart-wit, de kleur van oude foto's. Door het kunstlicht, had ze al uitgelegd. Ze liet de video beeldje voor beeldje verspringen terwijl Rebus zich naar het scherm boog; hij kwam van zijn stoel tot hij met één knie op de grond zat. Zijn vinger lag op een gezicht.

'Dat is hem,' beaamde ze.

Op de tafel lag een dunne map. Rebus had er een foto uit gehaald die hij nu naast het scherm hield.

'Oké,' zei hij. 'Speel maar af op halve snelheid.'

Er volgden nog tien seconden beeld van de bar, toen werd er overgeschakeld naar de andere bar en de volgende punten in de beeldcarrousel. Toen ze weer bij de hoofdbar kwamen, leek de rij wachtenden niets te zijn opgeschoten. Ze zette het beeld weer stil.

'Hij staat er niet meer bij,' zei Rebus.

'Niet omdat hij zijn drank heeft gekregen. De twee voor hem staan nog steeds te wachten.'

Rebus knikte. 'Hij zou daar moeten staan.' Hij legde zijn vinger weer op het scherm.

'Naast die blondine,' zei Hawes.

Ja, die blondine: platinablond haar, donkere ogen en lippen. Iedereen om haar heen probeerde de aandacht van het barpersoneel te trekken, maar zij keek opzij. Ze droeg een mouwloze jurk.

Twintig seconden beeldmateriaal van de entree toonden een gestage stroom mensen die de club binnenkwamen, maar niemand die vertrok.

'Ik heb de hele band bekeken,' zei Hawes. 'Geloof me, hij staat er niet op.'

'Wat is er dan met hem gebeurd?'

'Simpel. Hij is wel vertrokken, maar buiten beeld.'

'En laat zijn maten uitgedroogd achter?'

Rebus keek nog eens naar de map. Damon Mee was gaan stappen met twee vrienden, een avondje uit in de grote stad. Het was zijn beurt geweest voor een rondje – twee bier en een cola, want een van hen was de bob. Ze hadden een tijdje staan wachten en waren hem toen gaan zoeken. Eerste reactie: hij had een chick gescoord en was er zonder iets te zeggen tussenuit geknepen. Misschien was het een oud wijf, niets om over op te scheppen. Maar toen was hij thuis ook niet komen opdagen, en zijn ouders begonnen vragen te stellen – vragen waar niemand een antwoord op had.

De simpele waarheid: Damon Mee was, zoals de tijdsaanduiding op de videobeelden aantoonde, afgelopen vrijdag tussen 23:44 en 23:45 van de aardbodem verdwenen.

Hawes zette het apparaat uit. Ze was lang en mager en verstond haar werk; was niet blij dat Rebus met zijn vraag op bureau Gayfield was verschenen; geërgerd over de implicatie dat ze haar werk niet goed had gedaan.

'Geen enkele aanwijzing voor een misdrijf,' zei ze afwerend. 'Elk jaar verdwijnen er een kwart miljoen mensen, de meesten duiken uiteindelijk wel weer op.'

'Rustig maar,' zei Rebus sussend. 'Ik doe dit voor een oude vriend, meer niet. Hij wil graag weten of we al het mogelijke hebben gedaan.'

'Wat valt er te doen?'

Goeie vraag, een die Rebus nu niet kon beantwoorden. In plaats daarvan veegde hij het stof van zijn knieën en vroeg of hij nog één keer naar de band mocht kijken.

'En nog iets,' zei hij. 'Kunnen we ook een printje krijgen?'

'Een printje?'

'Een foto van de menigte bij de bar.'

'Dat weet ik niet. Maar daar hebben we toch niet veel aan? We hebben betere foto's van Damon.'

'Het gaat me niet om hem,' zei Rebus, terwijl de band weer begon te lopen. 'Maar om die blondine die hem ziet vertrekken.'

Die avond reed hij de stad uit, betaalde de tol bij de Forth Road Bridge en reed Fife in. Fife noemde zichzelf graag 'het Koninkrijk' en sommige Schotten beschouwden het ook echt als een ander land, een streek met een eigen taal en cultuur. Voor zo'n klein gebied leek het eindeloos complex, dat had Rebus al gevonden toen hij er opgroeide. Buitenstaanders dachten aan mooie kusten en het schilderachtige St. Andrews, of alleen maar aan een stuk snelweg tussen Edinburgh en Dundee. Maar het middenwesten van Fife dat Rebus uit zijn jeugd kende was een heel ander landschap, gedomineerd door kolenmijnen, linoleumfabrieken, werven en chemische bedrijven, gevormd door primaire behoeften en eenvoudige productiewerkers die afstandelijk en in zichzelf gekeerd waren, en behept met de zwartgalligste humor die je je kon indenken.

Ze hadden nieuwe wegen aangelegd sinds de laatste keer dat Rebus er was geweest, en een paar historische gebouwen tegen de vlakte gegooid, maar verder voelde het niet heel anders dan zo'n dertig jaar geleden. Dat was tenslotte ook geen vreselijk lange tijd, behalve in een mensenleven, en misschien dat niet eens. Toen hij Cardenden binnenreed – Bowhill stond sinds de jaren zestig al niet meer op de borden, al kenden de bewoners het nog wel als een afzonderlijk dorp – minderde Rebus vaart om te proeven of de herinneringen zoet of zuur zouden zijn. Toen zag hij het uithangbord van een Chinees afhaalrestaurant en dacht: allebei natuurlijk.

Het huis van Brian en Janice Mee was makkelijk genoeg te vinden: ze stonden bij het hek op hem te wachten. Rebus was geboren in een naoorlogse prefabwoning, maar opgegroeid in een rijtjeshuis zoals dit. Brian Mee trok zijn portier open en probeerde hem al een hand te geven toen hij nog in de weer was met zijn veiligheidsgordel.

'Laat de man even op adem komen!' snauwde zijn vrouw. Ze stond

nog bij het hek, armen over elkaar. 'Hoe gaat het met je, Johnny?'
En het drong weer tot Rebus door dat Brian getrouwd was met Janice Playfair, het enige meisje in zijn lange, veelbewogen leven dat het ooit had gepresteerd om John Rebus bewusteloos te slaan.

De kleine, lage kamer was barstensvol – niet alleen Rebus, Brian en Janice, maar ook Brians moeder en meneer en mevrouw Playfair waren aanwezig, plus een volumineus bankstel en diverse bijzettafeltjes en kasten. Rebus moest iedereen een hand geven en werd naar 'de stoel bij de haard' geleid. De kamer was te warm gestookt. Er verscheen een pot thee, en op de tafel bij Rebus' leunstoel lag genoeg cake voor een voetbalstadion.

'Hij kan goed leren,' zei de moeder van Janice, en ze gaf Rebus een ingelijste foto van Damon Mee. 'Goeie eindcijfers. Werkt hard. Spaart om te kunnen trouwen.'

Op de foto een lachende ondeugd, nog maar net van school.

'De laatste foto's hebben we aan de politie gegeven,' legde Janice uit. Rebus knikte: hij had ze in het dossier gevonden. Maar toen hij een lading vakantiekiekjes in zijn handen kreeg gedrukt, bekeek hij ze toch een voor een: makkelijker om naar te kijken dan de verwachtingsvolle gezichten om hem heen. Hij voelde zich net een arts van wie de familie een directe diagnose én genezing verwacht. Op de vakantiekiekjes zag hij een gezicht dat minder zorgeloos was dan op de ingelijste foto. De ondeugende glimlach was er nog steeds, maar merkbaar ouder: hij moest er wat meer moeite voor doen. Er school iets achter die ogen, desillusie wellicht. Op enkele foto's stonden Damons ouders.

'We waren samen op vakantie,' legde Brian uit. 'Met het hele gezin.'

Stranden, groot wit hotel, spelletjes bij het zwembad. 'Waar is het?'

'Lanzarote,' zei Janice, en gaf hem zijn thee. 'Nog steeds met suiker?'

'Al jaren niet meer,' zei Rebus. Op een paar foto's stond ze in bikini: goed figuur voor haar leeftijd. Voor élke leeftijd. Hij probeerde niet te lang bij die foto's te blijven hangen.

'Mag ik een paar van die close-ups meenemen?' vroeg hij. Janice keek hem aan. 'Van Damon.' Ze knikte en hij legde de andere foto's terug op de stapel.

'We zijn je heel dankbaar,' zei iemand: de moeder van Janice? Van Brian? Rebus had geen idee.

'Zijn vriendin heet Helen, zei je?'

Brian knikte. Zijn haar was dunner en hijzelf wat dikker, een vlezig gezicht. Boven de schoorsteenmantel hing een reeks goedkope trofeeën: darten en poolbiljart, cafésporten. Hij schatte dat Brian elke avond ging trainen. Janice... Janice was geen spat veranderd. Nee, dat was niet helemaal waar. Een paar lokken grijs haar. Maar als hij met haar praatte voelde het toch alsof hij terug in de tijd werd geslingerd.

'Woont Helen hier in de buurt?' vroeg hij.

'Praktisch om de hoek.'

'Ik zou haar graag spreken.'

'Ik bel haar wel even.' Brian stond op en liep de kamer uit.

'Waar werkt Damon?' vroeg Rebus, bij gebrek aan een betere vraag.

'Zelfde bedrijf als zijn vader,' zei Janice, en ze stak een sigaret op. Rebus fronste een wenkbrauw: op school was ze tegen roken geweest. Ze zag hem kijken en glimlachte.

'Hij werkt bij de verpakking,' zei haar vader. Hij maakte een breekbare indruk, zijn kin trilde. Rebus vroeg zich af of hij een beroerte had gehad. Eén kant van zijn gezicht leek er slap bij te hangen. 'Om het bedrijf te leren kennen. Binnenkort gaat ie het management in.'

Arbeidersnepotisme, baantjes die overgingen van vader op zoon. Rebus was verbaasd dat het nog bestond.

'Hij mag blij zijn dat ie een baan heeft,' zei mevrouw Playfair.

'Gaat het slecht?'

Ze klakte met haar tong, als om de vraag weg te wuiven.

'Herinner je je de mijn nog, John?' vroeg Janice.

Natuurlijk herinnerde hij zich de mijn, en de stortberg en de wildernis daaromheen. Lange wandelingen op zomeravonden, stilstaan voor zoenen die uren leken te duren. Dunne slierten rook die opstegen uit de stortberg, waar de slakken nog lagen te smeulen.

'Dat is nu allemaal geëgaliseerd, ze hebben er een recreatiegebied van gemaakt. Ze denken aan een mijnmuseum.'

Mevrouw Playfair tuitte weer misprijzend haar lippen. 'Dat wrijft ons alleen maar in hoe goed het ooit ging.'

'Levert wel nieuwe banen op,' zei haar dochter.

'Ze noemden Cowdenbeath vroeger het Chicago van Fife,' zei de moeder van Brian Mee.

'Blauw Brazilië,' zei meneer Playfair, met een schor lachje. Hij doelde op de voetbalclub van Cowdenbeath, die een bijnaam vol zelfspot had gekozen: ze noemden zichzelf het Blauwe Brazilië omdat ze zo waardeloos speelden.

'Helen komt zo,' zei Brian, die de kamer weer in kwam.

'Wilt u geen cake, inspecteur?' vroeg mevrouw Playfair.

Onderweg naar Edinburgh dacht Rebus terug aan zijn gesprek met Helen Cousins. Ze had weinig aan het al geschetste portret van Damon toegevoegd en ze was er niet bij geweest op de avond van zijn verdwijning. Ze was met vriendinnen uitgegaan. Dat was een vrijdags ritueel: Damon ging uit met de jongens, zij met de meiden. Rebus had ook een van de twee jongens gesproken die met Damon was gaan stappen; de andere was niet thuis. Het had niets opgeleverd.

Toen hij over de Forth Road Bridge reed, moest hij denken aan het symbool dat Fife had gekozen voor de 'Welkom in Fife'-borden: de Forth Road Bridge. Geen uiting van een sterke identiteit, eerder een faillietverklaring, een erkenning van het feit dat Fife voor velen slechts een voorpost of een aanhangsel van Edinburgh was.

Helen Cousins had zwarte eyeliner en paarse lippenstift op en zou nooit een mooie meid worden. Op haar grauwgele gezicht waren akelige sporen van acne achtergebleven. Ze had zwartgeverfd haar en een pony die ze met gel in model hield. Toen hij had gevraagd wat er volgens haar met Damon gebeurd kon zijn, had ze haar schouders opgehaald, haar armen gekruist en haar benen over elkaar gelegd, als om alle eventuele verwijten af te weren die hij haar zou kunnen maken.

Joey, die die avond mee was naar Guiser's, was al even zwijgzaam geweest.

'Gewoon een avondje stappen,' had hij gezegd. 'Niks bijzonders.'

'En Damon was ook niet anders dan anders?'

'Hoe dan?'

'Ik weet niet. Leek ie misschien bezorgd? Of nerveus?'

Joey haalde zijn schouders op: veel verder reikte zijn bezorgdheid om zijn vriend blijkbaar niet...

Rebus wist dat hij naar huis moest, dat wil zeggen de flat van Patience. Maar tijdens het stoppen en optrekken bij de stoplichten op Queensferry Road besloot hij even bij de Oxford Bar langs te gaan. Niet voor een borrel, gewoon een cola of een koffie en een babbeltje. Een glas frisdrank drinken en wat roddels oppikken.

Dus reed hij voorbij Oxford Terrace en zette zijn auto onder aan Castle Street. Liep de helling op naar de Ox. Het kasteel lag aan de andere kant van de heuvel. Het mooiste uitzicht erop had je vanuit een hamburgertent in Princes Street. Hij duwde de deur van de pub open en de warmte en de sigarettenrook golfde over hem heen. Hier had hij geen sigaret nodig: als je gewoon ademhaalde, kreeg je al een pakje binnen. Cola of koffie, hij wist niet goed wat hij zou doen. Harry stond vanavond achter de bar. Hij tilde een leeg bierglas op en zwaaide ermee.

'Ach welja,' zei Rebus, alsof het de makkelijkste beslissing was die hij in zijn leven had genomen.

Kwart voor twaalf kwam hij thuis. Patience zat tv te kijken. Ze zei tegenwoordig niet veel over zijn drinkgewoonten: zwijgen had al evenveel effect als haar eerdere preken. Maar ze trok een vies gezicht bij de rookwalm die van zijn kleren opsteeg, dus gooide hij ze in de wasmand en ging douchen. Toen hij klaar was, lag ze al in bed. Op zijn nachtkastje stond een glas water.

'Dank je,' zei hij en slikte er twee paracetamol mee door.

'Goeie dag gehad?' vroeg ze: werktuiglijke vraag, werktuiglijk antwoord.

'Ging wel. Jij?'

Een slaperig gebrom was het enige antwoord. Ze had haar ogen al dicht. Er waren dingen die Rebus wilde zeggen, vragen die hij wilde stellen. Wat doen we hier nog? Wil je dat ik wegga? Hij dacht dat Patience misschien dezelfde of vergelijkbare vragen voor hem had. Om een of andere reden werden ze nooit gesteld: bang voor de antwoorden misschien, en wat die zouden betekenen. Wie wilde nu graag falen?

'Ik ben naar een begrafenis geweest,' zei hij. 'Man die ik kende.'

'Ach jee.'

'Ik kende hem niet zo goed, hoor.'

'Waar is hij aan overleden?' Hoofd stil op het kussen, ogen dicht.

'Gevallen.'

'Ongeluk?'

Ze doezelde al weg. Toch ging hij verder. 'De weduwe had zijn dochter uitgedost als een soort engel. Ook een manier om ermee om te gaan, denk ik.' Hij zweeg even, hoorde hoe haar ademhaling regelmatig werd. 'Ik ben vanavond naar Fife geweest, naar mijn dorp. Kennissen die ik in geen jaren had gezien.' Hij keek naar haar. 'Een oude vlam, iemand met wie ik getrouwd had kunnen zijn.' Streelde haar haar. 'Geen Edinburgh, geen dokter Patience Aitken.' Zijn blik ging naar het raam. Geen Sammy... misschien ook geen carrière als politieman.

Geen spoken.

Toen ze sliep, liep hij terug naar de woonkamer en stak de koptelefoon in de stereo. Hij had een platenspeler aan haar cd-set toegevoegd. In een tas onder de boekenplank vond hij zijn laatste aankoop bij Backbeat Records: Light of Darkness en Writing on the Wall, twee Schotse bands die hij zich vaag herinnerde van vroeger. Terwijl hij zat te luisteren, vroeg hij zich af waarom hij alleen gelukkig was met dingen van vroeger. Hij dacht terug aan de tijden dat hij gelukkig was geweest, en besefte dat hij zich op het moment zelf nooit gelukkig had gevoeld: pas achteraf had hij geweten dat hij het was geweest. Hoe kwam dat? Hij leunde achterover met zijn ogen dicht. Incredible String Band: 'The Half-Remarkable Question'. Bruggetje naar Brian Eno: 'Everything Merges with the Night'. In gedachten zag hij Janice Playfair op de avond toen ze hem buiten westen had geslagen, de avond dat alles anders werd. En hij zag Alec Chisholm, die op een dag was weggelopen van school en nooit meer was gezien. Hij zag Alecs gezicht niet precies voor zich, alleen de vage omtrekken, iets typisch in zijn manier van staan, zijn houding. Alec de studiebol, die het nog ver zou schoppen.

Maar niemand had verwacht dat het zo met hem zou gaan.

Zonder dat hij zijn ogen opende, wist Rebus dat Jack Morton in de stoel tegenover hem zat. Kon Jack de muziek horen? Hij zweeg altijd, dus je wist ook niet of geluid hem iets zei. Hij wachtte op het nummer 'Bogeyman'; luisterde en wachtte...

Het was al bijna ochtend toen Patience, onderweg terug van de wc, de koptelefoon van zijn slapende hoofd trok en een deken over hem heen wierp.

6

Er stonden drie mannen in de kamer, allemaal in uniform, en allemaal wilden ze Cary Oakes een dreun verkopen. Hij zag het aan hun ogen, aan hun licht gespannen houding, de kaken die kauwgum vermaalden. Hij maakte een plotse beweging, maar alleen om zijn benen te strekken, te verzitten op de stoel, zijn hoofd naar achteren te steken zodat hij het felle zonlicht opving dat door het hoge raam naar binnen stroomde. Badend in het licht en de warmte voelde hij hoe er een glimlach over zijn gezicht gleed. Dat had zijn moeder altijd gezegd: 'Je gezicht gaat gewoon strålen als je lacht, Cary.' Maf oud wijf, toen al. Ze had in de keuken zo'n dubbele gootsteen, en een wringer die je daarop kon vastzetten. Waste je de kleren in de ene gootsteen en wrong ze droog in de andere. Hij had een keer zijn vingers tegen de rollers gezet en was gaan draaien tot het pijn deed.

Drie gevangenbewaarders: dat vonden ze Cary Oakes wel waard. Drie gevangenbewaarders, en kettingen om zijn benen en armen.

'Hé jongens,' zei hij, en hij stak zijn kin uit. 'Ga je gang.'

'Dimmen, Oakes.'

Cary Oakes grijnsde weer. Hij had een reactie uitgelokt: van die kleine zeges moest hij het hebben. De gevangenbewaarder die had gesproken, die met het naamplaatje waar SAUNDERS op stond, was ook een beetje een opgewonden standje. Oakes kneep zijn ogen half dicht en stelde zich voor hoe dat besnorde gezicht tegen de wringer werd gedrukt, stelde zich voor hoeveel kracht ervoor nodig zou zijn om het er helemaal doorheen te duwen. Oakes wreef over zijn buik; geen grammetje vet, ondanks de rotzooi die ze hem voorschotelden. Hij hield het bij groente en fruit, water en sapjes. Moest het brein op toeren houden. Veel medegedetineerden hadden de versnellingsbak in hun kop in zijn vrij gezet, de motor loeide maar ze gingen nergens heen. Een tijdje in bewaring kon zo'n effect hebben, dan ging je geloven in dingen die niet waar zijn. Oakes zorgde dat hij bij bleef, had abonnementen op kranten en tijdschriften, keek naar het nieuws op tv en verder niets, behalve een beetje sport. Maar ook sport was een verdovingsmiddel. In plaats van naar het scherm keek hij naar de gezichten van anderen, hun zwaar hangende oogleden, geen enkele noodzaak zich ergens op te concentreren, als baby's die vol tevredenheid aan een zuigfles lurken, hun buik en hoofd volgestouwd met opgewarmde kliekjes.

Hij begon een Beatles-nummer te fluiten: 'Good Day, Sunshine'. Vroeg zich af of een van de cipiers het zou kennen. Weer een kans op een reactie. Maar toen ging de deur open en kwam zijn advocaat binnen. Zijn vijfde advocaat in zestien jaar, geen slecht gemiddelde. Deze was jong – nog in de twintig – en droeg altijd een blauwe blazer en een crèmekleurige broek, een combinatie waardoor hij eruitzag als een jongetje dat de kleren van zijn vader heeft aangetrokken. Een blazer met koperen knopen en een geborduurd wapen op de borstzak.

'Schip ahoi!' riep Oakes, zonder zich te verroeren.

Zijn advocaat ging tegenover hem aan tafel zitten. Oakes legde zijn handen achter zijn hoofd, waardoor zijn boeien rinkelden.

'Mag mijn cliënt misschien de boeien af?' vroeg de advocaat.

'Voor uw eigen veiligheid, meneer.' Het geijkte antwoord.

Oakes krabde met beide handen op zijn kaalgeschoren hoofd. 'Net als duikers en ruimtevaarders, weet u wel. Lood in hun schoenen, hoort bij hun beroep. Als ze die kettingen losmaken, wed ik dat ik naar het plafond zweef. Ik kan de kost verdienen in het circus: de menselijke vlieg, kijk hoe hij tegen de muur op loopt. Man, denk je eens in wat er allemaal mogelijk is. Ik kan naar de ramen van de bovenverdieping zweven en kijken naar de dames die hun nachtpon aantrekken.' Hij draaide zijn hoofd naar de gevangenbewaarders. 'Zijn jullie getrouwd?'

De advocaat sloeg hier geen acht op. Hij kwam om zijn werk te doen, opende zijn aktetas en haalde de papierwinkel eruit. Overal waar advocaten kwamen, hadden ze papieren bij zich. Veel papieren. Oakes probeerde geen belangstelling te tonen.

'Meneer Oakes,' zei de advocaat, 'vanaf nu zijn er alleen nog wat details te regelen.'

'Ik ben altijd dol geweest op details.'

'Een paar papieren die getekend moeten worden door diverse autoriteiten.'

'Zie je wel, jongens,' riep Oakes naar de gevangenbewaarders. 'Ik zei toch dat geen gevangenis Cary Oakes binnen kan houden! Oké, het heeft me vijftien jaar gekost, maar ja, niemand is volmaakt.' Hij lachte en wendde zich weer tot zijn advocaat. 'En hoe lang gaan die... details duren?'

'Meer een kwestie van dagen dan van weken.'

Oakes' hart begon te pompen. Zijn oren suisden van emotie, de opwellende angst en verwachting. Dágen...

'Maar ik ben nog niet klaar met het verven van mijn cel. Ik wil hem mooi achterlaten voor de volgende bewoner.'

Eindelijk lachte de advocaat en meteen wist Oakes hoe hij in elkaar stak: werkte zich omhoog op het kantoor van pappie; bespot door de ouderen, gewantrouwd door zijn generatiegenoten. Bespioneerde hij ze, bracht hij stiekem verslag uit aan zijn pa? Hoe kon hij zichzelf bewijzen? Als hij vrijdags een borrel met ze ging drinken, stropdas losgewrikt en haren in de war gebracht, voelden ze zich niet op hun gemak. Als hij afstand bewaarde, was hij een koele kikker. En zijn vader? Die wilde er niet van worden beticht zijn zoon voor te trekken, hij moest van onderop beginnen. Dus kreeg hij de klotedossiers, de hopeloze gevallen, de types waarbij je na afloop van het gesprek snakt naar een douche en schone kleren. Laat hem zichzelf maar bewijzen. Uren maken, zwoegen, een stralend voorbeeld voor iedereen op het kantoor.

Dat alles maakte hij op uit dat ene lachje, de glimlach van een stijve, lichtelijk verlegen werkbij die ervan droomde ooit koning van de korf te worden, die misschien zelfs heimelijke fantasieën van vadermoord en troonsafstand koesterde.

'U wordt natuurlijk uitgezet,' zei de kroonprins nu.

'Wat?'

'U verbleef illegaal in dit land, meneer Oakes.'

'Ik woon hier al bijna mijn halve leven.'

'Evengoed...'

Evengoed... Standaardantwoord van zijn moeder. Elke keer als hij een smoesje had, een verhaal om de situatie te verklaren, hoorde ze hem zwijgend aan, haalde diep adem, en was het alsof hij het woord dat uit haar mond zou komen al vorm zag aannemen in de lucht. In de loop van het proces had hij inwendig gesprekjes met haar gevoerd.

'Moeder, ik ben toch een goede zoon geweest?'

'Evengoed...'

'Evengoed heb ik twee mensen vermoord.'

'Echt waar, Cary? Weet je zeker dat het er maar twee waren...?'

Hij ging rechtop zitten. 'Laat ze me maar uitzetten, ik kom toch meteen terug.'

'Dat zal niet zo makkelijk zijn, meneer Oakes. Ik denk niet dat u ditmaal nog een toeristenvisum krijgt.'

'Heb ik niet nodig. Je loopt achter.'

'U staat geregistreerd...'

'Ik loop zo de grens over vanuit Canada of Mexico.'

De advocaat schuifelde heen en weer op zijn stoel. Dit wilde hij niet horen.

'Ik moet terugkomen voor mijn vrienden,' zei hij, met een knikje richting de gevangenbewaarders. 'Die gaan me missen als ik weg ben. En hun vrouwen ook.'

'Fuck you, smeerlap,' zei Saunders weer.

Oakes keek zijn advocaat stralend aan. 'Vind je dat nou niet aardig? We geven elkaar bijnamen.'

'Ik geloof niet dat we hier veel mee opschieten, meneer Oakes.'

'Hé, ik ben een modelgevangene, hoor. Zo werkt het toch? Dat had ik al snel door: gebruikmaken van hetzelfde systeem dat je erin heeft gestopt. De wetboeken bestuderen, alle stukken uitvlooien, weten welke vragen je moet stellen, welke bezwaren aangetekend hadden moeten worden bij het eerste proces. De advocaat die ze me toen hebben toegewezen, ik zweer je, die kon nog geen hond overhalen om een kluif te eten, laat staan een jury overtuigen.' Hij glimlachte weer. 'Jij bent beter. Jij komt er wel. Denk daar maar aan de volgende keer dat je vader je uitkaffert. Moet je gewoon bij jezelf zeggen: ik ben beter dan hij, ik kom er wel.' Hij knipoogde. 'Gratis consult, knul.'

Knul: alsof hijzelf vijftig was, in plaats van achtendertig. Alsof hij kon bogen op eeuwenoude wijsheid.

'Krijg ik een gratis vlucht terug naar Londen?'

'Dat weet ik niet.' De advocaat keek in zijn papieren. 'U komt oorspronkelijk uit Lothian?' Hij sprak het verkeerd uit.

'Edinburgh, Schotland.'

'Dan kan het zijn dat ze u daarheen sturen.'

Cary Oakes wreef over zijn kin. Edinburgh was zo slecht niet, voor een poosje. Hij had daar nog een appeltje te schillen. Moest hij mee wachten tot hij niet meer in de kijker liep, maar evengoed... Hij boog over de tafel heen.

'Hoeveel moorden hebben ze me kunnen aanwrijven?'

De advocaat knipperde met zijn ogen, zat daar met zijn handen plat op tafel. 'Twee,' zei hij uiteindelijk.

'En met hoeveel waren ze begonnen?'

'Vijf, geloof ik.'

'Zes, om precies te zijn.' Oakes knikte langzaam. 'Maar ja, je raakt de tel kwijt, hè?' Hij grinnikte. 'Hebben ze van de andere vier ooit een dader gevonden?'

De advocaat schudde zijn hoofd. Zweetdruppels op zijn slapen.

Die reed zo dadelijk eerst langs huis om te douchen en schone kleren aan te trekken.

Cary Oakes leunde weer achterover en hield zijn hoofd in de zonnestraal, draaide het zo dat hij de warmte overal voelde. 'Twee stelt niet veel voor, toch, alles bij elkaar genomen? Als jij je vader vermoordt, sta je nog maar één punt achter.'

Hij zat nog te grinniken toen zijn advocaat de kamer uit werd geleid.

7

Jongeren die van huis wegliepen kozen vaak dezelfde route: met de bus, trein of liftend naar Londen, Glasgow of Edinburgh. Er waren organisaties die vermiste personen opspoorden, en al wilden ze de bezorgde familie vervolgens niet altijd laten weten waar ze uithingen, ze konden dan wel bevestigen dat de betreffende persoon nog leefde en niets mankeerde.

Maar een jongen van negentien met geld op zak... die kon overal zitten. Geen bestemming was te ver – zijn paspoort was nergens gevonden. Dat nam hij mee als hij uitging om te bewijzen hoe oud hij was. Damon had een betaalrekening bij de plaatselijke bank, inclusief pinpas, en een spaarrekening bij een hypotheekbank in Kirkcaldy. De bank was een poging waard. Rebus pakte de telefoon.

De filiaalmanager hield eerst vol dat hij een schriftelijke aanvraag nodig had, maar draaide bij toen Rebus beloofde om die later te faxen. Rebus bleef aan de lijn terwijl de man navraag ging doen, en had al een half dorp, compleet met rivier, recreatiegebied en kolenmijn getekend toen de man weer aan de lijn kwam.

'De meest recente transactie was een geldopname bij een automaat in West End. Honderd pond, op de vijftiende.'

De avond dat hij naar Gaitano's gegaan was. Honderd leek Rebus nogal veel, zelfs voor een avondje stevig stappen.

'En daarna niets meer?'

'Nee.'

'Tot wanneer zijn die gegevens bijgewerkt?'

'De dagsluiting van gisteren.'

'Mag ik u om een gunst vragen? Ik zou graag zien dat die rekening in de gaten gehouden werd. Dat ik het meteen hoor zodra er weer geld van wordt opgenomen.'

'Dat moet ik dan op schrift hebben, inspecteur. En ik moet waarschijnlijk ook toestemming vragen aan het hoofdkantoor.'

'Ik zou het enorm op prijs stellen, meneer Brayne.'

'De naam is Bain,' zei de filiaalmanager koeltjes en hing op.

Rebus belde de hypotheekbank en moest dezelfde poppenkast doorlopen voordat hij te horen kreeg dat Damon al meer dan twee weken niets met zijn spaarrekening had gedaan. Tot slot belde hij bureau Gayfield en vroeg naar agent Hawes. Ze klonk niet erg blij toen hij zei wie hij was.

'Wat is er bekend over Gaitano's?' vroeg hij.

'Iedereen noemt het Guiser's. Fijne tent, hoor. Twee steekpartijen vorig jaar, één in de club en één in het steegje erachter. Dit jaar is het rustiger, waarschijnlijk omdat ze een strenger deurbeleid hebben.'

'Grotere uitsmijters?'

'Entreemanagers, alsjeblieft. De omwonenden klagen nog steeds over het kabaal rond sluitingstijd.'

'Wie is de eigenaar?'

'Charles Mackenzie, bijnaam "Charmer".'

Een paar agenten hadden Mackenzie gevraagd naar Damon Mee, waarop hij de tape van de beveiligingscamera's had meegegeven, die sinds die tijd op Gayfield lag.

'Weet u hoeveel mensen er jaarlijks worden opgegeven als vermist?' zuchtte Hawes.

'Dat heb je al gezegd.'

'Dan weet u ook dat zolang er geen aanwijzingen voor een misdrijf zijn, ze geen hoge prioriteit krijgen. God, ik heb zelf ook wel eens de neiging ertussenuit te knijpen.'

Rebus dacht aan zijn nachtelijke autoritjes, lange, doelloze uren, leemten in zijn leven die moesten worden opgevuld. 'Wie niet?' zei hij.

'Luister, ik weet dat het een vriendendienst voor iemand is...'

'Ja?'

'Maar we hebben toch gedaan wat we kunnen?'

'In feite wel.'

'Wat heeft het dan nog voor zin?'

'Ik weet het niet goed.' Rebus had haar kunnen vertellen dat het te maken had met het verleden, met het gevoel dat hij iets verschuldigd was aan Janice Playfair en Barney Mee – en met de herinnering aan een vriend die hij ooit Mitch had genoemd. Maar hij had niet de indruk dat het veel nut had om dat aan een buitenstaander uit te leggen. 'Nog één ding,' vroeg hij in plaats daarvan. 'Heb je een foto van die vrouw voor me?'

Gaitano's was niet veel meer dan een massieve zwarte deur met neonletters erboven, met twee pubs aan weerszijden en een hifiwinkel aan de overkant. In de etalage stonden buizenversterkers en een enorme platenspeler. De platenspeler had een navenant enorme prijs. Een van de pubs heette The Headless Coachman. Hij was een paar jaar geleden van naam veranderd en richtte zich nu meer op toeristen.

Rebus drukte op de bel van Gaitano's en een vrouw kwam opendoen. Ze was de schoonmaakster en Rebus benijdde haar niet. De glazen waren van de tafels gehaald, maar het was er nog steeds een bende. Op de vloerbedekking rondom de dansvloer stond een professionele stofzuiger. De vloer was bezaaid met sigarettenpeuken, cellofaanwikkels en een enkele lege fles. Ze had de entree schoongemaakt maar was nog maar halverwege met de dansvloer. Aan alle muren hingen spiegels, dus afhankelijk van waar je stond leek de ruimte soms twee keer zo groot. In het kale witte licht en zonder muziek of klanten maakte het een desolate indruk. Er hing een lucht van zweet en verschaald bier. Rebus zag een beveiligingscamera in een hoek en zwaaide ernaar.

'Inspecteur Rebus.'

De man die over de dansvloer naar hem toe kwam was hooguit een meter zestig en zo mager als een lat. Rebus schatte hem halverwege de vijftig. Hij droeg een grijsblauw pak en een wit overhemd dat hij open liet hangen om zijn zongebruinde huid en gouden sieraden goed te laten uitkomen. Zijn haar was zilvergrijs en tamelijk dun, maar zat even onberispelijk als het pak. Ze gaven elkaar een hand.

'Wilt u wat drinken?'

Hij ging Rebus voor naar de bar. Rebus keek naar de rij flessen.

'Nee, dank u.'

Charmer Mackenzie ging achter de bar staan en schonk voor zichzelf een cola in.

'Zeker weten?'

'Hetzelfde als wat u hebt,' zei Rebus. Hij koos een kruk, keek of er geen as op lag en hees zichzelf erop. Ze keken elkaar aan.

'Niet wat u normaal drinkt?' raadde Mackenzie. 'In mijn vak krijg je daar een neus voor.' En hij tikte tegen zijn neus om zijn woorden kracht bij te zetten. 'Die jongen is dus nog niet opgedoken?'

'Nee.'

'Soms slaat het ze ineens in de bol...' Meewarig haalde hij de schouders op over de onberekenbaarheid van de jeugd.

'Ik heb een foto.' Rebus viste hem uit zijn zak, reikte hem aan. 'De vermiste is die op de tweede rij.'

Mackenzie knikte, niet echt geïnteresseerd.

'Ziet u die daar net achter?'
'Is dat zijn liefje?'
'Kent u haar?'
Mackenzie snoof. 'Ik zou wel willen.'
'Heeft u haar nog nooit gezien?'
'Het beeld is niet erg scherp, maar ik geloof het niet.'
'Hoe laat komt het personeel?'
'Vanavond pas.'
Rebus nam de foto aan en stopte hem weer in zijn zak.
'Kan ik mijn videoband nog terugkrijgen?' vroeg Mackenzie.
'Waarom?'
'Kost allemaal geld. De overhead, daar kan een bedrijf als dit aan onderdoor gaan, inspecteur.'
Rebus vroeg zich af hoe hij aan zijn bijnaam Charmer was gekomen. Hij had de charme van een stuk schuurpapier. 'En dat is wel het laatste wat we willen, nietwaar, meneer Mackenzie?' zei hij, en stond op.

Op het bureau speelde hij de band nog eens af en keek naar de blondine. Hoe ze haar hoofd schuin hield, duidelijke kaaklijn, de mond iets geopend. Zei ze misschien iets tegen Damon? Een minuut later was hij weg. Had ze ergens met hem afgesproken? Nadat hij was verdwenen, was ze bij de bar blijven staan, had een drankje besteld. Klokslag middernacht, een kwartier nadat Damon was verdwenen, had ze de club verlaten. Het laatste beeld van haar was van een camera op de buitenmuur. Daarop zag je haar links afslaan, Rose Street in, nagekeken door een paar dronkenlappen die Gaitano's probeerden in te komen.
Iemand stak zijn hoofd om de deur om te zeggen dat er telefoon voor hem was. Mairie Henderson.
'Fijn dat je terugbelt,' zei hij.
'Je wilt zeker iets van me?'
'Nee, ik heb iets voor je.'
'In dat geval trakteer ik. Lunch in de Engine Shed.'
'Lekker makkelijk.' Rebus glimlachte: de Engine Shed was vlak achter het bureau. 'Ik ben er in vijf minuten.'
'Ik zou maar opschieten, anders zijn de gehaktballen op.'

Wat min of meer een grap was, want er zat geen vlees in de 'gehaktballen'. Het waren balletjes van champignons en kikkererwten in tomatensaus. Hoewel het maar een minuut lopen van zijn werk was, had Rebus nog nooit in de Engine Shed gegeten. Veel te gezond in alle opzichten, te voedzaam. Het drankje van de dag was biologisch appelsap en roken was er uit den boze. Hij wist dat de zaak gedreven werd door een of andere non-profitorganisatie en dat er vooral mensen werden aangenomen die moeilijk bemiddelbaar waren. Typisch iets voor Mairie om daar af te spreken. Ze zat bij een raam en Rebus liep met zijn dienblad naar haar tafel.

'Je ziet er goed uit,' zei hij.

'Komt van al die sla.' Een knikje naar haar dienblad.

'Nog steeds blij met je besluit?'

Hij doelde op haar ontslag bij de lokale krant. Ze werkte nu als freelancer. Ze hadden elkaar wel vaker geholpen, maar Rebus wist dat hij eerder bij haar in het krijt stond dan omgekeerd. Haar gezicht was een en al heldere, scherpe lijnen, haar ogen slim en donker. Ze had een kapsel gemodelleerd naar de jonge Cilla Black. Naast haar op tafel lagen een aantekenboekje en een mobiele telefoon.

'Ik krijg af en toe wel eens een reportage in de Londense kranten geplaatst. Dan moet mijn ouwe krant een dag later zijn eigen versie maken.'

'Dat zal ze lekker irriteren.'

Ze straalde. 'Laat ze maar weten wat ze missen.'

'Nou,' zei Rebus, 'ze missen een verhaal dat voor het oprapen ligt.' Hij duwde een vork met eten in zijn mond en moest toegeven dat het helemaal niet slecht was. Toen hij om zich heen keek, drong het tot hem door dat alle gasten vrouwen waren. Sommige waren in de weer met een peuter in een kinderstoel, andere zaten stilletjes te kletsen. Het was geen grote ruimte, en Rebus temperde zijn volume.

'Wat voor verhaal dan?' vroeg Mairie.

Rebus ging nog zachter praten. 'Pedofiel die in Greenfield woont.'

'Veroordeeld?'

Rebus knikte. 'Heeft gezeten, en nu hebben ze hem in een flat neergezet met een fraai uitzicht op een kinderspeelplaats.'

'Wat heeft hij gedaan?'

'Nog niks. Niks waar ik hem op kan pakken. Maar weet je, zijn buren weten niet wat er bij hen in de buurt woont.'

Ze staarde hem aan.

'Wat is er?' vroeg hij.

'Niks.' Ze nam nog een hap sla, kauwde langzaam. 'Wat is het verhaal nou?'

'Kom nou, Mairie...'

'Ik weet wel wat je van me verwacht.' Ze priemde haar vork in zijn richting. 'Ik weet waarom je het wil.'

'Nou en?'

'Wat heeft hij dan gedaan?'

'Jezus, Mairie, weet je wat het recidivecijfer is? Het is niet iets wat je geneest door ze een paar jaar in de cel te douwen.'

'Dat risico moeten we nemen.'

'*We*? Wij lopen geen gevaar.'

'De gemeenschap, we moeten hem een kans geven.'

'Luister, Mairie, het is een goed verhaal.'

'Nee, het is jouw manier om hem te grazen te nemen. Heeft het allemaal te maken met Shiellion?'

'Het heeft helemaal niks te maken met Shiellion.'

'Ik heb gehoord dat jij moet getuigen.' Ze staarde hem weer aan, maar hij haalde slechts zijn schouders op. 'De gemoederen zijn al zo verhit,' zei ze. 'Als ik een verhaal doe over een pedofiel, en in Greenfield nog wel... dan zet ik mensen aan tot moord.'

'Kom nou, Mairie...'

'Weet je wat het volgens mij is, John?' Ze legde haar mes en vork neer. 'Volgens mij is er iets bedorven geraakt in jou.'

'Mairie, ik wil alleen maar...'

Maar ze stond al overeind, trok haar jas van de rugleuning en pakte haar telefoon, aantekenboek en tas.

'Ik heb niet zoveel trek meer,' zei ze.

'Er is een tijd geweest dat je zo'n verhaal tot op het bot had uitgekauwd.'

Ze keek hem even peinzend aan. 'Misschien heb je gelijk,' zei ze. 'Ik hoop bij God dat het niet zo is, maar misschien heb je gelijk.'

Ze liep op luidruchtige hakken over de houten vloer naar buiten. Rebus keek naar zijn lunch en het glas sinaasappelsap dat hij niet had aangeraakt. Een paar minuten verderop was een pub. Hij duwde het bord weg. Hij zei bij zichzelf dat Mairie het mis had: het had niets met Shiellion te maken. Het kwam allemaal door Jim Margolies, door het feit dat Darren Rough ooit een klacht tegen hem had ingediend. Nu was Jim dood en Rebus wilde iets terug hebben. Zou de geest van Jim rust vinden als hij Jims kwelgeest ging kwellen? Hij voelde in zijn zak, voelde het vel papier daar, het telefoonnummer was nog perfect leesbaar.

Volgens mij is er iets bedorven geraakt in jou.

Hoe kon hij het daarmee oneens zijn?

8

Vier jaar tevoren was Jim Margolies tijdelijk op bureau St. Leonard gedetacheerd vanwege een personeelstekort. Drie rechercheurs zaten thuis met de griep en een andere lag in het ziekenhuis voor een kleine ingreep. Margolies, die anders in Leith werkte, kreeg de hoogste aanbevelingen, waardoor zijn collega's op hun hoede waren. Soms kreeg iemand juist een aanbeveling mee omdat men van hem af wilde. Maar Margolies had zich al snel bewezen door zijn tactvolle en toegewijde leiding van een onderzoek naar een pedofiel. Iemand had op de Meadows twee jongens aangerand, nota bene tijdens een kinderfestival. Darren Rough zat al in de archieven. Op zijn twaalfde had hij zich vergrepen aan het zoontje van de buren, dat toen zes jaar was. Hij had therapie gekregen en een tijdje in een kindertehuis gezeten. Op zijn vijftiende was hij betrapt toen hij door de ramen van studentenhuizen in Pollock Halls stond te gluren. Weer therapie. En een nieuwe aantekening in zijn politiedossier.

Het signalement dat de jongens gaven van hun belager had de politie naar het huis gevoerd waar Rough met zijn vader woonde. Die laatste zat daar om negen uur 's ochtends dronken aan de keukentafel. De moeder was de vorige zomer overleden en zo te zien was het huis daarna nooit meer schoongemaakt. Overal vuile kleren en beschimmelde borden. Het leek alsof er nooit iets werd weggegooid: in de keuken stonden gebarsten vuilniszakken vol rottend afval; in de hal lag een hoge stapel post, helemaal doorweekt door de vochtige lucht in het huis. In de slaapkamer van Darren Rough vond Jim Margolies kledingcatalogi met kinderfoto's die onhandig met pen waren bewerkt. Onder het bed lagen tienerblaadjes, met verhalen over – en foto's van – tienermeisjes en jongens. En het kroonjuweel van de bewijslast: onder een hoek van de verrotte vloerbedekking lag Darrens 'Fantasie-album', een uitgebreide lijst van zijn seksuele voorkeuren en voornemens, plus de zorgvuldig bijgehouden escapade op de Meadows, met datum en al.

Het OM was in zijn nopjes. Darren Rough, inmiddels twintig jaar oud, werd schuldig bevonden en naar de gevangenis gestuurd. Op St. Leonard werd een krat bier opengetrokken en Jim Margolies zat aan het hoofd van de tafel.

Rebus was er ook bij. Hij had in het team gezeten dat Rough bij toerbeurt had ondervraagd. Hij had genoeg tijd met de gevangene doorgebracht om te weten dat het goed was dat hij achter de tralies verdween.

'Niet dat dat bij die klootzakken ooit helpt,' had inspecteur Alistair Flower gezegd. 'Zodra ze vrijkomen vallen ze terug.'

'Bedoel je dat behandeling beter is dan een celstraf?' had Margolies gevraagd.

'Ik bedoel dat we de sleutel moeten weggooien!' Een uitspraak die was begroet met instemmend gejuich. Siobhan was te verstandig geweest om haar eigen mening te ventileren, maar Rebus wist hoe zij erover dacht. Er werd geen woord gewijd aan de klacht die Rough had ingediend. Blauwe plekken in zijn gezicht en op zijn lichaam: hij had tegen zijn advocaat gezegd dat Jim Margolies hem had geslagen. Geen getuigen. Zelf toegebracht, daarover was men het eens. Rebus had wel zin gehad om Rough een paar meppen te verkopen, maar Margolies had geen verleden van agressie tegen verdachten.

Er was een intern onderzoek gekomen. Margolies had alles ontkend. Een medisch onderzoek had geen uitsluitsel kunnen geven over de vraag of Rough zich de verwondingen zelf had toegebracht. En daar was het bij gebleven: een minuscule smet op Margolies' blazoen, een vraagtekentje bij de rest van zijn carrière.

Rebus sloeg het dossier dicht en liep ermee terug naar het archief.

Mairie: *Volgens mij is er iets bedorven geraakt in jou.*

Roughs maatschappelijk werker: *Jullie wilden hem zelf hier hebben.*

Hij liep naar de kamer van de Boer, klopte op de deur, opende hem toen hij 'binnen' hoorde.

'Wat kan ik voor je doen, John?'

'Ik heb Darren Roughs maatschappelijk werker gesproken, commissaris.'

De Boer keek op van zijn papieren. 'Had je daar een reden voor?'

'Ik vroeg me gewoon af waarom Rough een woning heeft gekregen met uitzicht op een kinderspeelplaats.'

'Ze waren vast dolblij met je vraag.' Klonk niet afkeurend. Op de ethische ladder van de Boer stonden maatschappelijk werkers maar een of twee treetjes boven pedofielen.

'Ze zeiden dat wij degenen waren die hem hier wilden hebben.'

Een frons trok rimpels in het gezicht van de Boer. 'En wat wil dat zeggen?'

'Dat moest ik maar aan u vragen, zeiden ze.'

'Ik heb geen flauw idee.' De Boer leunde achterover in zijn stoel. 'Wíj wilden hem hier hebben?'

'Dat zeiden ze.'

'In Edinburgh, bedoelen ze?'

Rebus knikte. 'Ik heb het dossier over Rough net doorgenomen. Hij heeft een tijdje in een kindertehuis gezeten.'

'Niet Shiellion?' Dat wekte de interesse van de Boer.

Rebus schudde zijn hoofd. 'Callstone House, andere kant van de stad. Heel even maar. Beide ouders aan de drank, ze verwaarloosden hem. Hij kon nergens anders heen.'

'En toen?'

'De moeder kickte af en Rough kon weer naar huis. Later kreeg zij het aan haar lever, maar toen heeft niemand de moeite genomen om Rough uit huis te plaatsen.'

'Waarom niet?'

'Omdat hij voor zijn vader zorgde.'

De Boer keek naar zijn verzameling familiefoto's. 'Zoals sommige mensen leven...'

'Zeg dat wel,' beaamde Rebus.

'Maar waar wil je heen?'

'Simpel: Rough komt terug naar Edinburgh, schijnbaar omdat wij dat willen. En voor je het weet springt de politieman die hem heeft opgeborgen van de Salisbury Crags.'

'Je wilt toch geen verband suggereren?'

Rebus haalde zijn schouders op. 'Jim gaat met zijn vrouw en dochter eten bij vrienden. Rijdt naar huis. Gaat naar bed. De volgende ochtend is hij dood. Ik zoek een reden waarom Jim Margolies zichzelf van kant zou maken. Maar ik kan niks bedenken. En ik vraag me ook af wie Darren Rough hier terug zou willen hebben en waarom.'

De Boer dacht even na. 'Wil je dat ik eens met het maatschappelijk werk ga praten?'

'Mij wilden ze niks vertellen.'

De Boer pakte pen en papier. 'Geef me een naam.'

'Andy Davies is zijn maatschappelijk werker.'

De Boer onderstreepte de woorden. 'Laat maar aan mij over, John.'

'Jawel, commissaris. In de tussentijd zou ik me graag buigen over Jims zelfmoord.'

'Mag ik vragen waarom?'
'Om te zien of het inderdaad met Rough te maken heeft.' En misschien ook, had hij eraan kunnen toevoegen, om zijn eigen nieuwsgierigheid te bevredigen.
De Boer knikte. 'Over Shiellion gesproken... wanneer moet je getuigen?'
'Morgen, commissaris.'
'Heb je je verhaal klaar?'
Rebus knikte.
'Weet je wat het geheim is van een geslaagd rechtbankoptreden, John?'
'Presentatie?'
De Boer schudde zijn hoofd. 'Zorg dat je voldoende leesvoer bij je hebt.'

Die avond ging hij onderweg naar huis bij zijn dochter langs. Sammy was van een vooroorlogse flat op de eerste verdieping verhuisd naar een woning op de begane grond in een bakstenen nieuwbouwblok bij Newhaven Road.
'Van hier naar de kust gaat het helemaal bergafwaarts,' had ze tegen haar vader gezegd. 'Moet je dit ding eens naar beneden zien karren.'
Waarmee ze haar rolstoel bedoelde. Rebus had willen bijspringen voor een elektrische, maar dat had ze afgewezen.
'Zo kweek ik spieren,' zei ze. 'En trouwens, ik blijf hier niet voor eeuwig in zitten.'
Misschien niet, maar de weg terug naar volledig gebruik van haar benen bleek lang en moeizaam. Ze kreeg maar tweemaal per week fysiotherapie en moest de rest van de tijd zelf oefeningen doen. Het ongeluk leek zowel haar ruggengraat als haar benen te hebben lamgelegd.
'Mijn hersenen zeggen mijn benen wel wat ze moeten doen, maar ze luisteren daar niet altijd naar.'
Voor de voordeur van het gebouw lag een kleine houten hellingbaan. Die had een kennis van een kennis voor haar gemaakt. Een van de slaapkamers in de woning was omgetoverd tot een provisorische sportzaal, met een grote spiegel tegen één wand, waar de meeste ruimte werd ingenomen door een brug met gelijke leggers. De deuropeningen waren smal, maar Sammy wist zich er met haar rolstoel behendig doorheen te manoeuvreren zonder haar knokkels of ellebogen te schaven.
Toen Rebus aankwam, deed Ned Farlowe de deur open. Hij werk-

te als redacteur bij een huis-aan-huisblad. Korte werktijden, zodat hij tijd had om Sammy te helpen bij haar oefeningen. De twee mannen vertrouwden elkaar nog steeds niet helemaal – kreeg een vader ooit volledig vertrouwen in de man die met zijn dochter naar bed ging? – maar Ned leek zijn stinkende best te doen voor Sammy.

'Hoi,' zei hij. 'Ze is aan het trainen. Thee?'

'Nee, dank je.'

'Ik ben net aan het koken.' Ned liep al terug naar de lange, smalle keuken. Rebus wist dat hij maar in de weg zou staan.

'Ik ga wel even...'

'Prima.'

Uit de keuken kwamen net zulke geuren als in de Engine Shed: kruidig en vegetarisch. Rebus liep door de gang, zag de schaafplekken van de rolstoel op de muren. Uit de oefenkamer kwam muziek, een discodreun. Sammy lag op de vloer in haar zwarte gympak en maillot en probeerde haar benen dingen te laten doen. Ze was rood aangelopen van de inspanning, haar haren plakten aan haar voorhoofd. Toen ze haar vader zag, liet ze haar hoofd op de grond vallen.

'Wil je dat even uitzetten?' zei ze.

'Ik kijk wel toe.'

Maar ze schudde haar hoofd. Ze hield er niet van als hij toekeek. Dit was háár strijd, een persoonlijk gevecht met haar eigen lichaam. Rebus zette de cassetterecorder uit.

'Ken je het?' vroeg ze.

'Chic, "Le Freak". Ik ben in de jaren zeventig vaak genoeg naar slechte disco's geweest.'

'Ik zie jou niet voor me in wijde pijpen.'

'Nou, maar plateauzolen...'

Ze had zichzelf in een zittende positie geduwd. Hij had maar één stap naar voren gezet in de drang om haar te helpen, wetend dat ze hem zou wegjagen als hij dichterbij kwam.

'Hoe staat het met je aanvraag voor een uitkering?'

Ze sloeg haar ogen ten hemel, pakte een handdoek en begon haar gezicht af te vegen. 'Die bureaucratie is nog erger dan ik gedacht had. Het probleem is dat ik weer beter ga worden.'

'Tuurlijk.'

'Dat geeft een hoop complicaties. Bovendien kan ik bij SWEEP blijven werken.'

'Maar die zitten op de derde verdieping.' Hij ging naast haar op de grond zitten.

'Ik kan thuis werken.'

'Echt?'

'Maar dat wil ik niet. Dan zit ik helemaal opgesloten tussen deze vier muren.'

Rebus knikte. 'Als je iets nodig hebt...'

'Heb je cassettes met discomuziek?'

Hij glimlachte. 'Ik was meer van Rory Gallagher en John Martyn.'

'Ach, iedereen heeft zijn gebreken,' zei ze, en hing de handdoek om haar nek. 'En over gebreken gesproken, hoe gaat het met Patience?'

'Prima.'

'We bellen elkaar wel eens.'

'O?'

'Ze zegt dat ik meer met haar praat dan jij.'

'Dat denk ik niet.'

'Nee?'

Rebus keek naar zijn dochter. Was ze altijd zo scherp geweest? Had het iets te maken met het ongeluk?

'Het gaat prima met ons,' zei hij.

'Volgens wiens maatstaf?'

Hij stond op. 'Volgens mij is het eten bijna klaar. Zal ik je in je stoel helpen?'

'Dat doet Ned graag.'

Hij knikte langzaam.

'Je hebt geen antwoord gegeven op mijn vraag.'

'Ik ben politieman. Meestal stellen *wij* de vragen.'

Ze legde de handdoek over haar hoofd. 'Is het vanwege mij?'

'Wat?'

'Sinds...' Ze keek naar haar benen. 'Het is net alsof je het jezelf kwalijk neemt.'

'Het was een ongeluk.' Hij keek haar niet aan.

'Het heeft jullie weer naar elkaar toe gedreven. Snap je wat ik bedoel?'

'Je bedoelt dat ik mezelf de schuld geef van je ongeluk, terwijl jij jezelf de schuld geeft van Patience en mij.' Hij keek naar haar. 'Komt het daar zo'n beetje op neer?'

Ze lachte. 'Eet gezellig met ons mee.'

'Vind je niet dat ik beter naar huis kan gaan om met Patience te eten?'

Ze tilde de handdoek van haar ogen. 'Ga je daarheen?'

'Waarheen anders?' Hij wuifde naar haar en liep de kamer uit.

9

Nu hij toch op de Newhaven Road was, deed hij een paar pubs langs het water aan. Dronk een biertje in de ene, een whisky in de andere. Veel water erbij. Het was donker, maar aan de overkant van de Forth zag hij de straatlantaarns in Fife. Hij moest denken aan Janice en Brian Mee, die nooit waren weggekomen uit hun geboortedorp. Vroeg zich af wat er van hem geworden zou zijn als hij daar was gebleven. Moest weer denken aan Alec Chisholm, de jongen die nooit was gevonden. Ze hadden de streek uitgekamd, in afgesloten mijnschachten gekeken, gedregd in de rivier. Een lange warme zomer, de Beatles en de Stones op de jukebox in het cafetaria, ijskoude flesjes coca-cola uit de automaat. Glazen koffie met opgeschuimde melk. En vragen over Alec, vragen die aantoonden dat niemand hem goed had gekend, niet echt goed, niet zoals ze elkaar dáchten te kennen. En de ouders en grootouders van Alec die 's avonds laat nog op straat liepen en vreemden aanspraken met steeds weer dezelfde vraag: hebt u onze jongen gezien? Tot ook die vreemden kennissen werden en er uiteindelijk niemand overbleef om het nog aan te vragen.

Nu was Damon Mee uit de wereld gestapt, of eruit gerukt door een of andere onweerstaanbare kracht. Rebus stapte in zijn auto en reed langs de kust, reed over de Forth Bridge naar Fife. Hij probeerde zichzelf voor te houden dat het geen vlucht was – voor de woorden van Sammy en Patience en voor Edinburgh, voor alle geesten die daar rondwaarden. Voor de gedachten aan pedofielen en zelfmoordenaars.

Bij Cardenden minderde hij vaart en zette zijn auto in de hoofdstraat. In elke etalage leek een poster te hangen: een foto van Damon met de tekst VERMIST. Ze hingen ook op straatlantaarns en het bushokje. Rebus startte de auto en reed naar het huis van Janice. Maar er was niemand thuis. Een buurman vertelde Rebus wat hij moest weten, zodat hij meteen terugreed naar Edinburgh, naar Rose Street, waar Janice en Brian hun oproep op lantaarns en muren plakten en in brievenbussen duwden. Fotokopietjes op A4-formaat. Vakantiefoto van Damon en de handgeschreven tekst: DAMON MEE WORDT VERMIST. HEEFT U HEM GEZIEN? Signalement, inclusief de kleren waarin hij het laatst was gezien, en het telefoonnummer van de familie Mee.

'De pubs hebben we al gehad,' zei Brian Mee. Hij zag er vermoeid uit, donkere ogen, stoppelbaard. De rol plakband in zijn hand was bijna op. Janice leunde tegen een muur. Zoals het stel hier stond voerden ze Rebus zeker niet mee naar het verleden – ze waren getekend door hun zorgen in het heden.

'De enige tent waar ze er niks van willen weten,' zei Janice, 'is die club.'

'Gaitano's?'

Ze knikte. 'De mannen bij de deur lieten ons er niet in. Ze wilden onze oproep niet eens aannemen. Ik heb er een op de deur geplakt, maar die hebben ze eraf gehaald.' Ze was bijna in tranen. Rebus keek achterom naar het flikkerende neonbord boven Gaitano's.

'Kom,' zei hij. 'We gaan het proberen met de toverspreuk.'

Bij de deur toonde hij zijn legitimatie en zei: 'Politie.' Ze werden binnengelaten en iemand van het personeel belde Charmer Mackenzie. Rebus keek naar Janice en knipoogde.

'Sesam open u,' zei hij. Ze keek hem aan alsof hij iets geweldigs had gepresteerd.

'Meneer Mackenzie is er niet,' zei een van de uitmijters.

'Wie heeft de leiding dan?'

'Archie Frost. De assistent-bedrijfsleider.'

'Breng me dan maar naar hem.'

De uitsmijter keek niet blij. 'Hij zit te drinken aan de bar.'

'Geen probleem,' zei Rebus. 'We weten de weg.'

Een bonzende diepe bas, het interieur donker en warm. Stelletjes op de dansvloer, anderen stonden verwoed te roken, de benen ritmisch deinend, en speurden het schemerdonker af op zoek naar een leuk gezicht. Rebus boog zich naar Janice, zijn mond was enkele centimeters van haar oor.

'Ga de tafels af en stel je vragen.'

Ze knikte en gaf de boodschap door aan Brian, die zich niet op zijn gemak leek te voelen in het lawaai.

Rebus liep naar de bar, badend in paars discolicht. Er stonden wel klanten die iets wilden bestellen, maar slechts twee mensen zaten iets te drinken aan de bar. Althans, een van hen zat te drinken. De ander – die er dorstig uitzag – stond te luisteren naar wat hem werd verteld.

'Sorry dat ik stoor,' zei Rebus.

De spreker keerde zich om. 'Daar krijg je nog spijt van, ja.'

Twintig of eenentwintig, haar in een paardenstaart. Gedrongen postuur, kostuum zonder revers en een hagelwit T-shirt. Rebus duwde zijn legitimatie in zijn gezicht.

'Manieren heb je zeker van je baas geleerd?' vroeg hij. Archie Frost zei niets, dronk alleen zijn glas leeg. 'Ik wil u even spreken, meneer Frost.'

'Die zien er niet uit als pliesie,' zei Frost, met een knikje richting Janice en Brian Mee die de tafels afgingen.

'Zijn ze ook niet. Hun zoon is vermist. Is hier verdwenen, toevallig.'

'Weet ik.'

'Dan weet u ook waarom ik hier ben.' Rebus pakte de foto van de onbekende blondine. 'Wel eens gezien?'

Frost schudde automatisch zijn hoofd.

'Kijk even goed.'

Frost nam de foto onwillig aan en hield hem in het licht. Toen schudde hij zijn hoofd en gaf hem terug.

'En je vriend?'

'Wat is daarmee?'

De 'vriend' in kwestie, de jongeman zonder drankje, had zich half afgewend, stond met zijn gezicht naar de dansvloer.

'Hij komt hier niet vaak,' zei Frost.

'Je weet nooit,' hield Rebus aan. Dus hield Frost de foto voor de neus van zijn vriend. Die schudde meteen zijn hoofd.

'Ik ga hier je klanten mee af,' zei Rebus, terwijl hij de foto terugpakte. 'Kijken of die een beter geheugen hebben.' Hij keek niet naar Frost, maar naar diens metgezel. 'Ken ik jou ergens van, knul? Je gezicht komt me bekend voor.'

De jongeman snoof schamper en bleef naar de dansende menigte kijken.

'Dan laat ik jullie verder met rust,' zei Rebus. Hij ging de mensen af, in het spoor van Janice en Brian. Ze hadden op de meeste tafels een oproep gelegd. Een paar waren er al tot een prop verfrommeld. Rebus wierp de schuldigen een ijzige blik toe. Met zijn eigen foto had hij niet veel meer succes, maar hij zag dat Janice en Brian verderop inmiddels aan een tafeltje zaten en diep in gesprek waren met twee meisjes. Toen hij ze uiteindelijk bereikte, keek Janice op.

'Zij hebben Damon gezien,' riep ze, om boven de muziek uit te komen.

'Hij stapte in een taxi,' herhaalde een van de meisjes voor de nieuwkomer.

'Waar?' vroeg Rebus.

'Voor de Dome.'

'Aan de overkant,' verbeterde haar vriendin haar. Ze waren te zwaar opgemaakt, in een poging om er 'geraffineerd' uit te zien, ouder dan ze waren. Over niet al te lange tijd zouden ze juist het omgekeerde proberen. Ze hadden ongelooflijk korte rokjes aan. Rebus zag dat Brian zijn best deed om er niet naar te staren.

'Hoe laat was dat?'

'Rond kwart over twaalf. We waren te laat voor een feestje.'

'Weet je zeker dat het die dag was?' vroeg Rebus. Janice keek hem boos aan, wilde niet dat hij de zeepbel meteen doorprikte.

Een van de meisjes pakte een agenda uit haar handtas en tikte op een pagina. 'Dat was het feestje.'

Rebus keek: het was de dag dat Damon was verdwenen. 'Hoe kwam het dat hij jullie opviel?'

'We hadden hem hierbinnen al gezien.'

'Toen stond hij alleen bij de bar,' zei haar vriendin. 'Hij danste niet of zo.'

Twee jongemannen, nog in kantoorkleding, hadden zich losgemaakt van het groepje collega's en liepen op het tafeltje af om de meisjes ten dans te vragen. Die probeerden onverschillig te kijken, maar met een vuile blik stuurde Rebus de jongens rechtsomkeert.

'We moesten zelf een taxi hebben,' legde een van de meisjes uit. 'We zagen hem aan de overkant staan wachten. Maar zij hadden geluk, wij moesten lopen.'

'Zij?'

'Hij en zijn vriendin.'

Rebus keek naar Janice en gaf zijn eigen foto aan de meisjes.

'Ja, dat is ze.'

'Blond uit een flesje,' beaamde de ander.

Janice nam de foto uit hun handen en keek er zelf naar.

'Wie is dat, John?'

Rebus schudde zijn hoofd en zei dat hij het niet wist. Een blik op de bar leerde hem twee dingen. Ten eerste dat Archie Frost hem ingespannen stond te bekijken van achter een bijgevuld glas. Ten tweede dat zijn makker zonder drankje was verdwenen.

'Misschien zijn ze er samen vandoor gegaan,' zei een van de meisjes om ze een hart onder de riem te steken. 'Dat zou toch romantisch zijn?'

Janice en Brian hadden nog niet gegeten, dus nam Rebus ze mee naar een Indiër in Hanover Street. Daar vertelde hij het weinige dat hij over de vrouw op de foto wist. Janice hield de foto onder het eten in haar hand.

'Het is een begin, nietwaar?' zei Brian, terwijl hij een stuk naanbrood afscheurde.

Rebus knikte.

'Ik bedoel,' ging Brian verder, 'nu weten we dat hij met iemand is vertrokken. Hij zal nog wel bij haar zijn.'

'Maar hij is niet met haar weggegaan,' zei Janice. 'John heeft al gezegd dat Damon alleen uit de club is vertrokken.'

Volgens Rebus wisten ze in feite dat niet eens. Het enige bewijs voor het feit dat hij de club had verlaten, was wat die meisjes zeiden...

'Nou ja,' ploeterde Brian verder, 'hij zou natuurlijk niet samen met haar gezien willen worden door zijn maten, hij was immers verloofd.'

'Ik kan me dat van Damon niet voorstellen.' Janice keek Rebus aan. 'Hij houdt van Helen.'

Rebus knikte. 'Maar die dingen gebeuren, nietwaar?'

Ze glimlachte wrang. Brian zag dat ze een blik uitwisselden, maar besloot het te negeren.

'Iemand nog wat rijst?' vroeg hij in plaats daarvan, terwijl hij de schaal van de rechaud tilde.

'We moeten naar huis,' zei zijn vrouw. 'Misschien heeft Damon geprobeerd te bellen.' Ze stond op. Rebus gebaarde naar de foto en ze gaf hem terug. Hij was vies, de hoeken waren gekreukt. Brian keek naar het eten dat nog op zijn bord lag.

'Brian...' zei Janice. Hij snoof en kwam van zijn stoel. 'Vraag je de rekening?'

'Ik trakteer,' zei Rebus. 'Ze schrijven het wel op mijn rekening.'

'Nogmaals bedankt, John.' Ze stak haar hand uit en hij nam hem aan. Hij was lang en slank. Rebus herinnerde zich hoe hij hem vasthield als ze dansten, herinnerde zich hoe warm en droog haar hand dan was, anders dan de handen van andere meisjes. Warm en droog, en zijn hart dat klopte in zijn keel. Zo rank als haar middel toen was, het voelde alsof hij er zijn handen omheen kon sluiten.

'Ja, bedankt Johnny.' Brian Mee lachte. 'Je vindt het toch niet erg als ik je Johnny noem?'

'Waarom zou ik?' zei Rebus, terwijl hij Janice bleef aankijken. 'Zo heet ik toch?'

10

's Ochtends keek Rebus eerst de kranten door, maar vond daar niet wat hij zocht.

Hij ging naar bureau Leith, waar Jim Margolies had gewerkt. Hij had tegen de Boer gezegd dat hij een verband zocht tussen de terugkomst van Rough en de dood van Jim, al was hij er niet van overtuigd dat hij dat verband zou kunnen vinden. Maar er moest toch een reden zijn waarom Jim het had gedaan, waarom hij iets had gedaan waar hij zelf meer dan eens aan had gedacht: eruit stappen. In Leith werd hij begroet door een weinig toeschietelijke Bobby Hogan.

'Ik weet dat ik bij je in het krijt sta, John,' begon inspecteur Hogan. 'Maar wil je me misschien vertellen waar het je om te doen is? Margolies was een goeie vent, we missen hem enorm.'

Ze liepen door het bureau op weg naar de rechercheafdeling. Hogan was een paar jaar jonger dan Rebus maar had er al meer dienstjaren op zitten. Als hij zou willen kon hij zo met pensioen gaan, maar Rebus betwijfelde of hij dat ooit zou willen.

'Ik heb hem ook gekend,' zei Rebus. 'Ik stel mezelf dezelfde vraag die jullie je waarschijnlijk ook allemaal stellen.'

'Waarom, bedoel je?'

Rebus knikte. 'Hij was op weg naar de top, Bobby. Dat was algemeen bekend.'

'Misschien begon het hem te duizelen.' Hogan schudde zijn hoofd. 'Van het dossier zul je niks wijzer worden.'

Ze waren blijven staan bij de deur van een verhoorkamer.

'Ach, ik wil het gewoon even inzien.'

Hogan staarde hem aan en knikte langzaam. 'Dan staan we wel quitte, makker.'

Rebus legde zijn hand even op zijn schouder en liep de kamer in. De bruine dossiermap lag op de verder lege tafel. Er stonden twee stoelen in de kamer.

'Ik dacht dat je wel wat privacy zou willen,' zei Hogan. 'En als iemand zich afvraagt wat je...'

'Ik zeg niks, Bobby.' Rebus zat al. Hij keek naar de map. 'Ik ben zo klaar.'

Hogan haalde een kop koffie en liet hem alleen. Het kostte Rebus precies twintig minuten om alles door te nemen: eerste verslag plus bevestiging, en het verleden van Jim Margolies. Twintig minuten was niet lang voor een cv. Er stond natuurlijk niet veel in over zijn privéleven. Speculaties waren voor de borrels na het werk, voor rookpauzes en gesprekken bij de koffieautomaat. De naakte feiten, in telegramstijl opgesomd op papier, boden geen enkel aanknopingspunt. Zijn vader was arts, nu met pensioen. Opgegroeid in welstand. De zus die als tiener zelfmoord had gepleegd... Rebus vroeg zich af of de dood van zijn zus al die jaren door Jims hoofd was blijven spoken. Geen vermelding van Darren Rough, of van Margolies' korte periode op St. Leonard. Op de laatste avond van zijn leven was Jim gaan eten bij vrienden. Niets bijzonders. Maar daarna was hij in het holst van de nacht uit bed gestapt, had zich aangekleed en een wandeling in de regen gemaakt. Helemaal naar Holyrood Park...

'En?' vroeg Bobby Hogan.

'Noppes,' gaf Rebus toe, en sloeg de map dicht.

Lopend door de regen. Een lange wandeling, van The Grange naar de Salisbury Crags. Er had zich niemand gemeld die hem had gezien. Er was navraag gedaan, taxichauffeurs waren ondervraagd. Meestal plichtmatig: aan een zelfmoord besteedde je liever niet te veel tijd. Anders kwam je soms zaken op het spoor die je maar beter kon laten rusten.

Rebus reed de stad weer in, parkeerde achter St. Leonard en liep het bureau in. Hij klopte aan bij de Boer en liep door toen die 'binnen' riep. Watson zag eruit alsof hij zijn dag niet had.

'Waar heb jij gezeten?'

'In Leith, om het dossier over Jim Margolies in te zien.' Rebus keek toe terwijl de Boer liep te ijsberen achter zijn bureau. Hij hield een mok koffie in twee handen. 'Heeft u Andy Davies al gesproken?'

'Wie?'

'Andy Davies. De maatschappelijk werker van Darren Rough.'

De Boer knikte.

'En?'

'En die zei dat ik contact moest opnemen met zijn baas.'

'Wat zei zijn baas?'

De Boer draaide zich met een ruk om. 'Jezus, John, gun me even de tijd, wil je. Ik heb wel meer aan mijn hoofd dan dat gedoe van jou...' Hij blies zijn adem uit, zijn schouders vielen omlaag. Toen mompelde hij een verontschuldiging.

'Geeft niet, commissaris. Ik ga wel...' Rebus liep naar de deur.

'Ga zitten,' beval de Boer. 'Nu je hier toch bent, mag je vertellen wat jij nog voor briljante ideeën hebt.'

Rebus ging zitten. 'Waarover, commissaris?'

De Boer ging ook zitten en zag toen dat zijn mok leeg was. Hij stond op om hem bij te vullen uit de kan en schonk Rebus ook in. Rebus bekeek het donkere goedje met wantrouwen. De koffie van de Boer was in de loop der jaren verbeterd, maar op sommige dagen...

'Over Cary Dennis Oakes.'

Rebus fronste. 'Moet ik die kennen?'

'Als je hem nog niet kent, zal dat snel genoeg veranderen.' De Boer gooide een krant naar Rebus. Hij viel op de vloer. Rebus raapte hem op en zag dat hij was opengevouwen bij een specifiek artikel, een verhaal dat Rebus over het hoofd had gezien omdat het niet was wat hij zocht.

MOORDENAAR KOMT 'THUIS'.

'Cary Oakes,' las Rebus, 'in de VS veroordeeld voor twee moorden, stapt vandaag op een vliegtuig naar Groot-Brittannië na een verblijf van vijftien jaar in de extra beveiligde inrichting in Walla Walla, Washington. Naar verwachting zal Oakes terugkeren naar Edinburgh, waar hij enkele jaren heeft gewoond voordat hij naar de Verenigde Staten vertrok.'

Er stond nog veel meer. Oakes was naar de VS gevlogen met een rugzak en een toeristenvisum en was er blijven hangen, had een paar baantjes gehad en zich daarna schuldig gemaakt aan een reeks overvallen en beroovingen, tot hij uiteindelijk twee moorden pleegde, mensen die hij had neergeslagen en gewurgd.

Rebus legde de krant neer. 'Wist u daarvan?'

De Boer sloeg met zijn vuisten op het bureau. 'Natuurlijk wist ik daar niet van!'

'Hadden ze ons niet moeten inlichten?'

'Ga maar na, John. Je bent van de politie in Wallumballa of hoe het daar ook heet. Je stuurt die moordenaar terug naar Schótland. Wie licht je dan in?'

Rebus knikte. 'Scotland Yard.'

'Zonder ook maar een moment te beseffen dat Scotland Yard misschien wel in een heel ander land zit.'

'En die slimbo's in Londen dachten er ook niet aan om het door te geven?'

'Volgens hen was er sprake van een misverstand, dachten ze dat

Oakes alleen hun territorium zou aandoen. Hij heeft ook maar een ticket tot Londen.'

'Dan is het hun probleem dus.' Maar de Boer schudde zijn hoofd.

'Dat meent u niet,' zei Rebus. 'Hebben ze een collecte gehouden en het vliegticket naar Edinburgh opgehoest?'

'Bingo.'

'Wanneer komt hij hier aan?'

'Later vandaag.'

'En wat doen wij?'

De Boer keek Rebus aan. Dat 'wij' beviel hem enorm. Gedeelde smart was halve smart – zelfs al moest je het delen met zo'n lastpak als Rebus. 'Wat stel jij voor?'

'Nadrukkelijk volgen, zodat hij weet dat we hem in de gaten houden. Met een beetje geluk wordt hij dat zo beu dat hij aftaait.'

De Boer wreef in zijn ogen. 'Lees dit eens,' zei hij en schoof een map over het bureau. Rebus keek: vellen faxpapier, een stuk of twintig. 'Londen heeft uiteindelijk medelijden met ons gekregen en doorgestuurd wat ze van de Amerikanen hadden.'

Rebus begon te lezen. 'Hoe komt het dat hij is vrijgelaten? Ik dacht dat levenslang in Amerika ook echt levenslang was.'

'Procedurefout in het oorspronkelijke proces. Iets zo ingewikkelds dat zelfs de Amerikaanse autoriteiten er niet helemaal zeker van zijn.'

'Maar ze laten hem toch gaan?'

'Het proces overdoen zou een fortuin kosten. Bovendien moet je de oorspronkelijke getuigen dan maar weer zien op te sporen. Ze hebben hem een deal aangeboden. Als hij het erbij liet zitten, afzag van het recht op heropening van het proces en van financiële compensatie, zouden zij hem een ticket naar huis geven.'

'In de krant stond "thuis" tussen aanhalingstekens.'

'Hij heeft niet lang in Edinburgh gewoond.'

'Waarom dan toch hierheen?'

'Zijn keus, schijnbaar.'

'Maar waarom?'

'Misschien dat de fax dat duidelijk maakt.'

De boodschap in de fax was heel duidelijk. Er stond dat Cary Oakes weer zou gaan moorden.

De psycholoog had de autoriteiten daarvoor gewaarschuwd. Volgens hem had Cary Oakes geen besef van goed en kwaad. Er stond allerlei psychologisch jargon dat daarop sloeg. Het woord 'psychopaat' namen deskundigen niet vaak meer in de mond, maar tussen de regels door begreep Rebus dat het daarom ging. Antisociale neigingen... diepgeworteld gevoel van verraad...

Oakes was achtendertig. Er zat een korrelige foto van hem in het dossier. Kaalgeschoren hoofd. Groot en prominent voorhoofd, mager en hoekig gezicht. Kleine zwarte kraaloogjes en een smalle mond. Volgens de beschrijving was zijn intelligentie hoger dan gemiddeld (had in de gevangenis aan zelfstudie gedaan) en interesseerde hij zich voor sport en gezondheid. Hij had geen vrienden gemaakt tijdens zijn detentie, had geen foto's aan de muur hangen, en correspondeerde alleen met zijn advocaten (waarvan hij er in totaal vijf had versleten).

De Boer was aan het telefoneren om te vragen wanneer Oakes zou landen en om overleg te plegen met de plaatsvervangend korpschef op hoofdbureau Fettes. Toen hij had opgehangen, vroeg Rebus hoe de plaatsvervangend korpschef erover dacht.

'Hij vindt dat we op onze hoede moeten zijn.'

Rebus glimlachte: een typerend antwoord.

'Ergens heeft hij wel gelijk,' vervolgde de Boer. 'De media zullen ons op de voet volgen. We mogen hem niet openlijk lastigvallen.'

'Met wat geluk jaagt de media-aandacht hem weer weg.'

'Misschien.'

'Er staat hier dat hij in eerste instantie ook verhoord is in verband met vier andere moorden.'

De Boer knikte, maar leek afgeleid. 'Hier had ik nou echt geen behoefte aan,' zei hij uiteindelijk, starend naar zijn bureau. Dat weerspiegelde zijn persoon: altijd netjes opgeruimd, net als de hele kamer. Geen stapels papieren, geen rotzooi of rommel, nog geen verdwaalde paperclip op de vloer.

'Ik doe dit werk te lang, John.' De Boer leunde achterover in zijn stoel. 'Weet je wat de ergste politiemensen zijn?'

'Types zoals ik?'

De Boer glimlachte. 'Integendeel. Ik bedoel de types die stilletjes hun tijd uitdienen tot ze hun pensioen halen. De lijntrekkers. De laatste tijd ben ik er ook zo een geworden. Nog zes maanden, dat had ik mezelf beloofd. Nog zes maanden, dan ga ik met pensioen.' Hij glimlachte weer. 'En ik wilde zes rustige maanden. Ik heb gebeden dat ze rustig zouden blijven.'

'We weten niet zeker of die vent weer een probleem wordt. Dat hebben we eerder bij de hand gehad, commissaris.'

De Boer knikte: dat was waar. Kerels die hadden gezeten in Australië en Canada, en zware jongens uit de Bar-L in Glasgow, die daarna in Edinburgh kwamen wonen of er een tijdje verbleven. Allemaal met hun verleden in het gezicht gekerfd. Maar zelfs als ze geen probleem werden, waren ze toch een probleem. Ze konden zich wel koest houden en brave burgers worden, maar er waren altijd mensen die hen kenden, of hun reputatie, een reputatie waar ze nooit meer van afkwamen. En uiteindelijk zou zo iemand, met een slok te veel op, besluiten dat het tijd was voor een uitdaging. Want zo'n zware jongen was een ijkpunt, iets om jezelf aan af te meten. Puur Hollywood: de revolverheld in ruste die wordt lastiggevallen door een snotaap. Maar de politie had het er maar druk mee.

'Het punt is: kunnen we het ons veroorloven de boel af te wachten? De plaatsvervangend korpschef zegt dat we geld kunnen krijgen voor gedeeltelijke observatie.'

'Hoe gedeeltelijk is dat?'

'Twee teams van twee man, een week of twee.'

'Wat gul.'

'Hij let graag op de centjes.'

'Zelfs als die man weer een moord kan plegen?'

'Ook op moord moet bezuinigd worden, John.'

'Toch snap ik het niet.' Rebus pakte de fax. 'Volgens die gegevens is Oakes hier niet geboren en heeft hij hier geen familie. Hij heeft hier, wat zal het zijn, vier of vijf jaar gewoond. Is op zijn twintigste naar Amerika gegaan, heeft bijna zijn halve leven daar gewoond. Wat heeft hij hier nog te zoeken?'

De Boer haalde zijn schouders op. 'Een nieuw begin?'

Een nieuw begin: Rebus moest aan Darren Rough denken.

'Er moet meer achter zitten, commissaris,' zei Rebus, en hij pakte het dossier weer. 'Dat kan niet anders.'

De Boer keek op zijn horloge. 'Moet jij niet naar de rechtbank?'

Rebus knikte. 'Tijdverspilling. Ze roepen me toch niet op.'

'En toch, inspecteur...'

Rebus stond op. 'Goed als ik dit meeneem?' Hij zwaaide met de stapel faxpapier. 'U zei dat ik beter wat leesvoer kon meenemen.'

11

Rebus zat tussen andere getuigen, voor andere rechtszaken, die allemaal zaten te wachten tot ze een verklaring moesten afleggen. Er waren agenten in uniform die hun aantekenboekje zaten te bestuderen, en rechercheurs die met de armen over elkaar een nonchalante indruk probeerden te maken. Rebus kende er een paar, zat zacht met hen te praten. De burgers zaten voorovergebogen met de handen tussen de knieën, of achteroverleunend naar het plafond te staren, dodelijk verveeld. Overal in de ruimte lagen kranten – verfomfaaid, de kruiswoordpuzzels al ingevuld. Een paar beduimelde paperbacks kregen aandacht, maar slechts voor even. Er hing iets in de lucht wat elk enthousiasme wegzoog. De verlichting bezorgde je koppijn, en je zat je de hele tijd af te vragen wat je daar eigenlijk deed.

Antwoord: de gerechtigheid dienen.

En dan kwam een van de parketwachten binnen, die keek op een klembord en riep je naam om, en dan liep je met knerpende schoenen naar de rechtszaal, waar je versufte geheugen werd betast en opgepord door vreemden die een toneelstuk speelden, met de rechter, jury en openbare tribune als publiek.

Dat was gerechtigheid.

Er was één getuige, recht tegenover Rebus, die voortdurend in huilen uitbarstte. Het was een jongeman van ergens in de twintig, dik en met dunne slierten zwart haar op zijn hoofd geplakt. Hij zat steeds zijn neus te snuiten in een vieze zakdoek. Eenmaal glimlachte Rebus geruststellend naar hem toen hij opkeek, maar daarvan begon hij alleen maar opnieuw te huilen. Uiteindelijk hield Rebus het niet langer uit. Hij zei tegen een van de agenten in uniform dat hij ging roken.

'Ik ga mee,' zei de agent.

Buiten stonden ze verbeten en zwijgend te paffen en keken ze naar de mensen die het gebouw in en uit stroomden. De High Court lag achter de St. Giles' Cathedral, en af en toe kwam er een toerist aan die zich afvroeg wat het voor gebouw was. Er waren niet veel bordjes, alleen Romeinse getallen boven de verschillende zware houten deuren. Soms stuurde een parketwacht op de parkeerplaats de toeristen terug naar de High Street. Iedereen mocht het gerechtsgebouw betreden, maar bezoek van toeristen werd ontmoedigd. De grote hal leek zo al genoeg op een veemarkt. Maar Rebus hield er wel van: het fraaie houtsnijwerk op het plafond, het standbeeld van Sir Walter Scott, het grote glas-in-loodraam. Hij keek graag door de glazen deur van de bibliotheek, waar advocaten in stoffige folianten precedenten zaten uit te pluizen.

Maar hij gaf de voorkeur aan de buitenlucht, straatkeien onder zijn voeten en grijze steen boven zijn hoofd, nicotine in zijn longen en de illusie in zijn hoofd dat hij dit allemaal de rug kon toekeren als hij daar zin in had. Want in weerwil van al die fraaie architectuur, in weerwil van die eerbiedwaardige traditie en de verheven opvattingen over wet en gerechtigheid, was dit een plaats van ontzaglijk en onafgebroken verdriet, een plaats waar vreselijke verhalen uit mensen werden getrokken, waar elke dag opnieuw weer gruwelijke beelden werden opgeroepen. Mensen die dachten dat ze dit hoofdstuk hadden afgesloten, werd gevraagd toch weer diep in hun intiemste en meest tragische herinneringen te wroeten. Slachtoffers en nabestaanden deden hun verhaal, rechercheurs bedolven de blootgelegde emoties van slachtoffers onder hun kille feitenrelaas, en verdachten sponnen hun eigen versie in een poging de jury voor zich te winnen.

En hoewel je het makkelijk kon zien als een spelletje, als een wreed tijdverdrijf, je mocht er niet schouderophalend aan voorbijgaan. Want al stopten Rebus en andere agenten nog zoveel hard werk in een zaak, dit was de plaats waar het erop aankwam. Dit was de plaats waar alle politiemensen snel een belangrijke les leerden: dat waarheid en gerechtigheid niet altijd samengaan, en dat slachtoffers meer zijn dan verzegelde zakken met bewijsmateriaal, geluidsopnamen en getuigenverklaringen.

Ooit, lang geleden, was het waarschijnlijk allemaal heel simpel geweest. Het idee zelf was nog steeds vrij simpel. Er is een verdachte en er is een slachtoffer. Voor beiden houdt een raadsman een pleidooi waarin hij de bewijzen presenteert. Er wordt een vonnis geveld. Maar het werd altijd een woordenspel, een kwestie van interpretatie, en Rebus wist hoe feiten konden worden verdraaid, verkeerd voorgesteld, hoe het ene bewijs veel overtuigender kon lijken dan het andere, hoe juryleden soms onbewust hun mening vormden op basis van het gedrag of uiterlijk van een verdachte. Zo werd het een theater, en hoe slimmer de advocaten, hoe vernuftiger hun taalspelletjes vaak werden. Rebus had het allang opgegeven om ze met hun eigen wapens te bestrijden. Hij deed zijn relaas, hield zijn antwoorden kort en probeerde niet in de talrijke beproefde valstrikken te trappen. Sommige advocaten zagen het aan zijn ogen, zagen dat hij hier al te vaak was geweest. Die hadden maar kort werk met hem, gingen liever door met bruikbaarder getuigen.

Daarom dacht hij niet dat ze hem vandaag zouden oproepen. Toch moest hij daar zitten, zijn tijd en energie verdoen in de heilige naam van de gerechtigheid.

Een van de parketwachten kwam naar buiten. Rebus kende hem en bood een sigaret aan. Die accepteerde hij met een knikje, evenals Rebus' luciferdoosje.

'Klotedag daarbinnen,' zei de parketwacht hoofdschuddend. Alle drie de mannen staarden naar de parkeerplaats.

'Dat mogen wij niet weten,' bracht Rebus hem met een sluwe glimlach in herinnering.

'Welk proces kom je voor?'

'Shiellion,' zei Rebus.

'Die bedoel ik,' zei de parketwacht. 'Sommige verklaringen...' En hij schudde zijn hoofd, deze man die tijdens zijn werk al meer gruwelverhalen had gehoord dan de meeste mensen.

Ineens wist Rebus waarom de man tegenover hem de hele tijd had zitten huilen. En al wist hij zijn naam niet, hij wist nu wel wie het was: een van de overlevenden van Shiellion.

Shiellion House lag aan de Glasgow Road, in Ingliston Mains. Het was in de jaren twintig van de negentiende eeuw gebouwd voor een burgemeester van de stad, en toen de erfgenamen er na zijn dood ruzie over kregen was het uiteindelijk in handen gevallen van de Church of Scotland. Het was te groot en koud om te dienen als privéwoning en lag zo afgelegen – de omringende boerderijen lagen allemaal op flinke afstand – dat bewoners het er meestal snel voor gezien hielden. In de jaren dertig van de twintigste eeuw was het een tehuis geworden voor wezen en arme kinderen, die daar werden opgevoed tot brave christenen, met vroeg opstaan en streng onderwijs. Het jaar tevoren was het uiteindelijk gesloten. Er waren plannen om er een hotel of een golfclub van te maken. Maar in de laatste jaren van zijn bestaan had Shiellion een kwalijke naam gekregen. Er waren verhalen naar buiten gekomen van voormalige bewoners, vergelijkbare beschuldigingen van meerdere kinderen, over steeds dezelfde twee mannen.

Verhalen over misstanden.

Fysieke en geestelijke mishandeling, maar uiteindelijk ook seksueel misbruik. Een paar gevallen waren onder de aandacht van de politie gekomen, maar het waren eenzijdige verhalen – het woord van een agressief kind tegen dat van een kalme hulpverlener. De onderzoeken waren halfslachtig uitgevoerd. De Kerk had een intern onderzoek gehouden waaruit naar voren kwam dat de verhalen van de kinderen wraakzuchtige verzinsels waren.

Maar die onderzoeken, zo bleek nu, hadden niets voorgesteld, dat waren doofpotaffaires. Er waren wel degelijk dingen gebeurd op Shiellion. Kwalijke dingen.

De slachtoffers vormden een pressiegroep en kregen media-aandacht. De politie had een nieuw onderzoek ingesteld en dat had hiertoe geleid – het Shiellion-proces; twee mannen waren aangeklaagd voor diverse misdrijven, van mishandeling tot verkrachting. Achtentwintig aanklachten per persoon. En ondertussen maakten de slachtoffers zich op om schadevergoeding te eisen van de Kerk.

Het verbaasde Rebus niet dat de parketwacht bleek zag. Hij had al horen fluisteren welke verhalen in zaal 1 werden verteld. Hij had een paar uitgetikte verslagen gezien van verhoren die waren afgenomen op politiebureaus overal in het land, van voormalige bewoners van Shiellion die – inmiddels volwassen – waren opgespoord en ondervraagd. Sommigen wilden er niets meer mee te maken hebben. 'Dat heb ik allemaal achter me gelaten,' was een vaak gehoord excuus. Maar het was meer dan een excuus: het was simpelweg de waarheid. Ze hadden hard hun best gedaan om de nachtmerrie van hun kindertijd uit hun leven te bannen: waarom zouden ze dat nu helemaal opnieuw moeten beleven? Ze hadden eindelijk het beetje rust gevonden dat hun in het leven vergund was; waarom zouden ze dat op het spel zetten?

Wie wilde die verschrikking nog eens herbeleven in de rechtszaal, als het niet hoefde?

Sommigen waren er wel toe bereid.

De groep 'overlevenden' bestond uit acht mensen die de moeilijke weg hadden gekozen. Zij zouden ervoor zorgen dat na al die jaren eindelijk gerechtigheid geschiedde. Ze zouden de twee monsters waaraan ze hun onschuld hadden verloren achter de tralies brengen, de monsters die nog steeds vrij rondliepen terwijl zij werden geplaagd door nachtmerries.

Harold Ince was zevenenvijftig, klein en mager. Bril, grijzend krulhaar. Hij had een vrouw en drie inmiddels volwassen kinderen. Hij was grootvader. Hij werkte al zeven jaar niet meer. Op alle foto's die

Rebus had gezien, had hij een verdwaasde blik.

Ramsay Marshall was vierenveertig, groot en breed, kortgeknipt kapsel. Gescheiden, geen kinderen, woonde en werkte (als kok) tot voor kort in Aberdeen. Op foto's zag je een gezicht met een norse blik en een vooruitstekende kin.

De twee hadden elkaar begin jaren tachtig op Shiellion leren kennen, hadden vriendschap of op zijn minst een soort bondgenootschap gesloten. Waren erachter gekomen dat ze een interesse deelden, eentje waar ze zich in Shiellion House schijnbaar straffeloos aan konden overgeven.

Misbruikplegers. Rebus werd er misselijk van. Je kon ze niet genezen of veranderen. Ze gingen maar door en door. Eenmaal op vrije voeten en weer losgelaten op de samenleving vielen ze snel terug in hun fout. Het waren controlfreaks, zwakke geesten, vreselijke mensen. Net verslaafden die maar niet van hun drug konden afblijven. Er was geen middel tegen, en alle therapie van de wereld leek er niet tegen opgewassen. Als ze een zwakke plek zagen, moesten ze die uitbuiten; als ze onschuld zagen, moesten ze die bederven. Rebus kon ze niet meer zien.

Darren Rough bijvoorbeeld. Rebus wist dat hij in de dierentuin door het lint was gegaan vanwege Shiellion, vanwege het besef dat het nooit meer goed kwam. Het proces was nu al twee weken bezig en nog steeds kwamen er nieuwe verhalen, nog steeds zaten mensen te huilen in de wachtkamer.

'Chemische castratie,' zei de parketwacht, en drukte zijn sigaret uit. 'De enige oplossing.'

Er klonk een kreet uit de deur van het gebouw: een van de gerechtsbodes.

'Inspecteur Rebus?' riep ze. Rebus knikte en mikte zijn sigaret op de keien.

'Uw beurt,' riep ze. Hij liep al naar haar toe.

Rebus wist niet waarom hij hier was. Het enige was dat hij Harold Ince had verhoord. Dat wil zeggen, hij had deel uitgemaakt van het team dat hem verhoorde. Eén dag maar – toen was hij weer van de Shiellion-zaak afgehaald voor ander werk. Eén dag, in het begin van het onderzoek. Hij had het verhoor samen met Bill Pryde afgenomen, maar Pryde was niet degene die de advocaat wilde ondervragen. Dat was John Rebus.

De openbare tribune was halfleeg. De vijftien juryleden zaten met glazige ogen voor zich uit te staren, het resultaat van hun kennismaking met de nachtmerries van anderen, dag in dag uit. De rechter was Lord Justice Petrie. Ince en Marshall zaten in het beklaagdenbankje. Ince leunde voorover om beter te horen wat er werd gezegd, zijn handen omklemden de koperen reling voor hem. Marshall leunde achterover en maakte een verveelde indruk. Hij zat zijn overhemd te bestuderen of bewoog zijn hoofd van links naar rechts en liet zijn nek kraken. Kuchte, klakte met zijn tong en ging weer verder met het inspecteren van zijn kleren.

Hun advocaat was Richard Cordover, Richie voor vrienden. Rebus had al eerder met hem te maken gehad en hij hoorde bepaald niet bij de mensen die de advocaat Richie mochten noemen. Cordover was in de veertig, zijn haar was al grijs. Gemiddelde lengte, gespierde nek, gebruind gezicht. Sportschoolklant, schatte Rebus. De officier van justitie was een jongen die half zo oud was als Rebus. Hij leek zelfverzekerd maar erg precies, zat voortdurend in zijn aantekeningen te bladeren en dingen op te schrijven met een dikke zwarte vulpen.

Met een kuchje liet Petrie de advocaat weten dat de tijd drong. Cordover maakte een buiginkje naar de rechter en liep naar Rebus.

'Inspecteur Rebus...' Meteen een effectvolle pauze. 'Ik geloof dat u een van de verdachten heeft verhoord.'

'Inderdaad, meneer. Ik was aanwezig bij het verhoor van Harold Ince op 20 oktober vorig jaar. Verder waren aanwezig –'

'Waar was dat precies?'

'Verhoorkamer B van bureau St. Leonard.'

Cordover draaide zich om en liep langzaam naar de jury. 'U maakte deel uit van het onderzoeksteam?'

'Jawel, meneer.'

'Hoe lang?'

'Iets meer dan een week, meneer.'

Cordover draaide zich weer om naar Rebus. 'Hoe lang heeft het onderzoek in totaal geduurd, inspecteur?'

'Een paar maanden, geloof ik.'

'Een paar maanden, juist...' Cordover deed alsof hij in zijn aantekeningen keek. Rebus zag een vrouw zitten op een stoel bij de deur. Het was een rechercheur, Jane Barbour. Ze zat met de armen en benen over elkaar, maar leek net zo gespannen als Rebus zich voelde. Ze werkte meestal op bureau Fettes, maar halverwege het Shiellion-onderzoek had zij de leiding gekregen, lang na Rebus' betrokkenheid; hij had niets met haar te maken gehad.

'Achtenhalve maand,' zei Cordover. 'Dan zou je toch een voldragen kind verwachten.' Hij zond een kille glimlach naar Rebus, die niets zei. Hij vroeg zich af waar hij heen wou – hij besefte inmiddels dat de advocaat een verdomd goede reden moest hebben om hem op te roepen. Hij wist alleen nog niet welke.

'Bent u uit het onderzoeksteam gezet, inspecteur Rebus?'

'Eruit gezet? Nee, hoor. Er diende zich een andere zaak aan –'

'En er was iemand nodig die zich daarover boog?'

'Inderdaad.'

'Waarom u, denkt u?'

'Ik heb geen idee, meneer.'

'Nee?' Cordover klonk verrast. Hij draaide zich om naar de jury. 'U heeft geen idee waarom u uit het onderzoeksteam werd gezet na één enkele –'

De officier kwam overeind, armen gespreid. 'De inspecteur heeft al gezegd dat hij er niet is "uitgezet", edelachtbare.'

'Oké,' ging Cordover snel verder, 'laten we zeggen dat u werd overgeplaatst. Is dat beter, inspecteur?'

Rebus haalde slechts zijn schouders op, hij wilde zich nergens op vastleggen. Cordover hield aan.

'Ja of nee volstaat.'

'Ja, meneer.'

'Ja, u werd na een week overgeplaatst van een groot onderzoek naar een andere zaak?'

'Ja, meneer.'

'En u hebt geen idee waarom?'

'Omdat ze me elders nodig hadden, meneer.' Rebus deed zijn best om niet naar de officier te kijken. Bij een blik in die richting zou Cordover bloed ruiken, merken dat hij hier een prooi had die redding zocht. Jane Barbour zat te schuifelen op haar stoel, de armen nog steeds over elkaar.

'Men had u elders nodig,' herhaalde Cordover op vlakke toon. Hij keek weer in zijn aantekeningen. 'Wel eens disciplinaire maatregelen ondergaan, inspecteur?'

De officier sprong weer overeind. 'Inspecteur Rebus staat hier niet terecht, edelachtbare. Hij komt slechts getuigen, en ik heb nog niets gehoord wat verband houdt –'

'Ik trek die opmerking in, edelachtbare,' zei Cordover luchtig. Hij glimlachte naar Rebus en liep weer op hem af. 'Hoeveel verhoren heeft u de heer Ince afgenomen?'

'Twee sessies op één dag.'

'Verliepen die goed?' Rebus keek hem niet-begrijpend aan. 'Werkte mijn cliënt mee?'

'Hij hield zich duidelijk van de domme, meneer.'

'Duidelijk? Bent u een deskundige op dat gebied, inspecteur?'

Rebus keek de advocaat strak aan. 'Ik kan zien of iemand vragen ontwijkend beantwoordt.'

'Echt waar?' Cordover liep weer naar de jury. Rebus vroeg zich af hoeveel kilometers hij op een dag aflegde. 'Mijn cliënt is van mening dat er "dreiging van u uitging" – zijn woorden, niet de mijne.'

'De verhoren zijn op band vastgelegd, meneer.'

'Dat klopt. En ook op video. Ik heb ze enkele malen bekeken, en ik denk dat u moet toegeven dat uw verhoormethode *agressief* is.'

'Nee hoor.'

'Nee?' Cordover fronste zijn wenkbrauwen. 'Mijn cliënt was duidelijk doodsbang voor u.'

'De verhoren verliepen geheel volgens de regels, meneer.'

'O ja, ja,' zei Cordover geringschattend, 'maar wees nou eerlijk, inspecteur.' Hij stond nu voor Rebus, dichtbij genoeg voor een klap. 'Er zijn zoveel manieren waarop je het kunt doen, nietwaar? Lichaamstaal, gebaren, de intonatie van een vraag of een constatering. Ik weet niet of u deskundig bent in het herkennen of iemand zich van de domme houdt, maar u bent in ieder geval een genadeloze ondervrager.'

De rechter tuurde over de rand van zijn bril. 'Heeft dit ook nog een doel, anders dan het zwartmaken van iemands reputatie?'

'Gunt u me nog even de tijd, edelachtbare.' Cordover, de rasacteur, maakte weer een buiginkje. Zoals wel vaker vond Rebus de hele onderneming een belachelijke poppenkast: een spelletje gespeeld door goedbetaalde advocaten die schaakten met echte levens.

'Is het niet zo, inspecteur, dat u enkele dagen geleden,' zo vervolgde Cordover, 'deel uitmaakte van een observatieteam in de dierentuin van Edinburgh?'

Shit. Nu wist Rebus precíés waar Cordover heen wilde. En net als een matige schaker die tegenover een grootmeester zit, kon hij nog maar weinig doen om zijn nederlaag uit te stellen.

'Jawel.'

'Dat eindigde ermee dat u een burger achternazat?'

De officier stond weer op, maar de rechter wuifde zijn bezwaar al weg.

'Dat klopt.'

'U maakte deel uit van een team dat onze beruchte gifmenger probeerde te betrappen?'

'Inderdaad.'

'En de man die u achternazat... tot in het zeeleeuwenbassin, meen ik?' Cordover keek op. Rebus knikte braaf. 'Was dat de gifmenger?'

'Nee.'

'Verdacht u hem ervan de gifmenger te zijn?'

'Hij was een veroordeelde pedofiel...' Er klonk woede in Rebus' stem, en hij wist dat hij rood werd. Hij stopte, maar te laat. Hij had de advocaat precies gegeven wat hij wou.

'Een man die zijn straf heeft uitgezeten en weer vrijgelaten is. Een man die niet opnieuw in de fout is gegaan. Een man die genoot van een uitstapje naar de dierentuin, totdat ú hem zag en achter hem aan ging.'

'Omdat hij meteen op de vlucht sloeg.'

'Op de vlucht? Voor ú, inspecteur? Waarom zou hij dat nou doen?'

Oké, sarcastische lul, maak het nou maar af.

'Wat ik wil zeggen,' zei Cordover tegen de jury, terwijl hij er haast eerbiedig naartoe stapte, 'is dat men vooringenomen is tegen iedereen die ook maar wordt verdácht van een misdaad tegen kinderen. De inspecteur zag toevallig iemand lopen die één veroordeling achter de rug had, dacht er meteen het ergste van, en greep ook meteen in – volkomen onterecht, zoals later bleek. De man had niets misdaan, de gifmenger kon weer toeslaan, en ik meen dat de onschuldige nu overweegt de politie te vervolgen wegens wederrechtelijke arrestatie.' Hij knikte. 'Van uw belastingcenten, ben ik bang.' Hij haalde diep adem. 'Natuurlijk kunnen we de gevoelens van de inspecteur heel goed begrijpen. Je bloed gaat snel koken als er kinderen in het geding zijn. Maar ik vraag u: is dat ethisch wel helemaal zuiver? Tast het niet de hele bewijslast tegen mijn cliënten aan, sijpelt het niet door alle onderzoeksmethoden heen, tot in de tenen van de agenten die het onderzoek uitvoerden?' Hij wees naar Rebus, die nu het gevoel had dat hij niet in de getuigenbank zat maar in het beklaagdenbankje. Ramsay Marshall zag hoe Rebus in verlegenheid was gebracht en zijn ogen fonkelden van plezier. 'Ik zal later nog meer bewijzen aanvoeren voor het feit dat het politieonderzoek vanaf het begin bevooroordeeld was, en dat inspecteur Rebus niet de enige was die fout zat.' Hij draaide zich weer om naar Rebus. 'Verder heb ik geen vragen.'

En Rebus mocht gaan.

'Dat was geen pretje.'

Rebus keek naar de vrouw die langzaam naar hem toe liep. Hij stak een sigaret op en nam een diepe trek. Hij bood haar er ook een aan, maar ze schudde haar hoofd.

'Al eens eerder met Cordover te maken gehad?' vroeg Rebus.

'We hebben de degens wel eens gekruist,' zei Jane Barbour.

'Sorry dat ik niet...'

'Je kon weinig doen.' Ze haalde luidruchtig adem, hield een aktetas tegen haar borst geklemd. Ze stonden buiten het gerechtsgebouw. Rebus voelde zich uitgeput en bezweet. Hij zag dat zij er ook behoorlijk moe uitzag.

'Zin in een borrel?'

Ze schudde haar hoofd. 'Te veel te doen.'

Hij knikte. 'Denk je dat we winnen?'

'Niet als het aan Cordover ligt.' Ze schraapte met een schoen over de grond. 'De laatste tijd verlies ik meer dan ik win.'

'Zit je nog steeds op Fettes?'

Ze knikte. 'Zedenzaken.'

'Nog steeds inspecteur?'

Ze knikte weer. Rebus herinnerde zich een gerucht over een promotie. Gill Templer was dus nog steeds de enige vrouwelijke hoofdinspecteur in het korps. Rebus keek naar Jane Barbour van achter zijn sigaret. Ze was lang, 'zware botten' zou zijn moeder hebben gezegd. Bruin golvend haar tot op de schouder. Mosterdkleurig deux-pièces met een crèmekleurige zijden blouse. Ze had een moedervlekje op haar wang en nog een op haar kin. Halverwege de dertig? Rebus was hopeloos met leeftijden.

'Nou...' zei ze, klaar om te vertrekken maar zoekend naar een excuus om te blijven.

'Tot ziens, hoor.' Een stem achter hen. Ze draaiden zich om en zagen Richard Cordover naar zijn auto lopen. Een rode TVR met een gepersonaliseerde nummerplaat. Toen hij de portieren ontgrendelde, leek hij hen alweer vergeten te zijn.

'Kouwe kikker,' mompelde Barbour.

'Zal hem wel wat geld bespaard hebben.'

Ze keek Rebus aan. 'Hoezo?'

'Hoefde hij geen airco in zijn sportwagen te nemen. Zeker weten dat je geen borrel lust? Er is nog iets wat ik je wou vragen...'

Ze sloegen Deacon Brodie's over – daar kwamen te veel 'cliënten' – en gingen naar de Jolly Judge. Rebus had daar ooit eens iets gedronken met een advocaat die advocaat dronk. En nu hadden de Rangers een Nederlandse trainer die Advocaat heette en werden alle oude grappen weer uit de mottenballen gehaald. Hij kocht een Virgin Mary voor Barbour en een halve pint Eighty voor zichzelf. Ze zaten aan een tafeltje onder de trap, uit het gedrang.

'Proost,' zei ze.

Rebus hief zijn glas naar haar, en zette het aan zijn lippen.

'Wat kan ik voor je doen?'

Hij zette zijn glas neer. 'Gewoon wat algemene info. Je hebt toch bij Vermiste Personen gewerkt?'

'O, hou op.'

'Wat deed je daar precies?'

'Alleen maar informatie verzamelen en alles opslaan in archiefkasten en databanken. Een beetje contacten onderhouden met andere korpsen, gegevens over elkaars vermissingen uitwisselen. Veel gesprekken met de diverse instellingen...' Ze blies haar wangen bol. 'Veel gesprekken met de families ook, hen proberen te helpen begrijpen wat er is gebeurd.'

'Leuk werk?'

'Ongeveer net zo leuk als zakjes plakken. Vanwaar je belangstelling?'

'Ik zit met een vermissing.'

'Hoe oud?'

'Hij is negentien. Woont nog thuis. Zijn ouders maken zich zorgen.'

Ze schudde haar hoofd. 'Speld in een hooiberg.'

'Weet ik.'

'Heeft hij een briefje achtergelaten?'

'Nee, en ze zeggen dat hij geen reden had om weg te gaan.'

'Soms zijn er geen redenen, althans geen die de familie begrijpt.' Ze ging rechtop zitten. 'Dit is het lijstje dat je afloopt.' Ze telde ze af op haar vingers: 'Bankrekening, spaarrekening, dat soort dingen. Kijken of daar iets wordt opgenomen.'

'Heb ik.'

'Navraag bij hostels. Hier in de buurt, en in de grote steden – alles tussen Aberdeen en Londen. In sommige steden zijn organisaties die daklozen en zwerfjongeren opvangen: Centrepoint in Londen bijvoorbeeld. Verspreid een signalement. Dan heb je het Nationale Bureau voor Vermiste Personen in Londen. Fax al je gegevens naar hen. Je kunt de lui van het Leger des Heils vragen om hun ogen open te houden. Gaarkeukens, opvangcentra, je weet nooit wie daar nog opduikt.'

Rebus noteerde het allemaal in zijn aantekenboekje. Hij keek op en zag dat ze haar schouders ophaalde.

'En dat is het zo'n beetje.'

'Is het een groot probleem?'

Ze glimlachte. 'Het punt is juist dat het helemaal geen probleem is, behalve als jij degene bent die iemand kwijt is. Veel mensen duiken uiteindelijk weer op, sommige niet. Volgens de laatste schattingen die ik zag, lopen er zo'n kwart miljoen vermiste personen rond.

Mensen die er de brui aan hebben gegeven, van identiteit zijn veranderd, of in de steek gelaten door de zogenaamde "zorg"-instanties.'

'Zorg op maat?'

Ze glimlachte weer wrang, nam een slok en keek op haar horloge.

'Ik kan me voorstellen dat Shiellion een welkome afleiding was.'

Ze snoof. 'Ja nou, dat was smullen. Zedenmisdrijven zijn altijd een eitje.' Ze staarde voor zich uit. 'Twee weken terug had ik iemand die twee vrouwen had verkracht. Gaat ie uiteindelijk vrijuit. Fout van het OM, wou het snel afhandelen.'

'Maximumstraf drie maanden?'

Ze knikte. 'Hij was niet voorgeleid wegens verkrachting maar schennis van de openbare zeden. De rechter was woest. Na aftrek van voorarrest bleef er nog geen twee weken celstraf over, dus liet hij hem meteen gaan.' Ze keek Rebus aan. 'Volgens de psych gaat hij het weer doen. Proeftijd, taakstraf, beetje therapie. En dan doet hij het weer.'

Dan doet hij het weer. Rebus moest denken aan Darren Rough, maar ook aan Cary Oakes. Hij keek zelf op zijn horloge. Nog even en Oakes landde op Turnhouse. Nog even en híj werd een probleem...

'Sorry dat ik je niet veel verder kan helpen met die vermissing,' zei ze, terwijl ze aanstalten maakte om op te staan. 'Iemand die je kent?'

'Zoon van kennissen.' Ze knikte. 'Hoe raad je dat zo?'

'Het is niet lullig bedoeld, John, maar anders zou je er waarschijnlijk niet naar omkijken.' Ze pakte haar aktetas. 'Hij is er een van een kwart miljoen. Wie heeft tijd om zich daarmee bezig te houden?'

12

In de terminal stonden journalisten te wachten. De meeste hielden per mobiele telefoon contact met hun redactie. Fotografen stonden met elkaar te praten over lenzen en soorten film en de gevolgen die digitale camera's uiteindelijk zouden hebben. Er stonden drie tv-ploegen: de Schotse omroep, de BBC en Edinburgh Live. Iedereen leek iedereen te kennen. Ze waren allemaal vrij ontspannen, misschien zelfs een tikje verveeld van het wachten.

De vlucht had twintig minuten vertraging.

Rebus wist waarom. De reden was dat de Londense agenten op Heathrow nogal sloom waren geweest met het op het vliegtuig zetten van Cary Oakes. Oakes had meer dan een uur op Heathrow doorgebracht. Hij was er naar de wc geweest, had iets gedronken in een van de bars, had een krant en een paar tijdschriften gekocht en was aan de telefoon geroepen.

Dat telefoontje intrigeerde Rebus.

'Hij werd omgeroepen,' had de Boer gezegd. 'Iemand wilde hem spreken.'

'Wie zou dat zijn?'

De Boer had zijn schouders opgehaald.

Nu was Oakes onderweg naar Edinburgh. Twee rechercheurs hadden hem aan boord van het vliegtuig gebracht, waren weer uitgestapt en blijven kijken tot het vliegtuig het Londense luchtruim had verlaten. Toen hadden ze hun collega's op het hoofdbureau van het korps Lothian and Borders gebeld.

'Hij is voor jullie,' was de boodschap.

De plaatsvervangend korpschef had de Boer ermee belast. De Boer kwam zijn kantoor meestal niet uit: hij delegeerde graag, vertrouwde op zijn mensen. Maar vanavond, vanavond was een bijzonder geval. Dus zat hij naast Rebus in de auto. Agent Siobhan Clarke zat achterin. Het was een surveillancewagen: ze wilden dat Oakes hen zag. Rebus was vooruitgegaan om de situatie op te nemen en teruggekeerd met het nieuws over de persmuskieten.

'Mensen die we kennen?' vroeg Clarke.

'De bekende gezichten,' zei Rebus, en nam nog een kauwgumpje van haar aan. Dat was de deal die ze hadden gesloten: hij zou niet roken als zij kauwgum kocht. Zijn verkenningsmissie was een smoes geweest om een sigaret op te steken.

Volgens de klok in het dashboard kon het vliegtuig ieder moment landen. Ze hoorden het voordat ze het zagen: een dof gesnerp, knipperende lichten aan de donkere hemel. Ze hadden één raampje opengedraaid om te voorkomen dat de ruiten besloegen.

'Dat kan hem zijn,' zei de Boer.

'Kan.'

Siobhan Clarke had al het papierwerk naast haar liggen: ze had bijgelezen over Cary Dennis Oakes. Ze vroeg zich af of ze hier nog iets anders deden dan hun eigen nieuwsgierigheid bevredigen. Maar ze wás wel nieuwsgierig.

'Duurt vast niet lang meer,' zei ze.

'Kan nog tegenvallen,' zei Rebus, en hij gooide zijn portier weer open. Terwijl hij naar de terminal liep, voelde hij in zijn zakken naar een sigaret.

Hij omzeilde het kluitje journalisten en liep naar een bord waarop GEEN TOEGANG stond. Toonde zijn legitimatie en liep door naar de aankomsthal. Hij had al met de douane gesproken en ze stonden op hem te wachten. Hij wist hoe het ging bij internationale vluchten met overstap: geen controle op Heathrow. Vaak was er ook geen controle in Edinburgh: dat was afhankelijk van de werkroosters; de bezuinigingen hadden erin gehakt. Maar vandaag zouden ze een uitgebreide controle uitvoeren. Rebus keek toe terwijl de passagiers uit het toestel van Heathrow de hal in liepen en bij de transportband op hun bagage gingen wachten. Vooral zakenlui met een aktetas en een krant. De helft van de reizigers had alleen handbagage bij zich. Ze waren snel door de douane, op weg naar hun auto op de parkeerplaats, het gezin dat thuis wachtte.

En toen de man in vrijetijdskleding: spijkerbroek en gympen, rood-zwart geblokt overhemd, witte honkbalpet. Hij droeg een weekendtas. Er leek niet veel in te zitten. Rebus knikte naar de douanebeambte, die naar voren stapte en de man aanhield en meenam naar de balie.

'Paspoort, alstublieft,' zei de douaneman.

De man tastte in de borstzak van zijn overhemd en trok er een nieuw uitziend paspoort uit. Dat was meer dan een maand geleden aangevraagd, toen de Amerikanen wisten dat ze hem zouden vrijlaten. De ambtenaar bladerde erin en zag slechts lege pagina's.

'Waar komt u vandaan, meneer?'

De ogen van Cary Oakes waren gericht op de man op de achtergrond, de man die dit allemaal had geregeld.

'Verenigde Staten,' zei hij. Hij sprak een eigenaardige mengeling van Amerikaans en Brits Engels.

'En wat komt u hier doen, meneer?'

Oakes grijnsde zelfgenoegzaam. Hij had het gezicht van een eeuwige schooljongen, de grappenmaker van de klas. 'De tijd verdrijven,' zei hij.

De douanier had de inhoud van zijn tas over de balie uitgestort. Toilettas, schone kleren, een paar seksblaadjes. Een bruine map vol tekeningen en foto's uit tijdschriften. Ze zagen eruit alsof ze lang op een muur hadden gehangen. Er was ook een felicitatiekaart, met de tekst 'behouden vlucht' en getekend: 'je makkers achter de tralies'. In een andere map zaten aantekeningen en krantenverslagen over zijn proces. Twee boeken, een bijbel en een woordenboek. Ze zagen er allebei veel gebruikt uit.

'Man zonder bagage,' legde Oakes uit.

De douanier keek naar Rebus, die knikte maar bleef Oakes onderwijl strak aankijken. Alles werd in de tas teruggestopt.

'U pakt het eigenlijk heel bescheiden aan,' zei Oakes. 'En dat stel ik op prijs, hoor. Ik wil voorlopig gewoon een rustig leventje leiden.' Hij knikte erbij.

'Ik zou hier vooral niet te lang blijven,' zei Rebus kalm.

'Ik geloof niet dat we al aan elkaar zijn voorgesteld, agent.' Oakes stak een hand uit. Rebus zag dat de rug bezaaid was met tatoeages: initialen, kruizen, een hartje. Na gewacht te hebben trok Oakes zijn hand terug en lachte in zichzelf. 'Nog niet zo makkelijk nieuwe vrienden te maken, blijkbaar,' zei hij peinzend. 'Ik ben zeker niet meer zo vlot in de omgang.'

De douanier ritste de weekendtas dicht. Oakes pakte hem bij de hengsels vast.

'Nou, heren... als u bent uitgespeeld...'

'Waar gaat u heen?' vroeg de douanebeambte.

'Leuk hotel in de stad. Ik hou het voortaan bij hotels. Ze wilden me in een of ander paleis op het platteland stoppen, maar dat heb ik geweigerd. Ik wil stadsverlichting en actie. Een beetje leven in de brouwerij.' Hij lachte weer.

'Wie zijn "ze"?' Rebus kon zich er niet van weerhouden het te vragen.

Oakes grijnsde slechts en gaf hem een knipoog. 'Dat merk je nog wel, makker. Zul je niet eens veel speurwerk voor nodig hebben.' Hij tilde de tas op, gooide hem over zijn schouder en liep fluitend weg, mengde zich in de massa op weg naar de uitgang.

Rebus volgde hem. Buiten schoten de journalisten hun plaatjes, al had Oakes de honkbalpet over zijn gezicht geschoven. Er werden vragen naar hem geroepen. Toen baande een te dikke man zich een weg door de menigte, met een sigaret bungelend in zijn mondhoek. Rebus kende hem: Jim Stevens. Die werkte voor een van de tabloids in Glasgow. Hij pakte Oakes bij de arm en zei iets in zijn oor. Ze gaven elkaar een hand en vanaf dat moment had Stevens de leiding, hij loodste Oakes door de menigte met een bezitterige arm om zijn schouders.

'Hé Jim, toe nou,' riep een van de andere journalisten.

'Geen commentaar,' zei Stevens, terwijl de sigaret op en neer danste in zijn mondhoek. 'Maar vanaf morgen kun je onze exclusieve serie artikelen lezen.'

Hij wuifde nog en was door de deur naar buiten. Rebus liep naar een andere uitgang en stapte weer in de auto.

'Zo te zien heeft hij een nieuwe vriend,' zei Siobhan Clarke, toen ze Stevens de tas van Oakes in de kofferbak van een Vauxhall Astra zag leggen.

'Jim Stevens,' legde Rebus uit. 'Werkt in Glasgow.'

'En Oakes is nu van hem?' raadde ze.

'Het lijkt erop. Ik geloof dat ze de stad in gaan.'

De Boer sloeg op het dashboard. 'Ik had kunnen weten dat een van de kranten hem zou inpikken.'

'Ze ontfermen zich niet voor eeuwig over hem. Zodra ze het verhaal hebben...'

'Maar tot die tijd hebben ze hun advocaten.' De Boer draaide zich naar Rebus. 'Dus we kunnen níks doen wat kan worden opgevat als stalken.'

'Zoals u wilt, commissaris,' zei Rebus, en hij startte de auto. Hij keek de Boer aan. 'Rijden we naar huis?'

De Boer knikte. 'Maar eerst volgen we ze even. Zodat Stevens weet waar het op staat.'

'We worden gevolgd door een politieauto,' waarschuwde Cary Oakes.

Jim Stevens reikte naar de aansteker. 'Weet ik.'

'Op het vliegveld ook al een ontvangstcomité.'

'Rebus heet hij.'

'Wie?'

'Inspecteur John Rebus. Ik heb zelf een paar akkefietjes met hem gehad. Wat zei hij tegen je?'

Oakes haalde zijn schouders op. ‘Hij stond daar alleen maar en probeerde er gevaarlijk uit te zien. De types die ik in de nor heb leren kennen zouden hem een zenuwinzinking bezorgen.’

Stevens glimlachte. ‘Bewaar dat maar voor als mijn cassetterecorder aan staat.’

Oakes had het raam helemaal opengedraaid en stak zijn hoofd in de ijskoude avondlucht.

‘Last van de rook?’ vroeg Stevens.

‘Nee.’ Oakes bewoog zijn hoofd heen en weer alsof hij onder een föhn stond. ‘Slim dat je me liet omroepen op Heathrow.’

‘Ik wilde de eerste zijn die je een aanbod deed.’

‘Tien mille, hè?’

‘Dat moet wel lukken.’

‘Exclusieve rechten?’

‘Dat moet wel, voor dat geld.’

Oakes trok zijn hoofd weer naar binnen. ‘Ik weet niet of ik het goed kan.’

‘Dat komt wel goed. Je bent toch een Schot? Wij Schotten zijn geboren verhalenvertellers.’

‘Edinburgh is vast erg veranderd.’

‘Lang geleden dat jij er voor het laatst was.’

‘Nou en of.’

‘Ken je hier nog iemand?’

‘Ik weet wel een paar namen.’ Oakes glimlachte. ‘Jim Stevens, John Rebus. Dat zijn er al twee, en ik ben nog maar een halfuur in het land.’ Jim Stevens begon te lachen. Oakes draaide het raam weer dicht en boog voorover om de muziek uit te zetten. Draaide zich op zijn stoel om Stevens zijn volle aandacht te geven. ‘Vertel eens over Rebus. Ik wil hem graag beter leren kennen.’

‘Waarom?’

Oakes hield zijn ogen op de journalist gericht. ‘Mensen die belang stellen in mij,’ zei hij, ‘daar stel ik ook belang in.’

‘Geldt dat voor mij ook?’

‘Je weet nooit wat er allemaal kan gebeuren, Jim. Je weet het maar nooit.’

Stevens had Oakes weg willen halen uit Edinburgh. Hij had hem in afzondering willen houden voor de duur van de interviews. Maar Oakes had aan de telefoon gezegd: het moet in Edinburgh. Dat moet gewoon. Dus was het Edinburgh geworden: een onopvallend hotel in een woonwijk in de New Town. Stevens moest glimlachen om die naam, New Town: elders in Schotland was dat de naam voor steden als Glenrothes of Livingston, die in de jaren vijftig en zestig voor weinig geld uit de grond waren gestampt. Maar in Edinburgh was de New Town een wijk met achttiende-eeuwse huizen. Veel nieuwer had deze stad het niet graag. Het hotel was vroeger een woonhuis van vier verdiepingen geweest. Ingetogen chic: een stille straat. Oakes besloot al na één blik dat dit niets was. Hij zei niet waarom, stond alleen maar buiten op de stoep frisse lucht op te snuiven, terwijl Stevens als de weerga begon te bellen met zijn mobiel.

'Het zou handig zijn als ik wist wat je wil.'

Oakes haalde alleen zijn schouders op. 'Dat weet ik pas als ik het zie.' Hij zwaaide even naar de politiewagen die met brandende lampen langs de stoep stond.

'Oké,' zei Stevens uiteindelijk. 'Instappen maar weer.'

Ze reden over Leith Walk naar het havengebied van Leith zelf.

'Is dit nog steeds zo'n ruige buurt?' vroeg Oakes.

'Is aan het veranderen. Projectontwikkeling, ministerie dat zich daar heeft gevestigd. Nieuwe restaurants en een paar hotels.'

'Maar het blijft Leith, nietwaar?'

Stevens knikte. 'Blijft Leith,' gaf hij toe. Maar toen ze bij het water kwamen en Oakes hun hotel zag, begon hij meteen te knikken.

'Sfeer,' zei hij, met een blik op de havens. Er lag een containerschip, met werklui in het schijnsel van lampen. Een paar pubs, allebei met een restaurant. Aan de andere kant van het dok was een vaste ligplaats voor een boot die was omgebouwd tot club. Daar werden ook nieuwe flats gebouwd.

'Het ministerie zit daar,' zei Stevens, wijzend.

'Hoe lang denk je dat ze daarmee doorgaan?' vroeg Oakes, met een blik op de politieauto die achter hen was gestopt.

'Niet zo lang. Als het te lang duurt, bel ik onze advocaten. Moet ik sowieso doen, om je contract te regelen.'

'Contract.' Oakes proefde het woord. 'Lang geleden dat ik een baan had.'

'Alleen maar een beetje praten en poseren voor wat foto's.'

Oakes draaide zich om op zijn stoel. 'Voor tien mille speel ik het allemaal na voor je.'

Het bloed trok weg uit Stevens' gezicht. Oakes nam hem ingespannen op, om zijn reactie te meten.

'Dat zal waarschijnlijk niet nodig zijn,' zei Stevens.

Oakes lachte om dat 'waarschijnlijk'.

De hotelkamer keurde hij goed. De kamer ernaast kon Stevens niet krijgen, hij moest genoegen nemen met een andere kamer op dezelfde verdieping. Hij gaf zijn creditcard af en zei dat ze er een paar dagen zouden zitten. Hij trof Oakes liggend op bed, schoenen nog aan, weekendtas op het bed naast zich. Hij had er één ding uit gehaald: de beduimelde bijbel. Die lag op het nachtkastje. Mooi detail: dat zou Stevens gebruiken in zijn inleiding.

'Ben je gelovig, Jim?' vroeg Oakes.

'Niet erg.'

'Foei. Je kunt veel leren van de Bijbel. Ik heb ermee kennisgemaakt in de nor. Vroeger had ik geen tijd voor de blijde boodschap.'

'Ging je wel naar de kerk?'

Oakes knikte zonder hem te horen. 'Elke zondag was er een dienst in de gevangenis. Ik ging altijd.' Hij keek naar Stevens. 'Ik ben geen gevangene, hè? Ik mag komen en gaan wanneer ik wil?'

'Het laatste wat ik wil is dat jij je hier opgesloten voelt.'

'Daar zijn we het dan over eens.'

'Maar ik heb wel een paar regels, zolang je hier op mijn kosten leeft. Als je naar buiten gaat, wil ik het weten. Ik wil zelfs graag met je mee.'

'Bang dat een concurrent me inpikt?'

'Zoiets.'

Oakes draaide zijn hoofd naar hem toe en grijnsde. 'En als ik nou een vrouw wil? Ga jij dan in de hoek zitten terwijl ik lig te bonken?'

'Aan de deur luisteren vind ik genoeg,' zei Stevens.

Oakes lachte, kronkelde heen en weer op de matras. 'Op zo'n zacht bed heb ik nog nooit gelegen. Het ruikt ook lekker.' Hij bleef nog even liggen en ging toen ineens rechtop zitten. Stevens was verrast door de snelheid waarmee hij op de been was.

'Kom mee dan,' zei Oakes.

'Waarheen?'

'Naar buiten, man. Maar maak je geen zorgen, verder dan vijftig meter ga ik niet.'

Stevens volgde hem naar buiten maar bleef bij het hotel staan, zag waar Oakes heen liep.

De politiewagen. Waarvan de lampen nog brandden. Drie silhouetten binnenin. Oakes keek door de voorruit en liep naar de bestuurderszijde, tikte tegen het glas. De man die hij nu kende als Rebus draaide het raam omlaag.

'Hé,' zei Oakes bij wijze van groet, met een knikje naar de andere twee – jonge vrouw en een hoge pief die enorm chagrijnig keek. Hij gebaarde naar het hotel. 'Fraaie tent, hè? Hebben jullie wel eens in zoiets geslapen?' Ze zeiden niets. Hij legde een arm op het dak van de auto en de andere op het portier.

'Ik vond het...' Ineens leek hij een beetje verlegen. 'Ja.' Hij wist niet goed hoe hij het moest zeggen. 'Echt rot om te horen van je dochter. Man, dat is echt klote.' Hij keek Rebus aan met glanzende, zielloze ogen. 'Een van de moorden waar ze mij voor hebben gepakt, die meid, moet ongeveer even oud zijn geweest. Net zo oud als je dochter, bedoel ik. Sammy heet ze toch?'

Rebus duwde het portier zo hard open dat Oakes bijna in het water viel. De andere man – Rebus' chef – riep een waarschuwing. De jonge vrouw kwam ook de auto uit. Rebus stond pal voor Oakes' neus. Jim Stevens kwam aangesprint vanaf het hotel.

Oakes hield zijn hand boven zijn hoofd. 'Als je me aanraakt, is het mishandeling.'

'Je liegt.'

'Pardon?'

'Je bent niet aangeklaagd voor moord op iemand van mijn dochters leeftijd.'

Oakes lachte en wreef over zijn kin. 'Verrek, daar zit wat in. Nou, één-nul voor jou dan, hè?'

De vrouw pakte Rebus bij zijn arm. Jim Stevens stond te hijgen na zijn korte sprint. De chef bleef in de auto wachten.

Oakes boog zich voorover en keek in de auto. 'Te gewichtig voor dit gedoe? Of durf je niet? Moet je zelf weten, man.'

Stevens pakte hem bij een schouder. 'Kom mee.'

Oakes schudde zich vrij. 'Niemand raakt mij aan, dat is regel nummer één.' Maar hij liet zich meevoeren naar het hotel. Stevens keek nog even om en zag dat Rebus kwaad naar hem stond te kijken, omdat hij wist wie Oakes had verteld over hem, over zijn gezin.

Oakes begon te lachen, liep lachend naar de glazen deuren van het hotel. Van achter de deur bleef hij naar ze staan kijken.

'Die Rebus,' zei hij kalm. 'Niet bepaald een binnenvetter, hè?'

In de flat van Patience aan Oxford Terrace schonk Rebus zich een whisky in en deed er water bij uit een fles uit de koelkast. Ze kwam de slaapkamer uit, ogen dichtgeknepen tegen het plotse licht, een lichtgeel nachthemd tot haar enkels.

'Heb ik je wakker gemaakt? Sorry,' zei Rebus.

'Ik wilde toch net wat drinken.' Ze pakte een pak grapefruitsap uit de deur van de koelkast, schonk zich een groot glas in. 'Goeie dag gehad?'

Rebus wist niet of hij moest lachen of huilen. Ze liepen met hun glas naar de woonkamer en gingen op de bank zitten. Rebus pakte de daklozenkrant die daar lag: Patience kocht hem altijd, maar hij was degene die hem las. Er stonden nieuwe oproepen in over vermiste personen. Hij wist dat hij op teletekst ook een lijst vermiste personen zou vinden. Hij had er wel eens naar gekeken, een paar pagina's gescand. De lijst werd bijgehouden door de Nationale Hulplijn Vermiste Personen. Janice had gezegd dat ze het aan hen zou doorgeven...

'En jij?' vroeg hij.

Patience vouwde haar benen onder zich. 'Zelfde als altijd. Soms heb ik het gevoel dat een robot dat werk ook kan doen. Dezelfde symptomen, dezelfde recepten. Amandelen, mazelen, een duizeling...'

'Misschien moeten we er eens uit gaan.' Ze keek hem aan. 'Een weekendje.'

'Dat hebben we geprobeerd, weet je nog? Jij begon je te vervelen.'

'Ach, dat was het platteland.'

'Wat voor romantisch weekendje had je nu dan in gedachten? Dundee? Falkirk? Kirkcaldy?'

Hij stond op om zijn glas bij te vullen en vroeg of zij ook nog wat wilde. Ze schudde haar hoofd, haar ogen op zijn lege glas gericht.

'Mijn tweede vandaag,' zei hij terwijl hij naar de keuken liep.

'Hoe kom je er eigenlijk zo bij?' Ze liep achter hem aan.

'Waarbij?'

'Dat je ineens op vakantie wil.'

Hij keek even naar haar. 'Ik ben vandaag bij Sammy geweest. Ze zei dat je haar meer te spreken krijgt dan mij.'

'Dat is een beetje overdreven...'

'Zei ik ook. Maar er zit wel iets in.'

'O?'

Ditmaal schonk hij er minder water in. En misschien ook iets meer whisky. 'Ik bedoel, ik weet dat ik soms nogal... afwezig ben. Ik weet dat ik waardeloos gezelschap ben.' Hij deed de koelkast dicht, draaide zich om en haalde zijn schouders op. 'Daarom, eigenlijk.'

Hij bleef strak naar zijn glas kijken terwijl hij sprak, en vroeg zich af waarom hij bij die woorden ineens een vakantiefoto van Janice Mee voor zich zag.

'Ik blijf maar hopen dat je terugkomt,' zei Patience. Hij keek haar aan. Ze tikte tegen haar hoofd. 'Van waar je ook naartoe gereisd bent.'

'Ik ben hier.'

Ze schudde haar hoofd. 'Nee, dat ben je niet. Je bent hier niet echt, helemaal niet.' Ze draaide zich om en liep naar de woonkamer.

Niet veel later ging ze naar bed. Rebus zei dat hij nog even opbleef. Zapte de kanalen langs maar vond niets. Keek op teletekst, pagina 346. Zette zijn koptelefoon op om naar Genesis te luisteren: 'For Absent Friends'. Jack Morton zat op de armleuning van de bank terwijl scherm na scherm met vermiste personen langskwam. Damon stond er nog niet bij. Rebus stak een sigaret op, blies rook naar het tv-scherm en keek hoe de walm zich oploste. Toen schoot hem te binnen dat hij bij Patience was en dat ze er niet van hield dat hij binnen rookte. Terug naar de keuken om zijn kleine zonde uit te drukken. Na Genesis zette hij Family op: 'Song for Sinking Loves'.

Volgens mij is er iets bedorven geraakt in jou.

Jullie wilden hem zelf hier hebben.

Zag twee mannen in de beklaagdenbank, hun advocaat die de jury bespeelde. Zag Cary Oakes die zich over de auto boog.

Hij gaat het weer doen.

Zag Jim Margolies die zijn laatste sprong in het donker maakte. Misschien viel het allemaal niet te begrijpen. Hij draaide zich om naar Jack. Vroeger had hij Jack vaak gebeld – het maakte niet uit hoe laat het was, dat vond Jack nooit erg. Dan hadden ze over van alles gepraat, over hun zorgen en sombere buien.

'Hoe kon je me dat aandoen, Jack?' zei Rebus stil, en terwijl hij zijn whisky dronk vulde de kamer zich met geesten.

Het was laat, maar Jim Stevens wist dat zijn redacteur het niet erg zou vinden. Hij probeerde eerst zijn mobiele nummer. Bingo: zijn baas zat bij een diner in Kelvingrove. Politici, de gebruikelijke hoge piefen. Stevens' chef was verzot op dat soort. Misschien zat hij niet op zijn plaats bij hun sensatieblad.

Of misschien was Jim Stevens na al die jaren zelf niet helemaal meer bij de tijd. Overal om hem heen zag hij journalisten die jonger, slimmer en gretiger waren. Tegenwoordig kon je op je vijftigste al uitgerangeerd zijn. Hij vroeg zich af hoe lang het zou duren voordat de cheque met de ontslagpremie getekend werd aan het bureau van zijn redacteur, en de jonkies op kantoor met een envelop rondgingen voor een afscheidscadeau voor 'goeie ouwe Jim'. Hij wist hoe het ging, wist al wat voor toespraakjes ze zouden houden – teksten die elke zichzelf respecterende krantenschrijver meteen in de prullenbak zou gooien. Hij wist het omdat hij het al zo vaak had gezien, in de tijd dat hijzelf een jonkie was en de oude garde klaagde over dalende kwaliteit en de veranderingen in de journalistiek.

Zodra Jim lucht had gekregen van de komst van Cary Oakes, had hij zijn baas apart genomen, en daarna had hij de vluchtschema's bestudeerd en de omroepdienst van Heathrow gepaaid om de verloren zoon voor hem aan de telefoon te roepen.

'Jij mag hem hebben, Jim,' had zijn redacteur gezegd, maar met een waarschuwend vingertje. 'Het kan de slagroom op de taart zijn. Als je maar zorgt dat die niet zuur wordt.'

Nu schotelde de chef hem een paar roddels van het etentje voor. Hij had duidelijk een paar glazen op. Dat zou hem er niet van weerhouden om daarna nog naar de redactie te gaan. Dagen van twaalf uur: tijd geleden dat Jim die gedraaid had.

'En wat kan ik voor jou doen, Jim?'

Eindelijk. Stevens haalde diep adem. 'We zitten in het hotel.'

'Wat voor indruk maakt ie?'

'Oké.'

'Geen kwijlend monster of zo?'

'Nee, hij is heel rustig eigenlijk.' Stevens besloot dat zijn chef niets hoefde te weten van de aanvaring met Rebus.

'En hij wil ons het exclusieve verhaal geven?'

'Ja.' Stevens stak een sigaret op.

'Je mag wel wat enthousiaster klinken.'

'Het is gewoon een lange dag geweest, chef. Meer niet.'

'Weet je zeker dat je dit volhoudt, Jim? Ik kan iemand van de redactie sturen...'

'Dank je feestelijk.' Stevens hoorde zijn chef lachen. Nou, ha ha. 'Ik heb andere hulp nodig.'

'Harde feiten, bedoel je?'

'Gebrek daaraan, vooral.'

'Hmm...' Peinzend. 'Heb je een plan van aanpak?'

'Jij hebt toch een jaar of twee in Amerika gewerkt?'

'Tijd geleden.'

'Heb je daar nog kennissen?'

'Een paar misschien.'

'Ik moet iemand hebben van een krant in Seattle, kijken of ik een van de rechercheurs kan spreken die het onderzoek naar Oakes hebben gedaan.'

'Ik heb iemand gekend die nu bij CBS zit.'

'Dat is al iets.'

'Zodra ik op kantoor ben, oké?'

'Bedankt, chef.'

'En Jim? Maak je niet te druk om de feiten. Wat je uit onze vriend Oakes nu vooral moet loskrijgen is een lekker sappig verhaal. Hoe dan ook.'

Stevens legde de hoorn erop en ging op zijn bed liggen. Enerzijds had hij nu al zin er de brui aan te geven. Anderzijds was hij nog gretig. Wilde hij dat die knulletjes op de redactie hem bewonderend zouden aanstaren, zich zouden afvragen of ze ooit zo goed en scherp zouden worden als hij. In dat opzicht snákte hij naar Oakes' verhaal. Na afloop kon hij desnoods opstappen: kroon op zijn werk en zo. Hij dacht weer aan Rebus. Vroeg zich af wat Oakes eraan had om het tegen hem op te nemen. Voor zover Stevens wist, was nog nooit iemand met Rebus in de ring gestapt zonder er minstens een paar stevige schrammen en builen aan over te houden. En soms... soms spalken en een rit naar het ziekenhuis.

Maar Oakes leek gretig. Oakes leek zin te hebben in de strijd, hij had die uitval van Rebus uitgelokt.

Jim Stevens moest voor babysitter spelen. Maar hij had de indruk dat Oakes ofwel iets in zijn schild voerde, of een doodswens had. Twee dingen die babysitten moeilijk maakten.

'Dit is je laatste klus, Jim,' beloofde Stevens zichzelf. En hij besloot die afspraak te bezegelen met een aanval op de minibar.

13

Het budget voor de observatieteams was zo klein dat ze in hun eentje moesten posten. Om vier uur 's nachts reed Rebus naar de haven omdat hij toch niet kon slapen. Onderweg stopte hij bij een tankstation. Siobhan Clarke zat in een Rover 200 zonder striping. Ze had zich gekleed als voor een bergwandeling: bergschoenen en dikke sokken waar ze haar broek in had gestopt; thermisch jack en wollen muts. Op de stoel naast haar: aantekenboek en pen, drie lege zakjes light-chips, twee thermosflessen. Rebus ging achterin zitten en bood haar een in de magnetron opgewarmd pasteitje en een bekertje koffie aan.

'Bedankt,' zei ze.

Rebus keek naar het hotel. 'Iets gezien?'

Ze schudde haar hoofd, kauwde en slikte. 'Maar ik zat wel te denken. Aan de achterkant zijn ook personeelsingangen, daar heb ik geen zicht op.'

'Hij heeft vast een jetlag.'

'De hele nacht wakker en overdag slapen, bedoel je?'

'Daar had ik niet aan gedacht.' Rebus leunde naar voren. 'Is hij helemaal niet naar buiten gekomen?'

Ze schudde haar hoofd. 'Na al die jaren in de cel heeft hij misschien pleinvrees gekregen.'

'Misschien.' Rebus wist dat daar iets in zat. Hij had ex-gedetineerden gekend die de buitenwereld niet aankonden – zoveel ruimte en licht. Die hadden uiteindelijk een misdaad gepleegd, de enige manier om weer opgeborgen te kunnen worden.

'Hij heeft in het restaurant gegeten.' Ze knikte in de richting van het spiegelglas van de eetzaal van het hotel.

'Heeft hij je gezien?'

'Weet ik niet. Hij heeft een kamer op de tweede verdieping. Het laatste raam.'

Rebus keek. Twaalf glazen vierkantjes. Het raam was opengeschoven, stond op een kier. 'Hoe weet je dat?'

'Aan de hotelmanager gevraagd.'

Rebus knikte – orders van de Boer: discretie hoefden ze niet te betrachten. 'Hoe reageerde die?'

'Hij vond het niet zo prettig.' Ze nam de laatste hap van haar pasteitje.

'Als Oakes het maar niet prettig vindt, hè?'

'Zeker niet,' zei Clarke.

Rebus opende zijn portier. 'Ik ga even kijken.' Hij wachtte even. 'Wat doe je eigenlijk als je...?'

Ze tilde een van de thermosflessen op, pakte een trechtertje van de vloer.

'En als je...?'

'Zelfbeheersing, inspecteur.'

Hij knikte. 'Haal alsjeblieft je flessen niet door elkaar.'

De lucht buiten was fris. Geluiden van nachtverkeer in de haven, een enkele taxi die door de straat reed. Taxi's: hij moest taxichauffeurs vragen naar Damon en die vrouw. Hij liep langs de zijkant van hotel naar de parkeerplaats aan de achterkant. De personeelsingangen zaten op slot. Ernaast stonden vier vuilcontainers, door een houten hek afgescheiden van de auto's van de gasten. De Astra van Jim Stevens was snel gevonden. Rebus scheurde een pagina uit zijn notitieboekje, krabbelde er een paar woorden op, vouwde het op en stopte het onder een ruitenwisser. Bij de personeelsingangen voelde hij nog even of ze niet van buitenaf geopend konden worden. Zo wist hij dat zelfs als Oakes daardoor het hotel had verlaten, hij toch via de hoofdingang terug naar binnen zou moeten.

Als hij terugkwam natuurlijk. Misschien nam hij gewoon de benen: was dat niet hun bedoeling? Nee, niet precies. Ze wilden zéker weten dat hij Edinburgh had verlaten. Een Oakes die verdwenen was uit zijn hotel was niet helemaal hetzelfde. Rebus liep terug naar de auto van Clarke, pakte zijn mobiel en belde. De hotelreceptie nam op.

'Goedenavond,' zei Rebus. 'Kunt u me doorverbinden met de kamer van meneer Oakes?'

'Momentje.'

Rebus knipoogde naar Clarke. Hij hield het toestel tussen hen in zodat ze kon meeluisteren. Een gezoem van de telefoon die drie of vier keer overging. Toen nam hij op.

'Ja? Wat is er?' Het slaapdronken zijn klonk niet gespeeld.

'Tommy, ben jij dat?' Imitatie van een Glasgows accent. 'We bouwen een feestje in mijn kamer. Doe je mee?'

Even stilte. Toen: 'Welk kamernummer ook weer?'

Rebus overwoog een antwoord, maar hing toen op. 'We weten tenminste dat hij daar is.'

'En nu ook wakker.'

Rebus keek op zijn horloge. 'Om zes uur zit je dienst erop.'

'Als Bill Pryde zich niet verslaapt.'

'Ik bel hem wel wakker voor je.' Rebus wilde weer uitstappen.

'Kijk, inspecteur.' Clarke knikte in de richting van het hotel.

Rebus keek: een raam op de tweede verdieping, het laatste. Geen licht aan, maar gordijnen open en een gezicht bij het raam, dat naar buiten keek. Recht naar hen. Rebus zwaaide naar Cary Oakes terwijl hij naar zijn auto liep.

Discretie was nergens voor nodig.

Om acht uur zat hij op het bureau de gegevens van Damon Mee in te tikken en een belronde voor te bereiden langs de verschillende hulporganisaties, hostels en opvangcentra. Om negen uur kwam er een bericht van de balie. Iemand die hem wilde spreken.

Janice.

'Jij kunt gedachten lezen,' zei Rebus. 'Ik was net met Damon bezig. Heb je nieuws?'

Hij liep met haar door Rankeillor Street, op weg naar een cafetaria in Clerk Street. Hij wilde haar niet op het bureau spreken. Om allerlei redenen: wilde niet dat iemand merkte dat hij bezig was aan een zaak die officieel niet voor hun korps was; wilde haar een blik op sommige dingen op het bureau besparen: foto's van vermiste personen en verdachten, zaken waaraan werd gewerkt zonder enige emotie en enthousiasme, en misschien, heel misschien, wilde hij haar met niemand delen. Wilde hij niet dat het deel van haar dat bij zijn verleden hoorde, ineens binnenstapte in het hier en nu, in zijn werkruimte.

'Geen nieuws,' zei ze. 'Ik wou gewoon een dagje naar Edinburgh, om te kijken of ik... Ik weet het niet. Ik moet gewoon iets dóén.'

Rebus knikte. Donkere halvemaantjes onder haar ogen. 'Krijg je wel genoeg slaap?' vroeg hij.

'Ik heb pillen gekregen van de dokter.'

Rebus herinnerde zich hoe ze vragen soms kon beantwoorden zonder antwoord te geven.

'Slik je ze ook?' Ze glimlachte, keek hem aan. 'Dacht ik al,' zei hij. Janice zou nooit tegen je liegen, maar je moest je vraag zorgvuldig formuleren om achter de waarheid te komen.

'Dit soort gesprekken hadden we vroeger ook altijd, hè?'

Dat was inderdaad zo. Dan vroeg Rebus zich af of ze misschien een oogje had op een van zijn vrienden, en probeerde hij dat uit te vissen zonder jaloers over te komen. En vertelde zij over haar leven voordat ze iets met elkaar hadden. Dialogen waarin veel verzwegen bleef.

Hij loodste haar het cafetaria in. Ze namen een tafeltje in de hoek. De eigenaar was net aangekomen en had alleen opengedaan omdat hij Rebus kende.

'Ik heb nog geen eten,' waarschuwde hij.

'Koffie is prima,' zei Rebus. Hij keek naar Janice, die knikte. Ze bleven elkaar aankijken terwijl de eigenaar wegliep.

'Heb je het me ooit vergeven?' vroeg ze.

'Wat?'

'Dat weet je best.'

Hij knikte. 'Maar ik wil het jou horen zeggen.'

Ze glimlachte. 'Dat ik je buiten westen heb geslagen.'

Hij keek om zich heen. 'Niet zo hard. Straks hoort iemand het.'

Ze lachte, precies zoals hij had gewild. 'Je kon toen ook al nooit serieus doen, Johnny.'

'O nee?' Hij zocht zijn herinneringen af.

'Heb je contact gehouden met Mitch?'

Hij blies zijn wangen bol. 'Over het verre verleden gesproken.'

'Jullie waren zo dik met elkaar.' Ze verstrengelde twee vingers.

'Volgens mij is dat tegenwoordig strafbaar.'

Ze glimlachte, keek naar het tafelblad. 'Altijd grappen maken.' Haar wangen zagen een beetje rood. Ja, vroeger kon hij haar ook altijd laten blozen.

'En jij?' vroeg hij.

'Wat bedoel je?'

'Jij en Barney.'

'Niemand noemt hem nog Barney.' Ze leunde achterover. 'We waren gewoon bevriend, een paar jaar lang. Op een avond vroeg hij me mee uit. We kregen wat.' Ze haalde haar schouders op. 'Zo gaat dat soms. Geen Cupido, geen vuurwerk, gewoon... fijn.' Ze keek hem aan, glimlachte weer. 'En wat de rest betreft... Bill en Sarah wonen daar ook nog steeds. Ze zijn getrouwd en weer gescheiden, drie kinderen. Tom woont er ook, ongeluk op het werk gehad, heeft al jaren geen werk meer. Cranny – herinner je je haar nog?' Rebus knikte. 'Sommigen zijn verhuisd... een paar zijn er gestorven.'

'Gestorven?'

'Verongelukt. Paula kreeg kanker. Midge een hartaanval.' Ze zweeg toen de koffie aankwam, met opgeschuimde melk erop.

'Ik heb wel koekjes...' zei de cafébaas. Ze schudden hun hoofd.

Janice blies op de koffie, nam een slokje. 'En dan had je Alec natuurlijk...'

'Is die nooit meer opgedoken?' Alec Chisholm, die ging voetballen. Alec, die nooit was aangekomen in het park.

'Zijn moeder leeft nog. Ze is in de tachtig. En vraagt zich nog steeds af wat er van hem is geworden.'

Rebus zei niets. Hij wist al wat ze dacht: *dat is misschien mijn voorland.* Hij leunde over tafel, pakte haar hand. Die was warm, gaf mee.

'Je kunt me helpen,' zei hij.

Ze zocht een zakdoekje in haar tas. 'Hoe?'

Rebus pakte de lijst die hij die ochtend geprint had. 'Hostels en hulporganisaties,' legde hij uit. Ze snoot haar neus en bekeek de lijst. 'Die moeten allemaal gebeld worden. Ik wou het zelf gaan doen, maar het gaat sneller als jij alvast begint.'

'Oké.'

'En dan de taxi's. We moeten het nieuws verspreiden, de standplaatsen afgaan en laten weten wat we zoeken. Damon en die blondine, tegenover The Dome.'

Janice knikte. 'Dat kan ik wel doen,' zei ze.

'Ik zal je een lijst geven.'

De eigenaar stond bij de bar een sigaret te roken en opende de krant. Rebus zag een kop en wist dat hij de krant moest kopen. Janice rommelde in haar tas.

'Ik betaal,' zei Rebus.

'Ik zoek muntjes voor de telefoon,' zei ze.

Rebus dacht even na. 'Waarom doe je het niet bij mij thuis? Het is niet veel gerieflijker dan de meeste telefooncellen, maar je kunt er tenminste zitten en een kop koffie drinken...' Hij bood een sleutelbos aan. Ze keek hem aan.

'Weet je het zeker?'

'Natuurlijk.' Hij schreef zijn adres in zijn aantekenboek, plus zijn nummer op het werk en dat van zijn mobiel, scheurde de bladzij eruit en gaf hem aan haar. Ze keek ernaar.

'Geen dingen daar die niemand mag zien?'

Hij glimlachte. 'Ik ben er eerlijk gezegd niet vaak. Er zijn een paar buurtwinkeltjes als je –'

'Waar slaap je dan meestal?'

Hij kuchte. 'Bij een vriendin.'

Haar beurt om te glimlachen. 'Leuk.'

Waarom zei hij 'een vriendin' en niet gewoon 'mijn vriendin'? Rebus vroeg zich af of ze zo stuntelig klonken als hij zich voelde: ineens weer een tiener, taal een volstrekt ontoereikende vorm van communicatie.

'Ik rij je wel even,' zei hij.

'Vergeet de lijst met taxistandplaatsen niet,' zei ze. 'En een stadsplattegrond, als het kan.'

Rebus ging betalen. De eigenaar sloeg het aan op de kassa. Zijn krant lag open bij een krantenkop over het Shiellion-proces. KINDERVERZORGER AFGESCHILDERD ALS MONSTER. Er stond een foto bij van Harold Ince, die naar een politiebusje werd geleid door de parketwacht met wie Rebus had staan roken. Ince zag er vermoeid uit, en gewoon.

Dat was het probleem met monsters. Ze waren soms net zo gewoon als ieder ander.

Jim Stevens kon zijn opluchting niet verbergen toen hij de eetzaal in kwam. Hij liep naar een van de tafels bij het raam. Een paar gasten knikten en glimlachten naar hem toen hij langs ze liep. Hij had de indruk dat zij de vorige avond in de bar hadden gezeten.

'Goeiemorgen, Jim,' zei Cary Oakes, en hij veegde eigeel van zijn mondhoeken. Hij keek uit het raam. 'Grijze dag, precies zoals ik het me herinner.' Hij pakte het laatste driehoekje toast en begon het te besmeren. 'Nog steeds agenten daar.'

Jim Stevens keek uit het raam. Geen surveillancewagen, maar overduidelijk wel politie. Eén man, die achter het stuur een broodje zat te eten.

'Hoe lang denk je dat ze dat volhouden?' vroeg Oakes.

Stevens keek hem aan. 'Ik heb naar je kamer gebeld.'

'Wanneer?'

'Een kwartier, twintig minuten geleden.'

'Toen zat ik hier, makker. De sfeer op te snuiven.'

Stevens zocht met zijn ogen naar een kelner.

'Je kunt zelf fruitsap en cornflakes halen,' legde Oakes uit, met een knikje naar het buffet. 'Dan vragen ze of je ook nog iets warms wilt.'

Stevens keek naar het met vet besmeurde bord van Oakes. 'Na gisteravond hou ik het maar bij jus d'orange en koffie.'

Oakes lachte. 'Dat is nou de reden dat ik niet drink.' Hij had het de vorige avond bij sinaasappelsap en limonade gehouden: nu wist Stevens het weer. 'Trouwens,' zei Oakes, en hij leunde over tafel, 'van drank ga ik gekke dingen doen.'

'Bewaar dat maar voor onze gesprekken, Cary.'

Toen de kelner kwam, vroeg Oakes of hij nog een warm ontbijt kon krijgen. 'De dingetjes die ik daarnet heb overgeslagen.' Hij keek op de menukaart. 'Gebakken lever, beetje uien, en misschien wat haggis en bloedworst.' Hij klopte op zijn buik en glimlachte naar Stevens. 'Alleen vandaag, hoor. Vanaf morgen letten we weer op de gezondheid.'

Stevens sloeg een glas sinaasappelsap achterover en probeerde zich schrap te zetten om op een sneetje toast aan te vallen, maar toen Oakes' eten kwam stond hij na één blik op diens bord op en excuseerde zich. Hij liep naar buiten en stak een sigaret op. Er woei een frisse wind van de kant van de haven. Door de poort kon hij het gebouw van Scot FM zien. Toen hij zijn hoofd draaide, zag hij de politieman in de auto naar hem kijken. Hij kende het gezicht niet. Door het raam kon je Oakes zien zitten die overdreven zat te genieten van zijn ontbijt om de rechercheur te pesten. Stevens liep glimlachend rond het gebouw om de dure auto's op de parkeerplaats te bekijken: BMW's, Rover 600, een Audi. Zag iets op de voorruit van zijn eigen auto. Eerst dacht hij dat het een opgewaaid stuk straatvuil was. Toen dacht hij aan een aankondiging van een uitverkoop of een antiekveiling. Maar toen hij het openvouwde, wist hij van wie het kwam. Drie woorden:

LAAT HEM VALLEN.

Hij stopte het briefje in zijn zak en liep terug naar het hotel. Oakes was klaar met zijn ontbijt en zat op een van de banken bij de receptie in een krant te bladeren: een van de kwaliteitskranten.

'Dat doet pijn,' zei hij. 'Na al die drukte op het vliegveld...'

'Kijk eens in de tabloids,' zei Stevens en hij ging tegenover hem zitten. 'Daar wordt het breed uitgemeten. Mijn favoriete kop is "Killer Cary Komt Thuis".'

'Schattig.' Oakes legde de krant weg. 'Zullen we beginnen?'

'Over een kwartiertje in jouw kamer?'

'Best. Maar ik wil graag dat je nog één ding voor me doet.'

'Wat?'

'Iemand die ik zoek. Archibald heet hij.'

'Daar lopen er veel van rond.'

'Het is zijn achternaam. Voornaam Alan.'

'Alan Archibald? Moet ik die kennen?'

Oakes schudde zijn hoofd.

'Mag ik dan weten wie het is?'

'Hij werkte bij de politie – misschien nog steeds. Al wordt ie daar langzaamaan te oud voor.'

'En?'

Oakes haalde zijn schouders op. 'Meer hoef je voorlopig niet te weten. Als je braaf bent, vertel ik het verhaal misschien nog.'

'Voor wat we jou betalen, willen we álle verhalen.'

'Zoek hem nou maar op, Jim. Dan maak je me heel blij.'

Stevens keek eens goed naar zijn bron en vroeg zich af wie hier nu eigenlijk aan de touwtjes trok. Dat zou hijzelf moeten zijn. Maar hij vroeg het zich af...

'Ik kan een paar telefoontjes plegen,' beloofde hij.

'Braaf.' Oakes stond op. 'Over een kwartiertje, mijn kamer. Neem alle kranten mee. Ik ben graag het nieuws van de dag.'

En met die woorden verdween hij de trap op.

14

Het was Jamies werk om melk, broodjes en de krant te gaan kopen. Hij had zich erin bekwaamd om geld achterover te drukken door te liegen over wat het kostte. Zijn moeder klaagde wel, ze wist dat het elders goedkoper te krijgen was, maar 'elders' was voor Jamie niet op loopafstand. Ze wilde niet dat hij te ver van huis ging. Vond hij niet erg: als hij zin had om door de stad te zwerven, kon hij Billy Boy altijd laten zeggen dat hij bij hem geweest was.

Jamie vond zichzelf best slim.

Hij bleef even buiten de winkel staan om een sigaret te roken. Die kocht hij daar niet – hij was nog te jong en de Pakistaanse eigenaar zou hem die niet verkopen. Hij had een deal met een oudere jongen op school, die hem sigaretten gaf in ruil voor seksblaadjes. Die blaadjes vond Jamie onder Cals bed. Er lagen er zoveel dat Cal niet leek te merken dat er soms een paar verdwenen. Ook in het koudste weer genoot Jamie van zijn sigaret bij de winkeldeur. Kinderen op weg naar school staarden hem dan aan. Soms kwam er een vriend bij hem staan. Hij viel wel op.

Een van de buren had er eens iets van gezegd tegen zijn moeder en toen had ze geprobeerd hem een lel te geven, maar hij was supersnel en dook onder haar arm door en sprintte de deur uit, lachend om haar getier. De ene keer dat ze hem er echt van langs had gegeven, was toen er een brief van school was gekomen. Hij had gespijbeld, soms weken aan één stuk. Zijn moeder had hem bont en blauw geslagen en hij was huilend naar zijn kamer gegaan, rood van schaamte om zijn tranen.

Hij zou later vandaag nog wel naar school gaan. Cal was een kei in het schrijven van briefjes. Hij deed het al zo lang dat ze op school dachten dat zíjn handtekening die van zijn moeder was, en toen zij een keer een briefje had getekend over zijn deelname aan een schoolreisje, had de meester hem gevraagd van wie dat briefje kwam. Hij had zelfs de telefoon gepakt om zijn moeder erover te bellen, maar daar moest Jamie om lachen: ze hadden thuis geen telefoon. Een stuk of twintig asbakken, de meeste van uitstapjes of gejat uit pubs, maar geen telefoon. Cal had een mobiel, en die gebruikten ze als het echt nodig was – en als Cal zin had om het toe te staan.

Dat was het probleem met Cal. Soms was hij een toffe gozer... en soms ging hij zomaar door het lint. Pats: als een fles die tegen de muur spat. Of hij zei ineens niets meer, sloot zich op in zijn kamer en weigerde nog briefjes voor school te schrijven. Dan ging Jamie iets halen om hem te geven, hij jatte soms wat uit een winkel: zoenoffers om zonden goed te maken die hij niet had begaan. Op goeie dagen duwde Cal zijn knokkels op Jamies hoofd en zei dat hij de vredestichter in het gezin was: dat hoorde Jamie graag. Cal zei dat hij de Verenigde Naties was, en dat hij een wankel evenwicht in stand hield. Verenigde Naties, wankel evenwicht: dat soort woorden haalde hij uit de krant. Jamie vroeg hem een keer: 'Als het de bedoeling is dat de naties verenigd zijn, hoe komt het dan dat wij er niet meer bij willen horen?'

'Wat bedoel je, jongen?'

'Bij Engeland.'

Cal had de krant op zijn schoot dichtgevouwen en de as in een asbak op de armleuning van zijn stoel getikt. 'Omdat we een hekel hebben aan de Engelsen.'

'Waarom?'

'Omdat het Engelsen zijn.' Een scherpe toon in Cals stem, een teken voor Jamie om niet door te drammen.

'We hebben toch familie in Engeland? Daar hebben we toch geen hekel aan, Cal?'

'Luister...'

'En tegen de Duitsers vochten we toch ook met de Engelsen?'

'Luister, Jamie, wij willen het voor het zeggen hebben in ons eigen land, oké? Zo simpel is het. Schotland is toch een land?' Hij wachtte tot Jamie knikte. 'Wie moet daar dan de baas zijn? Londen of Edinburgh?'

'Edinburgh, Cal.'

'Juist.' En hij opende de krant weer: discussie gesloten.

Jamie had nog veel meer vragen, maar een antwoord leek nergens te krijgen. Aan zijn moeder had hij niets: 'Begin alsjeblieft niet over politiek,' zei ze. Of: 'Begin alsjeblieft niet over godsdienst.' Of wat dan ook, eigenlijk. Alsof ze over alle moeilijke levensvragen had nagedacht, een bevredigend antwoord had gevonden, en niet van plan was nog eens helemaal van voren af aan te beginnen, alleen omdat híj daarom vroeg.

'Daar heb je leraren voor,' zei ze dan.

En daar zat wat in, maar op school had Jamie een reputatie hoog te houden. Hij was 'de broer van Cal Brady'. Hij kon niet zomaar vragen gaan stellen aan leraren. Dat zou ze maar aan het denken zetten. Cal had het hem lang geleden al uitgelegd: 'Op school is het wij tegen hun, Jamie. Zonder meer. Een slagveld, kerel. Geen genade. Snap je?'

En Jamie had geknikt, zonder er iets van te snappen.

Terwijl hij bij de winkel met een schoen tegen een vuilnisbak stond te tikken, kwam Billy Horman aangelopen. Jamie ging wat rechter staan.

'Alles kits, Billy Boy?'

'Gaat. Heb je 'n sigaret?'

Jamie gaf hem een van zijn kostbare sigaretten.

'Heb je gisteren het voetbal gezien?'

Jamie schudde zijn hoofd en snoof. 'Boeit niet,' zei hij.

'Hearts is vet goed.' Door de manier waarop Billy naar hem keek terwijl hij het zei, alsof hij bevestiging zocht, wist Jamie dat hij het van iemand anders had gehoord, misschien de vriend van zijn moeder, en dat hij niet helemaal zeker van zijn zaak was.

'Ze doen het wel goed,' gaf Jamie toe, terwijl Billy deed alsof hij een bal op het doel poeierde.

'Ga je naar huis?' vroeg Billy.

Jamie tikte op de krant en de broodjes die hij onder zijn arm hield.

'Wacht even, dan loop ik mee.' Billy liep de winkel in en kwam weer naar buiten met melk en een pak margarine. 'Was ineens op vanochtend. M'n ma's nieuwe vriend heeft toen ie uit de pub kwam wel tien sneeën toast gegeten.' Hij gooide de margarine in de lucht en ving hem weer op. 'Boter was meteen op.'

Jamie zei niets. Hij moest denken aan vaders, dat het vreemd was dat hij en Billy er allebei geen hadden. Hij vroeg zich af waar de zijne was, welk verhaal over hem hij moest geloven.

'Wie was dat waar ik je gisteren mee zag?' vroeg hij onderweg terug naar huis.

'Huh?'

'In St. Mary's Street. Een oom of zo?'

'Ja, klopt. Mijn oom Bill.'

Maar Billy Boy loog. Dan werden zijn oren altijd rood...

Terug thuis bracht Jamie de krant naar Cals kamer.

'Dat werd verdomme tijd, kleintje.' Cal lag in bed, draagbaar tv-toestel aan. Het rook muf in de kamer. Jamie probeerde er soms zijn

adem in te houden. Op de vloer stonden een asbak en een kop thee.
'Zet hem eens op een andere zender.'
De tv stond op een ladekast aan het voeteneinde van het bed. Er zat geen afstandsbediening bij. Cal was er op een avond mee thuisgekomen, zei dat hij hem had gewonnen met een weddenschap in de kroeg. Naast de knopjes zat een klein vierkantje waar 'remote sensor' bij stond. Dus Jamie wist dat er wel een afstandsbediening bij hoorde. Hij moest over een hoop kleren springen om bij de tv te komen. Drukte op de knop voor Channel 4. In hun ontbijtshow zaten een paar lekkertjes. Dat woord had hij van Cal geleerd.
Jamie sprong terug over de kleren en vluchtte de kamer uit, ademde diep uit zodra hij in de gang stond. Vijfentwintig seconden: bij lange na niet zijn record voor het inhouden van zijn adem. Zijn moeder zat aan de keukentafel broodjes te smeren. Ze gaf hem er een. Hij schonk een beker melk in en ging zitten. Hij had zijn moeder wijsgemaakt dat de lessen vanwege de bezuinigingen pas om halftien begonnen. Ofwel ze geloofde hem, of ze had de fut niet om er tegenin te gaan. Ze zag er moe uit, zijn moeder. Zag eruit alsof ze wel een opsteker kon gebruiken. Maar hij wist dat het schijn kon zijn: haar vermoeidheid kon in een mum van tijd omslaan in totale hysterie. Hij had het eens gezien bij een van die ouwe taarten van boven die kwamen zaniken over het lawaai. Flipte ze totaal. Net als bij die ouwe kerel die klaagde over de bal die in zijn tuin was beland.
'De volgende keer prik ik hem lek met mijn riek, het is maar dat je het weet.'
'Moet je doen,' had Jamies moeder gezegd. 'Dan steek ik die riek in je ballen.' Recht in zijn gezicht, vlak voor zijn neus, zodat hij steeds kleiner leek te worden en zij steeds groter.
Jamie had veel ontzag voor zijn moeder. De laatste keer dat ze hem een lel had verkocht, was omdat hij haar Van had genoemd. Cal noemde haar Van, maar dat mocht want hij was groot. Jamie kon niet wachten tot hij ook groot was.
Met een kop thee in de hand begon zijn moeder aan haar ochtendritueel: zich herinneren waar ze haar sigaretten had gelaten.
'Misschien liggen ze bij Cal,' stelde Jamie voor.
'Mond leegeten voordat je wat zegt.' Ze riep naar Cal, kreeg een geschreeuwde ontkenning terug. In de woonkamer trok ze de zitkussens van de bank en de stoel, gaf een trap tegen de stapel auto- en muziekbladen op de vloer. Vond een half pakje boven op de stereo. Het deksel van het doosje was eraf. Dat gebruikte Cal altijd voor zijn 'sjekkie speciaal'. Zijn moeder trok er een sigaret uit, maar

ook daarvan ontbrak het grootste gedeelte. Ze zuchtte diep, stopte hem toch in haar mond en stak hem aan met de aansteker die ook in het pakje zat.

Ze had geen zakken, dus legde ze de sigaretten op de leuning van haar stoel. Ze droeg een zilvergrijze joggingbroek met een paars trainingsjack. Het was een oud jack, de tekst op de rug – SPORTING NATION – begon te vervagen. Jamie vroeg zich af of Schotland de 'sporting nation' was.

Zodra hij zijn melk en zijn broodje op had, gleed hij van zijn stoel. Hij had plannen voor vandaag: Princes Street misschien, of met de bus naar The Gyle. In zijn eentje, of met wie hij maar kon charteren. Het probleem met The Gyle was dat het zo ver weg was. Er was een speelhal aan Lothian Road waar hij graag kwam, maar daar waren vaste bezoekers die beter waren dan hij, en ook al wilde hij niet tegen ze spelen, dan nog gingen ze staan kijken hoe hij het deed en opmerkingen maken over wat hij fout deed en zeggen dat ze het zelfs met twee armen in het gips nog beter zouden doen.

Gelukkig maar, zou hij dan moeten zeggen, want als je zo doorgaat eindig je straks met heel je lijf in het gips. Maar dat deed hij nooit: de meesten waren groter dan hij. En ze kenden Cal niet, dus daar kon hij ook niet mee dreigen. Daarom kwam Jamie er niet zo vaak meer.

De deur van Cals slaapkamer vloog open en hij struinde de keuken in. Hij had zijn spijkerbroek aan, maar met de gulp nog open en de riem los. Geen schoenen of sokken aan, geen T-shirt. Schrammen en blauwe plekken op zijn borst en armen. Je zag de spieren bewegen onder zijn huid. Hij gooide de krant op tafel en sloeg er met zijn hand op.

'Moet je dat zien,' snauwde hij, rood aangelopen van woede. 'Moet je dat nou toch zien.'

Jamie keek: een verhaal over twee pagina's. PEDOFIEL MET UITZICHT OP KINDERSPEELPLAATS. Met foto's. Op de ene een flat en een pijl die een verdieping aanwees. Op de andere een stuk asfalt waarop kinderen aan het spelen waren.

'Dat is hier,' zei hij verbaasd. Hij had Greenfield nog nooit in de krant gezien, nog nooit een foto van de buurt gezien. Zijn moeder kwam erbij.

'Wat is er?' vroeg ze.

'Er woont hier zo'n godvergeten pedo,' sputterde Cal. 'En niemand die ons wat zegt.' Hij priemde met zijn vinger naar de krant. 'Daar staat het. Niemand die ons even inlicht.'

Van las het verhaal. 'Er staat geen foto van hem bij.'

'Nee, maar ze leggen zo'n beetje uit waar die klootzak woont.'
Er schoot haar iets te binnen. 'Gisteren was hier nog politie. Ik dacht dat ze jou moesten hebben.'
'Waar kwamen ze voor?'
'Het was er maar één. Hij vroeg naar iemand, hoe heet ie ook weer...' Ze kneep haar ogen dicht. 'Darren nog iets.'
'Darren Rough,' zei Jamie. Cal staarde hem aan.
'Ken je hem?'
Jamie wist niet met welk antwoord hij Cal te vriend hield. Hij haalde zijn schouders op. 'Ik zie hem wel eens lopen.'
'Hoe ken je zijn naam?' Een priemende blik.
'Hij... ik weet het niet.'
'Hij wat?' Cal stond voor hem, vuisten gebald. 'Waar woont ie?'
Jamie wilde het net zeggen toen Cal hem bij zijn kraag pakte. 'Nee, wijs het maar gewoon aan.'
Maar toen ze over de galerij naar de woning van Darren Rough liepen, zagen ze dat er meer op dat idee gekomen waren. Een groepje van zeven of acht mensen stond voor zijn deur. De meesten hadden een opgerolde krant in de hand, waar ze mee zwaaiden alsof het een wapen was. Cal was teleurgesteld dat ze niet de eersten waren.
'Is ie thuis?'
'Er doet in ieder geval niemand open.'
Cal trapte tegen de deur, zag aan de blikken van de anderen dat hij daarmee indruk maakte. Zette een stap achteruit en beukte met zijn schouder tegen de deur, gaf er nog een trap tegen. Twee sloten: een yaleslot en een insteekslot. Je kon niet naar binnen kijken: brievenbus dicht, laken voor het raam gespannen. En het gesprek ging maar over één ding.
'Wakker worden, vuile viespeuk!' riep Cal Brady tegen het raam. 'Je fanclub staat te wachten!' Rondom hem werd gelachen.
'Misschien werkt hij in ploegendienst,' zei iemand. Cal kon geen gevat antwoord bedenken. In plaats daarvan bonsde hij op het raam en begon toen weer tegen de deur te trappen. Er kwamen nog wat buren bij staan, maar er vertrokken er meer. Al snel stond er alleen nog een groepje kinderen, plus Cal en Jamie.
'Jamie,' zei Cal, 'haal eens een spuitbus. Kijk maar onder mijn bed.'
Jamie wist al dat ze daar lagen. 'Blauw of zwart?' flapte hij eruit, en besefte meteen dat hij zich zo verraadde.
Maar Cal had niets door. Die stond naar de deur te staren. 'Maakt niet uit,' zei hij. Jamie ging de spuitbus halen. Zijn moeder stond buiten met de armen over elkaar te praten met een paar buurvrou-

wen. Jamie passeerde hen op een drafje.

'En?' zei zijn moeder.

'Niet thuis.'

Ze ging verder tegen haar buren. 'Kan overal zitten. Met zulk schorem weet je het nooit.'

'We moeten een petitie opstellen,' zei een van de vrouwen.

'Ja, zorgen dat ze hem ergens anders naartoe sturen.'

'Denk je dat ze daarnaar luisteren?' zei Van. 'Meteen ingrijpen, dat moeten we doen. Het is ons probleem, dat pakken we zelf aan, wat ze er ook van zeggen.'

'Volksrepubliek Greenfield,' zei een andere vrouw.

'Ik meen het, Michèle,' zei Van. 'Ik meen het serieus.' Achter haar verdween Jamie door de deur van hun flat.

15

'We verhuisden in die tijd nogal vaak, ma en ik.'

Cary Oakes zat in een stoel bij het raam van zijn kamer, voeten op tafel. Jim Stevens zat op een hoek van het bed en hield de cassetterecorder voor zich uit.

'Wanneer? Waarheen?'

Oakes keek hem aan. 'De namen van de steden weet ik niet meer, of van de mensen bij wie we introkken. Als kind hou je je daar toch niet mee bezig? Ik had mijn eigen leven, mijn eigen fantasiewereldje, ik wou soldaat worden of straaljagerpiloot. Dan zou Schotland aangevallen worden door ruimtewezens en zou ik ze verjagen, als een echte cowboy.' Hij staarde uit het raam. 'Omdat we zo vaak verhuisden, maakte ik nooit vriendjes. Geen echte vrienden.' Hij zag dat Stevens weer iets wou vragen. 'Ik heb weer geen namen voor je. Maar ik weet nog wel dat we naar Edinburgh kwamen.' Hij zweeg even, wreef met zijn duim over de punt van een schoen, waar een vlekje zat. 'Ja, Edinburgh staat me nog goed voor de geest. We woonden bij familie in. Mijn tante en haar man. Ik weet niet meer in welk deel van de stad ze woonden. Er was een park in de buurt, daar kwam ik vaak. Misschien kunnen we een foto nemen van mij in dat park.'

Stevens knikte. 'Als je nog weet waar het is.'

Oakes glimlachte. 'Maakt toch niet uit wat voor park? Doen we gewoon alsof. Dat deed ik toen ook. Dat park was mijn wereld. Van mij. Daar kon ik doen wat ik wou. Daar was ik God.'

'Wat deed je er dan?' Stevens dacht: dit gaat wel erg makkelijk, erg vlot. Of Oakes was een geboren verteller... of hij had het voorbereid. Er was alleen één valse noot, iets over zijn familie: *mijn tante en haar man.* Een rare woordkeus.

'Wat ik daar deed? Spelen, net als andere kinderen. Ik had veel fantasie, dat kan ik je wel vertellen. Als je een kind bent, vindt niemand het erg als je moordend en schietend rondrent, snap je wel? In je hoofd mag je hele bevolkingen uitroeien. Ik wed dat er op heel de aarde niemand is die nooit eens heeft gedácht over een moord op iemand. Jij vast ook.'

'Ik laat je mijn verzameling voodoopoppen nog wel eens zien.'

Oakes lachte. 'Mijn moeder deed haar best voor me.' Hij zweeg even. 'Dat weet ik zeker.'

'Wat is er met haar gebeurd?'

'Ze is doodgegaan, man.' Zijn ogen boorden zich in die van de journalist. 'Maar ach, iedereen gaat dood.'

'Speelde je daar alleen?'

Oakes schudde zijn hoofd. 'De andere kinderen leerden me kennen. Ik ging bij een bende, steeg in de rangen.'

'Veel uitgevreten?'

Oakes haalde zijn schouders op. 'Paar knokpartijen. Het meeste wat we deden was voetballen en buitenstaanders dreigend aankijken. Paar katten in de buurt afgemaakt.'

'Hoe?'

'Aanstekervloeistof erop spuiten en aansteken maar.' Oakes keek Stevens strak aan. 'Typisch begin van elke seriemoordenaar. Heb ik in de cel over gelezen. Eenzaam type dat dieren in de fik steekt.'

'Maar jij was niet alleen, je was met een bende.'

Oakes glimlachte weer. 'Maar ik was degene met de aansteker. Dat was allesbepalend.'

Toen ze pauzeerden, ging Stevens terug naar zijn eigen kamer. Twee zakjes koffie in een mok kokend water. Hij was om vier uur 's nachts wakker gebeld. Zijn chef had een wonder volbracht en nu zat Stevens ineens te praten met een journalist uit Seattle die het proces tegen Oakes vanaf het begin had gevolgd. Die journalist, Matt Lewin, bevestigde dat Oakes in de Walla Walla-gevangenis elke zondag de kerkdienst bijwoonde.

'Dat doen er veel. Wil nog niet zeggen dat ze het licht hebben gezien.'

Stevens ging op zijn bed liggen en nipte aan zijn koffie. Hij wilde de leden van die oude bende van Oakes opsporen. Dat zou mooi achtergrondmateriaal zijn, het zou meer licht werpen op Cary Oakes. Als ze het verhaal publiceerden, was er misschien wel iemand van die bende die het las en zich meldde. Dan kon Stevens ze interviewen voor het boek. Hij had Matt Lewin gevraagd of Amerikaanse uitgevers daarin geïnteresseerd zouden zijn.

'Nee, hij komt niet van hier. Wij willen alleen spul van eigen bodem. Bovendien zijn seriemoordenaars alweer een tijdje uit de mode, Jim.'

Stevens hoopte dat ze weer in de mode zouden raken. Een boek zou zijn gouden horloge zijn, een klein afscheidscadeau voor zichzelf. Hij wist dat hij wat research moest doen, alles moest natrekken wat Oakes vertelde. Maar hij was zo moe, en zijn chef had gezegd: eerst het verhaal opschrijven, natrekken komt later wel. Hij leegde zijn mok en pakte een sigaret. Zwaaide zijn benen van het bed.

Aan de slag.

Janice Mee nam een lunchpauze in het restaurant boven in warenhuis John Lewis. Door één raam keek ze uit op Calton Hill. Die hadden ze ooit eens met Damon beklommen, toen hij zeven of acht was. Ze had foto's van die dag in een van haar albums: Calton Hill, het kasteel, het Museum of Childhood... ze had tientallen fotoalbums. Die bewaarde ze onder in de klerenkast. Ze had ze er laatst weer eens uit gehaald, de hele boel mee naar beneden genomen om te bekijken, herinneringen op te halen aan kampeervakanties en dagjes aan het strand, verjaardagsfeestjes en sportdagen. Door een ander raam in het restaurant had ze een goed uitzicht op de kust van Fife. Haar eigen dorp kon ze niet zien liggen. Er waren momenten in haar leven geweest dat ze een verhuizing had overwogen. Naar Edinburgh in het zuiden of Dundee in het noorden. Maar het had ook iets vertrouwds, de plaats waar je geboren was, waar je familie en vrienden woonden. Haar ouders en grootouders waren in Fife geboren, het verleden van die plaats was onverbrekelijk met het hare verbonden. Haar moeder was een kind toen in 1926 de grote mijnstaking uitbrak, maar kon zich nog herinneren dat er barricades werden opgeworpen rond Lochgelly. Haar vader was in een lantaarnpaal geklommen om de begrafenis van Johnny Thomson te zien. De banden van je familie met het verleden waren welhaast tastbaar. Maar dat gevoel van verbondenheid met het verleden kon je de illusie geven dat de toekomst er hetzelfde zou uitzien. En Janice moest nu ondervinden dat die draad van continuïteit op elk moment kon worden verbroken.

Ze had haar broodje garnalensalade naar binnen gewerkt zonder het te proeven. Haar koffie had ze blijkbaar opgedronken, want het kopje was leeg. Op de rand van het bord lag een bleke garnaal die van het broodje was gevallen. Ze liet hem liggen en stond op.

Voor het winkelcentrum stak ze Princes Street over en liep naar Waverley Station. Er stond een rij taxi's van de ondergrondse passage helemaal tot aan Waverley Bridge. De chauffeurs zaten achter het stuur te lezen of te eten of naar de radio te luisteren. Anderen staarden voor zich uit of stonden met collega's te kletsen. Ze begon achteraan en werkte zo de rij af. John Rebus had haar een paar namen gegeven. Een daarvan was Henry Wilson. De chauffeurs leken hem allemaal te kennen, 'de houthakker' noemden ze hem. Ze riepen hem om over de radio. Ondertussen liet ze foto's van Damon zien en legde uit dat hij een taxi had genomen in George Street.

'Had hij iemand bij zich, mop?' vroeg één chauffeur.

'Een vrouw... kort blond haar.'

De chauffeur schudde zijn hoofd. 'Blondines herinner ik me altijd,' zei hij, en gaf haar flyer terug.

Het probleem was dat er net een paar treinen waren aangekomen – uit Londen en Glasgow. De taxi's bewogen sneller dan ze de rij kon afwerken naar de kop, waar de passagiers stonden te wachten. Ze keek de helling op. Achteraan kwamen er nieuwe taxi's bij. Ze kon niet zien wie ze al gesproken had en wie er nieuw was. Auto's werden gestart, de uitlaatgassen vulden haar longen. Automobilisten reden toeterend voorbij, het station in, zich afvragend waarom ze op de rijbaan liep en niet op het trottoir aan de overkant. Dagjesmensen keken haar ook bevreemd aan: die wisten dat ze hier nooit een taxi zou krijgen, wisten hoe het hoorde. Je moest in de rij gaan staan bij de standplaats.

Ze kreeg een vieze, zure smaak in haar mond. De koffie was te sterk geweest, ze voelde haar hart bonzen. En toen werd er weer getoeterd.

'Ja ja,' zei ze nijdig, en liep naar de volgende taxi, die echter net wegreed. Weer getoeter, vlak achter haar. Ze draaide zich boos om, zag dat het een taxi was, met het raam open. Niemand achterin, alleen de chauffeur die zich uit het raam boog. Kort zwart haar, lange zwarte baard, groen geruit overhemd.

'Houthakker?' zei ze.

Hij knikte. 'Zo noemen ze me.'

Ze glimlachte. 'Ik heb je naam van John Rebus.' Hij hield het verkeer op. Eén auto knipperde met zijn lichten.

'Stap maar in,' zei hij. 'Voor ik mijn vergunning kwijtraak wegens hinderlijk rijgedrag.'

Janice Mee stapte in.

De taxi dook de passage onder het station in, aan de andere kant ging hij weer omhoog, toen rechtsaf en door het drukke verkeer terug naar het eind van de lange rij taxi's. Henry Wilson zette hem op de handrem en draaide zich om op zijn stoel.

'Wat wil de inspecteur ditmaal van me?'

En Janice Mee deed haar verhaal.

Er moest echt iets aan de hand zijn: de Boer had Rebus niet simpelweg ontboden, maar was hem zelf komen halen, op de parkeerplaats waar hij stond te roken en te mijmeren over de vijftienjarige Janice Playfair.

'Gaat het over ons observatieteam?' vroeg Rebus. Misschien was er iets gebeurd.

'Nee, daar gaat het verdomme niet over.' De Boer stak zijn handen in zijn zak: het was hem menens.

'Wat heb ik nu weer gedaan?'

'De pers heeft Darren Rough in de smiezen. Eén krant heeft het verhaal vanochtend gepubliceerd, de rest is bezig met een inhaalslag. Mijn secretaresse krijgt zoveel telefoontjes dat het wel lijkt of ze op een vliegveld werkt in plaats van een politiebureau.'

'Hoe komen ze aan het verhaal?' vroeg Rebus, en hij gooide zijn sigaret weg.

De Boer kneep zijn ogen half dicht. 'Dat vraagt de maatschappelijk werker van Rough zich ook af. Hij staat al in de startblokken om een klacht in te dienen.'

Rebus wreef over zijn neus. 'Denkt hij dat ik erachter zit?'

'John, ik weet wel zeker dat jij erachter zit.'

'Met alle respect, commissaris –'

'Hou alsjeblieft je mond. De journalist die jij hebt getipt, heeft meteen nadat jij ophing 1471 gebeld. Zo kreeg ie het nummer waar je vandaan had gebeld.'

'En dan?'

'Dat was The Maltings.' Een café, praktisch tegenover het bureau. 'Maar wat nog mooier was, hij vroeg de klant die opnam wie de telefoon vóór hem had gebruikt. Moet ik het signalement voorlezen?'

'Blanke man van middelbare leeftijd?' raadde Rebus. 'Dat kunnen er zoveel zijn.'

'Inderdaad. En toch denkt Roughs maatschappelijk werker dat jij het bent.'

Rebus keek naar de Salisbury Crags. 'Ik ben blij dat iemand hem verraden heeft.' Hij zweeg even. 'Als dat ervoor nodig was.'

'Nodig waarvoor? Om hem de stad uit te jagen? Om te zorgen dat een woedende menigte op zijn bloed uit is? Ik zou er niet graag bij zijn als ze jou loslaten op Ince en Marshall.'

Ince en Marshall: de verdachten in de Shiellion-zaak.

'Daar zou u ook niet bij zijn,' zei Rebus. Hij keek zijn chef aan. 'Wat wilt u dat ik doe?'

'Rough met rust laten, dat om te beginnen. Doorgaan met de observatie van Oakes, op die manier kun je tenminste zes uur lang geen kwaad. En Jane Barbour bellen.' Hij gaf hem een papiertje met een telefoonnummer.

'Barbour? Wat wil die?'

'Geen idee. Zal wel te maken hebben met Shiellion House.'

Rebus staarde naar het nummer. 'Dat zal wel,' zei hij.

De Boer liep weer weg. Rebus volgde hem niet het bureau in maar liep door de steeg naar de hoofdweg, keek rechts en links en stak in fluks tempo de weg over. Liep The Maltings in. Overdag was het er meestal rustig. Toen hij had gebeld, zat er maar één andere klant. De kroeg was nog niet open of diezelfde man zat alweer in zijn eentje aan de bar met een pint en een whisky.

'Alexander,' zei Rebus, 'kan ik je even spreken?' Hij trok de drinker aan zijn arm mee naar het herentoilet; hij wilde niet dat de barjuffrouw hen hoorde.

'Jezus man, wat is er?' De drinker heette Alexander Jessup. Hij hield er niet van als je hem Alex of Alec of Sandy of Eck noemde: Alexander moest het zijn. Ooit had hij zijn eigen zaak gehad, een drukkerij. Hij drukte briefpapier, kasboeken, loterijbriefjes en dergelijke. Die zaak had hij verkocht en nu was hij de opbrengst langzaam aan het opdrinken. Op zijn rondes langs de cafés hoorde hij een hoop, maar het was zelden informatie waar Rebus iets aan had. Praten deed hij wel graag; tegen wie er maar wou luisteren.

'Verslaggevers achter je aan gehad?' vroeg Rebus.

Jessup keek hem aan met waterige ogen, als een ouwe hond. Hij schudde zijn hoofd. Zijn gezicht was een en al opgezwollen vlees en gebarsten adertjes.

'Je hebt er een aan de lijn gehad,' bracht Rebus hem in herinnering.

'Was dat een verslaggever?' Jessup leek verontwaardigd. 'Dat heeft ie niet gezegd.'

'Je hebt hem mijn signalement gegeven.'

'Dat zou kunnen.' Hij dacht even na, knikte en stak zijn vinger op. 'Maar geen namen, John. Je kent me. Je naam heb ik hem niet gegeven.'

Rebus bleef op fluistertoon praten. 'Als iemand ernaar komt vragen, hou het dan zo vaag mogelijk, begrepen? Je had die beller nooit eerder gezien, het is geen vaste klant.' Hij wachtte tot de boodschap was overgekomen.

Jessup gaf hem een vette knipoog. 'Boodschap ontvangen.'

'En begrepen?'

'En begrepen,' bevestigde Jessup. 'Ik heb je toch geen problemen bezorgd, hè?' Hij brandde van nieuwsgierigheid. 'Je weet dat ik dat niet wil.'

Rebus gaf hem een schouderklopje. 'Weet ik, Alexander. Als je maar onthoudt wie jou je ontbijt brengt als ze je weer eens een nacht in de cel hebben gestopt.'

'Is ook zo, John.' Hij stak zijn duim op. 'Sorry als ik je last heb bezorgd.'

Rebus trok de deur open. 'Kom, dan krijg je een borrel van me, oké?'

'Alleen als jij er een van mij neemt.'

'Het is verleidelijk,' zei Rebus, terwijl ze naar de bar liepen. 'Ik zou liegen als ik dat ontkende.'

'Heb je gedronken?' vroeg Janice Mee.

Rebus gaf niet meteen antwoord: hij had het te druk met het bekijken van zijn woonkamer. Janice moest lachen.

'Sorry,' zei ze. 'Ik kon het niet helpen.'

Het was opgeruimd: kranten en tijdschriften lagen nu netjes op de onderste boekenplank. De boeken waarmee de vloer was bezaaid, lagen op de tweede en derde plank van onderen. Borden en mokken waren afgevoerd naar de keuken, verpakkingen van afhaalmaaltijden en bierblikjes naar de vuilnisbak. Zelfs de asbak was geleegd. Rebus pakte hem van tafel.

'Ik geloof dat ik nu pas voor het eerst kan lezen welke tekst erin staat.'

Hij was uit een café gejat, een asbak van een nieuw biermerk dat het niet had gehaald.

Janice glimlachte. 'Ik ga altijd opruimen als ik de zenuwen heb.'

'Je zou hier wat vaker de zenuwen mogen krijgen.'

Ze gaf hem een stomp.

'Voorzichtig,' zei hij. 'De vorige keer dat je dat probeerde, was ik tien minuten uitgeteld.'

'Ik heb thee en melk gehaald,' zei ze, en liep naar de keuken. 'Wil je een kop?'

'Graag.' Hij volgde het spoor van haar parfum. Hij was hier al in meer dan een jaar niet met Patience geweest. Had hier nooit veel vrouwenbezoek gehad. 'Hoe is het gegaan?'

'Ik mocht de Houthakker wel.'

'Had je wat aan hem?'

Ze was in de weer met de waterkoker. 'Ach...'

'Ben je alle taxistandplaatsen af geweest?'

'Dat hoefde niet. Je vriend zei dat hij dat voor me zou doen.'

'Zodat jij je weer nutteloos voelde?'

Ze probeerde te glimlachen. 'Ik dacht... ik dacht dat ik hier...' Ze boog het hoofd, haar stem op fluistertoon. 'Ik had beter thuis kunnen blijven.'

'Janice.' Hij draaide haar naar zich toe. 'Je doet wat je kan.' Zo groot als ze was, zo zacht en slank... Ze stonden nu net zo dicht bij elkaar als toen ze hadden gedanst op het eindexamenfeest, hun laatste avond als een stel. Klassieke dansen: walsen, stepdansen, traditionele Schotse dansen. Zij wilde dat elke dans voort zou duren; hij wilde zo snel mogelijk met haar naar achter het schoolgebouw, hun geheime plaats – de geheime plaats die iedereen gebruikte.

'Je doet wat je kan,' herhaalde hij.

'Maar we schieten er niks mee op. Weet je wat ik vandaag dacht? Ik dacht: ik kan hem wel vermoorden voor wat hij me aandoet.' Wrange glimlach. 'Toen dacht ik: maar misschien is hij al dood.'

'Hij is niet dood,' zei Rebus. 'Geloof mij nou maar. Hij is niet dood.'

Ze liepen met hun thee naar de woonkamer en gingen aan de eettafel zitten.

'Hoe laat ga je terug?' vroeg hij.

'Ik dacht aan een uur of zes. Dan gaat er een trein.'

'Ik breng je wel met de auto.'

Ze schudde haar hoofd. 'Zelfs een plattelandsmeisje als ik weet hoe het verkeer op dat uur van de dag is. Met de trein gaat sneller.'

Dat was waar. 'Dan rij ik je naar het station.' Wat had hij anders nog te doen tot zijn dienst in het observatieteam begon, afgezien van een uiltje knappen?

Ze legde haar handen om de mok. 'Waarom de politie, Johnny?'

'Waarom?' Hij probeerde een antwoord te formuleren dat ze zou slikken. 'Ik had in het leger gezeten, dat beviel me niet, en ik wist verder niet wat ik wou.'

'Toch niet echt een beroep waar je zomaar inrolt.'

'Voor sommigen van ons wel. Al doende begon ik er echt schik in te krijgen.'

'En ben je goed in wat je doet?'

Hij haalde zijn schouders op. 'Ik boek resultaten.'

'Is dat niet hetzelfde?'

'Niet precies. Je gedeisd houden en nooit brokken maken, je weg weten te vinden in de korpspolitiek... daarin schiet ik te kort.' Hij ging even verzitten. 'Jij zei altijd dat je lerares wou worden.'

'Ben ik ook geweest... een tijdje.'

Rebus zei niet dat zijn ex ook les had gegeven.

'En toen trouwde je met Brian?' vroeg hij in plaats daarvan.

'Geen verband tussen die twee.' Ze keek naar haar thee, leek opgelucht toen de telefoon ging. Rebus nam op.

'Goedenavond, meneer Rebus.'

'Henry,' zei Rebus, zodat Janice wist wie het was. 'Heb je iets voor ons?'

'Misschien. Twee klanten, opgepikt in George Street. De blondine herinnert hij zich nog. Opvallend gezicht, zegt ie. Beetje hard. Kille ogen. Hij dacht dat het misschien een hoer was.'

'Waar heeft hij ze heen gebracht?' Rebus keek naar Janice, die was opgestaan, nog steeds met de mok in haar handen.

'Naar Leith. Afgezet bij The Shore.'

Leith: waar getippeld werd. The Shore: waar het hotel van Cary Oakes was.

'Heeft hij gezien waar ze heen gingen?'

'De jongen gaf geen goeie fooi. Mijn collega is meteen doorgereden. Hij had al een klant zien zwaaien in Bernard Street. Er is daar niet veel waar ze heen gegaan kunnen zijn. Op dat uur waren de pubs toe aan de laatste ronde, als ze al niet dicht waren. Maar er zijn daar wel flats.'

Dat was zo. Flats... en het hotel.

'Tenzij ze naar die boot gingen,' zei Wilson.

'Welke boot?'

'Die daar voor anker ligt.' Ja, die had Rebus gezien: zag eruit als een semipermanente ligplaats. 'Daar worden feesten gehouden,' zei Wilson. 'Niet dat ik er ooit geweest ben...'

Hij zette Janice af bij de passage naar Waverley Station. Ze hadden afgesproken de volgende middag naar de boot te gaan kijken.

'Het kan een dood spoor zijn.' Rebus vond dat hij haar moest waarschuwen.

'Dat is dan maar zo,' zei ze.

Toen ze uitstapte, aarzelde ze even, boog zich naar hem toe en gaf hem een zoen op zijn wang.

'Wat nou, niet tongen?' glimlachte hij. Ze maakte aanstalten om op zijn arm te stompen, maar hield zich in. 'Doe Brian de groeten.'

'Doe ik. Als hij niet uit is met zijn vrienden.' Iets in haar toon maakte dat Rebus wilde doorvragen, maar ze was de auto al uit, sloot het portier. Ze zwaaide, blies hem een kushandje toe, draaide zich om en liep naar het perron met het air van een vrouw die weet dat er naar haar wordt gekeken. Rebus merkte dat hij één hand op de hendel van zijn portier had liggen.

'Hou op,' zei hij tegen zichzelf. Hij pakte zijn mobiel en sprak op het antwoordapparaat van Patience in dat hij nachtdienst had en nog even naar huis ging om een uiltje te knappen.

Maar eerst een pitstop in de Oxford Bar: whisky met veel water. Eentje maar: braaf zijn als je nog moet rijden. Hij hoorde de laatste roddels aan en leverde zelf geen noemenswaardige bijdrage aan het gesprek. George Klasser verweet hem dat hij nog maar zo weinig kwam.

'Als vaste klant kunnen we niet meer van je op aan, John.'

'Van mij kun je nooit op aan, dokter.'

Verderop bij de bar ontstond een discussie waar steeds meer klanten aan mee gingen doen. Iedereen had een mening, behalve Rebus. Hij staarde naar een tekening aan de muur: een portret van Robert Burns. Op de muur aan de andere kant hing er nog een: een ontmoeting tussen Burns en een piepjonge Walter Scott. Het zag er nogal geforceerd uit, de tekenaar projecteerde zijn latere kennis op de gebeurtenis. Alsof Burns toen al wist dat dit kind later veel meer boeken zou verkopen dan hij, dat die kleine opdonder zou worden geridderd, Abbotsford zou bouwen, en beste maatjes worden met de koning.

Altijd fijn om te hebben, wijsheid achteraf.

Hij keek in zijn glas en zag het eindexamenbal voor zich. Zag een slungelige jongen, ene Johnny, die zijn vriendin meetroonde de zaal uit, door de deur naar buiten, de trap af. Alsof het een spelletje was, maar ondertussen hard aan haar handen trekkend. Allebei deden ze alsof er niets aan de hand was, omdat dat bij het ritueel hoorde. En in de zaal lieten ze Johnny's vriend Mitch achter – zijn beste vriend, ze namen het altijd voor elkaar op – die niet besefte dat hij werd belaagd door drie jongens die zijn vijand waren geworden. Jongens die wisten dat dit hun laatste kans op wraak was. Wraak waarvoor? Dat wisten ze waarschijnlijk zelf niet eens. Misschien voor het rottige gevoel dat ze in het leven aan het korte eind trokken; dat mensen zoals Mitch een succes zouden worden, terwijl voor hen alleen mislukkingen waren weggelegd.

Drie tegen een.

Terwijl Johnny Rebus een heel ander lot tegemoet ging.

Rebus leegde zijn glas, reed naar huis. Liet zich in zijn stoel vallen, een dubbele malt in zijn vuist. Luisterde naar Tommy Smith, *The Sound of Love*. Vroeg zich af of je liefde echt kon hóren.

Viel in slaap bij het oranje licht van de straatlantaarns.

De vreedzaamste momenten die hij in zijn leven kende.

Het had even geduurd voor ze een kerk vonden waarvan de deur niet op slot zat.

'Niemand heeft tegenwoordig nog vertrouwen in anderen,' had

Cary Oakes gezegd. 'Zelfs God niet.'

Ze waren door Leith gelopen, en langs de Walk naar Pilrig. Het was een katholieke kerk, uitgestorven op hun tweeën na. Binnen was het koel en donker. Veel ramen, maar de kerk werd aan drie zijden omringd door flatgebouwen. Er was een tijd geweest, wist Stevens, dat je niets mocht bouwen wat hoger was dan de kerk. Oakes zat in een bank vooraan, hoofd gebogen. Hij zag er niet bijzonder vredig of meditatief uit: hals en schouders gespannen, ademhaling snel en jachtig. Stevens voelde zich niet op zijn gemak. De deur zat dan misschien niet op slot, hij voelde zich toch een indringer. Een katholieke kerk nog wel: hij dacht niet dat hij er in zijn hele leven ooit één had betreden. Hij leek niet enorm te verschillen van de presbyteriaanse kerken: geen wierookgeur. Biechthokjes, maar die kende hij van films. Bij een ervan was het gordijn opengeschoven. Hij keek erin, probeerde er niet aan te denken dat het op een pasfotocabine leek. Hij probeerde geen geluid te maken bij het lopen. Wilde niet dat er ineens een priester verscheen die vroeg wat ze daar deden.

Oakes' verzoek: 'Ik wil naar de kerk.'

Stevens: 'Kan dat niet wachten tot zondag?'

Maar aan zijn ogen had hij gezien dat Oakes geen geintje maakte. Dus waren ze op pad gegaan, met de politiewagen langzaam achter hen aan, zodat ze nogal de aandacht trokken.

'Als ze het zo willen spelen,' had Oakes gezegd, 'moeten ze het zelf maar weten.'

Tien, vijftien minuten zaten ze er nu. Stevens vroeg zich af of Oakes was ingedommeld. Hij liep door het gangpad en bleef bij hem staan. Oakes keek op.

'Nog even, Jim.' Oakes gebaarde met zijn hoofd naar de deur. 'Wacht anders buiten maar even.'

Dat liet Stevens zich geen twee keer zeggen. Hij stapte naar buiten om er een op te steken. Auto met agent op de hoek van de straat, chauffeur die toekeek. Hij had net een sigaret opgestoken toen hij bedacht: je bent journalist en je hebt een verhaal. Je moet binnen zijn, kijken wat je ermee kunt, bedenken hoe je dit gaat beschrijven. Oakes in de kerk: mooi begin voor een hoofdstuk van zijn boek. Dus hij drukte zijn sigaret uit en stopte hem terug in het pakje. Duwde de deur open en liep naar binnen.

In de banken was Oakes nergens te bekennen. Geluid van stromend water. Stevens tuurde in het duister, waar zijn ogen weer aan moesten wennen. Een gestalte bij het biechthokje. Daar stond Oakes licht voorovergebogen, terwijl hij over zijn schouder naar Stevens keek, door de opening naar binnen te plassen. Oakes grijnsde, knipoogde. Rondde af en ritste zijn broek weer dicht. Hij liep terug door het gangpad, naar Stevens, die zijn ontzetting niet kon verbergen. Oakes wees naar het plafond.

'Je moet Hem er af en toe op wijzen wie de baas is, Jim.' Hij stapte langs Stevens het daglicht in. Stevens bleef nog even staan. Pissen in het biechthokje: een boodschap aan God, of aan de journalist? Stevens draaide zich om en liep de kerk uit, vroeg zich af hoe het zover met hem had kunnen komen.

16

Een jonge brigadier, Roy Frazer, was het vierde lid van het observatieteam. Hij werkte sinds vorige maand op bureau St. Leonard, een van de weinige rekruten uit de F-Divisie, bureau Livingston. Bij de agenten in de binnenstad stond Livingston bekend als F-Troop, naar de oubollige westernserie uit de jaren zestig. Ze hadden Frazer er ook een beetje mee gepest, maar hij bleek in staat – of althans bereid – om het zich te laten aanleunen. Het was de Boer die Frazer voor het team had gekozen. De Boer had hem nogal hoog zitten.

Rebus zat in de Rover naar Frazers verslag te luisteren.

'Het enige hoogtepunt,' zei Frazer, 'was dat ze daar in dat restaurant bij die pub medelijden met me kregen en een maaltijd brachten.'

'Je meent het.' Rebus keek om naar de betreffende pub. Sluitingstijd, de laatste drinkers gingen met tegenzin op pad.

'Wortelsoep en iets met kip in bladerdeeg. Helemaal niet mis.'

Rebus keek naar de plastic tas die hij bij zich had: thermosfles met sterke koffie, twee gevulde broodjes (cornedbeef en rode bieten), chocola en chips, een paar cassettes en zijn walkman, een avondkrant en een paar boeken.

'Ze kwamen het brengen op een dienblad, en een halfuur later brachten ze koffie en pepermuntjes.'

'Pas maar op, jongen,' waarschuwde Rebus. 'Je krijgt niks voor niks. Als je eenmaal begint met het aannemen van steekpenningen...' Hij schudde meewarig zijn hoofd. 'Dat soort dingen deden ze misschien in Livingston, maar je zit niet meer in de rimboe.'

Toen het eindelijk tot Frazer doordrong dat Rebus een grapje maakte, bracht hij een grijns op die voor tweederde uit opluchting bestond. Hij zag er sterk uit, speelde rugby in het politieteam. Kortgeknipt zwart haar, vierkante kaaklijn. Toen hij op St. Leonard was begonnen, droeg hij een grote snor, maar om een of andere reden had hij die afgeschoren. De huid onder zijn neus was nog zacht en roze. Rebus wist dat hij van boerenafkomst was – ergens tussen West

Calder en de A70. Zijn vader had daar een boerderij. Dat had hij gemeen met de Boer, die uit een boerenfamilie rond Stonehaven kwam. En nog iets gemeenschappelijks: ze waren kerkgangers. Rebus ging ook naar de kerk, maar zelden op zondag. Hij zat liever in een lege kerk, alleen met zijn gedachten.

'Heb je het logboek?' vroeg Rebus. Frazer pakte het A4-notitieblok. Bill Pryde had het om zes uur 's ochtends overgenomen van Siobhan Clarke en genoteerd dat Oakes en Stevens in het hotel waren gebleven tot elf uur. Voor die tijd waren ze niet beneden geweest, hij had het gevraagd aan de receptionist. Oakes had voor twee personen koffie op zijn kamer besteld. Prydes interpretatie: ze waren aan het werk. Om elf uur was een taxi gearriveerd en waren de twee uit het hotel gekomen. Stevens had een grote envelop gegeven aan de chauffeur, die weer was weggereden. Prydes gok: cassette van het eerste interview, op weg naar de redactie.

Toen de taxi weg was, waren Stevens en Oakes de haven in gelopen. Pryde had ze te voet gevolgd. Ze wekten de indruk alleen maar een ommetje te maken. Toen was het terug naar het hotel. Om twaalf uur had Siobhan Clarke het overgenomen: Rebus had haar overgehaald haar dienst met hem te ruilen. Niet dat dat moeilijk was geweest: 'Ik lig 's nachts graag in bed,' had ze toegegeven.

De middag was ongeveer net zo verlopen als de ochtend. De twee mannen sloten zich op in het hotel; een taxi kwam een envelop afhalen; de twee maakten een ommetje. Alleen waren ze ditmaal de stad in gelopen en gestopt bij een kerk in Pilrig. Rebus keek Frazer aan.

'Een kerk?'

Frazer haalde alleen zijn schouders op. Na de kerk waren ze de Walk af gelopen naar de John Lewis, waar ze kleren hadden gekocht voor Oakes. En schoenen. Stevens betaalde alles met zijn creditcard. Toen waren ze naar een paar pubs gegaan: Café Royal, Guildford Arms. Clarke had buiten gewacht: 'Wist niet of ik naar binnen moest gaan of niet. Ze wisten natuurlijk wel dat ik ze volgde.'

Terug naar het hotel, waar Oakes naar haar zwaaide toen ze haar auto weer langs de stoep parkeerde.

Door Frazer afgelost om zes uur. Stevens en Oakes waren naar een van de nieuwe restaurants tegenover het ministerie gelopen. Eén wand was helemaal van glas, zodat ze goed konden zien hoe Frazer buiten de wacht hield. Afgezien van zijn eigen onverwachte diner – dat niet in het log stond vermeld – was er weinig te melden.

'Heb ik gelijk als ik dit pure tijdverspilling vind?' vroeg Frazer toen Rebus het gelezen had.

'Hangt af van je referentiekader,' zei Rebus. Die term had hij van een opfriscursus op Tulliallan.

'Nou ja, het is toch duidelijk dat ze gewoon een tijdje hier blijven zitten?'

'Oakes moet weten dat we hem in de gaten houden.'

'Oké, maar dan moet je dat toch doen als hij straks op zichzelf is aangewezen? Als hij een woning heeft gevonden en de media-aandacht is overgewaaid?'

Frazer had gelijk. Langzaam knikkend gaf Rebus het toe. 'Dat moet je niet tegen mij zeggen,' zei hij, 'maar tegen de commissaris.'

'Heb ik gedaan.' Rebus keek hem aan, wachtend op meer informatie. 'Hij is om een uur of negen langsgekomen, wou weten hoe het ermee stond.'

'En toen heb je dat gezegd?'

Frazer knikte. Rebus moest lachen.

'Wat zei hij toen?'

'Dat we het even de tijd moeten geven.'

'Wist je dat ze denken dat Oakes weer een moord wil plegen?'

'De enige die hij momenteel binnen handbereik heeft, is die verslaggever. En sjonge, wat zal ik verdrietig zijn als hem iets overkomt.'

Rebus lachte weer hardop. 'Weet je, Roy? Jij bent geen kwaaie.'

'Met bidden kom je ver, inspecteur.'

Rebus zat al een uur alleen in de auto en de kou begon door zijn drie paar sokken heen te sijpelen toen hij zag dat iemand de deur van het hotel openduwde en naar buiten stapte. De hotelbar was nog open, die sloot pas als de laatste gast genoeg had gehad. Stevens had zijn stropdas los om zijn nek hangen, de bovenste twee knoopjes van zijn overhemd open. Hij blies sigarettenrook uit en wankelde een beetje van de drank. Waar ken ik dat van, dacht Rebus. Uiteindelijk richtte Stevens' aandacht zich op zijn auto, hij leek het grappig te vinden. Grinnikte, boog licht voorover, hoofdschuddend. Liep naar de auto toe. Rebus stapte uit en wachtte hem op.

'Eindelijk treffen wij elkaar dan, Moriarty,' zei Stevens. Rebus legde zijn armen over elkaar en leunde tegen de auto.

'Hoe bevalt het babysitten?'

Stevens blies zijn wangen bol. 'Eerlijk gezegd kan ik hem maar moeilijk vatten.'

'Hoe bedoel je?'

'Na zo'n lange tijd in de cel zou je denken dat hij het wil vieren.'

'Ik gok zo dat hij niet drinkt.'

'Dat heb je goed gegokt. Hij zegt dat het zijn geest vertroebelt, dat hij zich dan gevaarlijk gaat voelen.' Een vreugdeloze lach.

'Hoe lang nog?' Rebus rook de whisky op Stevens' adem. Nog een minuut of twee en hij wist welk merk het was.

'Paar dagen. Het is goed materiaal, wacht maar tot je het leest.'

'Weet je wat de yanks ons hebben verteld? Dat hij het weer gaat doen.'

'Echt?'

'Heeft hij iets in die richting gezegd?'

Stevens knikte. 'Lijstje van zijn beoogde slachtoffers gegeven. Past goed in mijn verhaal.' Hij trok een scheve grijns tot hij de uitdrukking op Rebus' gezicht zag. 'Sorry, sorry. Dat was smakeloos. Er is een uitgever geïnteresseerd, had ik dat al gezegd? Morgen of overmorgen doet hij een bod.'

'Hoe kun je het doen?' vroeg Rebus zacht.

Stevens hervond zijn evenwicht. 'Wat?'

'Doen wat je doet.'

'Klinkt als een jarenzeventignummer.' Hij snoof even, hoestte. 'Het is een interessant verhaal, Rebus. Meer is hij niet voor mij: een verhaal. Wat is hij voor jou?' Hij wachtte op een antwoord, kreeg er geen, zwaaide met zijn wijsvinger. 'Dat briefje op mijn auto: "laat hem vallen". Dacht je dat ik ineens het licht zou zien, hem aan iemand anders zou geven, een andere krant? Never nooit niet, makker. Ik ben Saulus niet.'

'Dat was me al opgevallen.'

'En deze jongen is niet de enige ex-gedetineerde die in het nieuws is, hè? Ik heb gezien dat iemand een pedofiel heeft verklikt. Er wordt gefluisterd dat het iemand van de politie was. Tsss.' Hij zwaaide weer met zijn wijsvinger. 'Wat is uw commentaar, inspecteur?'

'Fuck off, Stevens.'

'Ja, dat is ook zoiets. Die man heeft veertien jaar gebromd, en wij zitten hier in Leith, de peeskamer van Edinburgh, en hij heeft geen interesse. Snap jij dat?'

'Misschien heeft hij andere dingen aan zijn hoofd.'

'Voor mijn part doet hij het met kippen, als ik maar een contract bij een uitgever krijg.' Hij wreef zich in de handen. 'Moet je ons hier nou zien staan. Jij hier buiten, en ik in dat grote hotel. Zet je toch aan het denken, hè?'

'Ga naar bed, Stevens. Je hebt wel een schoonheidsslaapje nodig.'

Stevens wilde weglopen, maar er schoot hem nog iets te binnen en hij draaide zich om. 'Goed als we morgen een fotosessie doen? De fotograaf komt toch langs, dus dan kunnen we er mooi wat bij nemen: de agent die niet slaapt zolang de moordenaar vrij rondloopt.'

Rebus zei niets, wachtte tot de verslaggever zich weer van hem had afgewend. 'Wat moest ie nou in die kerk?' Bij die vraag bleef Stevens stokstijf staan. Rebus herhaalde hem. Stevens draaide zich half om, schudde langzaam zijn hoofd, en stak de straat over. Zijn tred had nu iets vermoeids, iets waarvan Rebus de betekenis ontging. Hij reikte in de auto naar zijn sigaretten, stak er een op. Sloot het portier en liep vijftig meter naar het eind van de straat, de brug naar de overkant van het dok, waar een boot lag aangemeerd. Er hing een bord dat klanten maande aan de buren te denken en 's avonds laat geen lawaai te maken. Maar de boot was vanavond niet in gebruik, geen privéfeest. In de buurt werden yuppenflats in New Yorkse stijl gebouwd, als onderdeel van de opknapbeurt die Leith kreeg. Rebus stak de weg over naar de pub, maar die was dicht. Het personeel dronk binnen waarschijnlijk nog een borrel en besprak de hoogtepunten van de avond. Rebus liep terug naar zijn auto.

Een uur later stopte er een taxi bij het hotel. Zijn eerste gedachte: weer een cassette voor de krant. Maar er zat iemand in. Die betaalde de chauffeur en stapte uit. Rebus keek op zijn horloge. Kwart over twee. Een van de gasten die uit was geweest. Hij nam een slok uit zijn flacon, zette de koptelefoon weer op. String Driven Thing: 'Another Night in This Old City'.

Meer was het nooit...

Drie kwartier later liep de man die met de taxi was gekomen het hotel weer uit. Hij zwaaide naar de nachtportier. Rebus had zijn raam open en hoorde hem 'tot ziens' zeggen. Hij hield stil bij de deur, wierp een blik op zijn horloge en keek de straat af. Op zoek naar een taxi, dacht Rebus. Wie bracht op dat uur van de nacht een bezoek aan een hotel? Wie had hij een bezoek gebracht?

De blik van de man viel op de politieauto. Rebus draaide het raampje verder omlaag, tipte zijn as op de weg. De man kwam naar de auto gelopen. Rebus opende zijn portier, stapte uit.

'Inspecteur Rebus?' De man stak zijn hand uit. Rebus monsterde hem. Eind vijftig, goed gekleed. Zag er niet uit alsof hij iets van plan was, maar je kon nooit weten. De man las zijn gedachten, glimlachte.

'Ik neem het u niet kwalijk. Midden in de nacht, een vreemde die ineens goeiedag komt zeggen en je naam al kent...'

Rebus kneep zijn ogen half toe. 'Wij hebben elkaar al eens gesproken, nietwaar?'

'Een tijdje terug. U heeft een goed geheugen. Ik ben Archibald. Alan Archibald.'

Rebus knikte, gaf Archibald een hand. 'U zat op Great London Road.'

'Een paar maanden, ja. De laatste tijd tot mijn pensioen heb ik papier zitten rondschuiven op Fettes.'

Alan Archibald: lange vent, kort grijzend haar. Een gelaat met scherpe trekken, een lijf dat de veroudering goed weerstond.

'Ik had gehoord dat u met pensioen was.'

Archibald haalde zijn schouders op. 'Na twintig jaar vond ik het welletjes.' Met een blik van: hoe zit dat met jou? Rebus grimaste.

'In de auto is het warmer. Ik kan u geen lift aanbieden, maar we kunnen wel...'

'Ik weet het,' zei Alan Archibald. 'Dat heeft Cary Oakes me verteld.'

'Wat?'

Archibald knikte naar de auto. 'Maar graag. Ik ben geen nachtdiensten meer gewend.'

Dus stapten ze in. Archibald sloeg zijn zwarte wollen overjas om zich heen. Rebus startte de motor en zette de verwarming hoger, bood Archibald een sigaret aan.

'Dank u, ik rook niet. Maar laat u dat niet weerhouden.'

'Je hebt een flink kanon nodig om mij tegen te houden,' zei Rebus, die er nog een opstak. 'Hoe zit dat met Oakes?'

Archibald legde zijn vingers op het dashboard. 'Hij belde me gisteren en zei me waar hij zat.' Hij keek Rebus aan. 'Hij weet alles over u.'

Rebus haalde zijn schouders op. 'Dat is de bedoeling.'

'Ja, dat weet hij ook. Maar hij wist dat ú de nachtdienst deed.'

'Niet zo moeilijk. Hij kan me zien vanuit zijn kamer.' Rebus wees ernaar. 'Of misschien had hij het van zijn oppasser gehoord.'

'De journalist? Die heb ik niet gesproken.'

'Zal wel in bed liggen.'

'Ja, ik moest Oakes op zijn kamer laten bellen. Maar hij sliep niet. Jetlag, zei hij.'

'Hoe kwam hij aan uw nummer?'

'Ik sta niet in het telefoonboek.' Archibald zweeg even. 'Ik vermoed dat die journalist navraag heeft gedaan.'

Rebus nam een trek van zijn sigaret, liet de rook door zijn neusgaten kringelen. 'Maar hoe zit het nou?'

'Ik heb de indruk dat Oakes een spelletje wil spelen.'

Rebus keek zijn passagier aan. 'Wat voor spelletje?'

'Het soort waarvoor ik om een uur 's nachts mijn bed uit kom. Toen belde hij me, zei dat we elkaar moesten spreken, nu of nooit.'

'Waarover?'

'De moord.'

Rebus fronste. 'Eén maar?'
'Niet een van de moorden die hij in de VS heeft gepleegd. Deze heeft hier in Edinburgh plaatsgevonden. In Hillend, om precies te zijn.'
Hillend: het noordelijke puntje van de Pentland Hills, vandaar de naam. Bekend om zijn kunstmatige skihelling. Vanaf de snelweg kon je er 's nachts de lichten van zien. Ineens herinnerde Rebus zich die zaak. Een rotspartij, het lijk van een vrouw. Een jonge vrouw: studente op de lerarenopleiding. Rebus had geholpen bij de eerste zoektocht. Die had hem van Hillend naar Swanston Cottages gevoerd, een heel bijzonder kluitje huizen, schijnbaar onberoerd door de moderne tijd. Hij had er op slag een huis willen kopen, maar zijn vrouw had het te afgelegen gevonden – en ze konden het toch niet betalen.
'Vijftien jaar geleden?' zei Rebus.
Archibald schudde zijn hoofd. Hij had zijn handen in zijn zakken gestoken en staarde door de voorruit. 'Zeventien jaar,' zei hij tegen Rebus. 'Zeventien jaar deze maand. Deirdre Campbell heette ze.'
'Zat u in het onderzoeksteam?'
Archibald schudde zijn hoofd weer. 'Dat kon toen niet.' Hij haalde diep adem. 'De dader is nooit gevonden.'
'Was ze niet gewurgd?'
'Een klap op haar hoofd en toen gewurgd.'
Rebus herinnerde zich de werkwijze van Oakes. En weer was het alsof Archibald zijn gedachten kon lezen.
'Zelfde werkwijze,' zei hij.
'Was Oakes toen nog hier?'
'Het was vlak voordat hij naar Amerika ging.'
Rebus floot tussen zijn tanden. 'Heeft hij het bekend?'
Archibald ging verzitten. 'Niet precies. Toen hij in de VS werd opgepakt, heb ik het proces gevolgd en vielen me een aantal gelijkenissen op. Ik heb hem daar toen ondervraagd.'
'En?'
'Toen speelde hij een spelletje met me. Hints, glimlachen, halve waarheden en vage verhalen. Hij hield me aan het lijntje.'
'Maar u had toch niet in het onderzoeksteam gezeten?'
'Had ik ook niet. Niet officieel.'
'Ik snap het niet.'
Archibald tuurde naar zijn vingernagels. 'Al die jaren dat hij in de cel zat ben ik zijn spelletjes blijven meespelen. Omdat ik weet dat ik hem kan afmatten. Hij weet niet hoe vasthoudend ik kan zijn.'
'En nu belt hij u in het holst van de nacht op?'
'En dist nog meer verhaaltjes op.' Een halve glimlach. 'Maar hij

lijkt niet te beseffen dat hij nu op een ander bord speelt. Hij is nu in Schotland. Hier bepaal ik de regels.' Hij zweeg even. 'Ik heb hem gevraagd met mij naar Hillend te gaan.'

Rebus staarde Archibald aan. 'Het is een moordenaar. De psychologen zeggen dat hij het weer zal doen.'

'Hij vermoordt zwakkeren. Ik ben niet zwak.'

Dat was nog maar de vraag, dacht Rebus. 'Misschien speelt hij nu een ander spel,' zei hij.

Archibald schudde zijn hoofd. Hij leek geobsedeerd te zijn. Jezus, daar kon Rebus een boek over schrijven: zaken die je naar de keel grepen en je niet meer loslieten. Onopgeloste zaken waar je slapeloze nachten van had. Je bleef alle gegevens maar uitvlooien, elk kruimeltje materiaal omkeren, op zoek naar iets afwijkends...

'Ik begrijp het nog steeds niet,' zei Rebus. 'U maakte geen deel uit van het onderzoeksteam... hoe komt u dan...'

Toen schoot het hem te binnen. Hij had het eerder moeten bedenken. Het verhaal ging toen al rond, de agenten die de berg afzochten hadden het er met elkaar over gehad.

'O shit,' zei Rebus. 'Ze was uw nicht...'

17

Het was makkelijk om een lege kamer in het hotel te vinden. De simpelste zaak van de wereld om het slot te forceren. En zo zat Cary Oakes in het donker bij het raam, een raam waar inspecteur John Rebus niet naar keek. Hij moest lachen: de spion bespioneerd, zonder dat hij het doorhad.

Hij had een stadsplattegrond op schoot. Tegen Stevens had hij gezegd dat hij de weg in de stad weer wilde leren kennen. Stevens had eerder laten vallen dat Rebus vroeger in Arden Street had gewoond, en misschien nog steeds. Arden Street in Marchmont. Pagina 15, 6G. Alan Archibald woonde in Corstorphine, althans daar woonde hij toen hij Oakes in de gevangenis had geschreven. Al die brieven, en nooit had hij de gevangene zijn telefoonnummer gegeven. Het had Oakes nog geen dag gekost om erachter te komen. Kennis is macht; je tegenstander moet je altijd verrassen – zo speel je spelletjes.

Oakes keek naar de twee mannen die in de auto zaten te praten. Hij voelde een zekere trots, bijna alsof hij een datingbureau had. Hij had de twee bij elkaar gebracht en was ervan overtuigd dat ze het goed met elkaar zouden kunnen vinden. Ze zaten er wel een uur, dronken zelfs samen iets warms uit een thermosfles. Toen kwam er een surveillancewagen – die moest Rebus hebben opgeroepen. Hoe attent: een gratis taxi naar huis voor de gepensioneerde collega. Archibald zag er nog fit uit voor zijn leeftijd. Als om hem te pesten. Oakes wist dat hij er zelf niet meer zo fris en fruitig uitzag als op de dag dat hij achter de tralies verdween. De huid van zijn gezicht hing erbij en zijn ogen stonden doods, al lette hij er nog zo goed op dat hij genoeg vitaminen en lichaamsbeweging kreeg.

Hij stak een hand in zijn zak, voelde een prop bankbiljetten. Hij had wat gedronken in de bar, een sterk verhaal opgehangen voor een stel zakenlui, Stevens zwijgend aan zijn zijde. Die had uiteindelijk de handdoek in de ring gegooid en hem alleen achtergelaten. Oakes had veel geleerd in de cel. Sloten open krijgen, onder andere, en zakkenrollen. De creditcards had hij niet aangeraakt: die vielen te traceren, daarmee kon hij in de problemen komen. Hij had alleen contant geld nodig. Hij wist dat Stevens hem afhankelijk wilde houden van de krant, daarom stelde hij de betaling uit. Voorlopig had hij Stevens daarom nodig, maar dat zou veranderen. Nu had hij werk te doen.

En dit geld stelde hem ertoe in staat.

Hij liep de kamer uit en nam de trap naar de eerste verdieping. Een raam aan het eind van de gang keek uit op een paar garageboxen. Tweeënhalve meter van het raam naar het dak van de garage eronder. Hij hurkte op de vensterbank en wachtte tot de taxi kwam. Hoorde hem naar de ingang van het hotel rijden. Hij had de naam en het kamernummer van een van zijn drinkmakkers opgegeven. Hij wachtte op het moment dat de taxi langs Rebus' auto reed, het moment dat hij niets kon horen, sprong op het dak van de garage en van daar naar het asfalt beneden. Zonder ook maar te stoppen om op adem te komen of zich af te kloppen rende hij meteen naar de muur waarlangs hij in het steegje kwam, en daarvandaan weg van het hotel.

Met een beetje geluk kon hij een taxi nemen. Wedden dat er zo een langskwam, met een chauffeur die geïrriteerd was omdat hem een rit door de neus was geboord...

Vier uur 's nachts, dat moest kunnen, dacht Darren Rough. Dan sliep iedereen wel. Hij had geboft: laat uit geweest de vorige avond, en onderweg naar huis een vroege editie van de krant opgepikt, waarin hij het opgeklopte verhaal over zichzelf had zien staan. Hij had thuis gezeten, BBC 2 op de radio, niet te hard om de buren niet te storen; die hadden kinderen, en kinderen hadden hun slaap nodig, dat wist iedereen. De radio dus nauwelijks hoorbaar, en hij met thee en toast bij de gaskachel.

En dan op dat artikel stuiten. De eerste paar alinea's lezen, genoeg om de krant op te rollen, te gaan ijsberen in de kamer, hyperventileren. Hij ademde in en uit in een papieren zak tot de aanval voorbij was. Voelde zich zwak, kroop op handen en voeten naar de badkamer. Gooide water uit de wc in zijn gezicht en in zijn hals. Hees zichzelf op de pot, zat daar een tijdje, loodzwaar hoofd tussen de knieën. Toen hij op zijn benen kon staan, vouwde hij de krant weer open, legde hem op de vloer. Las het hele artikel.

Daar gaan we weer, dacht hij bij zichzelf.

Hij wist dat hij zijn huis uit moest voor het ochtend werd. Liep de rest van de nacht op straat, de kou in zijn botten, zo moe dat het pijn deed. Naar een cafetaria om te ontbijten. Zijn maatschappelijk werker was pas om negen uur op zijn werk, zei dat hij een advocaat zou raadplegen, kijken of ze een klacht konden indienen. Zei dat het allemaal goed zou komen.

'Gewoon wachten tot de storm overwaait.'

Makkelijk gezegd vanuit je knusse kantoor, met waarschijnlijk een knusse familie die thuis op je wachtte. Zijn maatschappelijk werker had een stationwagen. Voetbalschoenen van kinderen achterin. Een huisvader met een baan van negen tot vijf.

De rest van die dag bleef Darren uit de buurt van Greenfield. Hij liep helemaal naar de botanische tuin, interesse in de planten veinzend. In de broeikassen was het tenminste warm, hij deed er minstens tien rondjes. Terug de stad in, naar Princes Street Gardens: daar lukte het om een uur te slapen op een bankje, tot een politieman hem wegstuurde. Alleen een groep krakers had oog voor hem. Ze boden hem sigaretten en sterk bier aan. Hij zat een uurtje bij hen, maar mocht ze niet, ongewassen types, niet zijn soort mensen.

Kunstgaleries, kerken: er was een hoop gratis in Edinburgh. Tegen de avond had hij het idee dat hij zijn eigen stadsgids kon schrijven. Hij at in een hamburgertent, deed zo lang mogelijk over zijn maaltijd. Toen een pub in Broughton Street. Wachten tot de dag voorbij was... het deed je beseffen waarom mensen een doel nodig hadden, een baan. Hij had graag een beetje structuur in zijn dag. Voelde zich niet graag opgejaagd.

Na sluitingstijd kwam hij weer een groepje krakers tegen en luisterde nog wat naar hun verhalen. Daarna ging hij voorzichtig terug naar Greenfield, keerde drie keer om voordat hij zijn angst eindelijk overwon. Doel bereikt.

Hij sloop de trap op, constant bedacht op een boos gezicht, een mes. Niets. Alleen schaduwen. Over de galerij, langs gesloten deuren, slapende ramen. Zijn sleutel in het slot klonk als een houtzaag. Toen merkte hij dat zijn handen plakkerig waren. Zette een stap achteruit, zag nu pas dat er modder op zijn deur gesmeerd was... nee, geen modder: stront. Hij rook het aan de rug van zijn hand, zijn knokkels, vingers. En onder de stront ook nog zwarte verf, grote letters. Hij hurkte, veegde zijn hand af aan de betonnen vloer, keek naar de boodschap.

JE GAAT DOOD MONSTER.

Het woord 'dood' was tweemaal onderstreept, opdat hij dat niet over het hoofd zou zien.

Dit was het park.

Er was niets veranderd. Ze hadden er een paar schommels en een draaimolen gezet, maar de draaimolen was alweer verdwenen, alleen de metalen spil stond er nog. De schommels waren dikke rubberbanden. Ondergrond van asfalt, iets verderop een speelveldje. Er waren bomen geplant, maar die zagen er miezerig uit. Het huis van zijn tante... vanuit de badkamer boven kon je een smal stukje van het park zien, net tussen twee huizen door. Het huis stond er nog steeds, licht uit, gordijnen dicht. Hij had met zijn moeder een slaapkamer achter in het huis gedeeld, met uitzicht op een kleine verwaarloosde tuin, de hut waar hij zijn toevlucht zocht.

In het park was hij niet veilig. Daar hing een bende buurtjongens rond, en die hadden het niet zo op Cary. Hij was een 'indringer', een 'buitenstaander', twee woorden die klonken als tegengestelden. Hij bleef aan de rand hangen, kleefde aan het hek van het park, tot een van de jongens het schelden zat was en naar hem toe liep om hem in elkaar te slaan.

Dat onderging hij dan. Omdat het beter was dan niets.

De enige keer dat hij een kat had beslopen, met aanstekervloeistof had besproeid, zijn staart in brand had zien vliegen... was er niemand getuige van geweest. De politie had de bende ondervraagd, maar naar Cary Oakes had niemand omgekeken. Die 'kleine opdonder' was niets gevraagd.

Hij stond bij het hek. Het was half kapot. Midden in de nacht, geen mens op straat. Geen langsrijdende auto's. Niemand zag hoe zijn handen met de verroeste spijlen van het hek in de weer gingen, hoe hij ze loswrikte.

En toen geluid: dronken gelach. Drie man, jong, doelloos zwervend, onverschillig of iemand ze hoorde, of ze iemands slaap verstoorden. Als tiener had Cary 's avonds laat wakker gelegen en boven de ademhaling van zijn moeder uit het geluid gehoord van cafégangers die naar huis liepen en liedjes zongen over King Billy en de Oranje Sjerp.

Drie man, onverschillig of ze iemand wakker maakten, want hier waren zij de baas. Zij vormden de buurtbende. De wereld draaide om hén.

Ze liepen aan de overkant, maar zagen Oakes staan, zagen dat hij naar ze keek.

'Wat sta je te kijken?'

Geen antwoord. Ze begonnen tegen elkaar te praten, leken de pas niet in te houden.

'Zo'n pedofiel.'

'Die hangen altijd in parken rond.'

'Of misschien een flikker.'

'Staat daar maar een beetje, midden in de nacht...'

Nu bleven ze staan. Ze draaiden zich om en staken de weg over. Drie man.

Mooie verhouding.

'Hé maat, wat sta je hier te doen dan?'

'Over dingen na te denken,' zei Oakes rustig, met één hand verder wrikkend aan de spijl. De drie jongemannen keken elkaar aan. Ze waren wezen stappen, kroegen en clubs. Drank, misschien een beetje drugs. Een mix die hun agressie en zelfvertrouwen stimuleerde. Terwijl ze nog stonden te bedenken wat ze met deze vreemdeling zouden doen, en wie het voortouw zou nemen, rukte Oakes de stalen spijl uit het hek en haalde uit. Trof de voorste op zijn neus, die openbarstte als een opbloeiende bloem in een versneld afgedraaide film. Zijn handen gingen naar zijn gezicht en hij viel gillend op zijn knieën. Aan het eind van zijn zwaai gekomen liet Oakes de spijl als een pendule terugslingeren en raakte nummer twee op zijn oor. Nummer drie trapte ernaar, maar de staaf sloeg tegen zijn scheenbeen en omhoog in zijn mond, brak een paar tanden. Oakes liet het wapen vallen. Gebroken Neus velde hij met een trap tegen zijn keel. Trommelvlies bewerkte hij met zijn vuist. Scheen en Tanden hinkte weg, maar Oakes liep achter hem aan, liet hem struikelen en gaf een salvo trappen tegen zijn hoofd.

Daarna rechtte hij zijn rug en bracht zijn ademhaling onder controle. Keek om zich heen naar de huizen die hij zich zo goed herinnerde. Niemand was uit bed gekomen. Niemand had zijn overwinning gezien. Hij veegde zijn schoenen af aan het overhemd van de liggende jongen en inspecteerde ze om te kijken of ze geen krassen hadden opgelopen. Liep naar Trommelvlies en trok hem aan zijn haar omhoog. Weer gegil. Oakes bracht zijn lippen naar het oor dat niet bloedde.

'Dit is nu *mijn* park, begrepen? Wie met mij solt, krijgt het dubbel en dwars terug.'

'We wilden niet –'

Oakes duwde met zijn duim tegen het bloedende oor.

'Jullie hebben nooit willen luisteren.' Hij keek naar het gat tussen de huizen, waar het huis van zijn tante stond. Smakte het hoofd van de jongen hard tegen de grond. Gaf er een klopje op, draaide zich om en liep weg.

Om twintig over zes sloop Rebus het huis van Patience aan Oxford Terrace binnen, gewapend met brood dat net uit de oven kwam, verse melk en de krant. Hij zette een kop thee en ging in de keuken het sportkatern zitten lezen. Om kwart voor zeven zette hij de radio aan, precies toen de centrale verwarming aansprong. Zette een pot thee, schonk een glas sinaasappelsap in voor Patience. Sneed het brood, zette alles op een dienblad. Liep ermee naar de slaapkamer. Patience keek hem met één oog aan.

'Wat is dit nu weer?'

'Ontbijt op bed.'

Ze ging rechtop zitten, duwde kussens achter haar rug. Hij zette het dienblad op haar schoot.

'Valt er iets te vieren wat ik vergeten ben of zo?'

Hij haalde een streng haar voor haar ogen weg. 'Ik wou niet dat je je versliep.'

'Waarom niet?'

'Zodra jij opstaat, kruip ik dat bed in en ga onder zeil.'

Hij ontweek het beboterde mes dat ze in zijn richting stak. Ze zaten allebei te lachen toen hij zijn overhemd begon open te knopen.

Jim Stevens liep naar de ontbijtzaal in de verwachting dat Cary Oakes daar weer een warm ontbijt zat te verorberen. Maar hij was nergens te bekennen. Hij vroeg het bij de receptie, maar daar had niemand hem gezien. Hij liet Oakes' kamer bellen: nam niet op. Liep erheen en bonsde op de deur: ook geen reactie.

Hij stond bij de receptie en wilde al een sleutel voor zijn kamer vragen toen Cary Oakes door de hoofdingang naar binnen kwam lopen.

'Waar zat jij verdomme?' vroeg Stevens, bijna duizelig van de opluchting.

'Geen cafeïne voor jou vanochtend, Jim,' zei Oakes. 'Moet je zien, je staat nu al te bibberen.'

'Ik vroeg waar je gezeten hebt.'

'Ik was vroeg wakker. Ik zit nog in de Amerikaanse tijd, geloof ik. Beetje langs het water gelopen.'

'Niemand heeft je hier zien weggaan.'

Oakes keek naar de receptie, toen weer naar Stevens. 'Scheelt er wat? Ik ben er nu toch?' Hij spreidde zijn armen. 'Daar gaat het toch om?' Hij legde zijn hand op Stevens' schouder. 'Kom, we gaan eten.' Voerde hem mee naar de ontbijtzaal. 'Ik heb toch een paar mooie verhalen voor je. Als je chef dit hoort, wil hij je wel pijpen...'

'Niks bijzonders,' zei Stevens, en hij veegde het zweet van zijn voorhoofd.

18

De zakenman die de eigenaar van het Clipper Night-Ship was, vroeg Rebus of hij een bod wilde doen.

'Ik meen het. Ik wil hem desnoods met verlies verkopen, maar niemand wil hem hebben.'

Hij legde uit dat de Clipper alleen maar kopzorgen opleverde. Gedoe met vergunningen, klachten van omwonenden, een onderzoek van de gemeente, politie-invallen...

'En dat alleen maar voor klanten die zich klem willen zuipen op een boot. Een kroeg levert meer geld op en minder gezeik.'

'Waarom neemt u dan geen kroeg?'

'Heb ik gehad: de Apple Tree in Morningside. Maar in die tijd leek het wel alsof elke pub een gimmick moest hebben. Wat is dat toch met die Ierse pubs: wie is er op het idee gekomen dat die beter zijn dan Schotse? En dan heb je al die andere themapubs: Sherlock Holmes of Jekyll en Hyde, of kroegen voor Australiërs en Zuid-Afrikanen.' Hij schudde zijn hoofd. 'Ik zag de Clipper en dacht: dát is het. En misschien wordt het ook nog wel wat, maar soms lijkt het vooral veel zwoegen zonder dat het een reet oplevert.'

Ze zaten in het kantoor van PJP: Preston-James Promotions. Rebus en Janice Mee aan één kant van het bureau, Billy Preston aan de andere. Rebus dacht niet dat Preston interesse zou hebben in het feit dat zijn naamgenoot toetsen had gespeeld voor de Beatles en de Stones.

Billy Preston was halverwege de dertig, piekfijn gekleed in een grijs kraagloos pak met een metalige glans. Je kreeg het gevoel dat niets aan hem zou blijven kleven, alsof hij van teflon was. Hij had zijn hoofd kaalgeschoren, maar op zijn lange vierkante kin pronkte een Zappa-baardje. Het kantoor van PJP besloeg twee kamers op de eerste verdieping van een gebouw in de Canongate, boven een winkel gespecialiseerd in antieke landkaarten.

'We willen verhuizen naar iets groters,' had Preston verteld, 'iets met meer parkeergelegenheid, maar mijn partner zegt dat we beter even kunnen wachten.'

'Waarom?' had Rebus gevraagd.

'Het nieuwe parlementsgebouw.' Preston had uit het raam gewezen. 'Tweehonderd meter verderop. De vastgoedprijzen schieten hier omhoog. We zouden wel gek zijn als we nu verkopen.' Hij bleef bezig met zijn computermuis, bewoog hem over de muismat en klikte en dubbelklikte. Het ergerde Rebus, die het scherm niet kon zien. 'Als ze het nu in Leith hadden gezet in plaats van Holyrood...' Preston hief zijn ogen ten hemel.

'Dan zou de Clipper niet zo slecht lopen?' raadde Rebus.

'Bingo. Dan hadden we rustig kunnen wachten op de parlementariërs en hun medewerkers, allemaal met een vet salaris dat ze willen stukslaan.'

'Is de Clipper een privéclub?' vroeg Janice.

'Niet precies. Je kunt hem huren. Als je een minimumaantal klanten garandeert, veertig door de week en zestig in het weekend, krijg je hem voor niks, zolang ze hun drank bij onze bar kopen. Je betaalt alleen voor de disco.'

'Minimaal veertig zegt u. Wat is het maximum?'

'Vijfenzeventig man, brandveiligheid.'

'En met veertig maakt u winst?'

'Nog maar net,' zei Preston. 'Ik heb mijn personeel, overhead, stroom...'

'Dus op sommige avonden blijft u dicht?'

'Het gaat in golven, om het maar zo te zeggen. We hebben tijden gehad dat het goed liep. Momenteel hebben we een periode van...'

'Windstilte?' zei Rebus.

Preston snoof en trok een kasboek uit een la. 'Welke datum was het u om te doen?'

Janice gaf de datum. Ze had haar handen om een kop koffie. De koffie was al lauw en doorgekookt toen ze hem kregen. Rebus had zijn twijfels over de kwalificaties van de lange blonde secretaresse in het voorste kamertje. De vloer bezaaid met papieren, ongeopende post... Als Preston niet meewerkte, overwoog Rebus een telefoontje naar de fiscus.

Maar hij bladerde vlot in het kasboek. 'Dit lag hier al toen we hier introkken,' zei hij. 'Ik vond het wel handig.' Hij keek op. 'De boel een beetje bijhouden.'

Zijn vinger vond de datum, gleed langs de lijn.

'Die avond waren we geboekt, privéfeest. Gekostumeerd.' Hij keek naar Janice. 'Weet u zeker dat uw zoon naar de Clipper ging?'

Ze haalde haar schouders op. 'Het kan.'
'Van wie was dat feestje?' vroeg Rebus. Hij was al overeind gekomen. Preston zat met zijn neus in het boek en leek niet te merken dat Rebus om het bureau gelopen was. Rebus' eerste impuls: kijken wat er op het scherm stond. Een potje patience, het programma wachtte tot de speler zou beginnen.
'Amanda Petrie,' zei Preston. 'Ik was er die avond zelf. Ik weet het nog wel. Ze hadden een thema... piraten of zo.' Hij wreef over zijn kin. 'Nee, *Schateiland* was het. Een of andere mafkees kwam nog verkleed als papegaai. Aan het eind van de avond was ie ook zo ziek als een papegaai.' Hij keek Janice aan. 'Mag ik die foto's nog eens zien?'
Ze reikte ze aan: Damon en de blondine, van de bewakingscamera's, en een vakantiekiekje van Damon.
'Ze waren niet verkleed?' vroeg Preston.
Janice schudde haar hoofd.
Prestons handen waren in de weer met het kasboek en de foto's. Rebus leunde voorover om het boek te bekijken en zag dat hij met zijn elleboog de muis naar boven had geduwd, zodat de cursor op het kruisje stond waar hij het spelletje kon afsluiten. Een beetje druk op de muisknop en het beeld veranderde. Van een potje patience naar een foto van een vrouw op handen en voeten. De foto was van achteren genomen, het model keek pruilend over haar schouder. Ze droeg witte kousen en jarretels, en verder niets. Ze pruilde overdreven. Vlakbij op de vloer een lege champagnefles. Rebus keek naar het venster, waar een lege champagnefles stond.
'Kan ze ook goed steno?' vroeg Rebus. Preston zag waar hij naar stond te kijken en zette het scherm uit. Rebus maakte van de gelegenheid gebruik om het zware kasboek van het bureau te tillen en ermee naar zijn stoel te lopen.
'U was daar die avond dus ook?' vroeg hij.
Preston keek wat bedremmeld. 'Om de boel in de gaten te houden.'
'En u heeft Damon of die blondine niet gezien?'
'Ik kan ze me niet herinneren.'
Rebus keek op. 'Dat is niet helemaal hetzelfde, hè?'
'Luister, inspecteur, ik doe mijn best...'
'Amanda Petrie,' zei Rebus. Toen zag hij haar adres. Keek weer naar Preston.
'De dochter van de rechter?'
Preston knikte. 'Ama Petrie.'
'Ama Petrie,' herhaalde Rebus. Hij keek naar Janice en zag haar

vragende blik. 'Het partybeest van Edinburgh.' En tegen Preston: 'Ik zie dat de boot haar niks gekost heeft.'
'Ama zorgt altijd voor een volle bak.'
'Gebruikt ze de Clipper vaak?'
'Eén keer per maand of zo, meestal een of ander gekostumeerd feest.'
'Doet iedereen netjes wat er gevraagd wordt?'
Preston snapte wat hij bedoelde. 'Niet altijd.'
'Er waren die avond dus ook gasten die niet verkleed waren?'
'Een paar, ja.'
'En die vielen minder op dan de piraten en papegaaien?'
'Inderdaad.'
'Het zou dus kunnen dat...?'
'Het zou kunnen,' zuchtte Preston. 'Wat wilt u dat ik zeg? Moet ik liegen en zeggen dat ik ze gezien heb?'
'Helemaal niet.'
'U kunt het beter aan Ama zelf vragen.'
'Ja,' zei Rebus bedachtzaam. Hij dacht aan Amanda Petrie, haar reputatie. En aan haar vader, rechter Petrie.
'Ze gaat om met een stel behoorlijk snelle types,' zei Preston.
Rebus knikte. 'Behoorlijk rijk ook.'
'Zeker.'
'Het soort klanten dat u graag heeft.'
Preston wierp hem een norse blik toe. 'Ik zou er niet om liegen. Trouwens, één Ama is ook wel genoeg voor mijn hart. Het duurt altijd eeuwen om het schip weer schoon te krijgen na zo'n feest – allemaal onkosten. En de meeste klachten krijg ik ook op die avonden. Allemachtig, als ze aankomen maken ze al zo'n kabaal dat horen en zien je vergaan...'
'Niets ongewoons verder die avond?'
Preston staarde Rebus aan. 'Dit is Ama Petrie, inspecteur. "Gewoon" bestaat bij haar niet.'
Rebus schreef haar telefoonnummer in zijn notitieblok. Liet zijn oog langs de andere boekingen glijden en zag niets wat hem interesseerde.
'Bedankt voor uw tijd, meneer Preston.' Een laatste blik op de computer. 'We laten u verder patiencen.'
Buiten zei Janice tegen hem: 'Ik kreeg het gevoel dat er iets langs me heen ging.'
Rebus haalde zijn schouders op, schudde zijn hoofd. De auto stond om de hoek. De motregen woei in hun gezicht terwijl ze erheen liepen.

'Ama Petrie,' zei Rebus, zijn hoofd tegen de wind in gebogen. 'Die zie ik niet een-twee-drie samen met Damon.'
'De onbekende blondine,' zei Janice.
'Vriendin van haar, denk je?'
'Laten we het juffrouw Petrie vragen.'
Rebus probeerde haar nummer te bellen met zijn mobiel; kreeg een antwoordapparaat en sprak niets in. Janice keek hem aan.
'Soms is het beter om ze niet van tevoren te waarschuwen,' legde hij uit.
'Omdat ze anders tijd hebben om een verhaal te verzinnen?'
Hij knikte. 'Zoiets.'
Ze bleef hem aankijken. 'Je bent er goed in, hè?'
'Vroeger wel.' Hij dacht aan Alan Archibald: na zoveel jaar in dienst jezelf nog zo vastbijten in een zaak, achter de moordenaar van Deirdre Campbell aan blijven zitten... Het was misschien een soort waanzin, maar je moest er toch bewondering voor hebben. Dat was wat Rebus beviel aan politiemensen. Alleen waren de meesten helemaal niet zo...
'Ik breng je naar Arden Street,' zei hij. Er waren nog wat telefoontjes die ze moest plegen. Dat deed ze nog steeds vanuit zijn flat.
'En jij?' vroeg ze.
'Ik moet bij een paar mensen langs.'
Ze nam zijn hand, hield hem stevig vast. 'Bedankt, John.' Streek langs zijn gezicht. 'Je ziet er moe uit.' Rebus haalde haar vingers van zijn wang, hield ze tegen zijn mond, kuste ze. Draaide met zijn vrije hand de contactsleutel om.

De eerste aflevering van 'Levenslang – Het Verhaal van Cary Oakes' was nogal obligaat: een paar alinea's over zijn terugkeer in Schotland, nog een paar over zijn celstraf en een terugblik op zijn vroegste jeugd. Het viel Rebus op dat er nauwelijks plaatsnamen in stonden. Oakes' verklaring daarvoor: 'Ik wil niet dat een plaats een slechte naam krijgt alleen omdat Cary Oakes daar eens een miezerige winter heeft doorgebracht.'
Wat aardig van hem.
Er stonden wat toespelingen in op mogelijke onthullingen – hints om de lezers nieuwsgierig te houden naar de volgende aflevering – maar alles bij elkaar was de indruk toch dat, hoeveel de krant er ook voor had betaald, ze een kat in de zak hadden gekocht. Rebus betwijfelde of Stevens' hoofdredacteur erg blij zou zijn. Er stonden foto's bij: Oakes op het vliegveld; Oakes bij zijn vrijlating uit de gevangenis; Oakes als klein kind. En een pasfoto van 'verslaggever Ja-

mes Stevens', bij de kop van het artikel. Rebus zag dat de foto's meer ruimte in beslag namen dan het verhaal zelf. Zo te zien zou het de journalist nog heel wat moeite kosten om daar een heel boek uit te peuren.

Hij vouwde de krant op en keek door het raampje van zijn auto. Hij stond bij de ingang van een bouwmarkt, een van die snel en goedkoop uit de grond gestampte winkelloodsen die de stad leken te omsingelen. Er stonden maar vier auto's op het grote parkeerterrein. Brunstane; hij kende dit deel van de stad niet goed. Naar het westen lag The Jewel, met zijn bekende winkelcentrum; in het oosten had je het Jewel and Esk College. De boodschap die Jane Barbour op het bureau had achtergelaten was kort en zakelijk: plaats en tijdstip waarop ze hem wilde spreken. Rebus stak nog een sigaret op en vroeg zich af wanneer ze nou eens kwam. Toen stopte er een auto naast hem, ze toeterde en reed de parkeerplaats op. Rebus startte zijn motor en volgde.

Inspecteur Jane Barbour reed in een crèmekleurige Ford Mondeo. Ze stapte al uit toen Rebus zijn auto naast de hare parkeerde. Ze bukte om een A4-envelop uit haar auto te pakken.

'Mooie auto,' zei Rebus.

'Bedankt dat je gekomen bent.'

Rebus sloot het portier voor haar. 'Wat is er? Zijn je boorpluggen op?'

'Ben je hier al eens geweest?'

'Nog nooit.'

Haar haren woeien in haar gezicht. 'Kom mee,' zei ze afgemeten, bijna vijandig.

Hij liet zich meevoeren naar de achterkant van het gebouw. Daar stonden de auto's en fietsen van het personeel. Er waren twee nooduitgangen, geschilderd in hetzelfde vale groen als de metaalplaten muren. De achterkant van de bouwmarkt was een stuk braakland waar de bevoorrading plaatsvond. Containers tjokvol met platgevouwen kartonnen dozen. Een stuk of tien aardewerken plantenpotten stonden te wachten tot ze mee naar binnen werden genomen en uitgestald voor de klanten. Het terreintje was omgeven door een laag bakstenen muurtje.

'Dus hier ga je me beroven?' vroeg Rebus, en hij stak zijn handen in zijn zak.

'Waarom heb je het op Darren Rough gemunt?'

'Wat gaat jou dat aan?'

'Zeg het nou maar gewoon.'

Hij probeerde oogcontact te krijgen, maar ze deed niet mee. 'Van wege wat hij is, wat hij in de dierentuin deed. En hoe hij de naam van een collega door het slijk heeft gehaald. Vanwege...'

'Vanwege Shiellion?' raadde ze, en eindelijk keek ze hem in de ogen. 'Tegen Ince en Marshall kun je niks uitrichten, maar hier had je ineens een mooie vervanger.'

'Zo is het niet gegaan.'

Barbour stak haar hand in de envelop en haalde er een zwart-witfoto uit. Oude foto, van een negentiende-eeuws herenhuis. Met een gezin dat voor de deur poseerde, trots op hun nieuwe auto. Een model uit de jaren twintig.

'Het is zes jaar geleden gesloopt,' zei Barbour. 'Anders was het vroeg of laat vanzelf in elkaar gestort.'

'Mooi huis.'

'De vader des huizes,' zei Barbour, en ze tikte op de man die met één voet op de treeplank van de auto stond, 'is failliet gegaan. Callstone heette hij. Deed in jute of zoiets. Moest het huis verkopen. De Church of Scotland was er als de kippen bij. Maar ze moesten wel beloven de familienaam te behouden. Dus bleef het Callstone House.'

Ze wachtte tot de naam tot hem doordrong. 'Kindertehuis,' zei hij uiteindelijk, en zag haar knikken.

'Ramsay Marshall heeft daar gewerkt voordat hij werd overgeplaatst naar Shiellion. Hij kende Harold Ince toen al.' Ze gaf hem nog meer foto's.

Rebus keek ernaar. Callstone House als kindertehuis, bestuurd door de kerk. Een groep kinderen bij dezelfde voordeur, kinderen in de eetzaal, aan lange tafels, hongerige blik in de ogen. Slaapzalen. Een paar foto's van streng kijkende verzorgers. Rebus' hersenen kraakten. 'Darren Rough heeft een tijdje in Callstone House gezeten...'

'Inderdaad.'

'Toen Ramsay Marshall daar de scepter zwaaide?'

Ze knikte weer.

'Jij...' zei hij, en ineens snapte hij het. 'Jij wilde Darren Rough hier terug hebben.'

'Inderdaad.'

'Voor het proces?'

Ze knikte. 'Huis voor hem geregeld, om hem over te halen. Weken met hem bezig geweest.'

'Was hij misbruikt?' Rebus fronste. 'Hij staat niet op de lijst.'

'Het OM vond hem geen goede getuige.'

Rebus knikte. 'Strafblad. Maakt een slechte indruk op de zitting.'

'Inderdaad.'

Rebus gaf de foto's terug. Nu wist hij wat haar dwarszat. 'Wat is hem overkomen?'

Ze stopte de foto's terug in de envelop. 'Op een avond kwam Marshall de slaapzaal in. Darren sliep nog niet. Marshall zei dat ze een ritje gingen maken. Hij nam hem mee naar Shiellion.'

'En dat bewijst dat Marshall en Ince toen al samenspanden?'

'Het lijkt er wel op. Zij tweeën en nog een derde deden het om de beurt.'

'Jezus.' Rebus staarde naar het gebouw van de bouwmarkt, stelde zich voor dat het een kindertehuis was, zogenaamd een veilig onderkomen. Hij vroeg zich af wat de geest van de heer Callstone ervan zou vinden. 'Wie was de derde man?'

Barbour haalde haar schouders op. 'Ze hadden Darren geblinddoekt.'

'Waarom?'

'Het punt is dat ik hem dingen beloofd heb, John.'

'Een veroordeelde pedofiel?' Rebus kon het niet laten om het te zeggen.

'Ooit gehoord van de invloed van de omgeving op het karakter?'

'Slachtoffers die zelf misbruikers worden? Vind je dat een goed excuus?'

'Ik denk dat het een oorzaak is.' Ze was rustiger geworden. 'Professor Calder in Glasgow heeft een test om te meten hoe waarschijnlijk het is dat iemand opnieuw in de fout gaat. Bij Darren bleek de kans heel klein. In de gevangenis hield hij zich altijd aan zijn afspraken, bleef hij in therapie.'

Rebus trok zijn neus op. 'Waarom staat hij niet op de lijst?' Hij had gekeken: negenenveertig geregistreerde zedendelinquenten in Edinburgh. Rough stond er niet bij.

'Dat hoorde bij de afspraak. Hij is doodsbang dat ze hem te grazen nemen.'

'Wie?'

'Ince en Marshall. Ik weet dat ze opgesloten zitten, maar hij heeft er nachtmerries over.' Ze wachtte tot hij iets zei, maar Rebus stond na te denken. 'Wat er nu in Greenfield gebeurt,' ging ze verder, 'dat is niet goed. Is dat jouw oplossing? Ze opjagen, wegjagen? Dan belanden ze ergens ánders, John. We moeten zelf met ze aan de slag, en ze niet overleveren aan de meute.'

Rebus keek naar zijn schoenen. Zoals altijd moesten die nodig gepoetst worden. 'Heeft Rough het je verteld?'

Ze schudde haar hoofd. 'Toen ik de krant zag heb ik geprobeerd om hem te vinden. Toen heb ik zijn maatschappelijk werker gebeld. Andy Davies is ervan overtuigd dat jij erachter zit.'

'Geloof je hem?'

Ze haalde haar schouders op. Ze liepen terug naar hun auto. 'Wat wil je nu?' vroeg Rebus. 'Excuses?'

'Ik wil gewoon dat je het begrijpt.'

'Bedankt voor de therapie. Ik denk dat je me nu wel weer mag loslaten op de samenleving.'

'Fijn dat je er de humor van inziet,' zei ze koeltjes.

Hij draaide zich naar haar toe. 'Rough keert terug in Edinburgh, en Jim Margolies, de agent die hij beschuldigde van mishandeling, stapt van de Salisbury Crags. Ik denk dat daar misschien een verband tussen is. Dát is de reden dat ik geïnteresseerd ben in...' Hij had haar gezicht van kleur zien verschieten bij de naam Jim Margolies. 'Wat?' vroeg hij. Ze schudde haar hoofd. Rebus kneep zijn ogen half dicht. 'Je hebt met Jim gepraat, hè? Hetzelfde gesprek dat wij net gehad hebben?'

Ze aarzelde even, knikte toen. 'Ik wou Darren terughalen naar Edinburgh. Hij wou niet komen, wilde eerst weten of inspecteur Margolies daar nog werkte.'

'Dus je hebt Jim gesproken en alles uitgelegd?'

'Ik denk dat ik er zeker van wilde zijn dat het geen... problemen zou geven.'

'Dus Margolies wist dat Rough terugkwam?' zei Rebus peinzend. Een mobiel ging over: van haar. Ze haalde hem uit haar zak, luisterde even.

'Ik ga er meteen heen,' zei ze, en hing op. Tegen Rebus: 'Rij jij ook maar mee.'

Hij keek haar aan. 'Wat is er?'

Ze opende haar portier. 'Heibel in Greenfield. Darren is blijkbaar thuisgekomen.'

19

Er stond een massa mensen op de galerij bij de voordeur van Darren Rough, en het enige obstakel tussen hen en de woning was agent Tom Jackson. Van Brady stond vooraan met een koevoet te zwaaien. Achter haar verdrongen zich andere buurvrouwen. Een ploeg van de lokale tv probeerde het in beeld te krijgen. Een fotograaf kiekte een stel jongens met een spandoek. Het was zelfgemaakt. Een half laken met zwarte tekst uit een spuitbus: RED ONS VAN DAT BEEST!!

'Enig,' zei Jane Barbour.

Uit de andere flatgebouwen keken mensen toe van achter het raam, als ze het al niet open hadden gezet om de meute op te jutten. Rebus zag dat op de deur van de woning ook tekst gespoten was. Het raam was besmeurd met vet en eieren. De meute wilde bloed zien en leek steeds groter te worden.

Wat heb ik in godsnaam gedaan, dacht Rebus.

Tom Jackson keek zijn kant op. Hij was rood aangelopen, het zweet druppelde van zijn slapen. Jane Barbour baande zich een weg naar voren.

'Wat is hier aan de hand?' riep ze.

'Sleur die smeerlap eruit,' gilde Van Brady. 'Dan maken we hem af.'

Er werd instemmend geschreeuwd: 'Knoop hem op!' 'Ophangen is nog te goed voor hem!' Barbour stak haar handen op om ze tot stilte te manen. Ze zag dat de meeste mensen een witte sticker op hun jas of trui hadden. Effen wit met drie letters erop: GTP.

'Wat moet dat betekenen?' vroeg ze.

'Greenfield Tegen Pedo's,' zei Van Brady.

Rebus zag dat een jongetje de stickers uitdeelde. Hij herkende hem: Jamie Brady, de jongste van Van.

'Sinds wanneer is het jouw werk om dat soort goorlappen te beschermen?' vroeg een vrouw.

'Iedereen heeft dezelfde rechten,' zei Barbour.

'Zelfs smeerlappen?'

'Darren Rough heeft zijn straf uitgezeten,' ging Barbour verder. 'Hij volgt een re-integratietraject.' Ze zag dat de tv-ploeg naderde en fluisterde iets tegen Tom Jackson. Die liep naar de camera en hield zijn hand ervoor.

'Vertel ons eerst maar eens,' riep Van Brady, 'waarom hij zo nodig hier moet wonen? Wie wist daarvan? En waarom is ons niks verteld?'

'Hij moet oprotten!' riep een man. Een nieuwkomer. De menigte week uiteen om hem door te laten: een jongeman, fijn getekend gezicht, blote armen. Hij stond schouder aan schouder met Van Brady, negeerde Barbour en richtte zich tot de tv-ploeg.

'Deze buurt is van ons, niet van de politie.' Applaus en gejuich. 'Als zij niet met dat tuig afrekenen,' een duim over zijn schouder naar Roughs voordeur, 'geeft niks, dan doen we het zelf wel. Wat dat betreft houden we Greenfield schoon.'

Meer gejuich, instemmend geknik.

Eén stem die riep: 'Zo is het maar net, Cal.'

Cal Brady, naast zijn moeder, die trots opkeek naar haar welbespraakte zoon. Cal Brady: voor het eerst dat Rebus hem in het echt zag.

Nou ja, niet helemaal: de eerste keer dat hij hem zag en wist wie het was. Maar Rebus had Cal Brady al eerder gezien. In Gaitano's, aan de bar samen met de assistent-manager, Archie Frost. Frost met zijn paardenstaart en botte manieren. Zijn vriend die bleef zwijgen en zich snel uit de voeten maakte...

'Kunnen we er misschien over praten?' vroeg Jane Barbour.

'Wat valt er te praten?' vroeg Van Brady, en ze legde haar armen over elkaar.

'Deze hele situatie.'

Cal Brady negeerde haar, zei tegen zijn moeder: 'Zit ie binnen?'

'Een van de buren heeft gestommel gehoord.'

Cal Brady sloeg op het raam, moest zijn hand daarna aan zijn broek afvegen.

'Luister nou,' zei Jane Barbour. 'Laten we nou even –'

'Goed idee,' zei Cal Brady. Hij griste de koevoet uit de handen van zijn moeder en sloeg ermee tegen het raam, dat aan diggelen ging. Pakte het vieze laken en rukte de spelden waarmee het was opgehangen los. Hij zat al half op de vensterbank en in de kamer, met de koevoet nog in zijn hand, toen Rebus zijn voeten pakte en hem terugtrok. Brady haalde zijn T-shirt open aan de glasscherven.

'Hé jij!' riep Van Brady, en ze haalde uit naar Rebus. Cal Brady wurmde zich los, kwam overeind en stond in zijn gezicht te schreeuwen.

'Wil je een knal voor je kop?' Hij zwaaide met de koevoet. Herkende de rechercheur niet.

'Ik wil dat je rustig doet,' zei Rebus kalm. Hij draaide zich naar Van. 'En dat jij je gedraagt.'

De menigte was naar het raam opgedrongen, benieuwd hoe het er binnen uitzag. Het interieur verschilde weinig van de meeste flats in de buurt: gewitte muren, bank, stoel, boekenkast. Geen tv, geen hifi. Stapel boeken op de bank: fotografieboeken, romans. Op de vloer kranten, lege bakjes instantnoodles, een pizzadoos. Blikjes en limonadeflessen in de boekenkast. Iedereen leek teleurgesteld over het resultaat.

'Het is een smeris,' waarschuwde Van haar zoon.

'Luister naar je moeder, Cal,' zei Rebus.

Cal Brady liet de koevoet zakken, terwijl vijf of zes agenten uit het trappenhuis verschenen.

Het eerste wat ze deden was de mensen wegsturen. Van Brady riep dat er een GTP-bijeenkomst in haar flat was. De tv-ploeg maakte aanstalten om haar te volgen. De fotograaf bleef staan om foto's van Darren Roughs woonkamer te maken, tot de agenten ook hem wegstuurden. Barbour gaf met haar mobiel door dat iemand het raam moest komen dichtspijkeren.

'En snel, voordat iemand een blik benzine naar binnen mikt.'

Tom Jackson veegde zijn voorhoofd af en liep naar Rebus toe.

'Godallemachtig,' zei hij. 'Ik geloof dat ik het prettiger vond zoals het eerst was.'

Toen Rebus opkeek, staarde hij in de ogen van Jackson.

'Geef je mij hier nou de schuld van?' vroeg Rebus.

'Zeg ik dat soms?' Jackson was nog in de weer met zijn zakdoek. 'Ik geloof niet dat ik dat gezegd heb.' Hij draaide zich om en liep weg.

Rebus keek door het raam naar binnen. Er kwam een muffe lucht uit de kamer. Niet verbazend, als frisse lucht en zonlicht zo systematisch buiten werden gehouden. Nou, vooruit dan maar, dacht hij. Hij zette een voet op de vensterbank en trok zich op.

Onder zijn voet knarste gebroken glas. Darren Rough was nergens te bekennen.

Dit is wat je wilde, John. De stem in zijn hoofd: niet van hemzelf, maar van Jack Morton. *Dit is wat je wilde, en nu heb je wat je wilt...*

Nee, dacht hij, dít was niet wat ik wilde.

Maar Jack had tot op zekere hoogte gelijk: het was nu wel zover gekomen.

Een smalle overwelfde doorgang leidde van de woonkamer naar het keukentje. Rebus voelde aan de waterkoker: nog een beetje warm. Keek in de koelkast: brood, margarine, jam. Geen melk. In de vuilnisbak: leeg melkpak, blikje witte bonen in tomatensaus.

Jane Barbour keek door het raam naar hem. 'Iets gevonden?'

'Niet echt.'

'Kun je de deur opendoen?'

'Tuurlijk.' Hij opende de deur van het halletje, waar geen licht brandde. Voelde naar de lichtknop en knipte het aan. Kaal 40 wattpeertje. Hij voelde aan de deur, maar het insteekslot zat erop en er zat geen sleutel in. Achter de brievenbus zat een blok hout gespijkerd. Niet dat Rough veel post zou krijgen. Hij liep terug naar het raam en zei tegen Barbour dat ze erdoor moest klimmen als ze een rondleiding wilde.

'Nee dank je,' zei ze. 'Ik heb het al gezien.' Rebus keek haar aan. 'Toen ik hem hierheen bracht.'

Rebus knikte, liep terug naar het halletje. Twee slaapkamers, badkamer en wc. In de eerste slaapkamer lag een slaapzak op de vloer. Leesvoer: de Bijbel, Groot Nieuws-versie. Lege chipszakjes. Rebus raapte ze op. In eentje zat een gebruikt condoom. Gordijn voor het raam: Rebus trok het open, zag een weg. De tweede slaapkamer was leeg, er hing nog geen peertje. Zelfde uitzicht als nummer 1. De badkamer was toe aan een schoonmaakbeurt. Schimmel op de muren. De enige handdoek was een armzalig klein, versleten geval, afdankertje van het ziekenhuis of zoiets. Rebus probeerde de wc. Die zat op slot. Hij duwde harder – zat absoluut op slot. Hij klopte op de deur.

'Rough? Zit je daar?' Die deur kon je niet van buitenaf op slot doen. 'Politie,' riep Rebus. 'Luister, we gaan weg en je raam is ingeslagen. Zodra wij weg zijn, komen die barbaren terug.' Stilte. 'Prima dan,' zei Rebus, en hij draaide zich om. 'Inspecteur Barbour staat trouwens buiten. Tot ziens, Darren.'

Rebus was al half uit het raam toen hij achter zich iets hoorde. Hij keek om en zag Darren Rough in de deuropening staan, uitgemergeld gezicht, in zijn blik iets tussen angst en hoop. Hij hield zijn bevende armen gekruist voor zijn borst, alsof hij daarmee een koevoet kon afweren.

Rebus, immuun voor de meeste vormen van ellende, voelde een steek van medelijden. Jane Barbour stond op de galerij met Tom Jackson te praten. Ze zag Rebus kijken en brak het gesprek af.

'Inspecteur Barbour,' riep hij. 'Klant van u, geloof ik.'

Jim Stevens probeerde het beeld uit zijn hoofd te bannen van Cary Oakes die stond te plassen in de kerk. Nu hij Oakes had, had hij dit verhaal nodig, en het moest een sensationeel verhaal worden. Zijn chef had over de eerste aflevering geklaagd, had gezegd dat hij de lezers alleen maar opgeilde en de hoop uitgesproken dat er iets beters zou komen. Wat Stevens plechtig beloofde.

Oakes had een bijbel op zijn nachtkastje liggen. Maar in de kerk... Stevens wilde niet denken aan wat het kon betekenen. Er was iets met Oakes... als je in zijn ogen keek, zag je het soms, en als hij dan merkte dat je keek, was het ook zo weer verdwenen. Maar hij was soms secondenlang met zijn gedachten ergens anders – ergens waar de verslaggever hem niet wilde hebben.

Gewoon je werk doen, hield hij zichzelf voor. Nog een paar dagen, genoeg tijd om bij de baas in de gratie te komen, de andere kranten te laten zien dat hij het nog kon, en een voorstel te schrijven voor uitgevers, voor de hoogste bieder. Hij was al in onderhandeling met twee Londense uitgevers, maar vier andere hadden het afgewezen.

'Levensverhaal van een moordenaar,' had één redacteur geschamperd, 'volkomen achterhaald.'

Om de prijs op te drijven had hij meer aanbiedingen nodig. Twee geïnteresseerde partijen waren niet genoeg om tegen elkaar uit te spelen.

En nu dit.

Oakes had gezegd dat hij na het middageten een halfuurtje naar zijn kamer ging. De ochtendsessie was goed gegaan; niet briljant, maar het kon ermee door. Genoeg aanknopingspunten voor de volgende sessie. Maar Oakes had geklaagd over hoofdpijn en gezegd dat hij een bad wilde nemen. Na een halfuur had Stevens bij hem aangeklopt: geen reactie. Bij de receptie hadden ze hem niet gezien. Stevens had overwogen om naar buiten te gaan en het aan de postende rechercheur te vragen, maar dat ging iets te ver. Hij wist de manager ervan te overtuigen dat hij zich zorgen maakte om de gezondheid van zijn vriend. Met een loper kwam hij de kamer in. Niemand aanwezig, helemaal niemand. Stevens had zich verontschuldigd bij de manager en was naar zijn eigen kamer gegaan. Daar zat hij nu op zijn nagels te bijten en zich af te vragen wat er van zijn verhaal moest worden.

Stoerdoenerij, dat moest het zijn.

Bang en bevend weggekropen in een hoekje, en daar door de politie gevonden... De enige manier voor Darren Rough om nog een beetje zelfrespect over te houden was door Barbours aanbod van een ander huis af te slaan. Tot het zover was, kon ze hem een politiecel aanbieden; in Greenfield kon ze zijn veiligheid niet langer garanderen.

Rough had gelachen om dat 'niet langer'. Ze wisten allebei dat ze die nooit had kunnen garanderen.

'Ik blijf,' had hij gezegd. 'Je moet toch een keer stoppen met vluchten, laat dat nu dan maar zijn.' En hij had gegrinnikt. 'Net een ouwe western, hè? Met, hoe heet ie, John Wayne.' Hij had een pistool gevormd met zijn hand en in de lucht geschoten. Toen keek hij om zich heen en snoof even, en alle opgewektheid vloeide weer weg uit zijn gezicht.

'Dat vind ik geen goed idee,' zei Barbour.

'Ik ook niet,' zei Andy Davies. Het was de eerste keer dat Rebus de maatschappelijk werker van Darren Rough ontmoette. Hij was lang en dun, had een baard en rood haar, kalend bij de kruin. Lachrimpels bij zijn ogen, kleine roze mond.

'U kunt wel iets voor me doen,' zei Rough.

Davies, die op de bank zat, leunde naar voren, met zijn handen tussen zijn knieën. 'Wat dan, Darren?'

'Een stoffer en blik, zodat ik die rotzooi kan opruimen.' Hij schopte een glasscherf weg.

Een timmerman van de gemeente was gekomen om het raam dicht te spijkeren. Doffe weerzin in zijn ogen. Beneden had iemand een GTP-sticker op zijn gereedschapskist geplakt. Met een accuschroevendraaier, een zaag en een hamer maakte hij het venster met planken dicht, zodat het laatste restje daglicht werd buitengesloten.

Toen Rough het keukentje in liep, wilde Rebus achter hem aan lopen. De maatschappelijk werker stond op.

'Niks aan de hand,' zei Rebus tegen hem. 'Ik wil alleen even praten.' De twee mannen keken elkaar aan. Rebus gebaarde 'ga toch zitten' naar Davies, maar Davies liep naar het raam. Rebus liep naar de deuropening van de keuken. Rough stond kasten open en dicht te doen, zonder doel of reden. Hij wist dat Rebus daar stond, maar keek niet naar hem.

'Nu heb je wat je wil,' mompelde hij.

'Wat ik wil, is antwoord op een paar vragen.'

'Rare manier om daaraan te komen.'

Rebus stak zijn handen in zijn zakken. 'Hoe lang ben je al terug?'

'Week of drie, vier.'

'En je hebt inspecteur Margolies zeker niet gezien?'

'Hij is dood, las ik in de krant.'

'Ja, maar daarvóór.'

Rough sloeg een van de kastdeuren dicht en keek Rebus kwaad aan, zei met bevende stem: 'Jezus, wat nu weer? Hij heeft toch zelfmoord gepleegd?'

'Misschien.'

Rough wreef met een hand over zijn voorhoofd. 'Denkt u dat ik...?'

Andy Davies was erbij komen staan. 'Wat krijgen we nu weer?'

'Hij wil me iets in de schoenen schuiven,' flapte Rough eruit.

'Luister, inspecteur, ik weet niet wat u denkt –'

'Inderdaad,' snauwde Rebus terug. 'Dat weet u niet. Dus waarom houdt u zich er niet gewoon buiten?'

'Ik kan er niet meer tegen,' jankte Rough, die bijna in tranen uitbarstte.

Jane Barbour kwam uit het halletje. Rebus las haar blik: viervijfde verwijt, eenvijfde teleurstelling. Hij herinnerde zich wat ze hem over Rough had verteld. Die stond zijn neus op te halen, wreef met de rug van zijn hand onder zijn neus. Hij zag eruit alsof zijn knieën het ieder moment konden begeven. De timmerman was bijna klaar, zodat het in de woonkamer aardedonker werd. Elke schroef die hij erin draaide was als een nagel die in een doodskist werd geslagen.

'Is inspecteur Margolies met je komen praten?' ging Rebus door.

Rough keek hem brutaal aan. 'Nee.'

Rebus bleef hem aanstaren. 'Volgens mij lieg je.'

'Geef me dan een paar meppen.'

Rebus zette een stap naar voren. De maatschappelijk werker vroeg Barbour om in te grijpen.

'Inspecteur Rebus,' waarschuwde Barbour.

Rebus ging pal voor Roughs neus staan. Rough stond helemaal achter in de keuken, kon nergens heen.

'Is hij met je komen praten?'

Rough ontweek zijn blik, beet op zijn lip.

'Nou?'

'Ja!' schreeuwde Darren Rough. Hij boog zijn hoofd, haalde een hand door zijn haar. Niet-aflatend getimmer bij het raam. Hij drukte zijn handen tegen zijn oren. Rebus trok ze zo zacht als hij kon weg.

Zorgde dat hij kalm klonk toen hij zei: 'Wat wilde hij van je?'

'Shiellion,' kreunde Rough. 'Het is altijd Shiellion.'

Rebus fronste. 'Inspecteur Rebus...' Barbours stem klonk gespannen, alsof ze het breekpunt naderde.

'Wat was er met Shiellion?'

Rough keek naar Jane Barbour, zijn woorden waren tot haar gericht. 'U hebt hem verteld wat me is overkomen.'

'Nou?' drong Rebus aan.

'Hij wilde weten waarom ze me geblinddoekt hadden... bleef maar vragen wie er nog meer bij was geweest.'

'Wie was er dan nog bij, Darren?'

Knarsetandend: 'Dat weet ik niet.'

'Heb je dat ook tegen hem gezegd?'

Langzaam knikkend: 'Kan iedereen geweest zijn.'

'Iemand die niet wilde dat je hem zag. Misschien omdat je hem kende.'

Rough knikte. Zijn stem was kalmer. 'Ik heb het me zo vaak afgevraagd. Misschien had ik hem kunnen herkennen... ik weet niet, aan een uniform of zo. De boord van een priester.' Hij keek op. 'Of iemand van jullie.'

Maar Rebus luisterde al niet meer. 'Priester?' zei hij. 'Callstone en Shiellion waren van de Church of Scotland. Die heeft geen priesters.'

Maar Rough knikte. 'Wij wel.'

Barbour leek haar oren nu te spitsen. Ze fronste. 'Hadden jullie een priester?'

'Die kwam een tijdje langs, en toen hield hij ermee op. Ik mocht hem graag. Pater Leary, heette hij.' Een flauwe glimlach. 'We mochten hem Conor noemen.'

Toen Rebus naar beneden liep, kwam Barbour achter hem aan.

'Wat denk jij ervan?' vroeg ze.

Rebus haalde zijn schouders op. 'Waarom stelde Jim Margolies belang in Shiellion?'

Haar beurt om haar schouders op te halen.

'Had je Jim verteld dat Rough daar misbruikt was?'

Ze knikte. 'Denk je dat zijn zelfmoord daar iets mee te maken heeft?'

'Als het zelfmoord wás.'

Ze blies haar wangen bol. 'Ik moet onze burgerwacht nog maar eens toespreken,' zei ze. 'Druk op de ketel houden.'

'Tom Jackson heeft ze al toegesproken.'

Ze draaiden zich om, hoorden voetstappen achter zich in het trappenhuis: Andy Davies.

'We moeten hem een ander huis geven,' zei hij. 'Het is hier niet veilig.'

'Hij wil niet weg.'

'We kunnen aandringen.'

'Als die meute niet genoeg reden voor hem was om te vertrekken, wat kunnen wij dan nog doen?'

'Je kunt hem oppakken.'

Rebus begon te lachen. 'Een paar dagen geleden –'

Davies reageerde fel. 'Ik wil dat u hem beschermt, niet dat u hem treitert.'

'We zullen iemand een oogje in het zeil laten houden,' zei Barbour.

'Tom Jackson moet ook een keer naar huis,' merkte Rebus op.

'Desnoods ga ik zelf wel posten,' zei ze. En tegen Davies: 'Ik geloof dat we op dit moment verder niet veel voor hem kunnen doen.'

'Maar als u hem in de rechtszaal had kunnen gebruiken...?'

'Ik zal maar doen alsof u dat niet gezegd heeft, meneer Davies.' IJspegels in haar stem, en een dodelijke blik.

'Ze maken hem af,' zei de maatschappelijk werker. 'En ik denk niet dat u daar een traan om zult laten.'

Barbour keek naar Rebus, benieuwd of die iets zou zeggen. Maar hij schudde slechts zijn hoofd en stak een sigaret op.

Rebus kende pater Conor Leary al jaren. Een tijdlang had hij hem regelmatig bezocht, hadden ze onder het genot van een paar blikjes Guinness met elkaar zitten praten. Maar toen Rebus hem belde, nam er een andere priester op.

'Conor ligt in het ziekenhuis,' zei de jonge geestelijke.

'Hoe lang al?'

'Een paar dagen. Hartaanval, denken ze. Niet al te zwaar, dus ik denk dat het wel goed komt.'

Dus reed Rebus naar het ziekenhuis. De laatste keer dat hij bij Leary was geweest, had zijn koelkast vol medicijnen gestaan. Hij had gezegd dat het voor allerlei kleine kwaaltjes was.

'Hoe lang wist je het al?' vroeg Rebus, en hij trok een stoel naar het bed van zijn vriend. Conor Leary zag er oud en bleek uit, zijn huid slap.

'Geen druiven, zie ik,' zei Leary. Zijn stem niet zo bars en krachtig als vanouds. Hij zat rechtop in bed, omringd door bloemen en beterschapkaarten. Vanaf de muur boven zijn hoofd keek Jezus op hen neer.

'Ik hoorde het net een halfuur geleden.'

'Fijn dat je langskomt. Ik kan je helaas niets te drinken aanbieden.'

Rebus glimlachte. 'Ze zeggen dat je hier snel weer weg mag.'

'Ja, maar zeiden ze ook of ik dan in een kist vertrek?'

Rebus wist een glimlach te produceren. Het beeld van een timmerman die spijkers in hout sloeg drong zich aan hem op.

'Ik wil je om een gunst vragen,' zei hij. 'Als je het aankunt.'

'Wil je katholiek worden?' grapte Leary.

'Welke biechtvader kan mij dan bijbenen?'

'Dat is waar. Voor zo'n zondaar als jij zouden we een team in ploegendienst moeten hebben.' Hij sloot zijn ogen even. 'Wat is er?'

'Weet je zeker dat je het aankunt? Ik kan een andere keer komen...'

'Hou op, John. Je weet dat je het me toch wel gaat vragen.'

Rebus leunde naar voren op zijn stoel. Er zaten witte vlekjes in de mondhoeken van zijn oude vriend. 'Een naam die je je misschien herinnert,' zei hij. 'Darren Rough.'

Leary dacht even na. 'Nee,' zei hij. 'Geef nog eens een hint.'

'Callstone House.'

'Dat is lang geleden.'

'Kwam je daar wel eens?'

Leary knikte. 'Een van die oecumenische dingen. Joost mag weten wiens idee het was, in ieder geval niet het mijne. Een protestantse geestelijke bracht bezoekjes aan katholieke tehuizen, en ik ging langs op Callstone.' Hij zweeg even. 'Was Darren een van de kinderen daar?'

'Inderdaad.'

'Zijn naam zegt me niks. Ik heb daar zoveel kinderen gesproken.'

'Hij herinnert zich jou wel. Zegt dat hij je Conor mocht noemen.'

'Dat zal wel. Zit hij in de problemen, die Darren?'

'Heb je het niet gehoord?'

'Je raakt hier nogal geïsoleerd van alles. Geen kranten, geen nieuws.'

'Hij is een pedofiel die weer terug is in de samenleving. Maar de samenleving moet hem niet.'

Conor Leary knikte, ogen nog steeds gesloten. 'Heeft hij een ander kind misbruikt?'

'Toen hij twaalf was. Het slachtoffer was zes.'

'Nu weet ik het weer. Bleek gezicht, kwam geen boe of bah uit. De man die aan het hoofd stond van Callstone...'

'Ramsay Marshall.'

'Die wordt nu toch berecht?'

'Ja.'

'Heeft hij...? Met Darren?'

'Ik ben bang van wel.'

'Och lieve Heer. Dat moet onder mijn neus zijn gebeurd.' Hij opende zijn ogen. 'Misschien hebben die jongens... misschien hebben ze wel geprobeerd om het me te vertellen, maar begreep ik niet wat ze bedoelden.' Toen hij zijn ogen weer sloot, rolde er een traan uit zijn oog, over zijn wang.

Rebus voelde zich schuldig, en dat was niet zijn bedoeling geweest toen hij hierheen kwam. Hij kneep zachtjes in de hand van zijn vriend. 'We spreken elkaar nog wel, Conor. Je hebt nu je rust nodig.'

'Vinden mensen zoals jij en ik die ooit, John? Rust?'

Rebus stond op, keek naar de liggende gestalte. *De boord van een priester...* Misschien, maar niet Conor Leary. *Of een van jullie...* iemand in uniform. Rebus wilde er niet aan denken, maar Jim Margolies had er wel over lopen piekeren. En kort daarna was hij overleden.

'John,' zei de geestelijke, 'bid je voor me?'

'Tuurlijk, Conor.'

Hij kon het niet over zijn hart verkrijgen te zeggen dat hij allang niet meer bad.

20

Eenmaal thuis maakte hij twee koppen koffie en nam ze mee naar de woonkamer. Janice zat gegevens over Damon door te geven aan de zoveelste vrijwilligersorganisatie. Rebus ging aan de eettafel zitten. Het was een grote kamer, zeven bij vier meter. Erkerramen, met de oorspronkelijke luiken nog intact. Hoog plafond – misschien wel drieënhalve meter – met deklijst. Rhona, zijn ex, was dol geweest op deze kamer, zelfs op het behang dat er hing toen ze het kochten (paarse kronkellijnen waar Rebus zeeziek van werd). Dat behang was verdwenen, evenals het bruine vloerkleed met bijpassend schilderwerk.

Hij moest denken aan de flat van Darren Rough. Hij had het wel eens erger gezien, maar niet véél erger. Janice hing op en krabde met de pen op haar hoofd voordat ze iets op een aantekenblok noteerde. Ze streepte het nummer van de organisatie door en gooide de pen op tafel.

'Koffie,' zei Rebus. Ze pakte de mok met een dankbare glimlach aan.

'Wat kijk je somber.'

'Mijn natuurlijke stand,' zei hij. 'Kan ik even bellen?'

Ze knikte, dus liep hij naar de leunstoel, ging erin zitten en pakte het toestel. Draadloos; hij had het nog maar een paar maanden. Hij belde het nummer van Ama Petrie weer. Een opgejaagde mannenstem zei dat hij beter een van de festiviteitenzalen in het Marquess Hotel kon proberen, en vertelde wat hij daar kon verwachten.

'De bank van Damon heeft ook gebeld,' zei Janice toen hij had opgehangen.

'O ja?'

'Groen licht van het hoofdkantoor. Als er geld wordt opgenomen van zijn rekening, laten ze het weten.'

'Tot nu toe niets?'

'Nee.'

'Op de avond van zijn verdwijning had hij honderd pond opgenomen.'

'Hoe ver kom je daar dezer dagen mee?'

'Een heel eind, als hij een beetje sober leeft.'

'We doen net of hij ervandoor gegaan is.'

'Tot we bewijs van het tegendeel hebben, is hij dat ook.'

'Maar waarom zou hij...?' Ze viel stil, glimlachte. 'Altijd maar dezelfde vragen. Je zult het wel zat zijn.'

'De enige die het kan uitleggen is Damon zelf. Je hebt er niets aan om je hersens te blijven pijnigen.'

Ze keek hem aan. 'Je hebt natuurlijk weer gelijk, Johnny.'

Hij haalde zijn schouders op. 'Graag gedaan.'

Toen Janice haar koffie op had, waarvan ze de laatste twee slokken gebruikte om twee paracetamol naar binnen te werken, zei hij dat ze uitgingen.

'Waarnaartoe?' vroeg ze, en zocht haar jas.

'Schoonheidswedstrijd,' zei Rebus. Hij knipoogde. 'Heb je je badpak bij je?'

'Nee.'

'Maakt ook niet uit, je kunt toch niet meedoen. Te oud.'

'Je wordt bedankt.'

'Wacht maar af,' zei hij, en ging haar voor naar de deur.

Cary Oakes had een krantenknipsel. Het was oud en teer. Hij bekeek het tegenwoordig niet vaak meer, uit angst dat het in zijn handen uit elkaar zou vallen. Maar vandaag was een speciale gelegenheid, in zekere zin, dus haalde hij het in het cafetaria uit zijn zak en las het door. Vervaagde woorden op papier. Een verslag van zijn proces en het vonnis, uit een Britse tabloid geknipt. Met een hatelijke zin: 'Hij had de elektrische stoel moeten krijgen.' Iemand die zijn mening kwijt moest.

Maar hij was niet op de stoel beland en nu zat hij hier, terug in dezelfde stad waar de man woonde die hem toen had willen roosteren. De woede welde weer in hem op, zijn handen beefden een beetje toen hij het artikel opvouwde langs de versleten vouwen en terug in zijn zak schoof. Op een dag, binnenkort, zou hij iemand die woorden laten inslikken. Hij zou toekijken hoe hij ze opat, zou de angst en ontzetting in zijn ogen zien.

En dan zou hij hém terechtstellen.

Hij verliet de cafetaria en liep de heuvel op, langs bungalows, door stille straten. Tot hij bij zijn bestemming was. En naar het gebouw staarde.

Daar zat hij. Oakes kon hem bijna proeven, ruiken. Misschien zat hij alleen in zijn kamer, was hij aan het rusten of sliep hij. Of zat hij de krant te lezen, volgde hij de verrichtingen van Cary Oakes.

'Binnenkort,' zei Oakes stilletjes in zichzelf, en hij keerde terug, wilde niet opvallen. 'Binnenkort,' herhaalde hij, en liep de heuvel weer af, naar het centrum.

Het hotel was een gebouw uit de jaren dertig, vlak bij een rotonde aan de westelijke rand van Edinburgh.

'Het lijkt de Rex wel, hè?' zei Janice.

Daar zat wat in. De Rex was een van de drie bioscopen in Cardenden geweest, een opvallend gebouw in de hoofdstraat. Als kind vond Rebus het altijd lijken op zo'n gebouw dat je zag in films over het IJzeren Gordijn: ontzagwekkend, een en al strakke lijnen en scherpe hoeken. Dit hotel was een bredere versie van de Rex, alsof iemand de bioscoop aan weerskanten had vastgepakt en uitgerekt. De parkeerplaatsen waren allemaal bezet, dus volgde Rebus het voorbeeld van andere automobilisten: hij zette zijn Saab op het gras, met zijn neus tegen het bloembed.

In het midden van de lobby stond een groot bord. Daarop stond dat 'Onze Engeltjes' te vinden waren in de Devonshire Suite. Door een dubbele deur naar een gang waar ze een beetje applaus hoorden. Een grote vrouw in een rode deux-pièces bewaakte de ingang van de zaal. Ze zat achter een tafeltje waarop nog een stuk of zes naamplaatjes lagen en vroeg naar hun naam.

'We zijn niet uitgenodigd,' zei Rebus, en toonde zijn legitimatie. Ze sperde haar ogen open, en die bleven zo staan terwijl hij met Janice de zaal in liep.

Aan één kant was een podium opgesteld, met rijen stoelen ervoor en roze en blauwe gordijnen erachter. Langs de rand van het podium en aan het eind van elke rij stoelen stonden vazen met weelderige boeketten. De zaal zat ongeveer halfvol. Langs de muur lagen tassen en jassen. Moeders waren druk bezig om de laatste hand te leggen aan het uiterlijk van hun dochter. Haar borstelen en touperen, make-up bijwerken, een jurk rechttrekken of een lint opnieuw strikken. De dochters keken om zich heen en namen de concurrentie op – nerveus, en soms met een lichte arrogantie. Ze waren allemaal hooguit acht of negen jaar.

'Het is net een hondenshow,' fluisterde Janice.

Een man bij een microfoon stond voor te lezen van een papiertje, stelde de volgende deelneemster voor.

'Molly komt uit Burntisland, waar ze op de basisschool zit. Haar hobby's zijn ponyrijden en kleding ontwerpen. De jurk voor de wedstrijd vandaag heeft ze zelf ontworpen.' Hij keek rond in de zaal. 'Wat zegt u daarvan, mensen? Een nieuwe Dior. Een applausje voor Molly.'

De moeder gaf haar dochter een schouderklopje, en aarzelend stapte Molly de drie treden naar het podium op. De presentator bukte met zijn microfoon. Zonnebankbruin en een *hairweave* – of misschien was Rebus gewoon jaloers. De juryleden zaten op de eerste rij en probeerden hun stembiljetten voor nieuwsgierige blikken af te schermen.

'Hoe oud ben je, Molly?'

'Zeven en driekwart.'

'Driekwart? Weet je zeker dat het niet zeven achtste is?' De presentator glimlachte, maar Molly keek verschrikt, wist niet wat ze moest zeggen. 'Rustig maar, schat,' ging de presentator verder. 'Vertel eens over die prachtige jurk die je draagt.'

Rebus keek om zich heen. Make-up op gezichten die daar nog te jong voor waren, zodat ze eruitzagen als clowns. Volwassen kapsels. Moeders die eraan bleven frutten, een gespannen en verwachtingsvolle blik in de ogen. De moeders waren ook opgemaakt en op hun best gekleed. Sommigen hadden hun haar geverfd. Een paar waren waarschijnlijk onder het mes geweest. Niemand schonk enige aandacht aan Rebus en Janice: er waren meer ouderparen aanwezig. Maar dit was vooral een aangelegenheid tussen moeder en dochter, dat stond buiten kijf.

Ama Petrie was nergens te bekennen, en hij had sowieso geen idee wat ze hier moest doen. De man aan de telefoon had geen tijd gehad om dat uit te leggen. Toen zag hij twee mensen die hij herkende. Hannah Margolies, lange blonde krullen tot over de schouders. Bij de begrafenis van haar vader was ze gekleed in witte kant. Vandaag droeg ze een lichtblauwe jurk met een witte maillot en rode lakschoentjes. Blauwe strikjes in het haar, de mond glanzend donkerrood. Haar moeder, Katherine Margolies, zat gehurkt om haar de laatste peptalk te geven. Hannah keek haar moeder aan en knikte af en toe. Katherine nam haar handen vast, kneep er even in en stond op.

Op de begrafenis had de weduwe van Jim Margolies zich erg kalm betoond, hier leek ze zenuwachtiger. Ze was nog steeds in het zwart – zwarte rok en zwart jasje met een witte zijden blouse. Ze keek naar het podium waar Molly met bandbegeleiding 'Sailor' zong, een nummer dat Rebus met Petula Clark associeerde. Janice, die op een stoel aan de zijkant was gaan zitten, keek met een blik vol ongeloof op naar Rebus. Toen hij weer naar Hannah keek, zag hij dat Katherine Margolies hem stond op te nemen, alsof ze probeerde te bedenken waar ze hem eerder had gezien. Molly was klaar met zingen en maakte een kleine buiging bij het applaus. Ze huppelde zowat het podium af, met een brede grijns waarmee ze haar wijd uit elkaar staande tanden blootlachte.

'De volgende deelneemster,' zei de presentator, 'is Hannah, die hier in Edinburgh woont...'

Toen Hannah op het podium stond, liep Rebus naar haar moeder.

'Hallo, mevrouw Margolies.'

Ze legde een vinger op haar lippen, al haar aandacht bij het podium. Ze drukte haar handen tegen elkaar alsof ze in gebed was terwijl ze Hannahs verrichtingen op het podium volgde, en vertrok haar mond toen de presentator een mogelijk lastige vraag stelde. Tot slot diepte ze een blokfluit uit een van haar tassen op en liep ermee naar het podium, waar ze hem glimlachend aanreikte. Zonder begeleiding speelde Hannah een deuntje dat Rebus klassiek in de oren klonk. Hij had het wel eens gehoord bij een reclamespotje, wist niet meer waarvoor. Hij keek naar Janice en zag dat ze naast een ouder echtpaar zat dat met stralende gezichten naar het podium keek. Ze zaten hand in hand. In zijn vrije hand hield de man een wandelstok vast. Rebus herkende ze: de ouders van Jim Margolies.

Tot slot: applaus, en Hannah kwam bij haar moeder, die een kus op haar haren drukte.

'Je deed het perfect,' zei Katherine Margolies. 'Gewoon perfect.'

'Ik zat er één keer naast.'

'Dat heb ik niet gehoord.'

Hannah keek op naar Rebus. 'Heeft u het gehoord?'

Rebus schudde zijn hoofd. 'Volgens mij ging het prima.'

Hannahs gezicht ontspande een beetje. Ze fluisterde iets tegen haar moeder.

'Vooruit maar.'

Terwijl Hannah naar haar grootouders liep, kwam Katherine Margolies langzaam overeind en keek haar na.

'We hebben elkaar nog nooit gesproken, mevrouw Margolies,' zei Rebus, 'maar ik was op de begrafenis van Jim. Ik heb met hem gewerkt. Ik ben John Rebus.'

Ze knikte afwezig. 'U zult wel denken dat ik...' Ze zocht naar woorden. 'Zo kort na Jims ongeluk, bedoel ik. Maar ik dacht dat het Hannah een beetje zou afleiden.'

'Natuurlijk.'

'Ze was zo van slag.'

'Ongetwijfeld.' Hij zag dat ze de juryleden stond op te nemen, en de gezichten in het publiek, alsof ze zocht naar een teken hoe Hannah het had gedaan. 'Denkt u dat Jim gevallen is?' vroeg hij.

Ze keek hem aan. 'Wat?'

'Men schijnt te denken dat het zelfmoord was.'

'Laat ze maar denken wat ze willen,' bitste ze. Ze draaide zich nu om. 'Moet ik tegen Hannah zeggen dat haar vader zelfmoord heeft gepleegd?'

'Natuurlijk niet...'

'Hij was aan het wandelen, liep te dicht bij de rand. Het was donker... misschien een windvlaag.'

'Is dat wat u denkt?' Ze gaf geen antwoord. 'Ging Jim vaak 's nachts wandelen?'

'Wat gaat u dat aan?'

Hij keek naar de grond. 'Niets, eerlijk gezegd.'

'Nou dan.'

'Ik probeer het alleen te begrijpen.'

Ze keek hem weer aan. 'Waarom?'

'Voor mijn eigen gemoedsrust.' Hij bleef haar in de ogen kijken. Een prachtige vrouw. Zwart haar strak naar achteren getrokken, zodat de vorm van haar gezicht goed uitkwam. Dunne wenkbrauwen, mooie jukbeenderen. Hannahs ogen waren blauw, net als die van haar vader, maar Katherine Margolies had bruine ogen. 'En,' ging Rebus verder, 'omdat ik dacht dat het iets te maken kon hebben met Darren Rough.'

'Wie is dat?'

'Heeft Jim het nooit over hem gehad?'

Ze schudde haar hoofd, zuchtte ongeduldig en liet haar blik weer naar de juryleden dwalen. Een van hen stond te praten met de presentator, die zijn microfoon had uitgezet.

Rebus dacht dat ze iets ging zeggen. Toen dat niet het geval bleek, probeerde hij nog een vraag.

'Hij is niet met de auto gegaan, hè?'

'Wat?'

'Het regende die nacht.'

'Als u gaat wandelen, doet ú dat dan met de auto?'

'Ik zou niet in de stromende regen op de Salisbury Crags gaan lopen, ook overdag niet.'

'Nou, dat heeft Jim dus wel gedaan, hè?'

'Ja, hij wel... en ik begrijp nog steeds niet waarom.'

'Nou meneer Rebus, ik heb al genoeg zorgen, dus als u me wilt

excuseren...' Ze keek over zijn schouder en haar gezicht fleurde op.
'Amanda, schat!'

Een jonge vrouw stevende de zaal in, ze was de vrouw achter het tafeltje straal voorbijgelopen. Met uitgestrekte armen, boodschappentassen bungelend aan beide handen, kwam ze naar Katherine Margolies toe en omhelsde haar.

'Sorry dat ik te laat ben, Katy. Het verkeer was een ramp. Ik heb haar toch niet gemist, hè?'

'Ik ben bang van wel.'

'Tering!' Hard genoeg om mensen te laten omkijken. Rebus rook de sigaretten en drank al van meer dan een meter afstand. De tassen waren van Edinburghs hipste vrouwenmodezaken. 'Hoe ging het? Ik wed dat ze briljant was...' Ze keek om zich heen. 'Waar is ze trouwens?'

Hannah kwam naar hen toe, haar opa aan de hand meevoerend, oma erachteraan. Haar gezicht fleurde op toen ze de nieuwkomer zag. Amanda hurkte en spreidde haar armen weer, en Hannah vloog op haar af.

'Voorzichtig met haar make-up, Ama,' waarschuw Katherine Margolies.

'Je bent net een engel,' zei Amanda tegen Hannah. 'Niet dat engelen ooit hun lippen stiften.'

Katherine Margolies keek naar Rebus. 'Sorry, ik dacht dat ons gesprek ten einde was.' Beleefd afgepoeierd.

'Dat was ook zo,' zei Rebus. 'Maar ik kom voor juffrouw Petrie.'

Amanda Petrie kwam overeind. Ze droeg een nauwsluitend zwart mini-jurkje en een zwarte leren jas met een heleboel ritssluitingen. Zwarte hoge hakken en blote benen. Ze nam Rebus van top tot teen op.

'Wie heeft er nu weer geld van me te goed?' vroeg ze. Toen kreeg ze de heer en mevrouw Margolies in de gaten. 'Hallo, zeg.' Ze omhelsde en zoende hen allebei. 'Hoe houden jullie je eronder?'

'Ach schat, je weet het,' zei mevrouw Margolies.

'Hannah was voortréffelijk,' zei dokter Margolies. 'Wij kennen elkaar nog niet.' Hij stak een hand uit naar Rebus.

'Inspecteur Rebus,' zei Rebus, en hij zag het gezicht van de oude man betrekken. Nu keek Ama Petrie hem aandachtig aan. Hij glimlachte. 'Ik ben wel voor ergere dingen versleten dan een woekeraar die zijn slachtoffer komt afpersen,' zei hij tegen haar. 'Zullen we even iets drinken aan de bar...?'

Maar zo stom was Amanda Petrie nou ook weer niet. Rebus had gedacht: een paar borrels maken haar tong wellicht losser. Amanda had echter een pot thee en een paar glazen sinaasappelsap besteld. Rebus, Janice, Ama Petrie: met hun drieën zaten ze in de lounge van het hotel. Ama duwde een lok blond haar achter een oor. Rebus keek naar haar en wist wat Janice dacht: was dit misschien de onbekende blondine? Rebus dacht van niet. Ze had een ander postuur: niet zo lang, smallere schouders. Hij zag ook geen gelijkenis met haar vader...

Ze speelde met een schouderbandje van haar jurk. Haar blik dwaalde steeds door de lounge, op zoek naar iemand die interessanter was, meer glamour had, iemand die ze moest kennen.

'Ik wil straks wel zien wie er wint,' hield ze hen voor. 'Dat moet Hannah worden.'

'Waarom zegt u dat?'

'Ze heeft klasse. Dat kun je niet op een gezicht verven of met een naaimachine in elkaar flansen.'

'Heeft u wel eens achter de naaimachine gezeten?' vroeg Rebus.

Ze richtte haar aandacht weer op hem. 'Op school, bij handwerken en verzorging. Ze wilden echte vrouwtjes van ons maken.' Ze stak een sigaret op, vouwde haar benen onder zich. Aangezien ze hem niets had aangeboden, haalde hij met veel omhaal zijn eigen pakje tevoorschijn, stak een sigaret op en bood Janice er ook een aan.

'Sorry,' zei Ama Petrie, en ze reikte haar pakje aan. Rebus zwaaide afwerend met zijn reeds aangestoken sigaret. 'Hoe heeft u me gevonden?' vroeg ze.

'Uw nummer gebeld.'

'Kreeg u Nick zeker aan de lijn.' Ze blies rook uit. 'Mijn broer. Altijd bereid om zijn zus te verlinken aan de smerissen.'

Rebus reageerde er niet op. 'Hoe kent u Hannah?' vroeg hij.

'We zijn verre familie. Achternicht of iets dergelijks, u weet hoe dat gaat met familie.'

Rebus wist dat Jim Margolies getrouwd was met een vrouw uit 'betere kringen'. Hij wist niet dat Katherine familie was van rechter Petrie.

'Met het grootste deel van mijn familie heb ik trouwens niet veel contact,' vervolgde Ama Petrie. 'Maar Hannah is een schatje, vindt u ook niet?' Ze vroeg het aan Janice, die knikte.

'Ik heb het alleen niet zo op zulke shows,' zei Janice.

Ama leek het met haar eens te zijn. 'Ja, maar Katy vindt het enig, en Hannah volgens mij ook.'

'Al die moeders...' zei Janice peinzend. 'Die hun dochter pushen.'

‘Ach ja...’ Ama tikte haar sigaret af op de asbak. ‘Wat wilt u van me weten?’

Rebus legde alles uit. Terwijl hij zat te praten richtte Ama’s aandacht zich op Janice. Op een gegeven moment leunde ze voorover en kneep zacht in haar hand.

‘Arme schat.’

De blik van een Lieve Lita op haar gezicht – diep geraakt door het verlies van deze onbekende.

‘Ik gaf die avond inderdaad een feest,’ zei ze. ‘Niet dat ik me daar nog veel van herinner. Beetje te veel gedronken, te veel mensen... zoals altijd. Het zingt rond, dan komen er ook wel eens ongenode gasten. Ik vind het niet erg, als het interessante mensen zijn, maar de eigenaar van de boot zeurt altijd over overbelasting. Hij loopt de hele tijd te vragen of ik die en die ken, en of ik die heb uitgenodigd.’ Ze leegde haar tweede glas jus d’orange. ‘Je vraagt je af waarom ik het allemaal nog doe.’

‘Waarom doet u het dan?’

Een grimas. ‘Omdat het leuk is, denk ik. En zolang ik met zoiets bezig ben, bén ik tenminste iemand.’ Daar dacht ze over na, en toen schudde ze de gedachte met een schouderophalen af alsof het een jas was die te krap zat. ‘Weet u zeker dat hij naar míjn feest ging?’

‘Daar is hij het laatst gezien,’ stelde Janice.

Rebus pakte de foto’s: van Damon, en Damon met de onbekende blondine. Terwijl Ama ze bekeek vroeg hij achteloos of ze wel eens in Gaitano’s was geweest.

‘Noemen ze dat niet Guiser’s?’ Hij knikte bevestigend. ‘Ja, een paar keer. Een hoop zweterige baantjesjagers en steuntrekkers. Jezelf volgooien met cocktails tijdens happy hour en xtc slikken op de wc.’ Ze glimlachte. ‘Niet echt mijn ding, ben ik bang.’ Ze gaf de foto’s terug. ‘Sorry, zegt me niks.’

‘Die vrouw ook niet?’

Ze trok haar neus op. ‘Ziet er een beetje hoerig uit.’

‘Kan het niet iemand zijn die u kent?’

‘Inspecteur.’ Een hese lach. ‘Daar zou u niets mee opschieten. Ik ken iederéén.’

‘Mijn zoon toch niet,’ zei Janice grimmig.

‘Nee,’ zei Ama, en ze zette een berouwvol gezicht op. ‘Ik moet inderdaad zeggen dat ik die helaas niet ken.’ Ze sprong overeind. ‘Ik moest maar eens teruggaan. Ze zijn vast al begonnen met de uitslag.’

Rebus en Janice liepen achter haar aan, bleven in de deuropening staan tijdens de prijsuitreiking. Hannah had de tweede plaats. Toen de winnaar werd aangekondigd en het podium op kwam om een fonkelende tiara in ontvangst te nemen, werd er door iedereen geklapt en gejuicht. Door iedereen behalve Ama Petrie, die op haar tenen stond te wippen, luidkeels 'boe' riep en vinnig met de duim omlaag wees naar het kleine meisje met de dikke zwarte haarbos die glom en fonkelde.

Katherine Margolies probeerde te voorkomen dat Ama een scène trapte, maar Rebus had de indruk dat ze dat niet heel fanatiek deed...

'Waar zat jij in godsnaam?'

Stevens vond Cary Oakes in de bar, waar hij achter een glas sinaasappelsap met het personeel zat te praten.

'Wandelen, nadenken.' Oakes keek hem aan. 'Ik wil zeker weten dat ik niks vergeet.'

Stevens pakte het glas van Oakes. 'Zorg dan dat je dit ook niet vergeet: dat is *mijn* jus d'orange die je drinkt, betaald met *mijn* geld. Nu is er weer een hele sessie bij ingeschoten.'

'Ik zal het goedmaken.' Hij blies hem een handkus toe, grinnikte en knipoogde naar de barman. 'Moet je jou nou zien, man, helemaal bezweet en trillend op je benen. Die hartaanval wordt nu al voor je ingeroosterd. Je moet een tandje terugschakelen, Jim. Een beetje relaxen.'

'Mijn chef wil beter materiaal.'

'Die man is nog niet tevreden als je de moord op Kennedy oplost. Wij weten toch allebei dat we de sappigste stukjes voor het boek moeten bewaren, Jim? Dáár gaan we rijk mee worden.'

'Als ik een uitgever kan strikken.'

'Dat komt wel, geloof mij maar. Kom nou even bij me zitten en drink wat van me. Ik kijk niet op een dubbeltje als het om een goeie vriend gaat.' Hij sloeg een arm om Stevens' schouders. 'Je hoort bij Cary, Jim. Je zit in mijn directieraad. Jou zal nooit meer iets naars overkomen.' Oakes keek hem in de ogen, hield zijn blik vast. 'Daar kun je op vertrouwen,' zei hij. 'Erewoord.'

'Zet me maar af bij Haymarket,' zei Janice. Ze zaten in de auto en reden de stad in.

'Zeker weten? Ik kan je ook naar huis –'

Ze schudde haar hoofd.

'Luister, Janice, bij zo'n zoektocht... beland je af en toe eens op een dood spoor. Dat kan nog vaak gebeuren. Daar moet je mee leren leven.'

Ze schudde haar hoofd. 'Ik zat te denken aan die meisjes... vraag me af hoe die straks zijn als ze groot zijn. Als ik een dochter had...'

Ze bleef haar hoofd schudden.
'Dat was knap gruwelijk,' beaamde Rebus.
Ze keek hem aan. 'Vond je? Dat vond ik eerst ook. Maar naarmate ik langer keek... vond ik ze allemaal zo mooi.' Ze pakte een zakdoek en drukte hem tegen haar ogen.
'Ik kan je beter naar huis brengen,' zei hij.
'Nee, dat wil ik niet.' Ze zweeg even, legde een hand op zijn arm. 'Ik wil alleen maar zeggen... Ik wil niet dat je... Ach god, ik weet niet meer wat ik wil.'
'Je wilt Damon terug.'
'Ja, dat wil ik.'
'En verder?'
Ze leek de vraag te overwegen. Maar uiteindelijk zei ze niets, ze keek hem slechts aan en glimlachte, haar ogen glanzend van de tranen.
'Gek genoeg is het ergens net alsof je nooit bent weggeweest,' zei ze tegen hem.
Hij knikte. 'Een slordige dertig jaar maar. Wat stelt dat voor, onder vrienden?'
Ze lachten allebei. Hij streek met zijn vingers over de rug van haar hand. Bij station Haymarket zaten ze een poosje zwijgend in de auto. Toen opende ze het portier, stapte uit. Glimlachte nog eenmaal en liep weg.
Rebus bleef nog een paar minuten zitten, stelde zich voor dat hij over het perron holde, haar zocht in de massa... als in een film. Zo ging het in het echte leven nooit. In films was niets ooit onmogelijk; in het echte leven... in het echte leven werd het altijd een puinhoop.

Hij reed terug naar Oxford Terrace. Patience was niet thuis. Ze waren voorbij het stadium dat ze nog briefjes voor elkaar achterlieten. Hij lag een halfuur in bad, dommelde weg en schrok wakker toen zijn kin onder water zakte. Hij zag de krantenkop al voor zich: doodvermoeide agent tragisch omgekomen in bad. Jim Stevens zou ervan smullen.
Hij ging op de bank liggen, zette muziek op. Pete Hammill: 'Two or Three Spectres'. Hij wist dat ze er waren, zijn spoken, dat ze plaatsnamen om hem heen, het zich gemakkelijk maakten. Meer dan hij ooit zou kunnen. Patience, Sammy, Janice... Ze naderden een keerpunt, Patience en hij. Misschien een crisis, maar die waren er al eerder geweest. En naderden Janice en hij ook een keerpunt? Van een heel andere orde...? Hij pakte een boek en legde het over zijn ogen.
Hij viel in slaap.

21

Ama Petrie was niet de enige die vond dat de onbekende blondine er een beetje 'hoerig' uitzag, die dacht dat ze misschien zelfs echt een prostituee was. Onderweg naar The Shore die avond besloot Rebus een kleine omweg te maken.

Een paar meisjes tippelden nog steeds bij de haven. De meeste prostituees in de stad werkten in etablissementen die moesten doorgaan voor sauna's, maar een enkeling bleef op straat werken. Sommigen omdat ze wanhopig of onverkoopbaar waren – met andere woorden: drugsverslaafden – en anderen trokken gewoon graag hun eigen plan, hoe riskant dat ook was. In Glasgow waren minder sauna's en werd meer getippeld. Resultaat: zeven moorden in evenzoveel jaar.

Rebus' redenering: in Leith werd getippeld; de blondine zag er 'hoerig' uit; de taxi had haar en Damon afgezet in Leith. Het was weer een spoor. Misschien waren ze niet naar de Clipper gegaan. Waren ze op weg geweest naar haar kamer.

Haar kamer, of misschien een hotel...

Er liepen deze avond maar drie vrouwen in Coburg Street, maar een van hen kende hij. Hij stopte en riep haar. Ze ging naast hem in de auto zitten, met een wolk van parfum om zich heen.

'Dat is lang geleden,' zei ze. Ze heette Fern. Klanten dachten dat het een verzonnen naam was, maar Rebus wist van haar strafblad dat Fern Bogot haar geboortenaam was. Hij wist ook dat ze tippelde omdat ze graag eigen baas was. In de sauna's ging een deel van de opbrengst altijd naar de eigenaar. Ze had haar vaste klanten, ging niet vaak met vreemden mee. Voorkeur voor mannen op leeftijd. Minder agressief, in haar ervaring.

Haar rode haardos was een pruik, al zag hij er heel natuurlijk uit. Rebus schakelde naar zijn één en gaf richting aan om weg te rijden. Ze reed met haar klanten altijd naar een stuk braakland in Granton. Als Rebus hier bleef staan, was hij geen klant en zou hij iedereen ongerust maken. In zijn spiegel zag hij een van de andere vrouwen naar zijn auto turen en daarna iets op de muur krabbelen.

'Wat doet ze?' vroeg hij.

Fern draaide zich om. 'Die schat van een Lesley,' zei ze. 'Ze schrijft je kenteken op. Als ze me dan ergens dood vinden, heeft de politie een aanknopingspunt. Dat noemen we onze verzekeringspolis. Je kan tegenwoordig niet voorzichtig genoeg zijn.'

Rebus knikte instemmend en reed wat rond terwijl hij zijn vragen stelde. Ze bekeek de foto's goed, maar moest toch haar hoofd schudden.

'Er werkt hier niemand die daarop lijkt.'

'En die knul?'

'Sorry.' Ze gaf de foto's terug. Rebus gaf haar een van de flyers van Janice.

'Voor het geval dat,' zei hij.

Toen hij haar afzette in haar straat, stapte hij uit om naar de muur te kijken. En inderdaad, er stond een hele rits kentekens, de meeste in diverse kleuren lippenstift, sommige al deels weggevaagd door de elementen. Het zijne stond onder aan de laatste rij. Hij bekeek die rij en trok zijn wenkbrauwen op. Bovenaan stond een nummer dat hij meende te kennen. Waar kende hij het van...?

Toen schoot het hem te binnen: hij had het gezien in een dossier op bureau Leith. Het bureau waar Jim Margolies had gewerkt. Het stond in het dossier over zijn zelfmoord.

Het was het kenteken van zijn auto.

'Wat is er?' vroeg Fern.

Rebus klopte op de muur. 'Dit kenteken. Dat is van ene Jim. Een collega.'

Ze fronste van concentratie, haalde toen haar schouders op. 'Niet een van de mijne,' zei ze. 'Maar het is ook oranje lippenstift.'

'Dus?'

'Lesley heeft een code, haar manier om te noteren wie met welke auto is vertrokken.'

'En wat betekent oranje lippenstift?'

Ze schudde haar hoofd. 'Niet zozeer wie. Eerder "wat". Oranje betekent dat wie die klant ook was, hij graag jonge meisjes had...'

Roy Frazer was niet de enige die op Rebus zat te wachten bij The Shore. De Boer zat naast hem in de auto.

'Komt u ons op de vingers kijken, commissaris?' vroeg Rebus, terwijl hij op de achterbank plaatsnam. Terwijl hij instapte, stapte Frazer uit en sloot het portier.

'Waar heb jij in godsnaam gezeten?' vroeg de Boer. 'Ik heb je de halve dag lopen zoeken.' Hij gaf hem de aantekeningen van die dag. 'Eerste item,' bitste hij.

Rebus keek. Bill Pryde schreef dat hij het van Rebus overnam om 06.00 uur. En daarna: 'Cary Oakes loopt hotel binnen om 07.45.'

'Wat dus betekent,' zei de Boer, 'dat hij het hotel op enig moment heeft verlaten en een van jullie dat niet heeft gezien.'

'Ik heb het licht op zijn slaapkamer zien uitgaan,' zei Rebus.

'Ja, klopt. Dat staat erin.'

'Dat betekent dus dat hij naar buiten is geslopen tijdens mijn dienst?' Rebus' nagels drongen in zijn handpalm.

'Of in het eerste uur van die van Bill Pryde.'

'Kan ook. We zien ook alleen de voorkant van het gebouw. Aan de achterkant zijn meer ingangen.'

De Boer draaide zich naar hem toe. 'Ingangen zijn het probleem niet, John. Ons probleem is dat hij lijkt te kunnen vertrékken wanneer het hem goeddunkt.'

'Jawel, commissaris. Maar observeren met één man tegelijk...'

'Haalt geen ene moer uit als we hem niet in de gaten houden.'

'Ik dacht dat het vooral de bedoeling was om hem te irriteren, te laten weten dat we het hem moeilijk kunnen maken.'

'Heeft u de indruk dat we daarin slagen, inspecteur?'

'Nee, commissaris,' gaf Rebus toe. 'Maar als hij ongezien het hotel uit weet te komen, waarom gaat hij dan ook niet ongezien naar binnen?'

'Omdat de deuren aan de achterkant alleen van binnenuit geopend kunnen worden.'

'Dat is één mogelijkheid, ja.'

'Wat nog meer?'

'Dat hij met ons speelt, een geintje met ons uithaalt. Hij wil juist dat we weten wat hij doet.'

'En wat heeft hij dan al die tijd buiten het hotel uitgespookt?'

Rebus schudde zijn hoofd. 'Ik weet het niet, commissaris. Waarom vragen we het hem niet?'

Toen Frazer en de Boer vertrokken waren, besloot Rebus zijn eigen advies op te volgen. Hij vond Cary Oakes in de bar; Jim Stevens was nergens te bekennen. Oakes zat op een kruk met twee barkeepers te kletsen. Aan diverse tafeltjes zaten andere gasten, zakenlui die zelfs in beschonken toestand nog over zaken praatten.

Oakes wenkte Rebus en vroeg wat hij wilde drinken.

'Whisky,' zei Rebus. 'Een malt.'

'Kies maar uit, meneer Stevens trakteert.' Oakes grinnikte even, zijn kin diep weggedrukt in zijn hals. Hij deed alsof hij een stuk in zijn kraag had, maar Rebus zag dat hij cola zat te drinken. 'Misschien nog iets erbij om het weg te spoelen?'

Rebus schudde zijn hoofd. 'En ik betaal mijn eigen drank,' zei hij.

Er was keus genoeg achter de bar. Rebus koos iets vurigs: Laphroaig, met een scheutje water om de vlammen te dempen. Cary Oakes probeerde het drankje op zijn rekening te laten zetten, maar Rebus hield zijn poot stijf.

'Op je gezondheid dan,' zei Oakes, en hief zijn eigen glas.

'Jij speelt graag spelletjes, hè?' vroeg Rebus.

'Weinig anders te doen in de nor. Ik heb mezelf daar leren schaken.'

'Ik heb het niet over bordspelen.'

'Waarover dan?' Oakes' oogleden hingen laag.

'Nu speel je bijvoorbeeld ook een spelletje.'

'O ja?'

'De vlotte stamgast. Die een paar glazen te veel op heeft en verhalen opdist aan wie ze maar wil horen.' Hij knikte in de richting van de barkeepers, die aan het andere uiteinde van de bar glazen stonden te spoelen. 'Gewoon een toneelstukje.'

'Je moet hiermee op tv gaan. Nee, echt. Jij bent zó scherp. Moet ook wel, zeker, in jouw vak?'

'Trapt Jim Stevens er ook in?'

'Waarin?'

'De verhalen die je hem vertelt. Hoeveel is daarvan waar?'

Oakes keek hem van tussen zijn oogleden aan. 'Hoeveel waarheid denk je dat hij aankan? Als ik in detail trad, denk je dat zijn krant het dan zou publiceren?' Hij schudde langzaam zijn hoofd. 'De mensen kunnen de waarheid maar tot op zekere hoogte verdragen, John.' Hij boog zich naar Rebus toe. 'Wil je dat ik jóú erover vertel, John? Zal ik je vertellen hoeveel ik er echt heb vermoord?'

'Vertel eens over Deirdre Campbell.'

Oakes ging weer recht zitten, nam een slok cola. 'Alan Archibald denkt dat ik haar heb vermoord.'

'En is dat ook zo?' Rebus probeerde het achteloos te laten klinken. Zette het glas aan zijn mond.

'Maakt het wat uit?' Oakes glimlachte. 'Voor Alan wel, hè? Waarom kwam hij anders meteen opdraven na mijn telefoontje?'

'Hij wil de waarheid, de hele waarheid.'

'Misschien wel. En wat wil jij, John? Waarom duik jij hier ineens op? Zal ik het zeggen?' Hij leunde achterover op de kruk. 'De ochtendploeg heeft me zien terugkeren. Ik wist niet zeker of hij wakker was: armen over elkaar, hoofd op één schouder. Ik dacht dat hij was ingedut.' Hij klakte misprijzend met zijn tong. 'Ik weet niet of zijn hart er wel in ligt. In het werk, bedoel ik, het politiewerk. Hij lijkt me het type dat stilletjes de rit uitzit tot zijn pensionering.'

Bill Pryde ten voeten uit; niet dat Rebus dat ging toegeven.

'Ik denk dat jij ook moeite hebt met je werk, maar op een andere manier.'

'Heb je je in de nor ook in psychologie verdiept?'

'Als ik geen nieuwe boeken had om te lezen, begon ik mensen te lezen.'

'Je hebt Deirdre Campbell vermoord, hè?'

Oakes legde een vinger op zijn lippen. Zei toen: 'Heb jíj Gordon Reeve vermoord?'

Gordon Reeve: nog een spook; een geval van jaren geleden... Jim Stevens was weer loslippig geweest.

'Vertel eens,' zei Rebus, 'heb je een ruilhandel met Stevens? Dat hij jou een verhaal moet vertellen elke keer als jij hem wat vertelt?'

'Je interesseert me gewoon.'

'Dan weet je ook dat ik Gordon Reeve niet heb vermoord.'

'Was je het van plan?'

'Nee.'

'Weet je dat zeker? Je hebt een drugsdealer neergestoken... en hij ging dood.'

'Zelfverdediging.'

'Ja, maar wilde je hem dood zien?'

'Laten we het over jou hebben, Oakes. Waarom koos je Deirdre Campbell?'

Oakes produceerde weer een wrange glimlach. Rebus kon zijn lippen wel van zijn gezicht rukken. 'Zie je nou, John? Zie je hoe makkelijk het is dit spel te spelen? Verhalen, meer is het niet. Uit het verre verleden, dingen waarvan we hopen dat we ze kunnen vergeten.' Hij stapte van zijn barkruk. 'Ik ga naar mijn kamer. Een lekker warm bad, denk ik, en dan misschien een van de hotelfilms. Daarna bestel ik misschien nog een broodje. Moet ik je iets laten sturen in de auto?'

'Geen idee, wat staat er op het menu?'

'Geen menu, je bestelt gewoon waar je zin in hebt.'

'Dan wil ik jouw hoofd op een presenteerblad, dat mag zonder garnering.'

Cary Oakes liep lachend de bar uit.

Er zat iemand in zijn auto.

Rebus zette het op een rennen, zag dat de vreemdeling naast de bestuurdersplaats zat. Toen hij dichterbij kwam, zag hij dat het Alan Archibald was. Rebus opende het portier en stapte in.

'De auto was niet op slot,' zei Archibald.

'Nee.'

'Ik dacht dat je het niet erg zou vinden.'

Rebus schokschouderde, stak een sigaret op.

'Heb je met hem gepraat?' Archibald had geen antwoord nodig. 'Wat zei hij?'

'Hij speelt een spelletje met je, Alan. Meer is het niet voor hem.'

'Zei hij dat?'

'Dat hoefde hij niet eens te zeggen. Dat is wat hij doet. Met Stevens, met jou, met mij... zo komt hij aan zijn trekken.'

'Dat is niet waar, John. Ik heb gezien hoe hij aan zijn trekken komt.' Hij boog voorover, pakte een groene map die tussen zijn voeten lag. 'Ik dacht dat je wel wat leesvoer zou willen hebben.'

Alan Archibalds dossier over Cary Dennis Oakes.

Cary Oakes was naar de VS gereisd op een toeristenvisum. Biografische gegevens over de tijd daarvoor waren schaars: een vader die was overleden toen hij nog klein was; een moeder met psychologische problemen. Cary was geboren in Nairn, waar zijn vader het gras onderhield op een golfbaan en zijn moeder als kamermeid in een hotel werkte. Rebus kende Nairn als een winderig vakantieplaatsje aan de kust, een van die vakantiebestemmingen die aan populariteit hadden ingeboet met de opkomst van goedkope buitenlandse reizen.

Toen Oakes' vader overleed aan een hartaanval had zijn moeder een zenuwinzinking gekregen. Ze was ontslagen en naar het zuiden getrokken met haar zoon, tot ze in Edinburgh belandde, waar ze een halfzus had. Daar had ze nooit veel contact mee gehad, maar ze had niemand anders, geen familie, dus hadden moeder en zoon onderdak gevonden in een kamertje in het huis in Gilmerton. Al snel daarna begon Cary van huis weg te lopen. De school had zijn moeder laten weten dat zijn aanwezigheid op zijn zachtst gezegd onregelmatig was. Soms kwam hij hele nachten of zelfs weekenden niet thuis. Het liet zijn moeder onverschillig en haar halfzus was allang blij als hij er niet was, want haar man had een bloedhekel aan de jongen gekregen.

Hoe kwam hij aan het geld voor zijn reis naar Amerika? Alan Archibald had zich erin verdiept en was op een reeks overvallen en inbraken in Edinburgh gestuit die allemaal niet waren opgelost en allemaal plaatsvonden in de periode voor Cary Oakes' vertrek. Het mysterie van de moord op zijn nicht was een dossier op zich. Archibald had gesproken met Oakes' moeder en haar halfzus (nu allebei overleden) en met de echtgenoot van die laatste (die leefde nog, woonde alleen in een verzorgingstehuis in East Craigs). Ze hadden geen specifieke herinneringen aan de avond van de moord, wisten niet eens te vertellen of Cary die dag of de dag erna thuis was geweest.

Deirdre Campbell was gaan stappen en had als laatste gedanst in een club op de hoek van Rose Street – nog geen honderd meter van het huidige Gaitano's. Ze had één man aan de haak geslagen met wie ze de laatste vier of vijf nummers had gedanst, en die ze had voorgesteld aan haar vriendinnen. De examens kwamen eraan, dus ze had daar eigenlijk niet moeten zijn. De minimumleeftijd voor die club was eenentwintig, en dat was Deirdre nog niet. Na de moord had de eigenaar daar dan ook problemen mee gekregen. Zijn verweer: 'Als ze hier niet was gekomen, hadden ze haar wel ergens anders binnengelaten.' Dat was ook zo: make-up, kleren en kapsel konden een tienermeisje zo een jaar of vijf ouder maken. Na de club was het groepje naar Lothian Road gegaan, in een poging de gezelligheid vast te houden. Pizzeria, dan een taxi naar huis. Deirdre had gezegd dat ze zou lopen. Ze woonde in Dalry, dat was hooguit twintig minuten.

De politie had de jongeman verhoord die met haar mee was gegaan, met wie ze gedanst had. Hij had gevraagd of hij haar naar huis mocht brengen, maar ze had haar hoofd geschud. Hij woonde helemaal in Comiston, dus was hij meegereden met een van de taxi's. Deirdre was naar huis gelopen.

En dood teruggevonden in de heuvels. Kleren gescheurd, maar geen sporen van verkrachting of aanranding. Een klap tegen haar hoofd, daarna gewurgd.

Drie dagen later had Cary Oakes Schotland verlaten, met alleen een rugzak en een weekendtas als bagage. Zijn familie wist van niets. Zij hoorden pas iets van hem toen hij meer dan twee maanden later was opgepakt.

Ze hadden niet de moeite genomen om contact op te nemen met de politie, hem op te geven als vermist.

'Hij was oud genoeg om zelf te bepalen wat hij deed,' had zijn oom tegen Alan Archibald gezegd. 'We wisten dat hij wat kleren en zo had ingepakt, we dachten gewoon dat hij ervandoor ging.'

Met behulp van politieverslagen en verklaringen tijdens het proces had Archibald Oakes' omzwervingen in Amerika gereconstrueerd. In New York had hij een bus naar het westen genomen. Tijdens de rechtszaak verklaarde Oakes dat hij dat had gedaan 'omdat alle pioniers dat ook deden: naar het westen trekken'. Hij was een week in Chicago gebleven, waar hij de stad doorkruiste met het openbaar vervoer en te voet. Toen was hij liftend verder gegaan in westelijke richting, tot hij in Minneapolis besloot dat hij meer geld nodig had en wat mensen probeerde te beroven. Een paar kleine succesjes en één grote misser: een vrouw met pepperspray in haar handtas en een dodelijke linkse hoek in haar vuist. Hij verliet Minneapolis met zijn linkeroog blauw en opgezwollen en het rechter rood en tranend. Hij at in truckerscafés langs de I-94, reisde door Fargo en Billings tot Spokane, waar zijn geldgebrek nijpend werd. Hij brak in bij een paar huizen en probeerde de schamele opbrengst te verpanden. Bij de lommerd keken ze zo door zijn branie heen, ze boden hem een paar dollar, en toen hij begon te schelden gaven ze zijn signalement door aan de politie.

Hij sliep nu buiten en zocht een stel lotgenoten op. Voegde zich bij een bende winkeldieven. Met zijn 'gekke accent' leidde hij de aandacht van het personeel af zodat de anderen ongestoord hun werk konden doen. Hij liep toen al te pochen dat hij op de vlucht was, dat hij in Schotland iemand had 'omgelegd'. Meer zei hij niet, zodat het als opschepperij werd opgevat. Op straat verschool iedereen zich achter een schild van leugens en fantasieën. Allemaal waren ze een beter leven gewend, buiten hun schuld aan lager wal geraakt.

In Spokane had hij Dorothy Anne Wreiss vermoord, een gescheiden vrouw van tweeënveertig die drie dagen per week werkte op de peuterschool. Ze woonde in een buitenwijk. De gedachte was dat Oakes haar in het winkelcentrum had gezien en naar huis was gevolgd, of door de buurt had gezworven tot hij haar stationwagen op de oprit zag.

Ze werd gevonden in de keuken, de boodschappen nog in de tassen op de ontbijtbar. Haar twee katten lagen op haar rug te slapen. Ze was met een steen op het hoofd geslagen en vervolgens gewurgd met een theedoek. Haar portemonnee was leeg, evenals de sieradendoos in haar slaapkamer. De dag erna had Oakes geprobeerd haar horloge te belenen. Op het proces had hij gezegd dat hij het had gekregen van een van zijn dakloze vrienden, een zekere Otis. Maar niemand die Oakes kende, had ooit van die Otis gehoord.

Hij vluchtte naar Seattle en bleef daar ruim een week. Daar was één onopgeloste zaak waarmee ze hem in verband probeerden te brengen: een man die bewusteloos was aangetroffen op het parkeerterrein van de King Dome. Hij was op zijn hoofd geslagen en zijn auto was gestolen. In het ziekenhuis aan zijn verwondingen overleden. De auto dook op in Ballard, net als Cary Oakes. Inmiddels waren politiekorpsen in meerdere staten geïnteresseerd in 'de Schotse zwerver'. Er waren een paar ernstige gevallen van mishandeling in Chicago, en een bekende homoseksueel die dood in zijn auto was aangetroffen in de wijk La Grange. Een vrouw die was overvallen en voor dood achtergelaten in een winkelcentrum aan de rand van Bloomington, bij Minneapolis. De dood van een achtenzeventigjarige vrouw na een inbraak in haar huis in Tacoma, Washington. Soms had de politie een signalement van iemand die in de buurt was gezien, soms alleen de overeenkomst in werkwijze. Geen bruikbare vingerafdrukken, geen getuige die Cary Oakes kon aanwijzen.

De laatste moord: weer een homo, Willis Chadaran, zestig jaar. Het was gebeurd in de slaapkamer van zijn huis in Bellevue. Een beeldje dat Chadaran in 1982 had gekregen voor zijn montage van een documentaire was het wapen. Daarmee was hij buiten westen geslagen, waarna hij was gewurgd met de ceintuur van zijn rode zijden kimono. Cary Oakes' vingerafdrukken werden gevonden op het hoofdeinde van het bed. Toen hij werd gearresteerd en geconfronteerd met de vingerafdrukken, gaf hij toe dat hij bij Chadaran thuis was geweest, maar ontkende dat hij hem had vermoord. De rechercheurs hadden gevraagd hoe zijn vingerafdrukken dan op het bed waren beland. Oakes zei dat hij de kamer in was geslopen om te kijken of er iets te stelen viel en daarbij misschien het bed had aangeraakt.

Hij was uiteindelijk gearresteerd op de Pike Place Market. Markthandelaren hadden geklaagd dat hij eruitzag alsof hij iets wilde stelen. De politie had om zijn legitimatie gevraagd. Hij had zijn paspoort met zijn verlopen toeristenvisum gegeven en had de benen genomen. Ze hadden hem in de kraag gevat en meegenomen, en iemand had de link gelegd met de verschillende signalementen die uit het hele land binnenkwamen.

Tijdens de rechtszaak had het OM er niet omheen gedraaid.

'Dit is een man voor wie moord en doodslag de gewoonste zaak van de wereld is, niets om van op te kijken. Als hij iets nodig heeft, iets wil hebben, iets begeert... pleegt hij er een moord voor. Hij ziet ons allen als potentiële slachtoffers. Wij zijn voor hem geen medemensen; hij ziet ons niet langer als zodanig, terwijl dat toch het fundament is waarop we onze samenleving inrichten en legitimeren, de enige reden waarom we onszelf "beschaafd" kunnen noemen. Zijn ziel is gekrompen tot de grootte van een walnoot, misschien niet eens dat. Cary Oakes, dames en heren van de jury, heeft zichzelf buiten onze maatschappij geplaatst, buiten onze wetten, onze beschaving, en daar moet hij de prijs voor betalen.'

En die prijs was tweemaal levenslang.

Rebus liet het dossier zakken. 'Weinig direct bewijs,' peinsde hij.

'Wel overtuigend. Meer dan genoeg om hem op te bergen.'

Rebus knikte. 'Maar ik snap wel dat hij daar gaten in kon schieten.' Hij tikte op de map, dacht aan het pleidooi van de aanklager. 'Ik vraag me af wat de normale omvang van een ziel is...' Hij keek Archibald aan. 'Hij speelt spelletjes.'

'Dat weet ik. Jim Stevens' verhaal in de krant... Oakes zuigt het allemaal uit zijn duim.'

'Hij zei tegen mij dat een van zijn slachtoffers net zo oud was als mijn dochter. Dat blijkt hier nergens uit.'

Alan Archibald haalde zijn schouders op. 'Je dochter is halverwege de twintig, Deirdre was achttien.' Hij zweeg even. 'Misschien zijn er nog meer van wie we niet weten.'

Ja, dacht Rebus, of misschien was het gewoon de zoveelste leugen geweest. 'Wat ga je doen?' vroeg hij.

'Hem blijven volgen.'

'Het spelletje meespelen?'

'Zo zie ik het niet.'

'Dat weet ik. Dat baart me zorgen.'

'Het was niet jóúw nichtje.'

Rebus keek in Alan Archibalds ogen. Zag lef en doorzettingsvermogen, de cruciale kwaliteiten die hem zijn hele werkende leven overeind hadden gehouden, en die hij nu niet overboord ging gooien.

'Hoe kan ik helpen?'

'Waarom denk je dat ik hulp nodig heb?'

'Omdat je vanavond weer gekomen bent. Niet om met hem te praten, maar met mij.'

Alan Archibald glimlachte. 'Ik weet het een en ander over jou, John. Ik weet dat we niet zoveel verschillen.'

'Hoe kan ik je dan helpen?'

'Zorg dat hij meegaat naar Hillend.'

'Wat denk je daaraan te hebben?'

'Hij is voor die misdaad gevlucht, John. Zo ver mogelijk van die herinnering weggevlucht. Als je hem weer daarheen brengt, naar zijn éérste moord... dan denk ik dat het allemaal terugkomt: de angst, de onzekerheid. Ik wed dat ie dan breekt.'

'Is dat wat we willen?' Rebus dacht: *dan pleegt hij weer een moord...*

‘Het is wat ik wil. En ik wil weten of ik op je kan rekenen.’

Rebus wreef met zijn handen langs het stuur. ‘Daar moet ik over nadenken.’

‘Doe er niet te lang over. Ik krijg het gevoel dat jij hem net zo graag wilt aanpakken als ik.’

Rebus keek hem aan.

‘Op hoop alleen kun je niet leven,’ zei Archibald. ‘Af en toe heb je behoefte aan iets meer.’

22

Na nog een uur te hebben zitten praten, vertrok Archibald, hij zei dat hij wel een taxi zou zoeken. Hij had zitten praten over zijn nichtje, zijn herinneringen aan haar, wat de moord met zijn familie had gedaan.

'We zijn uit elkaar gegroeid,' zei hij. 'Zo langzaam dat ik geloof dat niemand het doorhad. Elke keer als we elkaar zagen voelden we ons schuldig, denk ik, alsof het ons te verwijten viel. Want als we bij elkaar waren, was er maar één ding waar we aan dachten, maar één mogelijk gespreksonderwerp, en dat wilden we niet.'

Hij had ook gepraat over zijn onderzoek: wekenlang wroeten in politiearchieven, maandenlang proberen de gangen van Cary Oakes te reconstrueren, reizen naar de VS.

'Dat moet een hoop gekost hebben,' had Rebus gezegd.

'Het was iedere cent waard, John.'

Rebus had niet gezegd dat hij dat niet bedoelde. Hij wist alles van obsessies, wist hoe ze je volledig konden opslokken. Ooit had hij met kerst een legpuzzel gekregen, toen Sammy nog klein was. Hij had een tafel leeggemaakt en tot diep in de nacht zitten puzzelen, ook al wist hij al welke afbeelding hij zat samen te stellen – dat stond immers op de doos. Maar daar probeerde hij niet naar te kijken, hij wilde de puzzel zonder hulp afmaken.

En toen ontbrak er een stukje. Hij had het gevraagd aan Rhona, aan Sammy: had zij het gepakt? Rhona had gezegd dat het misschien niet in de doos had gezeten, maar dat kon hij niet accepteren. Hij had de kussens uit de bank en de leunstoelen gehaald, het tapijt opgerold, de kamer centimeter voor centimeter doorzocht, en daarna de rest van het huis – voor het geval Sammy het tóch ergens had gelegd. Nooit gevonden. Jaren later betrapte hij zich er soms nog op dat hij zich afvroeg of het tussen de planken van de vloer was gevallen, of achter een plint...

Politiewerk kon je ook zo in beslag nemen, als je het toeliet. Onopgeloste zaken, vragen die aan je knaagden, verdachten van wie je wíst dat ze schuldig waren, maar waar je geen bewijs tegen had... Daar had hij meer dan zijn deel van gehad. Maar uiteindelijk liet hij ze los, ook al moest hij ze met alcohol de vergetelheid in drijven. Alan Archibald leek niet in staat om Cary Oakes los te laten. Rebus kreeg het gevoel dat zelfs als Cary Oakes' onschuld zou worden aangetoond, Archibald in zijn schuld zou blijven geloven. Dat lag in de aard van zijn obsessie.

Alleen gelaten met zijn gedachten tastte Rebus in zijn zak, trok zijn flacon whisky en dronk hem leeg.

Onschuld aangetoond... Hij dacht aan Darren Rough, bevend van angst, weggekropen op zijn wc. Allemaal omdat het maatschappelijk werk hem een flat met uitzicht op een kinderspeelplaats had gegeven. En omdat John Rebus de zonden van anderen op zijn hoofd had gelegd – de zonden van mannen die Rough zelf hadden misbruikt.

Rebus wreef in zijn ogen. Aan schuldgevoelens was hij wel gewend. Hij droeg de dood van Jack Morton met zich mee. Maar er was iets veranderd. Vroeger zou hij niet lang zijn blijven stilstaan bij Darren Rough. Dan zou hij gedacht hebben dat hij zijn verdiende loon kreeg, omdat hij was wat hij was. Maar nóg langer geleden... toen hij nog de agent was die hij ooit geweest was, in een grijs verleden, toen zou hij nooit met Roughs verhaal naar de tabloids zijn gestapt. Misschien had Mairie Henderson gelijk: *er is iets bedorven geraakt in jou.*

Hij bewonderde Alan Archibald om zijn vasthoudendheid, maar vroeg zich af wat er zou gebeuren als hij het bij het verkeerde eind bleek te hebben. Zou hij dan toch op Cary Oakes blijven jagen? Zou hij verder gaan dan alleen speurwerk...? Rebus keek naar de nachthemel.

Het is hier maar een rotzooitje, hè ouwe?

Hij vroeg zich af wat het nut van deze observatieactie was. Oakes leek de situatie helemaal naar zijn hand te zetten, hij kwam en ging wanneer het hem uitkwam en liet merken dat hij dat kon doen. Het leek allemaal verspilde moeite. Hij sloot zijn ogen, luisterde naar de politieradio die af en toe tot leven kwam en liet zijn gedachten afdwalen naar Damon Mee. Het spoor van de Clipper leek dood te lopen. Damon was uit de wereld gestapt, had zijn leven achter zich gelaten. En via Damon kwam hij bij Janice, en via haar bij zijn schooltijd, toen de complicaties in zijn leven nog maar net begonnen.

Alec Chisholm was op een dag verdwenen; nooit teruggevonden.

Rebus was naar het eindexamenfeest gegaan en had Mitch daar iets willen vertellen.

Toen had Janice hem buiten westen gemept, had een stel jongens Mitch in elkaar geslagen, en was Rebus' hele levensloop ineens beslist...

Een geluid deed hem opschrikken uit zijn mijmeringen. Het leek van de achterkant van het hotel te komen en hij besloot te gaan kijken. Het was aardedonker op de parkeerplaats en bij de personeelsingangen, maar hij liet zijn zaklamp overal op schijnen. Keek naar de ramen van het hotel. Je kon zien waar de gangen waren, bij die ramen brandde nog licht. Een van de ramen stond open, gordijnen flapperden in de wind. Rebus liet de lichtstraal van zijn lamp zakken, tot het dak van de drie garageboxen. Die waren van het terrein van het hotel gescheiden door een muur. Rebus trok zichzelf daarop en klom eroverheen. Een smal steegje, plassen water en afval op de grond. Geen teken van leven, maar voetafdrukken in de modder. Hij volgde het spoor. Dat voerde langs een fabriek en een woonkazerne naar de drukke verkeersader Bernard Street, waar auto's en taxi's voor de stoplichten stonden te wachten. Waar dronkenlappen naar huis strompelden. Eén man voerde een uitbundige dans op, die hij zelf met geneurie begeleidde. De vrouw die met hem meeging, bescheurde zich. Can: 'Tango Whiskyman'.

Cary Oakes was nergens te bekennen, maar Rebus had het gevoel dat hij hier toch ergens was. Hij liep terug, stopte naast een afvalcontainer bij een van de personeelsingangen, haalde de lege flacon uit zijn zak en gooide hem erin.

Hij voelde hoe zijn hoofd naar voren schoot door de klap. Brandende pijn, hij kneep zijn ogen dicht. Hief zijn hand, draaide zich half om. Een tweede klap en hij was buiten westen.

Het was pikdonker en toen hij zich bewoog klonk er een doffe echo van metaal.

Stank.

Hij lag op iets zachts. Stemmen boven hem, toen oogverblindend licht.

'O jee.'

Tweede stem, geamuseerd: 'Roes aan het uitslapen, meneer?'

Rebus hield zijn hand voor zijn ogen, keek op naar de steile wanden. Twee hoofden die boven de rand uitstaken. Hij trok zijn knieën omhoog, gleed weg toen hij overeind probeerde te komen. Zijn handen tintelden. Zijn hoofd bonsde van de pijn.

Hij lag... hij wist waar hij lag. In een afvalcontainer die achter het hotel stond. Natte kartonnen dozen onder hem, en God mag weten wat nog meer. Uitgestoken handen hielpen hem overeind.

'Kom maar, meneer. Vooruit...' De stem stierf weg toen de zaklamp zijn gezicht weer trof. Twee agenten in uniform, waarschijnlijk van bureau Leith. Een van hen had hem herkend.

'Inspecteur Rebus?'

Rebus: verfomfaaid, met een adem die rook naar whisky, moest uit een afvalcontainer worden geholpen. Terwijl hij verondersteld werd het hotel te observeren. Hij wist wat voor indruk het maakte.

'Jezus, inspecteur, wat is er met u gebeurd?'

'Haal dat licht uit mijn ogen, knul.' Hun gezichten waren schimmen voor hem, hij kon niet zien of hij ze kende. Hij vroeg hoe laat het was en berekende dat hij hooguit tien minuten tot een kwartier buiten westen was geweest.

'Melding vanuit een telefooncel in Bernard Street,' legde een van de agenten uit. 'Ze zeiden dat er achter het hotel gevochten werd.'

Rebus voelde aan zijn achterhoofd: geen bloed. Zijn handen tintelden nog. Hij wreef over zijn vingers. Het deed pijn. Hij hield ze in het licht van de zaklamp. Een van de agenten floot tussen zijn tanden.

Schaafwonden, blauwe plekken. Een paar knokkels opgezwollen.

'Ik weet niet wie het was, maar u heeft hem een flinke opdoffer gegeven,' zei de agent.

Rebus keek naar de schaafwonden. Alsof hij tegen een betonnen muur had staan beuken. 'Ik heb niemand geslagen,' zei hij. De agenten keken elkaar aan.

'Wat u wilt, inspecteur.'

'Het is zeker te veel gevraagd om dit voor je te houden?'

'Als het graf, inspecteur.'

Een grove leugen. Geen beginnen aan, een uniformagent om een gunst vragen.

'Kunnen we nog iets voor u doen, inspecteur?'

Rebus begon nee te schudden, werd meteen misselijk van de pijn die dat opleverde. Zocht naar evenwicht met een hand op de rand van de vuilcontainer.

'Mijn auto staat om de hoek,' zei hij met een zwakke stem.

'U zult wel toe zijn aan een douche.'

'Bedankt voor de tip, Sherlock.'

'Het is goed bedoeld,' mompelde de agent.

Rebus liep langzaam naar de voorkant van het hotel. De receptioniste leek vast van plan de beveiliging op te roepen tot Rebus zijn legitimatie liet zien en haar vroeg Oakes' kamer te bellen. Er werd niet opgenomen.

'Anders nog iets, inspecteur?'

Rebus keek in zijn portemonnee. Zijn pasjes zaten er nog in, maar het geld was eruit.

'Weet u waar de heer Oakes is?' vroeg hij.

Ze schudde haar hoofd. 'Ik heb hem niet zien weggaan.'

Rebus bedankte haar en liep naar een bank, liet zich erop vallen. Even later vroeg hij om aspirine. Toen ze die kwam brengen, moest ze aan zijn schouder schudden om hem wakker te maken.

Hij reed naar Patience. Dan maar geen observatie. Oakes was toch niet in zijn kamer. Die liep vrij rond. Rebus had schone kleren nodig, een douche, en meer pijnstillers. Toen hij het huis in stommelde, liep Patience de hal in, slaperig met haar ogen knipperend. Hij stak zijn handen op in een verzoenend gebaar.

'Het is niet wat je denkt,' zei hij.

Ze kwam naar hem toe, pakte zijn handen, zag dat ze waren opgezwollen.

'Vertel,' zei ze. Dus dat deed Rebus.

Hij lag in bad, een koud kompres tegen zijn achterhoofd. Dat had Patience gemaakt van een boterhamzakje, wat ijsklontjes en rekverband. Ze smeerde antiseptische zalf op zijn handen, die ze had schoongemaakt en onderzocht om te kijken of er niets gebroken was.

'Die Oakes,' zei ze. 'Ik begrijp nog steeds niet goed waarom hij zoiets zou doen.'

Rebus verlegde het kompres. 'Om me te vernederen. Hij zorgde ervoor dat ik gevonden zou worden door agenten, buiten westen in een vuilcontainer.'

'Ja?' Ze depte meer zalf op zijn hand.

'Mijn hand geschaafd alsof ik met iemand gevochten had. Gevochten en verloren. En een rechercheur die zo wordt aangetroffen achter een hotel, dat kan er maar één zijn. Morgenochtend weten ze het op elk bureau.'

'Waarom zou hij dat doen?'

'Om te laten zien dat hij het kan. Waarom anders?' Hij probeerde zijn gezicht niet van pijn te vertrekken toen ze zalf op een wond smeerde.

'Ik weet het niet,' zei ze. 'Misschien om je aandacht af te leiden.'

Hij keek haar aan. 'Waarvan?'

Ze haalde haar schouders op. 'Jij bent hier de rechercheur.' Ze bekeek het resultaat van haar goede zorgen. 'Ik moet er verband om doen.'

'Als ik maar kan rijden.'

'John...' Ze wist toch dat hij niet zou luisteren.

'Patience, als ik rondloop met mummiehanden, heeft hij deze ronde gewonnen.'

'Behalve als je zijn spelletje niet meespeelt.'

Hij zag de bezorgde blik in haar ogen en streek met de rug van zijn hand langs haar wang. Zag in gedachten hoe Janice hetzelfde bij hem deed en trok zijn hand met een schuldig gevoel terug.

'Doet pijn zeker?' vroeg Patience, die het verkeerd begreep. Hij knikte, durfde niets te zeggen.

Later zat hij op de bank met een kop slappe thee. Hij had nog twee pijnstillers geslikt, het type dat alleen op recept te krijgen is. Zijn vieze kleren waren in een zwarte vuilniszak gestopt om naar de stomerij te brengen. Jammer toch, dacht hij, dat zijn vuile gedachten niet zo makkelijk chemisch te reinigen waren.

Toen zijn mobiel overging, keek hij er strak naar. Hij lag op de koffietafel voor hem, naast zijn sleutels en kleingeld. Patience stond in de deuropening toen hij uiteindelijk besloot op te nemen. Er lag een glimlachje om haar lippen, maar haar ogen lachten niet. Ze wist al dat hij zou opnemen.

Cal Brady kwam vrolijk thuis van Guiser's. Dat goede gevoel duurde tien seconden. Zodra hij zich op zijn bed liet vallen, schoot hem de pedo te binnen. Zij moeder lag in haar kamer met een of andere gozer; de muren waren zo dun dat ze net zo goed in zijn kamer konden liggen vozen. Zo was het in alle flats, als je iets stiekem wilde doen moest je stil zijn. Hij legde zijn oor eerst tegen één muur, toen tegen de andere: zijn moeder en haar gozer; een handvol tv-zenders – Jamie was nog wakker en zat in de woonkamer te kijken, en in de kamer van Van stond het kleine toestel aan, in een slappe poging om andere geluiden te overstemmen. Hij legde zijn oor tegen de vloer. Nu hoorde hij het nog steeds allemaal, plus het gestommel, gehoest en gepraat van de onderburen. Een tijdje terug was hij naar de dokter gegaan en had hij gevraagd of zijn gehoor misschien scherper was dan normaal.

'Ik hoor steeds van alles wat ik niet wil horen.'

Toen hij had uitgelegd dat hij in een flat in Greenfield woonde, had de arts een walkman als oplossing voorgesteld.

Maar op straat was het van hetzelfde laken een pak: ving hij flarden van gesprekken op, dingen waarvan de sprekers niet vermoedden dat hij ze kon horen. Soms dacht hij dat het erger werd, dat hij het bonzen van andermans hart kon horen, het bloed dat door hun lichaam stroomde. Dat hij hun gedachten kon horen. Zoals bij Guiser's, als meisjes naar hem keken en hij teruglachte. Dan dachten ze: ziet er misschien niet indrukwekkend uit, maar hij hoort bij Archie Frost, dus hij moet toch belangrijk zijn. Ze dachten: als ik met hem dans, hem een drankje laat kopen, kom ik dichter bij de *macht*.

Daarom deed hij meestal niets, bleef hij gewoon zwijgend bij de bar staan met een afstandelijke houding. Maar wel luisteren, altijd maar luisteren.

En altijd dingen horen... over Charmer, over de klanten – Ama Petrie, haar broer en de rest. Zijn eigen versie van *macht*.

Het was vanavond stil geweest in de club. Als die buslading uit Tranent niet was gearriveerd, was het een dooie boel gebleven. Ze waren dan ook niet erg onder de indruk: konden alleen met elkaar dansen. Archie zei dat ze vast niet zouden terugkomen. Archie was al op zoek naar ander werk: genoeg andere clubs in de stad. Cal was nog niet op zoek. Cal geloofde in loyaliteit.

'Ik weet dat Charmer achter geld aan zit dat hij hier en daar heeft uitstaan,' had Archie gezegd, 'maar het probleem is dat hij zelf ook schulden heeft. Er komt een dag dat hij die lui op zijn dak krijgt...'

Cal had zijn rug gerecht, alsof hij wilde zeggen: laat maar komen.

Hij wilde het eens overdenken, alles op een rijtje zetten in zijn hoofd, en daarom was hij naar zijn slaapkamer gegaan en niet bij Jamie gaan zitten. Maar al voordat hij zijn kamer had bereikt, werd hij weer aan Darren Rough herinnerd. De hal stond nog half vol protestborden. Ze stonden tegen de muur, roken naar natte verf. Opengesneden kartonnen dozen met een boodschap op de lege binnenkant: DOOD AAN DIE MONSTERS; BLIJF VAN ONZE KINDEREN AF; PRIJSSCHIETEN OP DE PEDO.

Dood aan die monsters, dacht Cal, terwijl hij op zijn bed een sigaret rookte. Hij stond ineens op en bonsde tegen de muur.

'Kunnen jullie godverdomme je teringbek eens houden?'

Stilte, toen gedempt gelach. Even voelde Cal de neiging om er binnen te stormen, maar hij wist wat zijn moeder dan zou doen. En trouwens, haar zo zien was wel het laatste waar hij behoefte aan had.

Dood aan die monsters.

De deurbel. Wie waagde het verdomme midden in de nacht...? Cal ging kijken. Herkende de vrouw. Ze leek van streek, stond in haar handen te wringen alsof ze de afwas deed.

'Je hebt onze Billy toevallig niet gezien, zeker?' Het was Joanna Horman, de moeder van Billy. Billy was een vriendje van Jamie. Cal riep hem en Jamie kwam de woonkamer uit.

'Heb je Billy Boy gezien?' vroeg Cal. Jamie schudde zijn hoofd.

Hij had een zak chips in zijn hand. Cal draaide zich weer om naar Joanna Horman. Sommige van zijn vrienden vonden dat ze er best mocht wezen. Maar op dit moment zag ze er allerbelabberdst uit.

'Wat is er?' vroeg hij.

'Hij is om een uur of zeven buiten gaan spelen en daarna heb ik hem niet meer gezien. Ik dacht dat hij misschien naar zijn oma was, maar ik heb het gevraagd en daar is ie niet geweest.'

'Ik ben net thuis. Wacht even.' Hij ging naar Vans slaapkamer en bonsde op de deur: mooi excuus om daar een eind aan te maken. 'Hé ma, is Billy Horman hier vanavond geweest?'

Gestommel in de kamer. Joanna Horman leunde tegen de deur, ze zag eruit of ze zo kon omvallen. Geen slecht figuur, dacht Cal. Tikje gevuld, maar hij had ze niet graag vel over been. De deur van zijn moeders slaapkamerdeur ging open. Van had een jurk aangetrokken, ze streek hem nog glad. En niets eronder, wilde hij wedden. Ze deed de deur snel achter zich dicht. Onmogelijk te zien wie er in haar kamer was.

'Is er iets, Joanna?' Ze duwde Cal opzij, negeerde hem volkomen.

'Het is onze Billy. Hij is verdwenen.'

'Godallemachtig. Kom binnen.'

'Ik weet me gewoon geen raad.'

'Waar heb je gezocht?'

Cal liep met de twee vrouwen mee naar de woonkamer.

'Overal. Ik denk dat ik onderhand de politie maar moet bellen.'

Van snoof schamper. 'Ja, die zullen meteen op de stoep staan. Die lui komen alleen op voor pedo's...' Ze viel stil. Voor het eerst keek ze haar zoon aan. Ze kenden elkaar zo goed dat woorden overbodig waren.

'Joanna, schat,' zei Van kalm, 'blijf jij maar hier. Ik ga de troepen optrommelen. Als Billy hier in de wijk is, vinden we hem wel, maak je geen zorgen.'

Binnen een halfuur had Van Brady een zoekoperatie op touw gezet. Mensen gingen alle deuren af om naar Billy te vragen en meer vrijwilligers te ronselen. Jamie was naar bed gestuurd maar sliep niet en Joanna Horman zat in de woonkamer met een whiskyglas vol rum-cola. Cal had aangeboden om bij haar te blijven. Zij zat op de bank en hij in de leunstoel. Hij wist niet wat hij moest zeggen. Anders was hij niet zo op zijn mondje gevallen. Hij merkte dat hij opgewonden raakte door haar verdriet, hoe kwetsbaar het haar maakte. Maar hij schaamde zich daarvoor, en de gedachten tolden in zijn hoofd zoals wanneer hij te veel had gedronken of speed had geslikt.

Hij stond op en deed de deur van Jamies kamer open.

'Kom uit bed en blijf bij Billy's moeder. Ik moet even weg.'

Toen opende hij de voordeur en beende over de galerij. De trap af en de nacht in. Aan de overkant waren een paar garageboxen. Van een ervan had hij de sleutel. Daar bewaarde hij wat spullen. Het was de garage van Jerry Langham, maar Jerry zat een straf van minimaal drie jaar uit in Saughton, het duurde nog minstens zes maanden voor hij ook maar in de verste verte kon gaan denken aan voorwaardelijke vrijlating. Zijn auto stond in die box, een Mercedes uit de jaren zeventig, maïsgeel en met de sponningen half verroest, maar Jerry was er verzot op.

'Mijn wijffie hou ik niet achter slot en grendel, maar van mijn karretje moet iedereen met zijn fikken afblijven.'

Dat was als waarschuwing bedoeld: je mag de garage gebruiken als je een oogje op mijn auto houdt, maar waag het niet om hem aan te raken. Niet dat Cal zich daar iets van had aangetrokken. Soms deed hij de auto van het slot en ging erin zitten, deed alsof hij erin reed. En hij had de kofferbak ook een keer opengemaakt, dus hij wist wat daarin zat.

Hij deed hem nu ook open, tilde de jerrycan er uit en schudde ermee. Hij wist zeker dat er meer in had gezeten: nu was hij nauwelijks nog halfvol. Zeker verdampt of zo. Zou wel kunnen met benzine, dacht hij. In een kast vond hij wat vettige lappen. Stopte die snel in zijn zak, en klaar was hij.

Terug naar de flats, met twee treden tegelijk de trap op. Hij had nu een doel, de benzine in de jerrycan klotste zachtjes. Ogen dicht en je kon je bijna aan zee wanen. Hij sloop naar de flat van Darren Rough. Gloednieuwe planken tegen zijn raam gespijkerd. De jongens waren al met hun spuitbussen in de weer geweest. GTP was vanavond eerst hierheen gegaan: geen reactie, niemand thuis. Cal opende de jerrycan, hield hem zo hoog dat de benzine eruit druppelde, over het dichtgespijkerde raam en over de deur. Pakte een stuk poetsdoek uit zijn zak en drenkte het in benzine. Propte het in de kleine spleet tussen de planken en de muur. En nog een en nog een. Mieterde de lege jerrycan over de reling en vloekte meteen: daar zaten vingerafdrukken op. Bovendien zou Jerry hem missen. Hij haalde hem zo wel op.

Hij pakte zijn aansteker, die hij van Jamie voor kerst had gekregen. Jamie... hij deed dit voor Jamie en zijn vriendjes, voor alle kinderen. Jamie was slim. Hij hield niet van school, maar wie wel? Daarom was hij nog niet stom. Hij kon dingen bereiken, iets doen met zijn leven, dat had Cal hem al een paar keer in een dronken bui proberen te vertellen. Hij had het gevoel dat het niet goed overkwam, dat het had geklonken alsof hij jaloers was. Misschien was hij dat ook, een beetje. Voor een jongen als Jamie waren de mogelijkheden onbegrensd. Cal keek naar de aansteker. Ook zoiets met zijn broertje: kei van een winkeldief.

23

In Greenfield aangekomen zag Rebus dat de halve buurt stond te kijken naar de brand, of wat er nog van resteerde.

Rebus kende een van de brandweerlui, ene Eddie Dickson. Dickson knikte bij wijze van groet. Hij stond in vol ornaat zijn wagen te bewaken.

'Als ik even niet kijk, slaan ze toe.' Dat sloeg op de jongeren uit de buurt; op het feit dat ze alles zouden jatten wat los en vast zat. 'Toen we aankwamen werden we bekogeld met flessen.'

'Door wie?'

Dickson haalde zijn schouders op. 'Was niet te zien. Maar ik kreeg de indruk dat we niet welkom waren.'

Agenten van bureau St. Leonard probeerden de kijkers ertoe te bewegen terug naar bed te gaan.

'Slachtoffers?'

Dickson haalde zijn schouders weer op. 'Van de flessen, bedoel je?'

Rebus staarde hem aan. 'Daarbinnen bedoel ik.' Hij wees naar de flat van Darren Rough.

'Er was niemand toen wij kwamen.'

'Deur open?'

Dickson schudde zijn hoofd. 'Wat ervan over was moesten we nog intrappen. Wraakactie soms?'

'Lees je geen kranten?'

'Wanneer moet ik daar tijd voor vinden, John?'

'Een pedofiel.'

Dickson knikte. 'Nu weet ik het weer. Die lui verdienen ook niet beter, hè.'

Rebus liet hem zijn wagen bewaken en liep naar Cragside Court. De agent in de hal zei dat hij de lift beter niet kon nemen.

'De ene is stuk en de andere een openbare plee.'

Rebus had anders ook wel de trap genomen. Van de planken voor

Roughs raam was niets over dan een paar verkoolde stukjes hout bij de schroeven. De deur was ook afgebrand. Agent Grant Hood stond in het halletje van de woning. Rebus duwde met de punt van zijn schoen de wc-deur open: leeg.

'Je vriend,' zei Hood. Hij was jong en snugger. Hartstochtelijk fan van de Glasgow Rangers, maar niemand was volmaakt.

'Ik heb het niet gedaan,' zei Rebus. 'Maar bedankt dat je me gebeld hebt.'

Hood haalde zijn schouders op. 'Ik dacht dat het je zou interesseren.' Hij knikte toen hij Rebus' verbonden handen zag. 'Zelf ook een ongelukje gehad?'

Rebus negeerde de vraag. 'Geen kans dat dít een ongeluk was, neem ik aan?'

'Flarden van vodden bij de kozijnen. Gemorste benzine op de grond...'

'En de bewoner is nergens te bekennen?'

Hood schudde zijn hoofd. 'Enig idee wie het gedaan kan hebben?'

'Kijk maar om je heen, Grant. We zijn hier in het wilde westen. Ze zijn er stuk voor stuk toe in staat.' Rebus was weer naar buiten gelopen door wat nog van de deurpost over was, leunde op de balustrade. 'Maar als ik jou was, zou ik eens gaan kijken bij Van Brady en haar zoon.'

Hood schreef de namen op. 'Meneer Rough zal wel niet terugkomen.'

'Nee,' zei Rebus. Wat dus precies zijn bedoeling was geweest. Maar nu het zover was, vroeg Rebus zich af waarom hij zich zo ellendig voelde... Hij moest denken aan de woorden van Jane Barbour: geringe kans op recidive... zelf als kind misbruikt... moet hem een kans geven.

Toen ontwaarde hij Cal Brady in de slinkende groep kijkers. Helemaal aangekleed, zo te zien was hij nog niet naar bed geweest. Rebus liep terug naar beneden. Cal stond GTP-stickers uit te delen aan wie er nog geen had. Vrouwen met slechts een jas over hun nachthemd aan. Cal drukte ze met overdreven omzichtigheid op hun kleren, zodat sommige vrouwen – toch bepaald geen preutse maagden – begonnen te blozen.

'Alles goed, Cal?' zei Rebus. Cal keek naar hem, maakte een sticker los en drukte hem op Rebus' jasje.

'Ik hoop dat u achter ons staat, inspecteur.'

Rebus begon de sticker los te peuteren. Toen Cal een hand uitstak om hem tegen te houden, greep Rebus die vast en bracht hem naar zijn neus. Cal trok hem snel terug, maar niet snel genoeg.

'Water en zeep is meestal een goed idee,' hield Rebus hem voor.
'Ik heb niks gedaan.'
'Je stinkt naar benzine.'
'Onschuldig, edelachtbare.'
'Ik vel geen vonnissen, Cal –'
'Dat heb ik wel eens anders gehoord.'
'Maar in jouw geval maak ik beslist een uitzondering.' Hij dacht: met wie had Cal gepraat? Wie had hem over Rebus verteld? 'Agent Hood gaat je een paar vragen stellen. Gedraag je tegenover hem.'
'Jullie kunnen allemaal de klere krijgen.'
'Die van jou liever niet.' Glimlachend gezegd.
Cal staarde hem strak aan; wendde toen zijn blik af en begon te lachen. 'Je bent een clown. Ga toch naar je circus.'
'En wat denk je dat jij bent, Cal? De leeuwentemmer?' Rebus schudde zijn hoofd. 'Nee, knul, jij voert kunstjes op voor iedereen die met de zweep knalt.' Rebus keerde hem de rug toe. 'Of het nou je moeder is of Charmer Mackenzie.'
'Wat bedoel je?'
'Je werkt toch voor hem?'
'Wat gaat jou dat aan?'
Rebus haalde zijn schouders op en liep terug naar zijn auto. Hij had hem naast de brandweerwagen gezet: wilde hem niet terugvinden op bakstenen.
'Hé John,' zei Eddie Dickson, 'dat wordt toch geweldig?'
'Wat?'
'Als het nieuwe parlement straks gebouwd wordt.' Hij zwaaide met zijn arm in het rond. 'Vlak naast deze fijne buurt.'
Rebus keek omhoog, zag het donkere silhouet van de Salisbury Crags. Weer had hij het gevoel dat hij op de bodem van een of andere kloof lag, met steile wanden die ontsnappen onmogelijk maakten. Vluchtpogingen die slechts bloedende kapotgeschaafde handen opleverden.
Handen die bloedden of onder de benzine zaten.
Hood kwam aangerend terwijl Rebus zijn vingers stond te strekken. 'Ik geloof dat we een probleem hebben.'
'Zou een wonder zijn als het niet zo was.'
'Er is een jongen vermist. Ze waren niet eens van plan ons dat te vertellen.'
Rebus dacht na. 'Een UOV,' zei hij. Hood keek hem bevreemd aan. 'Unilaterale Onafhankelijkheidsverklaring, knul. Wie heeft er uit de school geklapt?'
'Ik ben naar de flat van Van Brady gegaan. De deur stond open

en in de woonkamer zat een jonge vrouw.' Hij keek in zijn aantekenboekje. 'Joanna Horman. Haar zoon heet Billy.'

Rebus herinnerde zich zijn eerste bezoek aan Greenfield, Van Brady die uit het raam hing en brulde: *Dat heb ik wel gezien, Billy Horman!* Hij herinnerde zich verder niet veel van de jongen, alleen dat hij aan het spelen was geweest met Jamie Brady.

'Nu weten we waarom ze die flat in de fik hebben gestoken,' zei Hood.

'Briljante conclusie, Grant. Misschien moeten we eens met die dame gaan praten.'

'De moeder van die jongen?'

Rebus schudde zijn hoofd. 'Van Brady.'

Na onderhandelingen met Van Brady, wier keukentafel geen veelbelovende plaats leek voor dergelijk politiek topoverleg, liet Rebus versterkingen aanrukken. Ze zouden de zoektocht voortzetten, politie en bewoners zouden de krachten bundelen.

'Dit is jullie terrein,' had Rebus toegegeven, terwijl hij met een kop goedkope koffie meer pijnstillers wegspoelde. 'Jullie weten hier de weg beter dan wij: schuilplaatsen, jongenshutten, overal waar hij de nacht zou kunnen doorbrengen. Als zijn moeder ons een lijst van zijn schoolvrienden geeft, kunnen wij hun ouders bellen om te kijken of hij daar misschien is. Er zijn dingen waar wij beter in zijn en dingen die jullie beter kunnen.' Hij had zijn stem neutraal laten klinken en de hele tijd oogcontact gehouden. Er waren acht mensen in de keuken, en in de hal en de woonkamer stonden er nog meer.

'En die pedo?' had Van Brady gevraagd.

'Die vinden we wel, maak je geen zorgen. Maar ik denk dat we ons nu vooral moeten richten op Billy, vind je ook niet?'

'Maar als hij Billy nou ergens vasthoudt?'

'Laten we dat nou even afwachten, oké? Laten we eerst verdergaan met zoeken. Met hier zitten bereiken we zeker niks.'

Na de bespreking had hij Grant Hood apart genomen.

'Jouw klus verder, Grant,' zei hij. 'Ik had hier niet eens moeten zijn.'

Hood knikte. 'Sorry dat ik je erbij heb geroepen.'

'Welnee. Maar wees verstandig: bel inspecteur Barbour wakker en breng haar op de hoogte.'

'Wat gebeurt er als zij hem als eerste vinden?' Hij doelde niet op de jongen maar op Darren Rough.

'Dan is ie er geweest,' zei Rebus. 'Zo simpel is dat.'

Hij reed Greenfield uit en vroeg zich af wanneer Darren Rough zijn flat had verlaten. Waar hij heen zou gaan. Holyrood Park: dat was in vroeger eeuwen een veilige haven geweest voor veroordeelde misdadigers. Zolang je binnen de grenzen bleef was je op land van de Kroon en onaantastbaar voor de wet. Schuldenaars vluchtten erheen en zaten er jarenlang, leefden van giften en de vis die ze vingen in de lochs, van wilde konijnen. Als hun schulden eindelijk waren afbetaald of afgeschreven stapten ze weer over de grens, terug de maatschappij in. Het park had hen de illusie van vrijheid verschaft: in werkelijkheid zaten ze gewoon opgesloten in een openluchtgevangenis.

Holyrood Park: een weg kronkelde langs de voet van de Salisbury Crags en Arthur's Seat. Er waren parkeerplaatsen bij de meertjes die overdag veel bezocht werden door mensen met kinderen of honden. 's Avonds kwamen er paartjes om te vrijen. De parkpolitie surveilleerde onregelmatig. Er werd wel eens geopperd om die politie op te heffen, het park onder de jurisdictie van Lothian and Borders te laten vallen. Maar voorlopig was het nog niet zover.

Rebus reed driemaal het park rond. Langzaam rijdend, niet echt geïnteresseerd in de geparkeerde auto's die hij hier en daar zag staan. Tot hij bij St. Margaret's Loch, net toen hij naar de uitgang bij Royal Park Terrace wilde rijden, ineens dacht dat hij in zijn ooghoeken een schim zag bewegen. Hij stopte. Misschien waren het de hoofdpijn en de pillen die zijn ogen voor de gek hielden. Hij liet de motor draaien, opende zijn raam en stak een sigaret op. Vossen, misschien zelfs dassen... hij kon het mis hebben. Er bewoog van alles in de stad.

Toen verscheen er een gezicht bij het open raam.

'Heb je een sigaret voor me?'

'Tuurlijk.' Rebus wendde zich af om in zijn zak te voelen.

'Zeg eh... ik weet niet...' Een kuchje. 'Je bent niet toevallig op zoek naar gezelschap, hè?'

'Toevallig wel.' Rebus keek op. 'Stap in, Darren.'

Darren Rough keek ontsteld toen hij Rebus herkende. Zijn gezicht betrok. Hij hoestte weer, voorovergebogen.

'Dat is van de rook,' merkte Rebus op. 'Je bent te lang binnen gebleven.'

Rough veegde zijn mond af. De mouwen van zijn groene regenjas waren geschroeid waar hij ze voor zijn gezicht had gehouden.

'Ik dacht dat ze me buiten stonden op te wachten. Ik zat te wachten op de brandweersirene.'

'Er heeft uiteindelijk wel iemand gebeld.'

Hij snoof. 'Bang dat het naar hun flat zou overslaan, zeker.'

'Werd je buiten niet opgewacht?'

Rough schudde zijn hoofd. Nee, dacht Rebus, want ze waren allemaal naar Billy Horman aan het zoeken geweest. Cal Brady had de flat in zijn eentje aangestoken en was daarna niet blijven wachten tot hij werd betrapt.

Het was begonnen te regenen. Enorme druppels die van Roughs schouders sprongen. Hij hield zijn gezicht omhoog en opende zijn uitgedroogde mond om de druppels op te vangen.

'Stap nou maar in,' zei Rebus.

Hij hield zijn hoofd scheef en staarde Rebus aan. 'Wat is de aanklacht?'

'Er is een jongen vermist.'

Rough sloeg zijn ogen neer. Zei iets als 'o juist', maar zo zacht dat Rebus het niet goed verstond. 'Denken ze dat ik...?' Hij stopte. 'Natuurlijk denken ze dat ik het gedaan heb. Dat zou ik in hun plaats ook denken.'

'Maar jij hebt het niet gedaan?'

Rough schudde zijn hoofd. 'Dat doe ik niet meer. Zo ben ik niet.' Hij werd drijfnat.

'Stap in,' herhaalde Rebus. Rough kwam naast hem zitten. 'Maar je denkt er nog wel aan,' zei Rebus, en hij keek hoe hij reageerde.

Rough staarde door de voorruit, zijn ogen glansden. 'Ik zou liegen als ik zei van niet.'

'Wat is er dan veranderd?'

Rough keek hem aan. 'Je hoeft toch niet alles te doen wat je denkt?'

'Nee hoor,' zei Rebus en hij reed weg. 'Als ik dát deed...'

24

Rebus bracht Darren Rough naar St. Leonard.

'Wees niet bang,' zei hij. 'Noem het maar beschermende hechtenis. Ik wil je antwoorden over dat vermiste kind officieel vastleggen.'

Ze gingen in een verhoorkamer zitten, met de opnameapparatuur ingeschakeld en een agent voor de deur, een kop slappe thee op tafel en de rest van het bureau praktisch uitgestorven. Iedereen die gemist kon worden was in Greenfield naar Billy Horman aan het zoeken.

'Dus je weet niets over een kind dat vermist is?' vroeg Rebus. Omdat er niemand was die het kon verbieden, stak hij een sigaret op. Rough wilde er eerst geen, maar veranderde toen van gedachten.

'Kanker is nu waarschijnlijk het minste van mijn problemen,' opperde hij. Vervolgens vertelde hij dat hij alleen wist wat Rebus hem zelf had verteld.

'Maar de buurtbewoners bedreigden je, en toch bleef je daar. Daar moet een reden voor zijn.'

'Waar kan ik heen? Ik ben gebrandmerkt.' Hij keek op. 'Dankzij u.' Rebus stond op. Rough kromp ineen, maar Rebus leunde slechts tegen de muur, zodat hij voor de videocamera stond. Niet dat het ertoe deed: de camera stond uit.

'Je bent gebrandmerkt door wat je bent, meneer Rough.'

'Ik ben een pedofiel, inspecteur. Dat zal ik wel altijd blijven. Maar ik ben geen *praktiserend* pedofiel meer.' Hij haalde zijn schouders op. 'Daar zal de maatschappij mee moeten leven.'

'Ik denk niet dat je buren het daarmee eens zijn.'

De glimlach van een veroordeelde speelde om Roughs lippen. 'Ik denk dat u daar gelijk in heeft.'

'En vrienden?'

'Vrienden?'

'Anderen die je voorkeur delen?' Rebus tikte as op het tapijt: voor morgenochtend zouden de schoonmakers nog komen. 'Kreeg u die wel eens op bezoek?'

Rough schudde zijn hoofd.

'Zeker weten, meneer Rough?'

'Niemand wist dat ik daar woonde tot de kranten het breed gingen uitmeten.'

'Maar daarna... niks gehoord van mensen van vroeger?'

Rough gaf geen antwoord. Hij zat voor zich uit te staren, met zijn gedachten nog bij de kranten. 'Ince en Marshall... ik lees de verhalen over ze. Waar zij nu zitten... in hun cel... krijgen ze het nieuws daar ook te zien?'

'Soms,' gaf Rebus toe.

'Dus die weten het, van mij?'

Rebus knikte. 'Maak je om hen maar geen zorgen. Ze zitten in Saughton Prison.' Hij zweeg even. 'Je zou tegen ze getuigen.'

'Dat wilde ik wel.' Hij staarde weer voor zich uit, zijn gezicht verstrakte bij de herinneringen. Rebus kende het verhaal: misbruikte kinderen die zelf misbruikers werden. Hij had het altijd weggewuifd. Niet elk slachtoffer werd een dader.

'Die keer dat ze je meenamen naar Shiellion...' begon Rebus.

'Marshall nam me mee. Dat had Ince hem opgedragen.' Zijn stem trilde. 'Het was niet dat ze speciaal mij moesten hebben of zo – het had ieder van ons kunnen zijn. Maar ik denk dat ik de stilste was, degene die het minste terug zou doen. Marshall zat toen bij Ince onder de duim, hield ervan om door hem gecommandeerd te worden. Ik zag een foto van Ince nu, die is niks veranderd. Marshall ziet er wel harder uit, alsof hij een eeltlaag heeft gekweekt.'

'En de derde man?'

'Dat heb ik verteld, dat kan iedereen geweest zijn.'

'Maar die stond al op Shiellion te wachten toen jij arriveerde.'

'Ja.'

'Dus waarschijnlijk eerder een vriend van Ince dan van Marshall.'

'Ze gingen om de beurt.' Roughs handen hielden de rand van de tafel vast. 'Daarna probeerde ik het wel aan mensen te vertellen, maar niemand wou luisteren. Het was: "Dat moet je niet zeggen," "Zulke verhalen moet je niet ophangen." Alsof het allemaal míjn schuld was. Ik had gerotzooid met een buurjongetje, dus nu kreeg ik alleen maar mijn verdiende loon... Erger nog, sommigen dachten dat ik loog, en ik heb nooit gelogen... nooit.' Hij sloot zijn ogen, legde zijn voorhoofd op zijn handen. Hij mompelde iets, misschien was het 'rotzakken'. En begon te huilen.

Rebus wist dat hij meerdere keuzes had. Hij kon het maatschappelijk werk bellen en hen Rough ergens laten onderbrengen. Hij kon hem in een cel stoppen. Of hem ergens afzetten... waar dan ook. Maar toen hij het noodnummer van het maatschappelijk werk belde, werd er niet opgenomen. Die waren naar een melding toe. Het antwoordapparaat zei dat hij het om de tien minuten moest blijven proberen. Dat hij niet in paniek moest raken.

Op het bureau waren lege cellen, maar Rebus wist dat het bekend zou worden en dat Darren Rough door een menigte zou worden opgewacht zodra hij het bureau verliet. Dus stak hij nog een sigaret op en ging terug naar de verhoorkamer.

'Goed,' zei hij terwijl hij de deur opende, 'jij gaat met mij mee.'

'Mooie kamer,' zei Darren Rough. Hij keek om zich heen, bewonderde de sierlijst tegen het plafond. 'Groot,' voegde hij eraan toe, met een knikje. Hij probeerde sociaal te doen, een praatje te maken. Hij vroeg zich af wat Rebus met hem ging doen, hier in zijn eigen huis.

Rebus gaf hem een kop thee en zei dat hij plaats moest nemen. Bood hem nog een sigaret aan, maar ditmaal sloeg Rough het aanbod af. Hij ging op de bank zitten. Rebus wilde zeggen dat hij een van de eettafelstoelen moest nemen. Het was alsof Rough alles kon besmetten wat hij aanraakte.

'Morgenochtend kan je maatschappelijk werker beter iets anders voor je gaan zoeken,' zei Rebus. 'Ver van Edinburgh.'

Rough keek hem aan. Donkere kringen onder zijn ogen, haar dat nodig gewassen moest worden. De groene regenjas lag over de rugleuning van de bank. Hij droeg een geruit colbert op een spijkerbroek, hoge gympen, wit nylon overhemd. Hij zag eruit alsof hij bij een prijsvraag anderhalve minuut gratis winkelen in een uitdragerij had gewonnen.

'In beweging blijven?'

'Een bewegend doelwit is moeilijker te raken,' hield Rebus hem voor.

Rough glimlachte vermoeid. 'Ik zie dat u uw doelwit wel geraakt heeft.'

Rebus strekte zijn vingers weer, om te voorkomen dat ze stijf werden.

Rough nam een slokje thee. 'Hij heeft me echt geslagen, hoor.'

'Wie?'

'Uw vriend.'

'Jim Margolies?'

Rough knikte. 'Hij kreeg zo'n blik in zijn ogen... en ineens vlogen zijn vuisten door de lucht.' Hij schudde zijn hoofd. 'Toen hij zelfmoord had gepleegd, las ik het in de overlijdensberichten. Het was allemaal "voortreffelijke collega" en "liefdevolle vader". Ging netjes naar de kerk.' Een halve glimlach. 'Toen hij op mij inbeukte, was dat zeker een demonstratie van de kracht van het christendom.'

'Pas op wat je zegt.'

'Ja, hij was uw vriend, u heeft met hem gewerkt. Maar ik vraag me af of u hem echt kénde.'

Rebus zei het niet hardop, maar begon het zich ook af te vragen. Oranje lippenstift, om aan te geven dat hij op jonge meisjes viel. Hij had Fern gevraagd hoe jong. Niets illegaals, had ze gezegd.

'Waarom denk je dat hij dood is?' vroeg Rebus.

'Hoe moet ik dat weten?'

'Toen hij met je kwam praten... wat voor indruk maakte hij toen?'

Rough dacht goed na. 'Niet kwaad op mij of zo. Hij wilde gewoon horen over Shiellion. Hoe vaak ze me... nou ja, u weet wel. En wie.' Hij keek naar Rebus. 'Sommige mensen kicken daarop, op zulke verhalen.'

'Denk je dat hij er daarom naar vroeg?'

'Waarom stelt ú al deze vragen, inspecteur? Me eerst verklikken aan de media, en me dan komen redden. Kickt u dáár soms op, met mensen spelen alsof het poppen zijn?'

Rebus dacht aan Cary Oakes en zijn spelletjes. 'Ik denk dat jij iets te maken had met de dood van Jim Margolies,' zei hij. 'Bewust of onbewust.'

Daarna zwegen ze, tot Rough vroeg of hij iets kon eten. Rebus liep naar de keuken, keek naar een van de keukenkastjes en wilde op de deur beuken. Maar daar zouden zijn vingers niet blij mee zijn. Hij keek ernaar. Hij wist wat Oakes had gedaan: hij had ze over de grond van de parkeerplaats geschaafd, misschien tot vuisten gebald en ze zo tegen de stalen afvalcontainer geslagen. Die misselijke etterbak. En Patience vroeg zich af of het een afleidingsmanoeuvre was, een poging om Rebus' aandacht af te leiden van iets anders. Zijn hoofd zat vol afleiding.

Hoe kon hij erop vertrouwen dat Rough hem de waarheid vertelde? Rough leek hem niet iemand die mensen manipuleerde. Was hij te zwak voor. Maar Jim Margolies... had díé een of ander spelletje gespeeld?

En was dat zijn dood geworden?

Rebus opende het keukenkastje, riep dat hij toast met witte bonen kon maken. Rough zei dat dat prima was. Er was geen margarine voor op de toast, maar Rebus dacht dat de tomatensaus het zacht genoeg zou maken. Hij leegde het blik bonen in een pan, legde brood onder de grill en ging de slaapgelegenheid regelen.

Niet zijn eigen kamer; beslist niet in zijn eigen kamer. Hij opende de deur van wat de logeerkamer was geweest en – lang geleden – de kamer van Sammy. Haar eenpersoonsbed stond er nog, posters op de muur, een boekenplank vol vakantieboeken voor meisjes. Een van de laatsten die hier had geslapen was Jack Morton. Er was geen sprake van dat Darren Rough hier ging slapen.

Rebus opende de kast, pakte een oude deken en een kussen en liep ermee naar de woonkamer.

'Je kunt op de bank slapen,' zei hij.

'Mij allemaal best.' Rough stond bij het raam. Rebus liep naar hem toe. Aan de overkant woonden kinderen, maar daar waren de gordijnen dicht, geen gratis peepshow.

'Wat is het hier stil,' zei Rough. 'In Greenfield hoor je altijd wel ergens geruzie. En anders wel een feestje, en de meeste feestjes lopen uit op ruzie.'

'Maar jij bent een brave buurman, zeker?' zei Rebus. 'Stil, op jezelf.'

'Dat probeer ik wel.'

'En als de kinderen lawaai maken? Wil je daar dan niks aan doen?'

Rough sloot zijn ogen, drukte zijn voorhoofd tegen het glas. 'Ik hoef me niet te verantwoorden,' fluisterde hij.

'En ook niet te verontschuldigen?'

Weer een glimlach, de ogen nog gesloten. 'Ik kan me verontschuldigen tot ik blauw zie. Dat verandert niks. Het verandert niet wat ik voel.' Hij opende zijn ogen, draaide zijn hoofd naar Rebus toe. 'Maar daar wilt u niks over horen, hè?'

Rebus staarde naar hem. 'De toast brandt aan,' zei hij, en draaide zich om.

Om vijf uur, toen Rough onder de deken op de bank lag, belde Rebus naar Bill Pryde.

'Sorry dat ik je wakker bel, Bill.'

'Mijn wekker zou toch bijna afgaan. Wat is er?'

'De observatiewagen.'

'Wat is daarmee?'

'Die staat niet bij The Shore.' Hij legde uit waar hij stond.

'Jezus, John. En Oakes dan?'

'Die gaat en staat waar hij wil. Het enige wat wij daar deden was hem amuseren.'

'Vertel dat maar aan de Boer.'

'Zal ik doen.'

'En nu wil je dat ik de auto kom ophalen bij je flat?'

'Ik heb het logboek ingevuld en alles uitgelegd.'

'En de sleutels?'

'Onder de stoel, met het logboek. Ik heb hem niet afgesloten.'

'En jij gaat nu maffen?'

'Zoiets.' Hij keek naar Darren Rough, zag de deken op en neer gaan. Die lag daar nu zo mak als een lammetje. Hij hing op en belde het bureau. Nog steeds geen teken van Billy Horman. Ze hadden overal gezocht en wachtten nu met verder zoeken tot het licht werd. Rebus belde het hotel en vroeg naar de kamer van Cary Oakes: daar werd nog steeds niet opgenomen. Hij ging op zijn bed liggen: een matras op de grond. Hij had overwogen om naar Patience te gaan, maar vond het een akelig idee om Rough hier in zijn eentje achter te laten. Dan ging hij misschien rondneuzen, ook in Sammy's kamer. In laden snuffelen, overal aan zitten. Rebus wilde hem zo snel mogelijk weer de deur uit werken.

Jij hebt hem hier gebracht, leek een stem in zijn hoofd te zeggen. *Jij hebt hem hiertoe gebracht.* Stokken en koevoeten en boze stemmen. De bewoners van Greenfield die een boze meute vormden. Cal Brady met zijn benzine en zijn ontkenningen. Hij werkte voor Charmer Mackenzie, was portier bij Guiser's. Damon Mee was daar vertrokken, met een blondine in een taxi gestapt. Voor het laatst gezien in de buurt van de Clipper, op de avond van een van Ama Petries feesten. Haar vader was rechter in de zaak-Shiellion, waar Darren Rough had moeten getuigen, waar Rebus onder handen was genomen door Richard Cordover. Rechter Petrie... die familie was van Katherine Margolies.

Ama, Hannah, Katherine... Sammy, Patience, Janice... de eindeloze dans van relaties en dwarsverbanden die zoveel ruimte in zijn hoofd innam. Het feest waar geen eind aan kwam, uitnodigingen met een zwarte rand.

Leven en dood in Edinburgh. En dan nog ruimte over voor een paar spoken, een groeiend legertje.

Als ik in Fife was gebleven, dacht hij, niet bij het leger was gegaan... waaraan zou ik nu dan liggen te denken? Wie zou ik dan zijn?

De stem in zijn hoofd weer – was het die van Jack Morton? Zo had het nooit kunnen gaan. Dit was van het begin af aan jouw bestemming. Hij zocht met zijn ogen naar een fles whisky, maar had niets in huis. Sloot zijn ogen toen maar. Om die doffe pijn achter in zijn hoofd te stillen. Alstublieft, Heer, laat mijn slaap droomloos zijn.

Zijn eerste gebed in lange tijd.

Cary Oakes had in Arden Street staan wachten op Rebus' terugkomst, had hem uit de auto zien stappen met een andere man, gezien hoe hij die man mee naar binnen nam. Hij vroeg zich af wie die vreemde was, waar Rebus hem was tegengekomen. Hij had aan de overkant gestaan, in de schaduw van een portiek. Hij had een plastic zak bij zich, een paperback erin als vulsel. Als iemand hem zag, had hij zijn verhaal klaar: nachtdienst, stond te wachten op de collega met wie hij meereed. Die was te laat, zou hij zeggen.

Maar niemand zag hem. Niemand die het gebouw in- of uitging. Hij zag het licht aangaan in Rebus' woonkamer. Zag de vreemdeling naar het raam komen, er zijn hoofd tegen leggen. Zag Rebus erachter staan, naar beneden kijken. Oakes bleef staan, voelde dat hij niet was opgemerkt. Het mooie was: ook al zag Rebus hem wel, dan was dat ook prima. Toen was Rebus naar buiten gekomen, naar zijn auto gelopen om iets te pakken: een of ander boek. Aan zijn loop, zijn manier van bewegen te zien had hij hem niet erg zwaar toegetakeld. Rebus liep met het boek naar boven, kwam er een halfuur later mee naar beneden en legde het terug in de auto. Toen hij weer naar boven was, liep Oakes naar de auto en voelde aan het portier. Niet op slot. Hij stapte in, voelde op de vloer waar Rebus het boek had gelaten. Vond het. Met de autosleutels. Glimlachte. Hij draaide de sleutel in het contact, zette de politieradio aan: easy listening terwijl hij het observatielog doornam. Rebus had er niets in geschreven over Alan Archibald. Interessant.

Vijftig minuten later, toen de voordeur van het gebouw open kletterde, liet hij zich zakken op de stoel, en gleed weer omhoog om te kijken naar de vreemde die de andere kant op liep. Hij zag er vies en sjofel uit. Had Rebus duistere neigingen? Die indruk had Oakes niet. Maar het intrigeerde hem toch. Hij wachtte tot de man de hoek om was, startte de motor en begon hem te volgen...

Om zes uur werd Rebus gewekt door de bel. Hij ging naar de deur, drukte op de intercom.

'Wie is daar?'

'Ik ben het.' Bill Pryde, en hij klonk niet blij.

'Wat is er?'

'Die auto die ik moet ophalen, waar heb je die precies verstopt?'

'Wacht even.'

Rebus liep naar de woonkamer, keek naar de bank. De deken was netjes opgevouwen; Darren Rough nergens te bekennen. Hij keek uit het raam. Een lege plek waar de auto had gestaan. Hij vloekte binnensmonds. Trok zijn schoenen aan en liep naar beneden.

'Ik denk dat iemand ermee vandoor is,' zei hij.

'Ik heb hier niets mee te maken, John.' Pryde die de dagen tot zijn pensioen aftelde.

'Weet ik,' zei Rebus. Hij had geen zin om te zeggen dat hij misschien wist wie het gedaan had: Darren Rough.

Pryde wees naar Rebus' handen. 'Ze hebben het er al over dat je een knokpartij verloren hebt. Hoe ziet Oakes eruit?'

'Zo is het niet gegaan,' zei Rebus.

'Je bent bewusteloos aangetroffen in een vuilcontainer, heb ik gehoord.'

Rebus staarde hem aan. 'Wil je lopend naar je werk, Bill?'

Pryde schudde zijn hoofd. 'Ik wil op de eerste rang zitten bij het topgevecht: als jij de Boer vertelt hoe je de auto bent kwijtgeraakt.'

Rebus keek de straat af. 'Dan kan ik maar beter een hoefijzer in mijn handschoen stoppen,' zei hij, en liep weer naar binnen.

25

Rebus reed met Pryde in zijn Saab naar het bureau en meldde de diefstal, tot vermaak van de dagploeg die net was begonnen. Om kwart voor negen zat hij op de kamer van de Boer om alles nog eens uit te leggen, inclusief de verwondingen aan zijn hand. De Boer was bezig met zijn koffiezetapparaat terwijl Rebus zijn verhaal deed. Het was een espressoapparaat met een buisje om melk op te stomen. Hij had Rebus geen koffie aangeboden. Toen Rebus was uitgepraat, schonk de Boer de schuimende melk in zijn kop, zette het apparaat uit en ging achter zijn bureau zitten. Met de kop in twee handen keek hij Rebus aan.

'Ik dacht altijd dat observeren tamelijk eenvoudig was. Je hebt me weer eens uit de droom geholpen.'

'Het was ook allemaal verspilde energie, commissaris.'

'Plus een vermiste auto.'

Rebus sloeg zijn ogen neer.

'Eens kijken hoe we ervoor staan,' vervolgde de Boer, en hij nam nog een slokje koffie. 'Ik zeg dat je Darren Rough met rust moet laten. Jij gaat achter hem aan. Ik zeg dat je een vent in de gaten moet houden die volgens de deskundigen weer een moord kan plegen. Jij wordt bewusteloos gevonden in een afvalcontainer.' De Boer verhief zijn stem. 'Je vindt Darren Rough en neemt hem mee naar huis. Hij gaat ervandoor, met een van onze auto's plus het logboek. Is dat het zo'n beetje?' Hij was rood aangelopen van woede.

'Helder en beknopt, commissaris.'

'Waag het niet om erom te lachen!' De Boer sloeg met zijn hand op zijn bureau.

'Dat doe ik bepaald niet, commissaris.' Rebus knarsetandde. 'Maar ik dacht dat ik er goed aan deed.'

'Nee, inspecteur. Zoals altijd trok jij weer gewoon je eigen plan, en wij konden verder stikken. Is dat niet een betere omschrijving?'

'Met alle respect, commissaris –'

'Ach hou toch op. Jij hebt geen respect voor mij, of voor het werk dat je hier behoort te doen!'

'Misschien heeft u gelijk, commissaris,' zei Rebus zacht. Zijn hoofd begon weer te bonzen.

De Boer keek hem aan, leunde achterover in zijn stoel en nam nog een slok koffie. 'En wat gaan we daaraan doen?'

'Ik zou het niet weten, commissaris. U heeft gelijk: ik twijfel al maanden aan de zin van mijn werk. Sinds Jack Morton...'

'Misschien zelfs daarvoor al?' Hij klonk nu kalmer.

'Misschien. Ik heb meer dan eens overwogen om het bijltje erbij neer te gooien.' Hij keek zijn chef aan. 'Om het u gemakkelijker te maken.'

'Maar dat heb je niet gedaan.'

'Nee.'

'Moet een reden voor zijn.'

'Misschien geloof ik er diep in mijn hart toch nog in. En gek genoeg wordt dat geloof sterker.'

'O?'

Alan Archibald; Darren Rough. Hij had de Boer niets over Archibald verteld, dat leek hem niet zinvol.

'Ik zat ernaast wat Rough betreft, dat geef ik toe. Althans... ik weet eerlijk gezegd niet of ik ernaast zat. Maar ik weet nu waarom hij in Edinburgh is. Ik weet wat meer over zijn verleden.'

'Wat wil je daarmee zeggen?' De Boer kneep zijn ogen half dicht. 'Dat je hem nu begrijpt, is dat het?' Een glimlach die niet gespeend was van leedvermaak. 'Medelijden? Van jóú, John? Ik wist niet dat mammoeten ook nog kunnen evolueren.'

'Anders sterven we uit,' zei Rebus, en hij drukte zijn handen tegen zijn knieën. Hoe kon hij het uitleggen, de inzichten die zich vormden: dat het verleden het heden bepaalt, dat de vrije wil een illusie is, dat een macht die we het lot of God kunnen noemen bepaalt welke wegen we bewandelen? Janice die hem een mep gaf... de jonge Darren Rough in de auto onderweg naar Shiellion... Alan Archibald en zijn nichtje. Alles leek op een vreemde en ingewikkelde manier met elkaar verbonden.

'U wilt natuurlijk een volledig verslag,' zei Rebus, en hij ging rechtop zitten.

De Boer knikte. 'Ik wilde toch al stoppen met dat observeren.' Hij zette zijn kop neer. 'Denk je dat Cary Oakes gevaarlijk is?'

'Absoluut. Maar ik denk ook dat hij is veranderd.'

'In welk opzicht?'

'Die moorden in Amerika waren geen vooropgezet plan. Ze waren niet goed doordacht, en ze lijken altijd gepleegd te zijn met een ander doel.'

'Leg uit.'

'Hij pleegde moorden omdat hij dingen nodig had: geld, een auto, wat dan ook. Maar op den duur denk ik dat hij het echt fijn begon te vinden. Toen werd hij gepakt. En hij heeft al die jaren in de cel gezeten met de herinnering aan die kick.'

'Zodat hij nu kan gaan moorden alleen om die kick te krijgen?'

'Ik weet het niet precies. Ik denk dat hij wel een plan heeft, iets wat te maken heeft met Edinburgh.' En Alan Archibald, had hij eraan kunnen toevoegen. 'Ik denk dat er bij hem van alles gaat tintelen, al zit hij het alleen nog maar te beramen.'

'Misschien blijft hij het wel eindeloos uitstellen.'

Rebus glimlachte. 'Dat denk ik niet. Dit is voor hem allemaal voorspel.'

De Boer leek zich ongemakkelijk te voelen bij dat beeld en opgelucht toen zijn telefoon ging. Hij nam op en luisterde.

'Goed,' zei hij uiteindelijk. 'Ik zal het zeggen.'

Hij legde de hoorn erop, keek naar Rebus. 'De auto is gevonden.'

'Geweldig.'

'Staat ook op een handige plek.'

Rebus vroeg wat de Boer bedoelde. Van het antwoord sloeg hij steil achterover.

Er stonden al een paar agenten in uniform toen Rebus, de Boer en Bill Pryde bij The Shore kwamen. De Rover stond op zijn vaste plaats tegenover het hotel.

'Niet te geloven,' zei Rebus voor de vijfde of zesde keer.

'Zeker weten dat dit geen flauwe grap van jou is?' vroeg Bill Pryde.

De Boer wierp een blik in de auto. 'Waar is het logboek?'

'Dat lag onder de stoel.'

De Boer voelde met zijn hand, haalde het logboek en de autosleutels onder de stoel vandaan.

'Heb je tegen Rough iets over de observatieactie gezegd?' vroeg hij. Rebus schudde zijn hoofd. 'Dus we kunnen ervan uitgaan dat de auto níét gestolen is door Rough?' Rebus haalde zijn schouders op.

'Maar zo te zien wel door iemand die wist waar wij mee bezig waren,' zei Bill Pryde.

'Of die dat heeft gelezen in het logboek,' zei Rebus. 'Iedereen die de sleutels vond, zou dat ook hebben gevonden.'

'Dat is waar,' gaf Pryde toe.

'Zodat Rough het toch gedaan kan hebben,' zei de Boer. 'Het punt is in ieder geval dat degene die de auto heeft gestolen, ook het log heeft gelezen.'

'Gênante situatie, commissaris,' zei Pryde.

'Als Fettes er lucht van krijgt, wordt het meer dan alleen gênant.'

'Wie gaat het ze vertellen?'

De Boer had door het boek staan bladeren en was aangekomen bij de laatste aantekening – of wat de laatste had moeten zijn. Hij hield het boek wijd open en draaide het zo dat Rebus en Pryde het konden zien.

'Wat is dat?'

Rebus keek. Grote hoofdletters, geschreven met rode viltstift. Iemand had een naschrift geschreven bij Rebus' opmerkingen:

FOEI FOEI, WAAR IS MENEER ARCHIBALD????

De Boer staarde hem aan.

'Wie is meneer Archibald?'

Pryde haalde zijn schouders op. 'Geen flauw idee.'

Maar de Boer had alleen oog voor Rebus.

'Wie is meneer Archibald?' herhaalde hij, rood aanlopend. Rebus zei niets, stak de straat over en keek door de grote ramen van het restaurant. Er werden late ontbijten opgediend aan tafels die half schuilgingen achter planten in potten op de grond en hangend aan het plafond. Maar daar, aan een tafel bij het raam, zat Cary Oakes van de voorstelling te genieten. Hij zwaaide met een vork naar Rebus, en met een stralende grijns pakte hij een glas sinaasappelsap en maakte een toostend gebaar. Rebus liep naar de ingang, duwde de deur open, beende naar binnen. Uit het restaurant kwamen etensgeuren. Een kelner vroeg of hij een tafel voor één wilde. Rebus liep hem straal voorbij, naar de tafel waar Cary Oakes zat.

'Komt u ook een vorkje prikken, inspecteur?'

'In jou misschien.' Rebus duwde zijn knokkels in zijn gezicht. 'Herinner je je deze nog?'

'Dat ziet er lelijk uit,' zei Oakes. 'Daar zou ik even een arts naar laten kijken. U boft dat u er al een kent.'

'Je weet waar ik woon,' snauwde Rebus. 'Dat heb je van Jim Stevens.'

'O ja?' Oakes begon een worst in stukjes te snijden. Rebus zag dat hij hem eerst in de lengte had doorgesneden, als om hem te ontleden.

'Jij hebt de auto gejat.'

'Beetje vroeg in de ochtend voor raadseltjes.' Oakes bracht de vork naar zijn mond. Rebus' hand schoot uit, vork en worst vlogen over tafel. Hij trok Cary Oakes overeind.

'Wat ben je godverdomme van plan?'

'Moet ik niet zeggen?' grijnsde Oakes. Een plotse lichtflits. Rebus draaide zijn hoofd om. Jim Stevens stond achter hem. Naast hem een fotograaf.

'En als jullie elkaar dan nu,' zei Stevens, 'een hand kunnen geven voor de tweede foto.' Hij gaf Rebus een knipoog. 'Ik had toch gezegd dat ik wat plaatjes wou schieten.'

Rebus liet Oakes los, vloog de journalist aan.

'Inspecteur!'

De stem van de Boer. Hij stond in de deuropening van de eetzaal, de woede spatte van zijn gezicht. 'Kan ik u buiten even spreken, alstublieft.' Een stem die geen tegenspraak duldde. Rebus wierp Jim Stevens een blik toe om te laten weten dat hiermee de kous niet af was. Beende toen de eetzaal uit, naar de receptie. De Boer kwam achter hem aan.

'Ik wacht nog steeds op antwoord. Wie is Archibald?'

'Een man met een missie,' zei Rebus. In gedachten zag hij de grijns op Oakes' gezicht nog voor zich. 'Het probleem is: hij is niet de enige.'

Rebus zat de hele verdere ochtend 'in bespreking' met de Boer. Kort voor twaalf uur voegde Archibald zich erbij; de Boer had een surveillancewagen naar Corstorphine gestuurd om hem op te halen. De twee kenden elkaar van vroeger.

'Ik dacht dat jij allang je gouden horloge zou hebben,' zei Archibald terwijl hij de Boer een hand gaf. Maar die liet zich niet paaien.

'Ga zitten, Alan. Voor een gepensioneerd rechercheur ben je nog druk bezig.'

Archibald keek naar Rebus, die de jaloezieën zat te bestuderen.

'Ik ga hem pakken, dat is alles.'

'O, is dat alles?' De Boer veinsde verbazing. 'John zegt dat je de dossiers over Cary Oakes hebt ingezien. Dat je zelfs meer informatie over hem hebt dan wij. Dus je weet ook met wie je te maken hebt.'

'Ik weet met wát ik te maken heb.'

De blik van de Boer ging van Archibald naar Rebus en weer terug. 'Het is al erg genoeg dat ik met dat daar zit opgescheept,' zei hij, met een knikje in Rebus' richting. 'Het laatste wat ik nodig heb is nog een hoofdpijndossier erbij van iemand die eigen rechter wil spelen. Als je denkt dat Oakes je nichtje heeft vermoord, laat me je bewijzen dan eens zien.'

'Kom nou, man...'
'Laat me het bewijs zien!'
'Dat zou ik doen als ik kon.'
'Zou je dat echt, Alan?' De Boer zweeg even. 'Of zou je het liever zelf uitvechten, tot het bittere einde?' Hij wendde zich tot Rebus. 'En jij, John? Wou jij hem helpen om het lijk te begraven?'
'Als ik hem had willen vermoorden,' zei Archibald, 'lag ie nu al onder de grond.'
'Maar als hij het nou bekent, Alan? Als je met zijn tweeën bent, zonder getuige?' de Boer schudde zijn hoofd. 'Niet genoeg om hem mee aan te klagen, dus wat doe je dan?'
'Dat zou genoeg zijn,' zei Archibald zacht.
'Waarvoor?'
'Voor mij. Voor Deirdres nagedachtenis.'
De Boer wachtte, keek weer naar Rebus. 'Geloof jij dat? Denk jij dat Alan de biecht van Oakes zou aanhoren en daarna gewoon zou wegwandelen?'
'Ik ken hem niet goed genoeg om daar iets over te zeggen.' Rebus leek nog steeds gebiologeerd door de jaloezieën.
'De één nog gekker dan de ander,' zei de Boer. Rebus keek naar Archibald, die naar hem keek. Er werd op de deur geklopt. 'Binnen!' blafte de Boer. Het was Siobhan Clarke.
'Kom je een goed woordje voor ze doen?' vroeg de Boer.
'Nee, commissaris.' Ze kwam de kamer liever niet in, stak slechts haar hoofd om de deur.
'Nou?'
'Verdacht sterfgeval, commissaris. Op de Salisbury Crags.'
'Hoe verdacht?'
'Heel verdacht, volgens de eerste berichten.'
De Boer kneep in de brug van zijn neus. 'Dit is weer zo'n week die een maand lijkt te duren.'
'Punt is, commissaris, op basis van het signalement denk ik dat we weten wie het is.'
Hij keek haar aan, bespeurde een zekere toon in haar stem. 'Iemand die we kennen?'
Clarke keek naar Rebus. 'Dat denk ik wel, commissaris.'
'We spelen geen gezelschapsspelletje, agent.'
Ze kuchte. 'Ik denk dat het wel eens om Darren Rough kan gaan.'

26

'Wat mij betreft kun je beginnen.'

De kamer van Jim Stevens begon er rommelig en bewoond uit te zien, precies zoals hij het graag had. Maar ze zaten niet in de kamer van Stevens, ze zaten in de kamer van Oakes en die zag eruit alsof zijn bewoner er geen minuut in had verbleven. Bij het raam stonden twee stoelen en een rond tafeltje. Het luciferboekje van het hotel stond nog keurig dichtgevouwen in de asbak. Twee tijdschriften die interessant konden zijn voor een bezoek aan de stad lagen ernaast, en daarbovenop de kaart waarop de gast zijn suggesties kon doen. Die was nog niet ingevuld of zelfs maar bekeken.

De meeste mensen, dacht Stevens, zelfs mensen die een derde van hun leven hadden doorgebracht in een gevangenis in een vreemd land, zouden doen wat hij zelf had gedaan: de kamer verkennen, alles uitproberen en overal aan zitten, elk kruimeltje leesvoer doorbladeren. Iedereen behalve Cary Oakes, die nu zijn keel schraapte.

'Ben je niet benieuwd wat Rebus kwam doen?'

Stevens keek hem aan. 'Ik wil dit gewoon afmaken.'

'De fut is er een beetje uit bij jou, hè Jim?'

'Dat effect heb jij op mensen.'

'Nog iemand van mijn oude jeugdbende opgespoord?' Oakes lachte toen hij Stevens' gezicht zag. 'Dacht ik wel. Is vast niks meer van over.'

'Waar we de vorige keer gebleven waren,' zei Stevens koeltjes, en hij keek of de spoelen van de cassetterecorder draaiden, 'was bij jouw reis door Amerika.'

Oakes knikte. 'Ik kwam in een plaatsje met de naam, geloof het of niet, Opportunity. Een mottig klein truckerscafé op de grens van Washington en Idaho. Daar leerde ik een trucker kennen, Fat Boy. Zijn echte naam heb ik nooit geweten, volgens mij was zijn identiteitskaart ook vervalst.'

'Welke naam stond daarop?'

Oakes negeerde die vraag. 'Fat Boy dacht dat de overheid het op hem gemunt had, hij zei dat hij zijn huis vol stopte met boobytraps als hij een lange rit maakte. Hij zei dat je als trucker veel zag van de wereld – en daarmee bedoelde hij Amerika, groter was zijn wereld niet –, dat je veel zag achter het stuur van je truck. Hij wist zeker dat een trucker een goede president zou zijn.

Oké, dat was dus Fat Boy. Die leerde ik daar kennen. Opportunity. Washington. In Amerika heb je veel van zulke plaatsnamen. Ook veel Fat Boys. Het gesprek kwam op moord. De radio stond aan, en op praktisch elke zender waren er nieuwsberichten over "misdadigers" die waren "berecht wegens moord". En dat vond hij maar niks. Je had "goede" en "foute" moorden, en om welke van de twee het ging moest je als persoon zelf uitmaken, dat konden de wetgevers niet bepalen.'

'En wat voor moorden heb jij gepleegd?'

Oakes werd niet graag in de rede gevallen. 'Ik heb het over Fat Boy, niet over mij.'

'Hoe lang ben je met hem meegereden?' Stevens probeerde de volgorde van de gebeurtenissen op een rij te krijgen.

'Dag of drie, vier. We reden naar het zuiden om iets te bezorgen, en daarna terug naar het noorden over de I-90.'

'Wat vervoerde hij?'

'Elektronica. Hij werkte voor General Electric. Daarvoor reed hij heel het land door. Hij zei dat dat goed uitkwam voor zijn hobby. Zijn hobby was mensen vermoorden.' Oakes keek Stevens aan. 'Zo wou hij me bang maken, door dat tussen neus en lippen door te zeggen terwijl we met 90 kilometer per uur over de snelweg reden. Als het gelukt was, was dat misschien ook einde verhaal geweest: dan had hij me gevild. Maar ik keek hem gewoon aan en zei dat ik dat interessant vond.' Hij lachte. 'Lekker onderkoeld, nietwaar? Iemand zegt dat hij een seriemoordenaar is, en jij zegt: "Goh, interessant."'

'Maar geloofde je hem?'

'Na een tijdje wel, ja. En ik dacht: na alles wat hij me verteld heeft, laat hij me echt niet meer gaan. Elke keer als we stopten, dacht ik dat hij me van kant wou maken.'

'Je zette je schrap?' Stevens staarde naar Oakes, probeerde in te schatten wat hiervan waar was. Sloeg het op een of andere manier ook nog op de relatie tussen Oakes en hemzelf?

'Weet je wat het vreemde is? Ik liet het gewoon over me heen komen. Zo van: als hij me wil vermoorden, oké, het zij zo. Alsof het me niets kon schelen: als ik doodging, zou het een soort van rechtvaardigheid zijn geweest of zo.'

'Heeft hij iemand vermoord terwijl jij met hem meereed?'
'Nee.'
'Maar je raakte er wel van overtuigd dat hij niet loog?'
'Denk jij dat hij loog, Jim?'
'Toen ze jou oppakten, heb je de politie toen over hem ingelicht?'
'Waarom zou ik dat in godsnaam doen?'
'Misschien om wat krediet op te bouwen.'
'Ik heb er eerlijk gezegd geen moment aan gedacht.'
'Maar hij zette je aan het denken over moorden?'
'Hij wist waar hij het over had. Ik bedoel, je merkt het toch meteen als iemand iets uit zijn duim zuigt?' Oakes keek hem stralend aan. 'Kan de wereld echt zo zijn? vroeg ik mezelf af terwijl ik naar hem luisterde. En het antwoord was: ja, natuurlijk. Waarom zou de wereld niet zo zijn?'
'Je wilt dus zeggen dat je door Fat Boy het gevoel kreeg dat het oké was om een moord te plegen?'
'Wil ik dat zeggen?'
'Wat wil je dan wel zeggen?'
'Ik vertel gewoon mijn verhaal, Jim. Je moet zelf weten wat je eruit opmaakt.'
'En in de gevangenis dan, Cary? Al die tijd in je eentje, alleen met je gedachten...'
'Jim, jij hebt nooit tijd voor jezelf. Jij zit altijd tussen het lawaai, afleiding, alledaagse bezigheden. Als jij eens rustig gaat zitten om over de dingen na te denken, sturen ze je naar de psychiater.' Oakes nam het laatste slokje sinaasappelsap. 'Maar ik snap wel wat je bedoelt.' Hij bekeek zijn lege glas. 'Wil het achtergrondonderzoek trouwens een beetje vlotten? Al iemand in Walla Walla gesproken?' Hij draaide het lege glas in zijn hand rond. 'Zonder sap en ijsklontjes is dit een dodelijk wapen.' Hij deed alsof hij het glas kapotsloeg op de rand van de hand rond, en stootte toen een lach uit die Jim Stevens de stuipen op het lijf joeg.

Terwijl hij de Salisbury Crags weer op liep, had Rebus zijn handen in zijn zak en hield hij zijn gedachten voor zich. Hij wist wat de Boer dacht. Die ochtend was Darren Rough in Rebus' flat geweest. Voor zover ze wisten was Rebus de laatste die hem in leven had gezien.
En Rebus was zijn kwelgeest geweest, zijn inquisiteur. De Boer zou hem daarom niet gaan verdenken, maar anderen misschien wel: Jane Barbour; de maatschappelijk werker van Rough.
Radical Road was een rotsachtig voetpad dat om de Crags heen liep. Je kon zo van de studentenflats bij Pollock Halls helemaal naar

Holyrood lopen. Onderweg had je een mooi uitzicht op de skyline van de stad, van het zuiden en westen tot het centrum en nog verder. Een en al torenspitsen en kantelen. Manfred Mann: 'Cubist Town'. Met Greenfield praktisch aan je voeten.

'Je had hem hier toch opgepikt?' vroeg de Boer onder het lopen.

Rebus schudde zijn hoofd. 'St. Margaret's Loch.' Dat lag aan de andere kant van de rotsen, aan de voet van een onmogelijk steile helling. 'Maar er is wel iets anders,' zei hij. 'Jim Margolies is daar gesprongen.' En hij wees naar boven, waar de rotswand afvlakte tot een soort plateau. Mensen die er hun hond uitlieten zorgden dat ze niet te dicht bij de rand kwamen. In Edinburgh had je akelige, onverwachte windvlagen die je zo van de rotsen konden blazen.

De Boer ademde zwaar. 'Zie jij nog steeds verband tussen Rough en Jim Margolies?'

'Nu meer dan ooit.'

Het lijk lag iets verder langs het pad, afgezet met linten. Een paar wandelaars stonden daar, ineengedoken tegen de wind, te kijken of ze wat konden zien. Rond het lijk was een soort windscherm van wit plastic geplaatst, zodat het alleen nog zichtbaar was voor officiële kijkers. Een vrouw met een zwarte springerspaniël werd ondervraagd: zij had hem gevonden. Terwijl ze de hond uitliet, een dagelijks ritueel waar ze allebei naar hadden uitgekeken. Vanaf vandaag zou ze wel een andere route nemen, ver van de Salisbury Crags.

'Moeilijk te geloven dat ze hier ons parlement gaan bouwen,' zei de Boer, met een blik op Holyrood Road. 'Zo afgelegen. Wordt een nachtmerrie met het verkeer.'

'En het valt onder ons bureau.'

'Dat is goddank mijn probleem niet meer.' De Boer haalde zijn neus op. 'Tegen die tijd heb ik een gouden horloge aan mijn ene en een golfhandschoen aan de andere hand.'

Ze liepen door de afzetting. De technische recherche was al aan het werk, bezig om de plaats delict te 'zekeren' en te zorgen dat er geen sporen werden 'vervuild'. Daarom moesten Rebus en de Boer een witte overall en overschoenen aantrekken, opdat ze zelf geen sporen achterlieten.

'De wind heeft hier vast alle sporen al weggeblazen,' zei Rebus. Maar zijn gemopper was halfhartig: hij wist wat het werk van de technische recherche waard was, wist dat wetenschap en laboratorium zijn vrienden waren. Een schouwarts had het slachtoffer dood verklaard. Dr. Curt was hun vaste patholoog, maar die zat in Miami om een lezing te houden op een conferentie. Zijn chef, professor Gates, nam de honneurs waar, en onderzocht het lijk ter plekke. Een lange man met een dikke bos bruin, achterovergekamd haar. Hij had een dictafoon in zijn hand waarop hij zijn bevindingen insprak. Het was dringen rond het lijk: een fotograaf en een man met een videocamera wilden ook alles vastleggen.

Brigadier George Silvers kwam aangelopen. Hij begroette zijn commissaris met een knikje, maar breidde het uit tot wat bijna een ceremoniële buiging was. Typisch Silvers, die op het bureau 'Hi-Ho' Silvers werd genoemd. Hij was achter in de dertig, altijd piekfijn gekleed en verzorgd, altijd hongerig naar kansen om te promoveren zonder zich al te hard te moeten inspannen. Met zijn zwarte haar en diepliggende ogen had hij wel wat weg van voetbaldeskundige Alan Hansen.

'We denken het moordwapen gevonden te hebben, commissaris. Een steen waar bloed en haar op zitten.' Hij wees naar een eindje verder op het pad. 'Een meter of veertig verderop.'

'Wie heeft dat gevonden?'

'Een hond, commissaris.' Hij trok zenuwachtig met zijn oog. 'Had het meeste bloed er al afgelikt voordat wij er waren.'

Professor Gates keek op van zijn werk. 'Dus als het lab straks belt,' zei hij, 'dat het slachtoffer een mooie glanzende vacht had, weet je waar het aan ligt.'

Hij lachte, en Rebus lachte mee. Zo ging dat op de plaats delict, iedereen deed alsof zijn neus bloedde, alsof de situatie volkomen normaal was, metselde een muur tussen zichzelf en het schreeuwende feit dat de hele situatie gierend abnormaal was.

'Ik begrijp dat u hem misschien kunt identificeren,' zei Gates. Rebus knikte, haalde diep adem en deed een stap naar voren. Het lichaam lag waar het was neergekomen, de achterkant van de schedel opengebarsten en vol geronnen bloed. Het gezicht lag op het rotsachtige pad, één been met gebogen knie, het andere recht. Eén arm lag onder het lichaam, de andere strekte zich uit om in de koude aarde te klauwen. Rebus zag het al aan de kleren, maar hurkte om te kijken naar wat er van het gezicht te zien was. Gates tilde het een stukje op om hem te helpen. Het licht in de ogen was gedoofd; de baard van drie dagen zou de begrafenisondernemer eraf moeten scheren. Rebus knikte.

'Darren Rough,' zei hij, met een prop in zijn keel.

Ze waren even gestopt met het interview en Jim Stevens zat naakt op de rand van zijn bed, vloer en bed bezaaid met kledingstukken, twee lege miniflesjes whisky op zijn nachtkastje. Het lege glas had hij in zijn hand, en daar staarde hij naar, hij staarde erdoorheen, naar dingen die de wereld niet kon zien...

DEEL TWEE

Gevonden

Ik [richt mij tot allen die enigermate beseffen wat nobelheid van gevoelens betekent en ik] nodig hen uit zich aan de plichten en taken van hun ambt op aarde beter te wijden, omdat dat ons allen al vaag voor de geest staat en wij nauwelijks...

27

Rough had op een bepaald punt een schoen verloren, ergens halverwege tussen de plek waar zijn lichaam was blijven liggen en waar de steen was gevonden. Een eerste theorie: iemand had hard op hem ingeslagen. Hij was gestruikeld, doorgestrompeld om zijn aanvaller te ontlopen. Zijn schoen was losgeraakt en achtergelaten. Uiteindelijk was hij op de grond gevallen en daar gestorven aan de klappen die hij had opgelopen. De aanvaller was door een blaffende hond op de vlucht gejaagd.

Andere theorie: Rough was direct aan de klappen gestorven. Zijn aanvaller had hem toen over het pad gesleept, waarbij de schoen was losgeraakt. Misschien had hij de boel zo willen ensceneren dat het zou lijken alsof Rough van de Crags was gesprongen of gevallen. Maar de vrouw met de hond was langsgekomen en de aanvaller had zich uit de voeten gemaakt.

'Wat deed hij eigenlijk daarboven?' vroeg iemand op het bureau.

'Ik denk dat hij daar graag kwam,' zei Rebus. Op St. Leonard was hij nu de officiële deskundige inzake Darren Rough. 'Het was een soort schuilplaats, ergens waar hij zich veilig voelde. En hij kon er omlaag kijken naar Greenfield, zien wat er gaande was.'

'Dus hij is door iemand gevolgd? Die hem heeft beslopen?'

'Of die hem er mee naartoe heeft genomen.'

'Waarom?'

'Om het er als zelfmoord uit te laten zien. Misschien had die ander in de krant over Jim Margolies gelezen.'

'Is denkbaar...'

Gedachten genoeg, theorieën genoeg. Een andere gedachte: opgeruimd staat netjes. Een week geleden zou Rebus er ook zo over hebben gedacht.

Het onderzoekscentrum werd in gereedheid gebracht, computers werden vanuit andere delen van het bureau naar de daarvoor bestemde zaal gesjouwd. De Boer had hoofdinspecteur Gill Templer de leiding gegeven. Rebus had een tijdlang een verhouding met haar gehad, alweer zo lang geleden dat het in een vorig leven had kunnen zijn. Ze droeg een boblijnkapsel met donkere lokken. Haar ogen waren smaragdgroen. Ze bewoog zich zelfverzekerd door de ruimte en overzag de voorbereidingen.

'Succes,' zei Rebus.

'Ik wil jou ook in het team hebben,' zei ze.

Rebus begreep het wel, dacht hij. Ze stelde de wagens op in een kring en ze had hem liever binnen de kring, in de verdediging, dan erbuiten in de aanval.

'En ik wil een rapport op m'n bureau: alles wat je me kunt vertellen over jou en het slachtoffer.'

Rebus knikte en ging op een van de computers aan het werk. *Alles wat je me kunt vertellen*. De formulering beviel hem wel, ze gaf hem een ontsnappingsclausule: niet per se alles wat hij wist, maar alles wat hij kwijt wilde. Hij keek naar de andere kant van het lokaal, waar Siobhan Clarke een dienstrooster aan de muur aan het invullen was. Ze zag hem en maakte met haar handen een T-teken. Hij knikte en vijf minuten later was ze terug met twee bekers gloeiend hete thee.

'Alsjeblieft.'

'Bedankt,' zei hij. Ze keek over zijn schouder naar het scherm.

'De hele waarheid?' vroeg ze.

'Wat denk jij?'

Ze blies in haar beker. 'Enig idee wie hem dood zou willen hebben?'

'Ik kan er niet veel opnoemen die dat niet zouden willen. Half Greenfield alleen al, om te beginnen.' En Cal Brady met name, gezien zijn eerdere veroordelingen, en zijn moeder, niet te vergeten...

'Iemand wegjagen of iemand vermoorden, dat is nogal een verschil.'

'Ja, maar zoiets kan escaleren. Misschien was Billy Horman net de druppel.'

Ze leunde tegen de hoek van het bureau. 'Met een steen op zijn hoofd geslagen... klinkt niet als voorbedachten rade, vind je wel?'

Met een steen... Deirdre, het nichtje van Alan Archibald, was net zo vermoord: haar hoofd met een steen ingeslagen en toen gewurgd. Clarke kon zijn gedachten lezen.

'Cary Oakes?'

'Hebben we al een tijdstip van overlijden?' vroeg Rebus en hij reikte naar een telefoon.

'Niet dat ik weet. Stoffelijk overschot is om halftwaalf gevonden.'

'En wij veronderstellen dat de dader iemand hoorde komen en ervandoor is gegaan.' Rebus had de toetsen ingedrukt en wachtte. Kreeg verbinding. 'Goeiendag, mag ik James Stevens van u, alstublieft?'

Clarke keek hem aan. Hij legde zijn hand over het mondstuk. 'Ik wil weten wat er na het ontbijt is gebeurd.' Hij luisterde weer, en haalde zijn hand weg. 'Kunt u de kamer van Cary Oakes voor me proberen?' Schudde met zijn hoofd om Siobhan te laten weten dat Stevens niet in zijn eigen kamer was. Nu werd er opgenomen.

'Oakes, ben jij dat? Met Rebus, mag ik Stevens even?' Hij wachtte. 'Eén vraag: wat is er na het ontbijt gebeurd?' Luisterde weer. 'Ben je al die tijd bij hem geweest? Je bent er al heel de ochtend?' Luisterde. 'Nee, het is goed. Je komt er gauw genoeg achter.'

Hij legde de hoorn op de haak.

'Ze zijn de hele ochtend al aan het werk.'

'Kan het Oakes dus niet geweest zijn.' Ze keek naar de monitor. 'Wat voor motief zou hij trouwens moeten hebben?'

'Mag Joost weten. Maar hij was bij mijn flat. Hij heeft de surveillancewagen meegenomen. Misschien heeft hij Rough zien weggaan en bedacht dat hij iets met mij te maken had.'

'Kun je dat bewijzen?'

'Nee.'

'Dus dan hoeft ie het alleen maar te ontkennen.'

Rebus ademde luidruchtig uit. 'Met hem zijn het allemaal spelletjes.'

Vanaf de andere kant van het lokaal staarde Gill Templer naar hen.

'Ik ga maar weer eens aan het werk,' zei Clarke, en ze nam haar thee mee. Rebus maakte zijn rapport af, printte het en overhandigde het persoonlijk aan Gill Templer.

'Wanneer is de lijkschouwing?'

Ze keek op haar horloge. 'Ik wou er net heen gaan.'

'Zoek je een chauffeur?'

Ze nam hem op. 'Rij je tegenwoordig een beetje fatsoenlijk?'

'Dat oordeel laat ik aan u over, mevrouw.'

Het mortuarium van de stad was niet in gebruik. De nieuwe wet op de arbeidsomstandigheden maakte een grondige verbouwing noodzakelijk. In de tussentijd vonden de lijkschouwingen plaats in het Western General Hospital. Familieleden of vrienden waren niet te vinden, dus was Andy Davies opgeroepen om Rebus' identificatie te bevestigen. De maatschappelijk werker zat te wachten toen Rebus en Gill Templer aankwamen. Hij identificeerde het stoffelijk overschot en zei niets tegen Rebus maar wierp hem een kille blik toe voor hij vertrok.

'Kwaad bloed?' vroeg Templer.
'Beter dan geen, Gill.'
Tegen de tijd dat ze hun jassen aan en maskers om hadden was professor Gates al aan het werk. Voor de officiële identificatie was Roughs lijk gehuld geweest in een lijkwade. Nu lag hij daar naakt op de roestvrijstalen tafel. Zijn ribben staken uit, zag Rebus. Hij dacht aan het maaltje dat hij voor Rough had gemaakt. Met tegenzin. Toast met witte bonen. Waarschijnlijk 's mans laatste maaltijd. Die Gates uiteindelijk weer aan de wereld zou onthullen. Rebus keek half weg.
'Zeeziek, inspecteur?' vroeg Gates.
'Zolang we nog uit het ruim blijven, zal het wel gaan.'
Gates giechelde. 'Maar benedendeks vind je de interessantste dingen.' Hij was met een meetlat in de weer en gaf mompelend zijn bevindingen door aan zijn assistent, een jongeman met de gelaatskleur van een kankerpatiënt.
'En hoe is het met jou, Gill?' vroeg Gates uiteindelijk.
'Overwerkt.'
Gates keek op. 'Lekkere jonge meid als jij zou thuis moeten zijn, sterke gezonde blagen grootbrengen.'
'Bedankt voor het compliment.'
Gates giechelde weer. 'Zeg me niet dat je kandidaten te kort komt.'
Ze verkoos de opmerking te negeren.
'En jij, John?' ging Gates door. 'Beetje tevreden over je liefdesleven? Misschien moet ik eens voor Cupido spelen, jullie tweeën bij elkaar brengen. Wat zeg je ervan, hé?'
Rebus en Templer wierpen elkaar een blik toe.
'Zo'n beroep als wij hebben,' rekte Gates het gesprek, 'is nog eens wat anders dan advocaat of schrijver, niet? Geen beste binnenkomer op feestjes.' Hij knikte naar zijn assistent. 'Denk eraan, Jerry. Niks te wippen als je niet liegt over wat je doet.' Gates' laatste lachje ging over in een honds geblaf, een diepe hoest waar hij bijna van dubbelsloeg. Toen de hoestbui over was, veegde hij zijn ogen af.
'Tijd om te stoppen met roken,' waarschuwde Templer hem.
'Kan ik niet doen. Verpest ik de weddenschap.'
'Welke weddenschap?'
'Tussen dr. Curt en mij: wie langer leeft op een pakje per dag.'
'Dat is...' Templer had op het punt gestaan 'ziek' te zeggen, maar toen zag ze dat het lichaam bijna ongemerkt was opengesneden en realiseerde ze zich waarom Gates maar door was blijven ratelen: om ieders aandacht af te leiden van het werk dat hij onderhanden had. Een tijdje had het ook gewerkt.

'Ik zal je alvast één ding zeggen,' zei de patholoog-anatoom. 'Zijn kleren waren vochtig en voor mij wil dat zeggen: regen. Ik heb het nagekeken: het heeft vroeg in de ochtend even geregend maar daarna niet meer.'

'Kan hij nat zijn geworden doordat hij op het pad lag?'

'Hij lag op zijn buik. Zijn kleren waren van achteren vochtig. Dus hij moet natgeregend zijn, dood of levend, dat kan ik niet zien. Maar zijn haar was ook nat. En als je plotseling een bui over je heen krijgt, zou je dan normaal gesproken niet je jack over je hoofd trekken?'

'Hangt van je geestesgesteldheid af,' zei Rebus.

Gates haalde zijn schouders op. 'Ik speculeer maar wat. Maar er is één ding dat ik zeker weet.' Hij liet zijn vinger over het lichaam gaan, langs bleekblauw gemarkeerde plekken. '*Livor mortis*. Die was er ter plekke al. Ik kwam daar drie kwartier nadat het lijk was gevonden.'

'Maar lijkbleekheid begint toch...?'

'Ja, die begint vanaf het moment dat het hart met pompen stopt, maar ze wordt ergens tussen een halfuur en een uur na de dood zichtbaar. En tegen de tijd dat ik arriveerde was ze duidelijk te zien.'

'En hoe is het met rigor mortis?'

'De oogleden waren verstijfd en de onderkaak ook. Ik zal een kaliummonster van het oog nemen om het tijdstip preciezer te kunnen bepalen, maar naar wat ik nu heb gezien zou ik zeggen dat het lijk er een uur of drie lag, misschien langer.'

Rebus deed een pas naar voren. Als Gates gelijk had – en dat was altijd zo – was de moordenaar niet door de vrouw met de hond opgeschrikt. Dan was hij allang vertrokken tegen de tijd dat de spaniël met zijn vrouwtje was gearriveerd, en was Darren Rough rond zeven of acht uur die ochtend gestorven. Om vijf uur had hij bij Rebus op de bank liggen slapen en om zes uur was hij vertrokken...

'Is hij gestorven waar we hem hebben gevonden?' vroeg Rebus, nog steeds niet geheel overtuigd.

'Te oordelen naar het patroon van de lijkbleekheid zou ik er een maandsalaris op zetten.' De patholoog stopte. 'Nou heb ik in mijn tijd natuurlijk wel eens een paar pond op de paarden verloren.'

'We hebben een preciezere tijd van overlijden nodig.'

'Dat weet ik, inspecteur. Die heeft u altijd nodig. Ik zal alle tests doen waarin het budget voorziet.'

'En zo spoedig mogelijk.'

Gates knikte. Hij stond op het punt de inwendige organen te verwijderen. Jerry rommelde met het benodigde gereedschap.

Rebus dacht: drie, misschien vier uur.

Cary Oakes was terug in beeld.

28

Ze brachten hem binnen om hem te horen. Rebus bleef uit de weg en beluisterde de tapes naderhand. Stevens' krant had zijn protegé een advocaat van een topkantoor bezorgd, hoezeer Templer ook had betoogd dat ze Oakes alleen een paar gemakkelijk te beantwoorden vragen wilden stellen. Maar Oakes zei niets. Templer was goed, en ze had Pryde bij zich; hun techniek was geoefend en beproefd, maar Rebus kreeg het idee dat Oakes de trucjes allemaal al eens had gezien. Hij had verhoren en kruisverhoren meegemaakt en was keer op keer naar de getuigenbank geroepen, de Amerikaanse rechtbanken hadden hem alles geleerd. Hij zat daar maar en zei dat hij niets wist van een surveillancewagen, niets van waar Rebus woonde en niets van een of andere dode pedofiel. Zijn laatste opmerking: 'Wat maken jullie een drukte om een kleuterneuker.'

Pryde, die meeluisterde naar de tape, sloeg daarop zijn armen over elkaar en tuitte zijn lippen, grotendeels akkoord met die uitdrukking. Toen Pryde Rebus vroeg of hij mee buiten een sigaret ging roken, schudde Rebus zijn hoofd, hoewel hij op springen stond. Later liep hij alleen op de parkeerplaats te ijsberen en hongerig te zuigen aan een Silk Cut, en toen nog één. Tien per dag; zijn rantsoen was tien per dag. En als hij er vandaag twaalf rookte, betekende dat maar acht morgen. Acht was best, dat redde hij wel. Dus voor vandaag had hij een marge, een marge die hij nodig meende te hebben.

Probleem was dat hij vandaag al op acht stond voor gisteren, voor de afgelopen week en, als hij eerlijk was, voor de hele maand.

Tom Jackson kwam naar buiten en stak er ook een op. De eerste paar minuten zwegen ze. Jackson schuifelde met zijn voeten op het asfalt en verbrak de stilte.

'Ik hoor dat ie bij u mocht logeren.'

Rebus blies de rook uit door zijn neus. 'Klopt.'

'Reddingsactie, hem mee naar huis nemen.'

'En?'

'Niet iedereen zou zo menslievend zijn.'

'Ik weet niet zo zeker of het menslievendheid was.'

'Wat dan?'

Wat dan? Goede vraag.

'Punt is,' ging Jackson verder, 'een paar dagen geleden wou u hem wel aan de galg zien.'

'Niet overdrijven.'

'U hebt de wolven op zijn spoor gezet.'

'Bedoel je de kranten of de buren?'

'Allebei.'

'Rustig aan, Tom. Jij bent hun wijkagent. Je hebt het over jouw kudde.'

'Ik heb het over ú: wat is er gebeurd?'

'Ik heb hem alleen bij mij op de bank laten slapen. Niet gepijpt of zoiets.' Rebus smeet zijn derde sigaret op de grond en stampte hem uit. Maar half opgerookt, dus hij zou er tweeënhalf tellen, omlaag af te ronden naar twee.

'Dat jochie hebben we nog niet gevonden.'

'Hoe is het met z'n moeder?'

Jackson begreep de onderliggende vraag en beantwoordde die. 'Niemand schijnt haar te verdenken.'

'Hoe zit het met haar?'

'Billy is haar enige kind. Ze kreeg hem toen ze negentien was.'

'Is de vader in de buurt?'

'Die haalde voor de baby geboren was de bekende verdwijntruc uit. Vertrokken naar Noord-Ierland om bij de paramilitairen te gaan.'

'Zal ie nou wel kandidaat-minister zijn.'

Jackson snoof. 'Ze heeft sindsdien nog een handvol kerels gehad; met de laatste woonde ze net een paar weken samen.'

'Met z'n drieën samen in die flat?'

Jackson knikte 'Hij wordt gehoord. We spitten zijn verleden om.'

'Vijf pond dat ie een strafblad heeft.'

'Wat? In Greenfield?' Jackson glimlachte. 'Hou uw geld maar in uw zak.' Hij zweeg. 'U denkt echt niet dat onze vriend zaliger er iets mee te maken heeft?'

'Misschien wel. Maar misschien niet precies zoals we denken.'

'Wat bedoelt u?'

'Ik spreek je nog,' zei Rebus, terwijl hij zich omdraaide.

Hij dacht aan een oud nummer van Gravy Train: 'Won't Talk About It'.

Hij liet Patience weten dat hij niet naar haar toe kwam. De toon van zijn stem moest iets hebben verraden.

'Aan de boemel?' zei ze.

'Ik heb geen geheimen meer voor je.' Hij legde de hoorn neer voor ze nog iets kon zeggen. Hij begon bij The Maltings, beklom de Causewayside naar Swany's en nam toen een taxi naar de Ox. Zijn auto stond nog bij het bureau; geen probleem, hij kon de volgende ochtend naar het werk lopen. Salty Dougary, een van de vaste klanten in Young Street, was net uit het ziekenhuis: een hartaanval, geopereerd, gedotterd of zoiets. Hij zat er in de bar honderduit over te vertellen. Om een of andere reden die Rebus niet kon doorgronden was de operatie kennelijk begonnen vanuit Dougary's onderbuik.

'Daar zit het hart toch, bij een man?' merkte hij op en sloeg nog een whisky achterover. Hij verdunde ze met water, maar niet overdreven. Hij voelde zich goed, maar niet dronken, rozig, zeg maar. Maar hij wist dat de alcohol erin zou hakken zodra hij de bar verliet. Een goed excuus om te blijven zitten, zoals dat type in *Apocalypse Now*: 'Nooit de boot uit gaan.' Pas als je van boord ging, kwam je in de problemen. Hetzelfde gold voor pubs, in Rebus' ervaring, vandaar dat hij om halfeen nog in de Ox zat. De achterkamer was overgenomen door muzikanten, misschien wel tien. Veel gitaren, twaalfmatenblues. Een figuur met een baard speelde mondharmonica alsof hij in Madison Garden op het podium stond. Janis Joplin: 'Buried Alive in the Blues'.

Rebus praatte met George Klasser, die als arts in de Infirmary werkte. Klasser ging meestal vroeg weg, zeven uur of iets later. Als hij langer bleef, was het een teken dat het thuis niet lekker zat. Hij was de avond begonnen met het advies aan Salty Dougary zijn alcoholinname te matigen.

'De pot verwijt de ketel,' had Dougary geriposteerd. Dougary zag eruit alsof hij van vakantie terugkwam in plaats van uit het ziekenhuis: gebruind gezicht, roken teruggebracht van veertig per dag tot tien. Klasser zelf had donkere schaduwen onder zijn ogen en zijn hand trilde licht als hij zijn glas oppakte. Een oom van Rebus had elke dag van zijn leven een pakje sigaretten gerookt en was tachtig geworden. Zijn eigen vader was jonger gestorven en die had twintig jaar daarvoor het roken eraan gegeven.

Er was niets van te zeggen.

Ze zaten maar met hun vieren in de bar, vijf als je Harry meetelde. Volgens Dougary, die elke pub in de stad kende, was Harry de onbeschoftste barman in heel Edinburgh, wat nogal een prestatie zou zijn, de concurrentie kennende.

'Ik wou dat jullie naar huis opdonderden,' zei Harry, niet voor het eerst die avond.

'De nacht is nog jong, jong,' zei Dougary.

'Hoe kan het dat ze jou uit de intensive care hebben losgelaten?'

Dougary knipoogde. 'Dít is mijn intensive care.' Hij toostte naar de anderen en zette zijn glas aan zijn lippen. Twintig minuten daarvoor had Rebus Klasser over Darren Rough verteld. Nu keek Klasser hem met zware oogleden aan.

'Er is een beroemde moordzaak geweest. Eeuwwisseling, denk ik. Komt een Duits stel hier op huwelijksreis, maar hij heeft haar getrouwd voor d'r geld, niet uit liefde. Hij wil haar doodmaken en het op zelfmoord gooien. Dus ze maken een wandeling naar Arthur's Seat en hij duwt 'r van de Crags.'

'En is ie ermee weggekomen?'

'Natuurlijk niet, anders kon ik het je niet vertellen.'

'Hoe is ie dan gepakt?'

Klasser staarde in zijn glas. 'Weet ik niet meer.'

Dougary lachte. 'Laat hem geen moppen gaan vertellen, hij vergeet de clou altijd.'

'Ik zal jou 'ns een clou voor je kop geven, Salty.'

'Ik eerst,' merkte Harry op.

Zo ging het sommige avonden in de Oxford Bar. Toen de muzikanten hun gitaren inpakten trok Rebus zijn jas aan. Er stond buiten een frisse wind en het had weer geregend; de straten lagen er zwart en glimmend bij als de rug van een tor. Hij had Janice willen bellen, maar wat had hij moeten zeggen? Er was geen nieuws van Damon. Hij liep langs Princes Street en zei tegen zichzelf dat hij de stad het liefst zo had: alle toeristen in bed gestopt. Voor het Balmoral Hotel stond een rij Jaguars en Rovers, met chauffeurs die wachtten op het eind van een of andere festiviteit. Een jong stel liep langs en deelde een fles goedkope cider. De jongen droeg een jasje met een badge erop: Stockholm Film Festival. Rebus had er nog nooit van gehoord. Misschien was het de naam van een band, tegenwoordig kon je het nooit zeker weten.

Hij stak over naar de Bridges en hield stil bij de brugleuning om neer te kijken op de Cowgate. Sommige clubs daarbeneden waren nog open en er kwamen tieners naar buiten gestommeld. Bij de politie hadden ze verschillende bijnamen voor de Cowgate op dit uur: Klein Saigon, de Bloedbank, de Hel op Aarde. Zelfs de surveillancewagens gingen met twee tegelijk. Gejoel en geschreeuw: een paar meiden met korte rokjes. Een jongen zat op z'n knieën op straat, bedelend om aandacht.

De Pretty Things: 'Cries from the Midnight Circus'.
In Edinburgh kon het soms midden op de dag al middernacht zijn...
Hij wist niet waar hij heen ging, wat hij deed. Als hij naar huis ging, dan toch niet rechtstreeks. Toen er een taxi aan kwam, stak hij zijn hand op. In een opwelling noemde hij zijn bestemming.
'The Shore.'

29

Het plan was...

Het plan was: in de vrieskou voor het hotel gaan staan en dan met zijn mobiel bellen naar Oakes' kamer. Dat hij naar buiten moest komen... geen onverwachte knal tegen zijn kop deze keer. Man tegen man. Maar dat was de drank die sprak. Rebus wist dat hij het niet zou doen, wist dat Oakes er sowieso niet in zou trappen. Toen hij vanaf The Shore rondkeek, zag hij in de Clipper licht branden, en een uitsmijter voor de deur. Dus liep Rebus de loopbrug over en stelde zich voor. De uitsmijter veegde het zweet van zijn gezicht. Binnen hoorde Rebus opgewonden stemmen, gelach.

'Feestje?' vroeg hij.

'Je gaat me toch niet zeggen dat er is geklaagd,' gromde de uitsmijter met een Liverpools accent. Aan zijn omvang te zien stamde hij uit een familie van havenarbeiders. 'Dat heb ik nou net nodig.'

'Wat is er aan de hand?'

'Wat dacht u? Die eikels willen niet weg.'

'Heb je het geprobeerd met netjes vragen?'

De man snoof.

'Niemand om je te helpen?'

'Toen we de muziek uitzetten, zag het er niet naar uit dat ze zouden blijven hangen. De DJ heeft z'n spullen gepakt en is afgetaaid. En meneer Frost ook – m'n baas. Ik hoefde alleen maar het licht uit te doen, zei ie, en af te sluiten als ik wegging.'

'Je bent nieuw in dit vak.'

De uitsmijter glimlachte. 'Valt het op?'

'Je hebt vast wel een mobieltje bij je. Waarom bel je meneer Frost niet?'

'Ik heb z'n nummer thuis niet.'

Rebus wreef over zijn kin. 'Dat is toch Archie Frost, waar je het over hebt?'

'Klopt.'

Rebus dacht even na. 'Zal ik eens met ze praten?' Hij knikte naar de boot. 'Kijken of ik ze naar huis kan krijgen?'

De uitsmijter staarde hem aan. Hij wist best hoe de verhouding lag tussen zijn beroep en dat van Rebus: de ene dienst nu was een wederdienst later waard. Hij draaide zich om naar de herrie. Een van de nachtbrakers was aan dek verschenen en stond op het punt zijn blaas te legen over de reling. Hij zuchtte.

'Waarom ook niet?' zei hij.

En Rebus was binnen.

Op het dek lag een vent met een champagnefles in zijn armen. Zijn strikje hing los om zijn nek, aan zijn pols een gouden Rolex. De gast die het Albert Basin als privé-urinoir gebruikte, wiegelde op zijn hielen heen en weer. Hij neuriede het refrein van een popdeuntje. Toen hij Rebus opmerkte wierp hij hem een stralende glimlach toe. Rebus negeerde hem en liep de trap af naar de binnenruimte van de boot. Die was ingericht voor feestjes: tafeltjes en stoelen langs een lange smalle dansvloer. Bar aan het ene, provisorisch podium aan het andere uiteinde. Spotlights en een discobol boven de dansvloer. De bar was afgesloten met een rolluik en een hangslot, dat een andere dronkenlap open probeerde te wurmen met een plastic tandenstoker. Een paar tafels waren omgevallen, plus de bijbehorende stoelen. Over de vloer verspreid lagen achtergelaten kledingstukken, verder chips, pinda's, lege flessen, stukken sandwich en verkruimelde quiche. De actie had zich geconcentreerd rond twee aan elkaar geschoven tafels, met daaraan zo'n veertien, vijftien mensen. Vrouwen die bij mannen op schoot heftig zaten te zoenen. Een paar stellen op fluistertoon in gesprek. Een man of twee diep in slaap. Een harde kern van vijf – drie mannen, twee vrouwen – zat lijzig de hoogtepunten van het feest te evalueren, met name drank, kots en vrijpartijen.

'Daar zijn we weer,' zei Rebus tegen Ama Petrie. 'Uw feestje zeker?'

Haar hoofd lag op de schouder van de jongeman naast haar. Haar mascara was uitgelopen, waardoor ze er moe uitzag. Haar korte jurkje was een half doorschijnende compositie van lagen zwart gaas. Haar blote voeten lagen op schoot bij de man aan haar andere kant. Hij speelde met haar tenen.

'Ach jee,' zei deze man, met lodderige ogen, 'politie te paard. Hoor eens, beste man, we hebben voor deze avond betaald, cash en vooraf. Dus doe ons alstublieft een lol en donder –'

'Oscar, stomkop, hij is écht van de politie,' zei Ama Petrie. Toen, tegen Rebus: 'Leuk u weer te zien.' Het was een werktuiglijke begroeting, iets wat ze wel moest zeggen, al sprak uit haar ogen een andere boodschap. Haar ogen zeiden Rebus dat ze allesbehalve blij was om hem te zien.

'Nou,' zei Oscar glimlachend naar het gezelschap, 'dan ben ik er gloeiend bij, maar ik kan het niet helpen, het is de schuld van de maatschappij.' Hij was moeiteloos in zijn rol gegleden en had de lachers op zijn hand. Rebus nam de gezichten rondom op, de gezichten van de Edinburghse rijke jongelui. Eigen flats in de New Town, voor ze gekocht door toegewijde ouders. Feestjes en avondjes uit. Overdag misschien shoppen of lunchen of een paar colleges volgen op de universiteit. Of ze toerden met hun sportwagens de stad uit. Hun leven was voorbeschikt: een baan in het familiebedrijf of er werd iets voor ze 'geregeld': een functie die ze aankonden, die aangeboren charme en minimale inspanning vergde. Het zou hun allemaal in de schoot vallen, want zo werkte het in de wereld.

'Jammer dat hij geen uniform aanheeft, hè Nicky?'

'Wat hebben we gedaan, commissaris?' vroeg een van de andere mannen.

'Nou, jullie maken misbruik van de gastvrijheid hier,' zei Rebus. 'Maar daar gaat het me niet direct om. Mag ik vragen wiens feest dit is?' Hij keek in Ama's richting.

'Het mijne, geloof ik,' zei de man met de tandenstoker en hij draaide zich om van de bar. Hij streek zijn dikke lichtbruine haar van zijn voorhoofd naar achteren. Een smal gezicht met zachte trekken. 'Ik ben Nicol Petrie, Ama's broer.' Rebus raadde dat dit 'Nicky' was: *Jammer dat hij geen uniform aanheeft, hè Nicky?*

Hij was voor in de twintig, modieus ongeschoren zodat er een gouden glans van stoppels over zijn gezicht hing. 'Het is al goed,' zei hij, 'ik zet dit zootje buiten, beloof ik.' En tegen zijn vrienden: 'Gaan we naar mijn huis. Drank zat daar.'

'Ik wil naar het casino,' klaagde een vrouw. 'Dat heb je belóófd.'

'Ach schat, dat zei hij alleen maar om te zorgen dat je 'm zou pijpen.'

Gelach en gejoel en wijzende vingers. Ama had haar ogen dicht maar giechelde en haar voeten boorden zich in het kruis van haar metgezel.

Iedereen scheen Rebus te zijn vergeten. De gesprekken laaiden weer op. Hij tastte in zijn zak en gaf Nicol Petrie twee foto's.

'Hij heet Damon Mee. Hij is met die blonde vrouw uit een club vertrokken. Wij denken dat ze op weg gingen naar een feestje op deze boot, een feestje van uw zus.'

'Ja,' antwoordde Nicol Petrie, 'dat zei Ama al.' Hij bekeek de foto's en schudde zijn hoofd. 'Sorry.' En gaf ze terug.
'Was u op dat feest?' Petrie knikte. 'U allemaal?'
Ze keken naar Ama, die ze vertelde welk feest het was geweest. Een stel was niet aanwezig geweest – verhinderd. Rebus liet de foto's toch rondgaan. Niemand besteedde er veel aandacht aan; ze praatten verder met elkaar terwijl ze ze doorgaven.
'Ik zou wel zin hebben in gerookte zalm.'
'Dat feestje bij Alison vrijdag, ga jij erheen?'
'Hairextensions? Daar krijg je meteen een heel ander gezicht van...'
'Ik dacht erover met een stel mensen een racepaard te kopen...'
Ama Petrie keurde de foto's geen blik waardig en gaf ze direct door.
'Sorry,' zei de laatste van de groep en hij gaf ze terug aan Rebus terwijl hij zijn gesprek voortzette. Nicol Petrie keek verontschuldigend.
'We zijn zo weg, even een paar taxi's bestellen.'
'Akkoord.'
'En het spijt me dat we niet meer voor u kunnen doen.'
'Geen probleem.'
'Ik ben ook eens van huis weggelopen...'
'Ach, Nick, toen was je pas twaalf,' teemde Ama Petrie.
'Doet er niet toe, ik weet hoeveel verdriet het pa en ma deed.'
Ama sprak hem tegen. 'Ze hadden nauwelijks in de gaten dat je weg was.' Ze keek naar hem op. 'Ik heb de politie gebeld.'
'En toen?' vroeg Rebus.
'Ik was bij een vriend gaan logeren,' legde Nicol Petrie uit. 'Toen zijn ouders erachter kwamen dat ik als vermist was opgegeven, hebben ze me naar huis gebracht.' Hij haalde zijn schouders op. Een paar van zijn vrienden lachten.
'Oké,' zei hij, met lichte stemverheffing. 'Verzamelen bij mij. De avond is nog jong, en wij ook!'
Hierop klonk gejuich. Rebus vermoedde dat Nicol de troepen al vaker zo had verzameld.
'Waar is Alfie?' klonk Ama.
'Pissen,' luidde het antwoord.
Rebus draaide zich om naar de trap. 'Bedankt in ieder geval.' Hij nam afscheid van de broer. Nicol Petrie stak haastig zijn hand uit en Rebus schudde hem.
Jammer dat hij geen uniform aanheeft... Wat had dat te betekenen? Grapje voor ingewijden? Rebus klom terug naar de frisse lucht. De man die zijn blaas had geleegd – Alfie – zat met gespreide benen

op het dek. Hij was vergeten zijn gulp dicht te doen.
'Gaat u nu al weg?' vroeg hij.
'Iedereen gaat naar Nicky,' zei Rebus, alsof hij een van de genodigden was.
'Goeie ouwe Nicky,' zei Alfie.
'Jij bent Alfie, hè?'
De jongeman keek op en probeerde Rebus te plaatsen. 'Sorry,' zei hij, 'ik geloof niet...'
'John,' zei Rebus.
'Natuurlijk, John.' Hij knikte heftig. 'Gezichten vergeet ik nooit. Jij zat toch in de financiële handel?'
'Aandelen.'
'Gezichten vergeet ik nooit.' Alfie begon overeind te komen. Rebus hielp hem. Hij had de foto's nog in zijn hand.
'Hier,' zei hij. 'Kijk eens.' Hij zei verder niets, gaf hem gewoon de foto's aan.
'Fotograaf moet lam zijn geweest,' zei Alfie.
'Niet best, hè?'
'Klote. Ik heb een vriend die fotograaf is. Ik zal je z'n nummer geven.' Hij zocht in zijn binnenzak.
'Maar dat gezicht herken je toch wel?' zei Rebus en hij tikte op het vakantiekiekje van Damon.
Alfie bekeek de foto met samengeknepen ogen, bracht hem naar zijn neus en draaide hem schuin om het schaarse licht op te vangen.
'Ik ga d'r trots op,' begon hij, 'dat ik een gezicht nooit vergeet. Maar voor deze jongen moet ik een uitzondering maken.' Een scheef lachje om zijn eigen geestigheid. 'Maar die dame daarentegen...'
'Alfie!' Ama Petrie stond boven aan de trap, haar armen gevouwen tegen de kilte. 'Kom op, we staan klaar om te vertrekken.'
'Super idee, Ama.' Alfie knipperde zo langzaam met zijn ogen dat Rebus dacht dat hij was ingedommeld.
'Wat je zei over die blondine...' drong Rebus aan.
Ama was naar hen toe gekomen en trok Alfie aan zijn mouw. Alfie tikte Rebus op de arm. 'Zie ik je zo bij Nicky hè, oude vriend?'
'Kom op nou, Alfie.' Ama gaf hem een kusje op zijn wang en trok hem naar de trap. Een snelle blik achterom naar Rebus. Een blik van... woede? Opluchting? Allebei? Toen ze uit het zicht verdwenen, liep Rebus de boot af.
'Ze komen eraan,' meldde hij de uitsmijter.
'Bedankt.'
'Mag jij wat voor mij doen,' zei Rebus en hij wachtte tot de uit-

smijter had geknikt. 'Mag jij mij eens zeggen wat Archie Frost te maken heeft met Billy Preston.'

'Hij werkt gewoon voor hem, net als ik.'

'Maar hij runt Gaitano's, voor Charmer Mackenzie.'

De uitsmijter knikte. 'Klopt.'

'Botst dat niet?'

'Waarom zou het?'

Rebus kneep zijn ogen samen. 'Mackenzie is eigenaar van deze boot?'

De uitsmijter likte over zijn lippen. 'Half. De andere helft is van meneer Preston.'

De Clipper was voor de helft van Charmer Mackenzie. En Gaitano's helemaal. Damon was in Gaitano's geweest en voor het laatst gesignaleerd bij de Clipper. Rebus begon zich af te vragen...

'Zo, staan we quitte,' zei de uitsmijter terwijl de nachtbrakers in polonaise de loopplank af liepen.

Rebus ging terug naar zijn flat maar kon de slaap niet vatten. De deken waar Darren Rough onder had geslapen lag nog opgevouwen op de bank. Hij kon zichzelf er niet toe brengen hem op te ruimen. In plaats daarvan bleef hij in zijn stoel zitten wachten op de geesten. Misschien was Darren erbij, of misschien moest hij bij andere zielen gaan spoken.

Maar de geesten kwamen niet. Rebus doezelde weg en schrok weer wakker. Concludeerde dat hij buiten beter af was. Hij stak de Meadows over, langs de Infirmary. Die ging binnenkort verhuizen naar Little France, buiten de stad. Er waren plannen het oude gebouw van de Infirmary te verbouwen tot dure appartementen, of misschien een hotel. A-locatie in het centrum, maar wie zou een flat willen hebben waar eens een ziekenzaal was?

Hij rustte even bij het standbeeld van Greyfriars Bobby, het hondje dat beroemd werd omdat het veertien jaar op het graf van zijn overleden baasje was blijven liggen. Als je erover nadacht, was Bobby niet meer dan een hond zonder thuis, met niets beters te doen. Rebus gaf het beeldje een klopje op zijn kop.

'Blijf,' zei hij en hij liep door naar de George IV Bridge. Een paar taxi's minderden vaart toen ze hem passeerden, hengelend naar klandizie, maar hij wuifde ze weg en daalde de Playfair Steps af naar de National Gallery en de Royal Academy. Hij passeerde wat mensen die buiten sliepen en zag hoe het kasteel weer vorm begon aan te nemen nu de nacht overging in de dag. Hij dacht aan zijn grootvaders, wier namen ergens op het kasteel begraven lagen in de Books of Remembrance. Hij wist niet eens meer in welk regiment ze hadden gediend. Beiden waren omgekomen in de Eerste Wereldoorlog, lang voordat Rebus' ouders elkaar zelfs maar hadden ontmoet.

Princes Street bood zijn gewoonlijke rommelige aanblik. De trottoirs leken overdreven breed nu er niemand anders liep. Hij sloeg af bij de Burger King en wipte binnen bij de Penny Black, die om vijf uur openging. Er zaten al een paar drinkers. Rebus bestelde een whisky en voegde er een flinke scheut water aan toe.

'Man, je verdrinkt 'm,' merkte een van de mannen aan de bar op.

Rebus glimlachte alleen en vond het niet nodig de man te vertellen dat water zijn redding was. Op de bar lag een vroege editie van de *Scotsman*. Rebus bladerde hem door. Een reportage over het verloop van het Shiellion-proces de vorige dag, plus de 'dood onder verdachte omstandigheden' van Darren Rough en de verdwijning van Billy Horman. Een anoniem citaat van een lid van GTP, met de strekking dat de verdwijning van het jochie aan Rough te wijten was.

'En we zijn alleen maar blij en opgelucht dat de wereld weer van een stuk ongedierte is bevrijd. Nou al die anderen nog.'

Van Brady op de preekstoel. Er werd gesproken over een buurtcomité, over ballotage van nieuwe huurders. Er zou nog gesproken worden over surveillance in de buurt, fouillering van verdachten en zelfs een soort slagboom om 'ongewensten' tegen te houden die Greenfield wilden 'vergiftigen'.

Rebus wist dat Schotland zich klaarmaakte voor zelfbestuur, maar dit ging wel erg ver.

'We hebben een computer in het wijkcentrum,' zei de woordvoerder, 'en nu willen we dat ie wordt aangesloten op het internet, zodat we de Guardian Angels in Amerika om advies kunnen vragen. We gaan subsidie vragen bij de staatsloterij. Daar heeft deze buurt recht op.'

En áls Greenfield een eigen buurtpolitie kreeg, vroeg Rebus zich af, wie kon daar dan het beste de baas van worden? Spontaan kwam de naam Cal Brady bij hem op...

Hij maakte zijn glas leeg en besloot te gaan ontbijten in Leith, waar om zes uur een cafetaria openging met enorme porties en weinig gedoe. Hij liep Leith Walk helemaal af, vond de cafetaria en zocht een tafeltje. De krant had hij al gelezen, dus had hij niets te doen behalve op zijn halve sneetje toast kauwen en uit het raam staren. Toen er voor de rode lichten buiten de cafetaria een taxi stopte, ving Rebus een glimp op van de passagier. Hij ging staan om hem beter te kunnen zien, maar de taxi reed alweer, met Cary Oakes op weg terug naar zijn hotel. Wel wist Rebus het kenteken op zijn hand te noteren. Hij spoelde de toast weg met een slok gloeiende thee en vroeg toen de eigenaar of hij zijn telefoon kon gebruiken. Belde een taxibedrijf en informeerde naar het kenteken.

'Wou u grappig wezen? Weet u hoeveel taxi's we hebben rijden?'

'Doe je best, oké?' Hij gaf de man zijn mobiele nummer en ging toen verder met de andere taxibedrijven in de stad. De reacties waren elders niet veel anders, maar tegen de tijd dat hij bureau St. Leonard had bereikt, had hij beet. De chauffeur was zelfs op de centrale, want zijn dienst was voorbij. Rebus kreeg hem te spreken.

'U hebt een klant naar Leith gebracht, ik denk naar The Shore. Iets van een uur geleden.'

'Klopt, m'n laatste rit.'

'En waar had u hem precies opgepikt?'

'Aan de kant van Corstorphine ergens, vlak voor de kruising met Maybury Road. Wat heeft ie gedaan?'

Corstorphine: daar woonde Alan Archibald. Rebus bedankte de chauffeur en hing op. Hij ging naar de toiletten om zich op te frissen en te scheren en nam twee paracetamol bij de koffie. De onderzoekskamer was leeg, niemand was nog gearriveerd. Hij bekeek de foto's aan de muur. Archibalds nichtje was op een heuvel vermoord; Darren Rough was op een heuvel vermoord. Was er een verband? Hij dacht aan Cary Oakes, die vrijelijk door de stad zwierf. Pakte een telefoon en belde Patience.

'Morgen,' zei ze slaperig.

'Dit is uw telefonische wekker.'

Hij kon horen hoe ze haar rug strekte en rechtop ging zitten. 'Hoe laat is het?'

Hij zei het haar. 'Ik kon niet op tijd terug zijn voor het ontbijt, dus ik dacht ik bel je maar.'

'Waar ben je?'

'Op het bureau.'

'Heb je in Arden Street geslapen?'

'Even gedut.'

'Ik snap niet hoe je het voor elkaar krijgt.' Waarschijnlijk streek ze de haren uit haar ogen. 'Ik heb minstens acht uur slaap nodig.'

'Ze zeggen dat dat een teken is van een gerust geweten.'

'En wat zegt dat over jou?' Ze wist wel dat hij daar geen antwoord op ging geven en vroeg dus of ze hem bij het eten zou zien.

'Tuurlijk,' zei hij. 'Tenzij er iets tussen komt, natuurlijk.'

'Natuurlijk,' zei ze. Toen: 'Hoe is het met je hoofd?'

'Prima.'

'Leugenaar. Probeer eens één dag zonder drank, John, alleen voor mij. Eén dag, en zeg me dan of je je 's ochtends niet beter voelt.'

'Natuurlijk voel ik me dan 's ochtends beter. Probleem is: zodra ik een borrel pak, ben ik het weer vergeten.'

'Doei, jong.'

'Doei, meid.'

Patience, geduld: een betere naam had ze niet kunnen hebben...

30

Rebus en Gill Templer, in verhoorkamer B met Cal Brady. Verhoorkamer B: de kamer waar Rebus Darren Rough mee naartoe had genomen. Dezelfde kamer waar hij in het Shiellion-onderzoek Harold Ince voor het eerst had gezien. Cal Brady werd opnieuw gehoord omdat Gill Templer wat dingen wilde ophelderen.

'U hebt die brand gesticht,' zei ze.

'O ja?' Brady keek met wijd open ogen rond. 'Dan moeten we er misschien maar een advocaat bij halen.'

'Probeert u alstublieft niet grappig te zijn, meneer Brady.'

'De enige grappenmakers die ik hier zie zijn jullie.'

'Billy Horman wordt als vermist opgegeven en even later steekt u Darren Roughs flat in de brand. Ik zou zomaar kunnen gaan denken dat u daar zelf iets bij te winnen had.' Ze onderbrak zichzelf en schoof wat met de papieren voor haar. 'Of iets te verbergen.'

'Zoals?' Brady leunde achterover in zijn stoel, zijn armen over elkaar.

'Dat vraag ik me juist af.'

Brady snoof en keek om naar de plek waar Rebus stond. 'Tong kwijt, of wat?'

Rebus gunde hem geen antwoord. Types als Cal Brady kon Gill Templer gemakkelijk aan.

'Alle anderen gingen op zoek naar Billy,' ging ze verder, 'maar u bleef achter. Waarom eigenlijk, meneer Brady?'

Brady ging verzitten. 'Billy Boy z'n ma in het oog houden.'

Templer raadpleegde omstandig haar aantekeningen. 'Joanna Horman?' Ze wachtte tot Brady instemmend knikte. 'Dat is toch meer iets voor een vrouw? Het handje van de mama vasthouden, troost bieden, met een rum-cola? Ik dacht dat u meer een man van de actie was.'

'Iemand moest het doen.'

'Maar waarom ú, dat bedoel ik. Misschien zag u wat in haar?

Misschien kennen jullie tweeën elkaar...?' Ze wachtte. 'Of wist u misschien al dat het geen zin had om naar Billy Horman te gaan zoeken?'

Brady sloeg op de tafel. 'Als je zó gaat beginnen!' Licht ontvlambaar. 'Iedereen weet wat er met Billy Boy is gebeurd. Die is meegenomen door Rough of een van z'n vriendjes.'

'Maar waar is ie dan?'

'Hoe moet ik dat goddomme weten?'

'En wie heeft Darren Rough vermoord?'

'Als ik het had gedaan, was ie een paar onderdelen kwijt geweest.'

'En als ik u nu zeg dat dat zo was?' Een plaagstoot van Templer.

Brady keek verbaasd. 'Was dat zo? Daar heeft niemand wat van gezegd...'

Templer bekeek haar aantekeningen. Toen: 'Inspecteur Rebus, ik geloof dat u ook een paar vragen heeft voor meneer Brady.'

Rebus had haar van tevoren ingelicht over zijn belangstelling. Hij kwam naar de tafel en leunde er met zijn knokkels op.

'Waar kent u Archie Frost van?'

'Archie?' Brady keek naar Templer. 'Wat heeft die er nou mee te maken?'

'Een ander onderzoek, meneer Brady. Houdt geen verband met die andere twee zaken, behalve misschien via u.'

'Ik snap er niks van.'

'Wilt u nu misschien die advocaat?'

Hij dacht erover na en haalde zijn schouders op. 'Ik werk soms voor hem.'

'Voor meneer Frost?'

'Ja, ik sta wel eens een avond aan de deur.'

'Als uitsmijter?'

'Ik hou de boel in de gaten.'

Rebus haalde de foto's weer tevoorschijn. Ze waren aan de randen omgekruld en rafelig en overdekt met vingerafdrukken.

'Kunt u zich herinneren dat ik naar die mensen kwam informeren?'

Brady bekeek de foto's en knikte. 'Ik stond die avond niet aan de deur.'

'En welke avond was dat?' Brady keek op van de foto's. Rebus glimlachte. 'Ik kan me niet herinneren dat ik meneer Frost heb gezegd welke avond het was.'

'Als ik die avond had gewerkt, had ik hem gezien. Ik had al een keer trammelant met hem gehad. Als ik er had gestaan was hij er nooit in gekomen.'

Rebus kneep zijn ogen samen. 'Wat voor trammelant?'

Brady haalde zijn schouders op. 'Niks bijzonders. Hij was gewoon in de olie, maakte te veel deining. Ik zei dat ie zich koest moest houden en dat deed ie niet, dus toen hebben we hem met een paar man uitgeleide gedaan.'

Brady had schik in zijn laatste formulering en glimlachte. Klonk lekker formeel: 'uitgeleide gedaan'.

'Staat u wel eens aan de deur bij de Clipper?'

Brady schudde zijn hoofd.

'Maar u werkt voor de eigenaar.'

'Meneer Mackenzie heeft een aandeel in de Clipper, da's alles.'

'Maar hij levert ook de uitsmijters.'

'Ik heb het één keer gedaan, maar ik vond het niks.'

'Hoezo niet?'

'Al die verwaande wijven en die kakkers. Denken dat ze over je heen kunnen lopen, alleen omdat ze poen hebben.'

'Ik begrijp wat u bedoelt.' Brady keek hem aan. 'Nee, echt. Ik heb ze met eigen ogen gezien.' Rebus dacht nog aan Brady's trammelant met Damon Mee. Hij was ervan uitgegaan dat Damon voor het eerst in Gaitano's was en niemand had hem iets anders gezegd. 'Punt is, Cal, die jongen, Damon, wordt vermist, en ik voel me een beetje als Gulliver op het toilet in Lilliput.'

'Huh?'

'Ik heb niet veel om op af te gaan.' Gill Templer kreunde om het grapje, terwijl Rebus op zijn vingers aftelde. 'Hier heb je Damon die vermist raakt, voor het laatst gezien toen hij met een blonde vrouw voor de Clipper uit een taxi stapte. Die boot is mede-eigendom van Charmer Mackenzie, die ook eigenaar is van Guiser's, waar Damon die blonde meid schijnt te hebben ontmoet. Dus daar ligt een verband. Maar meer heb ik op dit moment niet, dus daarom blijf ik erop doorgaan tot ik wat antwoorden krijg.' Hij wachtte even. 'Maar die heb jij niet voor me, hè?'

Brady staarde hem aan. Rebus richtte zich tot Templer.

'Verder geen vragen, edelachtbare.'

'Oké, meneer Brady,' zei ze. 'U kunt gaan.'

Brady liep naar de deur, opende die en keek om naar Rebus.

'Gulliver,' zei hij. 'Is dat die van die tekenfilm met die kabouters?'

'Klopt,' bevestigde Rebus.

Brady knikte nadenkend. 'Ik snap het nog niet,' zei hij en deed de deur achter zich dicht.

Tussen de middag sliep Rebus een halfuur in zijn auto alvorens naar het bureau terug te keren met een beker tomatensoep en een sandwich *cheese & pickle*.

'We hebben iets,' liet Roy Frazer hem weten. 'Een auto, een grote witte vierdeurs, gezien toen hij Holyrood Park verliet aan de kant van Dalkeith Road. Hij was iemand van het onderhoudspersoneel van het Commonwealth-zwembad opgevallen. Vroeg in de ochtend, geen verkeer op de weg. Deze wagen maakte flink tempo en reed door rood licht. Die man van het zwembad is een fervente fietser, die let op zulke dingen.'

'En een modelburger ook, wed ik. Fietst nooit stiekem door rood als niemand kijkt.' Rebus dacht even na. 'Zijn daar beveiligingscamera's in de buurt die hem kunnen hebben opgepikt?'

'Zal ik navragen.'

'Bespreek het eerst met hoofdinspecteur Templer. Zij is de baas.'

'Jawel, inspecteur.' Frazer huppelde weg op zoek naar Templer. Hij deed Rebus denken aan een jonge spaniël, altijd uit op aandacht en waardering. Grote witte vierdeurs... Er knaagde iets in Rebus' geheugen. Hij belde bureau Leith en vroeg naar Bobby Hogan.

'Als ik tegen je zeg "grote witte vierdeurs", wat zou jij dan zeggen?'

'Ik zou zeggen dat mijn broer er een heeft, een Ford Orion.'

'Ik moest denken aan Jim Margolies.'

'Iets in de stukken?'

'Ja, volgens mij was er sprake van een witte vierdeurs.'

'Kan ik je terugbellen?'

'Als het snel kan, graag.' Hij hing op, krabbelde rondjes in rondjes op zijn blocnote en toen lijnen van het middelpunt naar buiten. Kon niet besluiten of het eruitzag als een spinnenweb of als een dartbord; geen van beide, dacht hij. De radar van een oorlogsvliegtuig misschien? De doorsnee van een boomstam? Legio mogelijkheden, maar uiteindelijk toch niet meer dan loos gekrabbel. En toen hij er nog een paar keer met de pen overheen ging, viel er helemaal kop noch staart meer aan te ontdekken.

Zijn telefoon ging en hij nam op.

'Is het belangrijk?' vroeg Bobby Hogan.

'Weet ik niet. Kan verband houden met iets anders.'

'Wil je me niet zeggen wat?'

'Jij eerst.'

Hogan leek het aanbod te overwegen en begon toen voor te lezen uit de onderzoeksaantekeningen. 'Lichtgekleurde vierdeurs personenwagen, mogelijk wit of crème. Waargenomen, geparkeerd op Queen's Drive.'

'Waar op Queen's Drive?' Queen's Drive was de rondweg om Holyrood Park.

'Ken je The Hawse?'

'Niet van naam.'

'Net onder aan de Crags, vlak bij de plek waar het voetpad begint. Deze auto stond daar, met brandende lichten, zo te zien zonder iemand erin. Dat heeft iemand gemeld toen het bekend werd van Jim. Maar het tijdstip was verkeerd. Die auto was gezien rond halfelf die avond. Maar hij was weg toen er rond middernacht een surveillancewagen langskwam. Margolies is er pas later naartoe gegaan.'

'Zegt z'n weduwe.'

'Nou ja, die zou het moeten weten. Ga je me nou vertellen waar dit over gaat?'

'Nog een waarneming van een witte vierdeurs, de ochtend dat Darren Rough is vermoord. Gezien toen ie op hoge snelheid Holyrood Park uit kwam rijden.'

'En wat heeft dat te maken met Jims zelfmoord?'

'Waarschijnlijk niks,' zei Rebus en hij dacht weer aan zijn gekrabbel. 'Misschien zie ik spoken.' Hij zag de Boer in de deuropening staan gebaren. 'Toch bedankt,' zei hij.

'Als je meer van zulke fantasieën krijgt, daar hebben ze tegenwoordig speciale telefoonnummers voor.'

Rebus legde de hoorn neer en begaf zich richting de deur.

'Mijn kantoor,' zei de Boer en hij draaide zich om voordat Rebus bij hem was. Op zijn bureau stond al een kop koffie te wachten. Hij schonk Rebus er ook een in en gaf hem aan.

'En wat heb ik nu gedaan?' vroeg Rebus.

De Boer gebaarde dat hij moest gaan zitten. 'Darren Roughs maatschappelijk werker. Heeft een officiële klacht ingediend.'

'Tegen mij?'

'Hij zegt dat jij z'n cliënt "in de schijnwerpers" hebt gezet en dit hele gedonder hebt veroorzaakt. Hij wil precies weten wat jij met de dood van Rough te maken hebt.'

Rebus wreef over zijn ogen en produceerde een vermoeide glimlach. 'Hij heeft recht op zijn mening.'

'Geen gevaar dat hij die met concreet bewijs hard kan maken?'

'Volkomen ondenkbaar, meneer.'

'Toch ziet het er wel raar uit. Jij bent de laatste met wie Rough enig contact heeft gehad.'

'Alleen als je de dader vergeet. Heeft het forensisch onderzoek iets opgeleverd?'

'Alleen dat de dader waarschijnlijk bloed van Rough op zich heeft gekregen.'

'Mag ik een voorstel doen?'

De Boer pakte een pen en bekeek die aandachtig. 'Wat voor voorstel?'

'Dat we Cary Oakes weer binnenhalen. Ik weet zeker dat hij mijn auto heeft gejat, dus dan moet hij in Arden Street zijn geweest rond de tijd dat Darren Rough ervandoor ging. Wat deed hij daar überhaupt? Mij bespioneren? Dan moet hij er een hele tijd hebben gestaan, heeft ie ons misschien naar binnen zien gaan, gedacht dat Rough een vriend van me was...'

De Boer schudde zijn hoofd. 'We kunnen Oakes niet gaan ophalen tenzij we iets concreets hebben.'

'Wat dacht u van een moker?'

Het was de beurt van de Boer om te glimlachen. 'Die krant van Stevens heeft advocaten, John. En je hebt zelf gezegd dat Oakes een professional is. Die gaat hier stommetje zitten spelen tot ze hem komen bevrijden. En dan hebben de kranten weer een sappig verhaal over politie-intimidatie.'

'Ik dacht dat we hem juist wílden intimideren?'

De Boer liet de pen op de grond vallen en bukte zich om hem op te rapen. 'Daar hebben we het allemaal al over gehad.'

'Weet ik.'

'Dus dan draaien we in een kringetje rond. Ondertussen is er een klacht van het maatschappelijk werk, en daar moeten we iets mee doen.'

'En ondertussen mag ik me niet met het onderzoek bemoeien.'

'Dat zou een verdomd rare indruk maken, onder de omstandigheden. Wat heb je verder te doen?'

'Niet veel, officieel.'

'Ik hoorde dat je een vermissing had.'

'Daar werk ik in m'n eigen tijd aan.'

'Nou, neem daar dan wat meer tijd voor. Maar – en dit is zuiver tussen jou en mij – blijf bij Gill en het team in de buurt. Jij weet kennelijk meer van Rough en Greenfield dan de anderen.'

'Oftewel: u heeft me nodig, maar u kunt zich niet in mijn gezelschap vertonen?'

'Wat kun je de dingen altijd mooi formuleren, John. En nou opgehoepeld. VAW-dag, weet je nog, het weekend komt eraan. Gaat en vermaakt u.'

31

Bij gebrek aan nuttiger bezigheden begaf Janice Mee zich naar Arden Street. Ze had de tijd aan zichzelf en in Fife had ze het gevoel dat ze er niets mee deed. Als ze thuis in de kamer zat, begonnen de patronen van het behang te draaien en leek het tikken van de klok aan te zwellen tot een ondraaglijk volume. Maar als ze het huis uit ging waren er vragen van buren en voorbijgangers te beantwoorden – 'Is ie nog niet terug?' 'Waar zou ie heen zijn, denk je?' – en opmerkingen te verwerken, meestal in de trant van 'geduld hebben en duimen'. Bovendien had ze elke keer als ze op Waverley Station van de trein stapte het gevoel dat Damon in de buurt was. Ze zeiden dat mensen een zesde zintuig hebben en dat was waar: je voelde het als iemand achter je aan sloop. En elke keer als ze op het perron stapte en bleef staan terwijl de forenzen en het winkelpubliek voor haar uitweken – ze hadden haast en dingen te doen – was het alsof haar wereld ophield met draaien en alles stil en rustig werd. Op zulke momenten vervaagde de stad en ruiste het bloed in haar hart en kon ze hem bijna horen, ruiken, bijna zo dichtbij dat ze zijn arm zou kunnen aanraken. Ze zag hoe ze hem naar zich toe trok en op hem mopperde terwijl ze zijn gezicht met kussen bedekte, en hoe hij, een volwassen kerel, zich probeerde te verzetten maar ook blij was dat iemand zo naar hem verlangde en van hem hield, van hem hield zoals niemand anders in het heelal ooit van hem zou houden.

Sinds hij vermist was, sliep zij op zijn kamer. Aanvankelijk had ze tegen Brian geredeneerd dat Damon 's nachts stilletjes terug zou kunnen komen om zijn spullen op te halen. In dat geval zou zij er zijn om hem aan te spreken, te betrappen. Maar toen had Brian gezegd dat hij daar ook kwam slapen en had zij hem eraan herinnerd dat er alleen een eenpersoonsbed stond, en had hij tegengeworpen dat hij wel op de grond zou slapen. En zo had het gesprek zich voortgesleept, tot ze haar geduld had verloren en eruit flapte dat ze graag alleen wou zijn.

Het was de eerste keer dat ze dat hardop had gezegd.

'Eerlijk gezegd, Brian, ben ik veel liever alleen...'

Zijn gezicht had alle stijfheid verloren, was naar binnen geklapt, en haar maag draaide om. Maar ze meende wat ze zei en het was stom dat ze het al die maanden en jaren niet had gezegd.

'Het is Johnny, hè?' Brian had de moed verzameld om het te vragen, met afgewend gezicht.

En in zekere zin was dat het ook, zij het niet op de manier die Brian bedoelde. Het was meer dat Johnny stond voor een andere weg die ze had kunnen kiezen, en zo de gedachte had gewekt aan al die andere wegen die ze niet had bereisd en al die plaatsen waar ze niet was geweest. Plaatsen als Emotie en High en Uitgelaten. Plaatsen als Ikzelf en Vrij en Bewust. Zulke dingen zou ze niemand ooit zeggen, wist ze, ze klonken te veel alsof ze uit een tijdschrift kwamen. Maar dat weerhield haar er niet van erin te geloven. Geboren en getogen in het stadje, bijna al haar dagen daar doorgebracht – wilde ze er werkelijk ook sterven? Wilde ze een jaar of dertig van haar leven kunnen samenvatten in een verhaaltje van vijf minuten tegen een vriend die ze sinds de middelbare school niet had gezien?

Ze wilde meer.

Ze wilde weg.

Ze wist natuurlijk wel wat de mensen zouden zeggen: je bent gewoon emotioneel, kind. Geen wonder dat je van streek bent van zoiets. En dat was ze. O Jezus, Lieve Heer, dat was ze. Bovendien voelde ze zich machtelozer en doellozer dan ooit. Ze had bij alle hulporganisaties haar verhaal gedaan, ze had taxichauffeurs uitgehoord, wat bleef er over? Er moest iets zijn wat ze nog niet had geprobeerd, maar ze kon niet bedenken wat. Het enige wat ze wist was dat ze hier moest zijn.

Nu ze in de stad thuis was geraakt, had ze plezier in de wandeling naar Marchmont. De steile helling van Cockburn Street, vol 'alternatieve' winkeltjes – sommige hadden haar flyers zelfs aangenomen. Dan de High Street op naar de George IV Bridge, dan langs bibliotheken en boekwinkels weer omlaag naar Greyfriars Bobby. Langs de universiteit en de zwermen studenten met boeken in hun armen of een fiets aan de hand. Dan The Meadows, vlak en groen, met Marchmont dat in de verte oprees. Ze hield van de winkels bij Johnny's flat, hield van de straat en alle straten in de buurt. De daken deden haar denken aan kasteeltorens. Johnny zei dat het in de buurt barstte van de studenten. Zij had zich altijd voorgesteld dat studenten armoediger woonden.

Ze opende de benedendeur en beklom de trap naar Johnny's verdieping. Er lag post achter zijn deur. Die raapte ze op en nam ze mee naar de woonkamer. Rekeningen en reclame, zo te zien, geen echte brieven. Geen foto's in de woonkamer; lege vakken in de boekenkast, die zij met ornamenten zou hebben opgevuld. Boeken op stapeltjes; voordat zij ze had opgeruimd, lagen ze overal in het rond. Er was een tijd dat Brian niet tolereerde dat ze aan zijn spullen kwam; tegenwoordig zou hij het waarschijnlijk niet eens in de gaten hebben. Johnny had wel gezien dat ze had opgeruimd, maar ze wist niet zeker of hij er blij mee was, ook al had hij 'bedankt' gezegd.

Ze verzamelde een paar mokken, een bord en de asbak en bracht ze naar de keuken. Pakte een deken van de bank en legde die op het bed in de logeerkamer. Toen ze alles op orde had, vroeg ze zich af wat ze nu zou doen. De ramen lappen? Waarmee? Een kop van het een of ander zetten? Wat muziek luisteren... wanneer had ze voor het laatst gewoon naar muziek zitten luisteren? Wanneer had ze voor het laatst tijd gehad? Ze keek Johnny's verzameling door. Trok een oude lp uit de kast, een van de eerste van de Rolling Stones. Zo te zien nog dezelfde als die hij had toen ze met elkaar gingen. Achterop vond ze een balpenkrabbel: JLJ, Janice Loves Johnny. Die had ze er op een avond op gezet, benieuwd of het hem zou opvallen. Hij zat altijd zijn lp-hoezen te bewonderen. En het was hem opgevallen en hij was er niet blij mee geweest. Hij was zelfs met een gum in de weer gegaan, je kon de vlek nog zien.

Zomers in de cafetaria, lange avonden met de cola-automaat en de jukebox. Zakje chips, *salt & vinegar*. Misschien nu en dan een film, en anders wandelen in het park. De jeugdclub werd gerund door de kerk. Dat vond Johnny niet leuk – die was geen kerkganger. Toch lag hier een bijbel, als enige op de schoorsteenmantel. En andere boeken die er religieus uitzagen: *De belijdenissen* van de heilige Augustinus; *De wolk van niet-weten*. Vooral dat laatste had een mooie klank. Veel boeken, toch leek hij niet zo'n lezer; de meeste boeken zagen er ook gloednieuw uit.

Zijn slaapkamer... had ze ook een heimelijke blik in geworpen. Niet de meest uitnodigende kamer: matras op de grond, stapeltjes kleren in de hoek, klaar om in de ladekast te worden opgeborgen. Sokken die niet bij elkaar pasten – wat was dat toch met mannen en sokken? De hele flat voelde liefdeloos aan, al was de woonkamer wat opgeknapt. Zijn stoel, in de buurt van het erkerraam en met de telefoon ernaast op de grond, was het middelpunt waar de hele flat omheen draaide. Keukenkastjes: flessen whisky en cognac en wodka en gin. Meer wodka in de vriezer en bier in de koelkast, plus kaas, margarine en een onappetijtelijk uitziend stuk cornedbeef. Potten bietjes en aardbeienjam op het aanrecht, een broodtrommel met twee oude bolletjes en het kapje van een brood.

Ze zeiden dat je veel van een man kon zeggen aan de hand van zijn huis. Ze kreeg het gevoel dat Johnny eenzaam was, maar hoe kon dat, hij had toch immers die dokter, Patience nog wat?

De deurbel. Ze vroeg zich af wie het zou kunnen zijn. Liep ernaartoe en deed open zonder zich om het kijkgaatje te bekommeren. Een man, glimlachend.

'Hallo daar,' zei hij. 'Is John thuis?'

'Nee, ik ben bang van niet.'

De glimlach verdween en de man keek op zijn horloge. 'Ik hoop niet dat ie me wéér voor niks laat komen.'

'Nou ja, in zijn werk...'

'Ach ja, natuurlijk. Daar weet u vast alles van.'

Ze voelde dat ze onder zijn blik begon te blozen. 'Ik ben zijn vriendin niet of zoiets.'

'Niet? En ik maar denken dat ie eindelijk beet had, die ouwe bok.'

'Nee, ik ben gewoon een vriendin.'

'Enkel goeie vrienden, hè?' Hij tikte tegen de zijkant van zijn neus. 'Maak je geen zorgen, ik zeg niks tegen Patience.'

Haar blos breidde zich uit. 'We hebben samen op school gezeten, Johnny en ik. Kwamen elkaar pas weer tegen.' Ze was aan het snateren, en dat wist ze, maar om de een of andere reden kon ze zichzelf er niet van weerhouden.

'Da's leuk, oude vrienden weer tegenkomen. Nogal wat om over bij te praten, hè?'

'Nogal.'

'Vertel mij wat. Ik heb ook een paar jaar geen contact met John gehad.'

'O ja?'

'Werken in Amerika.'

'Wat interessant. Heb je er lang gezeten...?' Ze onderbrak zichzelf. 'Sorry, ik kan je moeilijk buiten laten staan, of wel?'

'Dat begon ik me ook af te vragen.'

Ze deed de deur open en zette een stapje terug. 'Kom maar binnen, dan. Ik heet trouwens Janice.'

'Als ik je vertel hoe ik heet, moet je lachen. Ik kan alleen maar zeggen: mij is niks gevraagd.'

'Hoezo, hoe heet je dan?' lachte ze, nu hij langs haar het halletje in stapte.

'Cary,' zei hij. 'Naar de acteur. Al ben ik nooit zo'n gladde meneer geworden.'

Hij knipoogde naar haar en ze sloot de deur.

De flat was leeg toen Rebus thuiskwam, maar hij kon zien dat er iemand was geweest: dingen verplaatst, dingen opgeruimd. Janice weer. Hij keek uit naar een briefje, maar ze had er geen achtergelaten. Hij haalde een blikje bier uit de koelkast en zette toen de stereo aan. The Stones, *Goat's Head Soup*. Op de hoes hun opgemaakte gezichten in een soort gaas, gefotografeerd door David Bailey, met Mick Jagger vrouwelijker dan ooit. Rebus zette het geluid zacht en belde Alan Archibalds nummer. Niemand thuis behalve het antwoordapparaat. Archibalds stem klonk ver weg en afgemeten.

'Met John Rebus. Een simpele boodschap: pas op. Oakes is vlak bij je huis door een taxichauffeur opgepikt. Ik kan geen enkele andere reden bedenken waarom hij in die buurt zou zijn. Hij is ook bij mij in de straat geweest. Ik weet niet wat hij in de zin heeft, misschien wil ie ons alleen maar nerveus maken. Hoe dan ook: je bent gewaarschuwd.'

Hij legde de telefoon neer. Gewaarschuwd is gewapend, zeiden ze in Schotland. Hij vroeg zich af hoe Alan Archibald zich zou wapenen.

Hij draaide het volume weer omhoog en ging bij het raam zitten staren naar het blok aan de overkant. De kinderen hadden vrij van school en zaten te spelen om de salontafel. Een of ander kaartspelletje, zo te zien. Happy Families misschien; daar was Rebus nooit zo goed in geweest. Toen hij omkeek van het raam zag hij een gestalte in de deuropening.

'Christene zielen,' zei hij, met een hand op zijn borst, 'doe me dat nooit meer.'

'Sorry,' zei Janice lachend. Ze hield een pak melk voor hem op. 'Je zat bijna zonder.'

'Bedankt.' Hij volgde haar naar de keuken en zag haar de melk in de koelkast zetten.

'Was je je afspraak vergeten?' vroeg ze

'Afspraak?' Rebus dacht na: dokter? Tandarts?

'Je hebt je vriend voor niets laten komen. Hij was hier een uur geleden. Ik ben een kop koffie met hem gaan drinken.' Ze schudde haar hoofd om Rebus' achteloosheid.

'Ik kan je niet volgen,' zei hij.

'Cary,' legde ze uit. 'Jullie zouden samen wat gaan drinken.'

Rebus voelde zijn ruggengraat verkillen. 'Hij is hier geweest?'

'Om jou op te halen, ja.'

'En jij bent met hem meegegaan?'

Ze was het aanrechtblad aan het afnemen maar keek naar hem om en zag de uitdrukking op zijn gezicht.

'Wat is er?' vroeg ze.

Hij keek op naar de kastjes en maakte er één open, zogenaamd om iets te zoeken. Hij kon het haar niet zeggen. Ze zou zich doodschrikken. Hij deed het kastje dicht.

'Gezellig gepraat, jullie tweeën?'

'Hij heeft me verteld over zijn baan in de Verenigde Staten.'

'Welke? Ik dacht dat hij er een paar had gehad.'

'O ja?' Ze fronste haar wenkbrauwen. 'Nou, de enige waar ie mij iets over heeft verteld was die van gevangenbewaarder.'

'Ah, oké.' Rebus knikte. 'Ik neem aan dat je hem over ons hebt verteld?'

Ze wierp hem een steelse blik toe. Op haar wangen waren rode plekken verschenen. 'Wat valt er te vertellen?'

'Ik bedoel, over jezelf, hoe we elkaar kennen...?'

'O ja, dat allemaal wel.'

'En over Fife?'

'Hij wou alles weten over Cardenden. Ik heb hem nog op z'n kop gegeven, ik dacht dat ie zat te slijmen.'

'Nee, Cary is altijd heel geïnteresseerd in mensen.'

'Dat is precies wat hij zei.' Ze zweeg. 'Met jou alles goed?'

'Ja hoor. Gewoon... problemen op het werk.' Te weten Cary Oakes, die nu Janice in zijn spelletje had betrokken. En Rebus, die zelf midden op het bord stond, kende de regels nog niet.

'Wil je een kop koffie of zo?'

Rebus schudde zijn hoofd. 'We gaan zo weg.' Wé? Als Cary Oakes naar Fife was gegaan, kon Janice beter in Edinburgh blijven. Maar waar? Rebus' flat was blijkbaar niet veilig. Bij Rebus zelf was ze wel veilig, en Rebus moest ergens heen.

'Waarheen?'

'Terug naar Fife. Ik heb nog wat vragen voor Damons vrienden.' En terrein te verkennen, uitkijken naar Oakes.

Ze staarde hem aan. 'Heb je... ben je iets op het spoor?'

'Moeilijk te zeggen.'

'Probeer het maar.'

Hij schudde zijn hoofd. 'Ik wil je geen valse hoop geven. Misschien stelt het helemaal niks voor.' Hij liep de keuken uit. 'Laat me even wat spullen pakken.'

'Spullen pakken?'

'Het is weekend, Janice. Ik dacht ik kan wel tot morgen blijven. Er is toch nog wel een hotel in de stad?'

Ze aarzelde een moment. 'Je kunt bij ons logeren.'

'Een hotel is prima.'

Maar ze schudde haar hoofd. 'Ik kan je Damons kamer niet geven, dat snap je wel, maar je kunt altijd op de bank slapen.'

Rebus deed alsof hij in verlegenheid was gebracht. 'Goed dan,' zei hij uiteindelijk. Met in het achterhoofd: ik wil daar slapen vannacht, ik wil bij haar in de buurt zijn. Niet om de voor de hand liggende reden waar hij een dag of twee geleden nog voor open had gestaan, maar omdat hij er rekening mee hield dat Oakes naar Cardenden zou reizen, haar thuis zou gaan bespioneren. Wat Oakes ook in de zin had, hij liet er geen gras over groeien. Als hij iets met Janice wilde uithalen, dacht Rebus, zou hij het dit weekend proberen.

En dan moest hij er zijn.

'Ik gooi gewoon wat spullen in een tas,' zei hij, op weg naar zijn slaapkamer.

32

Rebus nam Janice eerst mee naar Sammy, even zien hoe het met haar was. Ze was optrekoefeningen aan het doen op haar brug, hees zich overeind tot ze stond, trok dan haar knieën op en liet zich weer in haar rolstoel zakken. De voordeur zat niet op slot; dat wilde ze niet als Ned niet thuis was. Rebus had zich er zorgen over gemaakt tot ze hem had uitgelegd waarom.

'Ik moest de risico's afwegen: dat ik hulp nodig heb, of dat er wordt ingebroken. Als ik verlamd op de grond lig, wil ik wel dat er een reddende engel naar binnen kan.'

Ze droeg een mouwloos grijs T-shirt, op de rug donkergrijs door het zweet. Om haar schouder hing een handdoek en haar haar plakte tegen haar voorhoofd.

'Of dit goed is voor m'n benen mag Joost weten,' zei ze, 'maar ik krijg spierballen als een kogelstoter.'

'En dat helemaal zonder anabole steroïden,' zei hij en hij boog voorover om haar een zoen te geven. 'Dit is Janice, een oude schoolvriendin van me.'

'Hallo Janice,' zei Sammy. Toen ze haar vader weer aankeek, voelde hij zich verlegen, al wist hij niet goed waarom.

'Haar zoon is vermist,' legde hij uit. 'Ik probeer wat te helpen.'

'Wat erg,' zei ze. Janice glimlachte en haalde haar schouders op.

'Janice woont nog in Cardenden,' ging Rebus verder. 'We gaan er zo heen, voor het geval je me vanavond had willen bellen.'

'Oké,' zei Sammy met haar hoofd in de handdoek. Hij wist nu dat hij beter niet had kunnen komen, dat Sammy er allerlei dingen achter zou zoeken die hij niet kon rechtzetten zonder Janice in verlegenheid te brengen.

'Dus dan zie ik je binnenkort,' zei hij.

'Ik ga nergens heen.' Ze was klaar met de handdoek en keek op naar de brug, haar huidige horizon.

'Ik neem je er een keer mee naartoe. Laat ik je m'n oude jachtterrein zien.'

Ze knikte. 'Kunnen we Patience ook meenemen, anders voelt ze zich vast buitengesloten.'
'Fijn weekend, Sammy,' zei hij onderweg naar de deur.
Ze nam niet de moeite hem insgelijks te wensen.

'Ik bel Patience even,' zei hij, terwijl hij zijn mobiel uit zijn zak wurmde. Ze zaten weer in de auto, op weg naar de A90. Patience ging op vrijdagavond soms uit met een stel vriendinnen. Het was een vast ritueel: borrelen en eten, misschien een toneelstuk of concert. Drie andere vrouwelijke artsen, twee van hen gescheiden, de derde kennelijk nog altijd gelukkig getrouwd. Haar telefoon was vier keer overgegaan, toen ze opnam.
'Met mij,' zei hij.
'Wat heb ik je gezegd over bellen met dat ding terwijl je aan het rijden bent?'
'Ik sta stil voor het stoplicht,' loog hij en knipoogde samenzweerderig naar Janice. Ze leek niet op haar gemak.
'Heb je plannen?'
'Ik moet naar Fife, een paar mensen die ik nog wil horen. Ik blijf er vannacht waarschijnlijk slapen. Ga je uit?'
'Over een minuut of twintig.'
'Doe ze de groeten van me.'
'John... wanneer zien wij elkaar?'
'Gauw.'
'Dit weekend?'
'Vrijwel zeker.'
'Ik ga morgen naar Sammy.'
'Oké,' zei hij. Sammy zou Patience over Janice vertellen. Dan zou Patience weten dat Janice bij hem in de auto had gezeten toen hij haar belde. 'Ik logeer bij een paar oude vrienden: Janice en Brian.'
'Waar je mee op school hebt gezeten?'
'Klopt. Ik wist niet dat ik je over ze had verteld.'
'Heb je ook niet. Maar voor zover ik weet, heb je na je schooltijd helemaal geen vrienden meer gemaakt.'
'Dag, Patience,' zei hij, en hij stuurde de buitenbaan op en trapte het gaspedaal in.

Dokter Patience Aitken bestelde een taxi. Toen die arriveerde, duwde de chauffeur haar hekje open en daalde het steile ronde trapje af naar haar tuinflat. Hij belde aan en schuifelde met zijn voeten op de flagstones terwijl hij wachtte. Hij vond de tuinflats in de New Town leuk; aan de voorkant lagen ze onder de begane grond, maar aan de achterkant kwamen ze uit op een tuin. En ze hadden zo'n plaatsje aan de voorkant, met tegenover de voordeur een kelder. Niet dat je veel aan zo'n kelder had, te vochtig. Zeker niet geschikt om wijn op te slaan. Hij was die zomer met zijn vrouw naar de Loire geweest en had er alles van de wijn geleerd. Hij had nu drie gemengde dozen in de kast onder de trap thuis staan. Verre van ideaal: een modern halfvrijstaand huis in Fairmilehead. Te droog, te warm. Zo'n flat als deze moest je hebben, die hadden binnen vast kasten waar je prima wijn kon opleggen, koel en droog, met dikke stenen muren.

Hij zag dat de dokter het plaatsje een soort tuinsfeer had willen geven: hangende bloemkorven, terracotta potten. Maar planten kregen hier niet veel licht, dat was het probleem. Wat hij met hun eigen voortuin had gedaan, zodra ze in het huis waren getrokken: bijna helemaal geplaveid met flagstones en alleen in het midden een vierkant bloemperk met een paar rozen. Praktisch onderhoudsvrij.

De deur ging open en de dokter kwam naar buiten terwijl ze een sjaal om haar schouders trok. Met haar kwam een parfumgeur mee naar buiten: niet te zwaar.

'Sorry dat ik u heb laten wachten,' zei ze, en ze trok de deur dicht en liep naar het trapje.

'Die zou ik op het nachtslot doen als ik u was,' ried hij haar aan.

'Wat?'

'Yale,' legde hij hoofdschuddend uit. 'Die heeft een kind nog in minder dan tien seconden open.'

Ze dacht erover na en haalde haar schouders op. 'Wat is het leven zonder een beetje risico?'

'Als je goed verzekerd bent,' zei hij en hij bestudeerde haar enkels terwijl hij achter haar aan het trapje op liep.

Jim Stevens lag op bed met één hand over zijn ogen terwijl hij met de andere de telefoon aan zijn oor hield. Hij luisterde naar Matt Lewin, die hem net had verteld hoe lekker het weer in Seattle was. Stevens had hem delen van Cary Oakes' 'biecht' gefaxt en Lewin gaf zijn commentaar.

'Tja, zo te zien zitten er wel stukjes bij die kloppen. Dat verhaal over die vrachtwagenchauffeur is nieuw, en eerlijk gezegd lijkt het me de moeite van het uitzoeken niet waard.'

'Je denkt dat ie het heeft verzonnen?'

'Mijn probleem niet, goddank. Met alle respect, Jim, ik zou geen woord geloven van wat die klootzak je vertelt, en ik zou hem al helemaal de voldoening niet gunnen dat het gedrukt werd.'

Zo leek Stevens' baas er ook over te denken. De geplande acht afleveringen waren al teruggebracht tot vijf.

'Ik ben maar wat blij dat jullie nou met hem opgescheept zitten en niet wij,' ging Lewin verder.

'Bedankt.'

'Maakt ie het je lastig?'

Stevens had weinig zin Lewin te vertellen dat Oakes met de dag lastiger werd. Hij was die middag weer weggeglipt uit het hotel, was bijna drie uur weggebleven en had geweigerd te zeggen waar hij was geweest.

'Ach, het is bijna klaar,' zei Stevens en hij wreef met zijn hand over zijn voorhoofd.

'Weg ermee, zou ik zeggen.'

'Je hebt gelijk.' Maar zo eenvoudig lag het voor Stevens niet. Wat zou Oakes hierna gaan doen, als hij weer op straat stond? Die tienduizend van de krant kon hij wel vergeten, voor de schamele verhaaltjes waar hij mee was gekomen. Dat nieuws moest Stevens hem nog bezorgen.

En hijzelf dan? Hij was deel geworden van Oakes' wereld en hij moest maar hopen dat Oakes hem zou loslaten.

En voor zijn gevoel, God beware hem, zou dat nog helemaal niet zo eenvoudig worden...

Cary Oakes zag de taxi wegrijden. Dokter P. nam hij aan. Niet zo piep meer, maar als je bedacht hoe Rebus eruitzag kon hij moeilijk klagen. Souterrainflat; ideaal voor zijn plan. Hij kwam van achter de geparkeerde auto vandaan en keek de straat op en af. Doodstil. Edinburgh deed hem toch al doods aan: je kon er uren rondlopen zonder opgemerkt te worden, laat staan verdacht.

Jim Stevens was in een rothumeur geweest; het Cary Oakes-verhaal was door de hoofdredacteur teruggezet achter een speciale reportage over buurtwachten. Volgens Stevens vanwege de moord op die pedofiel.

'Die verdomde Rebus weer,' had hij gemompeld, en Oakes had om uitleg gevraagd.

Stevens' theorie: Rebus had Darren Rough aangewezen en het gepeupel tegen hem opgezet. En nu had een van hen het te bont gemaakt. Alles wat Oakes te horen kreeg over Rebus maakte de rechercheur interessanter, ingewikkelder.

'Wat heeft zo'n man nou voor leefregels, denk je?' had hij gevraagd.

Stevens had zijn neus opgehaald. 'Leefregels, zweefregels, weet ik veel.'

‘Er zijn ook mensen die hun eigen regels opstellen,’ had Oakes geopperd.

‘Zoals die seriemoordenaar van je?’

‘Huh?’

‘Die met die vrachtwagen, die je een lift gaf.’

‘O die... ja, natuurlijk.’

Stevens had hem aangekeken. En Cary Oakes had naar hem teruggestaard.

Nu stak hij de straat over. Geen huizen aan de overkant, alleen een gietijzeren hek en daarachter een grasrand. Geen buren die hem in actie konden zien.

Hij kon ongestoord doen wat hem te doen stond.

De batterijen raakten op, rationaliseerde Rebus, en hij had de oplader niet bij zich. Dus zette hij zijn gsm uit.

‘Begin van het weekend,’ zei hij toen ze de Forth Road Bridge over reden richting Fife.

Later, toen ze bij Kirkcaldy van de snelweg af kwamen: ‘De wegen zijn veranderd.’ Maar de oude weg van Kirkcaldy naar Cardenden leek grotendeels hetzelfde gebleven, dezelfde bochten, gaten en hobbels.

‘Weet je nog dat we een keer naar Kirkcaldy zijn gelopen om naar de film te gaan?’ vroeg Janice.

Rebus glimlachte. ‘Nou je het zegt. Waarom namen we niet gewoon de bus?’

‘Zullen we wel geen geld voor hebben gehad.’

Hij fronste. ‘Alleen jij en ik?’

‘Mitch en zijn vriendin ook. Ik kan me niet herinneren met wie hij in die tijd uitging.’

‘Hij versleet er nogal wat.’

‘Of zij hem.’

‘Kan ook.’ Ze reden een ogenblik in stilte. ‘Wat was het voor film?’

‘Welke film?’

‘Die waar we tien kilometer voor gingen lopen.’

‘Ik geloof niet dat ik er veel van heb gezien.’

Ze wisselden een blik en barstten in lachen uit.

Brian Mee hoorde de auto en kwam naar buiten.

‘Da’s een verrassing,’ zei hij en schudde Rebus de hand.

‘Ik moet nog eens met Damons vrienden praten,’ legde Rebus uit.

Janice tikte haar man op zijn arm. ‘Hij zei dat hij in het hotel ging overnachten.’

‘Onzin, je kunt bij ons slapen. Damon z’n kamer staat...’

'Ik dacht misschien op de bank,' viel Janice hem in de rede.

Brian herstelde zich goed. 'O, die is nog niet zo oud. Ligt lekker, en ik kan het weten: ik ga er 's avonds zelf vaak onder zeil.'

'Dat is dan geregeld,' zei Janice en ze liep het voorpad op met aan elke arm een man.

Ze lieten Chinees eten brengen en trokken een paar flessen wijn open. Oude verhalen, opgerakelde herinneringen. Halfvergeten namen, de lotgevallen van degenen die in de stad waren blijven wonen, hoe de stad veranderd was. Rebus had naar de vrienden van Damon gebeld die samen met hem in Gaitano's waren geweest, maar ze waren geen van beiden thuis. Hij had de boodschap voor ze achtergelaten dat hij ze de volgende ochtend wilde spreken.

'We zouden wat kunnen gaan drinken,' stelde hij zijn gastheer en gastvrouw voor. Zijn ogen rustten ondertussen op Janice. 'Zou de eerste keer zijn dat ik legaal een rondje mag bestellen in de Goth.'

'De Goth is gesloten,' zei Brian.

'Sinds wanneer?'

'Het wordt verbouwd tot een werklozencentrum.'

'Dat was het toch altijd al?'

Daar moesten ze om lachen. De Goth gesloten: de stamkroeg van zijn vader, de eerste tent waar John Rebus ooit een rondje had gegeven.

'De Railway Tavern draait nog wel,' vulde Brian aan. 'Daar gaan we morgenavond naartoe, voor de karaoke.'

'Zo lang kun je toch wel blijven, hè?' vroeg Janice.

'Nou, eigenlijk ben ik allergisch voor karaoke.' Rebus zat weer in de 'stoel bij de kachel' die hem ook bij zijn eerste bezoek was gewezen. De tv stond aan zonder geluid. Hij werkte als een magneet die hun blikken tijdens het gesprek steeds naar zich toe trok. Janice ruimde af; ze hadden met het bord op schoot gegeten. Hij hielp haar de spullen naar de keuken brengen en zag dat die te klein was om er met z'n drieën te eten. Voor het raam in de woonkamer stond wel een eettafel, maar ingeklapt en vol met prullaria. Werd alleen voor speciale gelegenheden gebruikt. Met de bladen opengeklapt zou hij bijna de hele kamer vullen. Ze aten altijd met het bord op schoot, voor de tv. Hij stelde zich voor hoe ze gedrieën, vader, moeder, zoon, naar het scherm staarden als afleiding terwijl de stiltes in de gesprekken langer werden.

Na de koffie kondigde Janice aan dat ze naar bed ging. Brian zei dat hij eraan kwam. Ze bracht dekens en een kussen voor Rebus en wees hem waar de badkamer was. Wees hem de lichtknop in de hal. Zei dat hij gerust een bad kon nemen, warm water genoeg.

'Zie je morgen.'

Brian reikte naar de afstandsbediening, zette de tv uit, maar aarzelde toen.

'Er was toch niet iets wat je wilde...?'

Rebus schudde zijn hoofd. 'Ik kijk niet veel.'

'En wat zou je zeggen van een borreltje?'

'Kijk, dat is andere koek,' erkende Rebus met een glimlach.

Ze nipten in stilte aan hun whisky. Het was geen malt, misschien Teacher's of Grant's. Brian had een flinke plens water bij de zijne gedaan, Rebus vond het niet nodig.

'Waar denk je dat hij zit?' vroeg Brian uiteindelijk, en liet de drank rondgaan langs de rand van zijn glas. 'In vertrouwen, zeg maar.'

Alsof Janice er niet tegen zou kunnen, alsof hij sterker was dan zij.

'Ik weet het niet, Brian. Ik wou dat ik het wist.'

'Maar meestal gaan ze naar Londen, toch?'

'Ja.'

'En de meesten redden zich wel, toch?'

Rebus knikte. Hier had hij geen zin in, hij wenste plotseling dat hij thuis was in zijn eigen flat, met zijn eigen whisky, zijn muziek en boeken. Maar Brian had behoefte aan een gesprek.

'Ik neem het onszelf kwalijk, weet je.'

'Zouden de meeste ouders doen, denk ik.'

'Die sfeer, die heeft ie vast gevoeld, die is hem te benauwd geworden.' Hij zat op de rand van de bank, met het glas in zijn handen geklemd. Hij keek onder het praten naar de grond. 'Ik had het idee dat Janice gewoon zat te wachten tot Damon het huis uit zou gaan. Op zichzelf ging wonen, weet je? Daar zat ze op te wachten.'

'En dan?'

Brian keek naar hem op. 'Dan was er voor haar geen reden meer om te blijven. Elke keer dat ze naar Edinburgh gaat, denk ik: dit is het, nu komt ze niet meer terug.'

'Maar ze komt altijd terug.'

Hij knikte. 'Maar het is nu anders. Ze komt terug voor het geval Damon hier is. Niet voor mij.' Hij hoestte, schraapte zijn keel en leegde zijn glas. 'Nog eentje?' Rebus schudde zijn hoofd. 'Nee, beter van niet. Bedtijd, hè?' Brian kwam overeind met een geforceerd glimlachje. 'De schooljaren, hè Johnny?'

'De schooljaren, ja,' stemde Rebus in. Hij zag achter Brian Mees ogen iets oplichten, en toen weer uitdoven.

Rebus poetste zijn tanden in de keuken, wilde boven geen indringer zijn nu Brian ook op het punt stond naar bed te gaan. Hij spreidde de dekens op de bank. Zat daar met het licht uit, stond toen op en liep naar het raam. Tuurde door de gordijnen. De straatlantaarns buiten verspreidden een zwakke oranje gloed. De straat was verlaten. Hij sloop naar de hal, opende stilletjes de deur en liet hem op een kier staan. Vijf minuten buiten en hij wist dat Cary Oakes niet in de buurt was. Hij ging naar binnen en moest echt naar het toilet. De gootsteen in de keuken kon hij met goed fatsoen niet gebruiken, dus luisterde hij onder aan de trap en begaf zich naar boven. Hij wist waar de badkamer was, ging naar binnen en deed wat hij doen moest. Eén slaapkamerdeur was dicht, de andere stond iets open. Op de open deur was een voetbalsjaal geprikt en een handvol concertkaartjes van een paar jaar geleden. Rebus stak zijn hoofd om de deur: zag de contouren van posters, een klerenkast en een ladekast. Zag het raam en de dichte gordijnen. Zag het smalle bed en Janice die er met regelmatige ademhaling in lag te slapen.

Sloop weer naar beneden en voelde zich een inbreker.

33

De volgende ochtend had hij na het ontbijt een gesprek met de vrienden van Damon.

Ze kwamen langs toen Janice en Brian boodschappen waren gaan doen. Joey Haldane was lang en mager, met kortgeknipt gebleekt haar en donkere borstelige wenkbrauwen. Hij was helemaal in spijkerstof gekleed, broek, jack en shirt, en droeg zwarte Dr. Martens. Het viel Rebus op dat zijn mond vrijwel voortdurend openhing, alsof hij door zijn neus niet genoeg adem kreeg.

Pete Mathieson was even lang als Joey maar een stuk breder, het soort jongen dat een boer graag als zoon zou hebben (en waarschijnlijk zou uitbuiten). Hij droeg een rode joggingbroek en een blauw sweatshirt, en Nikes met praktisch doorgesleten zolen. Ze gingen op de bank zitten. Rebus' dekens en kussen waren al voor het ontbijt naar boven verdwenen terwijl hij in bad lag.

'Bedankt dat jullie gekomen zijn,' begon Rebus. In plaats van in een van de veel te zachte leunstoelen was hij gaan zitten op een rechte eetkamerstoel die hij midden in de kamer had gepoot. De jongens zonken weg in de sofa. Hij had de stoel achterstevoren gezet, zodat hij er wijdbeens op zat, met zijn armen over de rugleuning geslagen.

'We hebben elkaar natuurlijk al eens gesproken, maar ik heb nog een paar irritante vragen. Zo noem ik ze maar, want als ik het gevoel krijg dat iemand me wat op de mouw speldt, kan ik heel irritant worden.'

Joey maakte zijn lippen nat met zijn tong, Pete trok met zijn schouder, liet zijn hoofd wat hangen en probeerde verveeld te kijken.

'Het is namelijk zo,' ging Rebus verder, 'mij was gezegd dat jullie drieën alleen die ene keer in Edinburgh waren uitgegaan. Maar nou denk ik te weten dat het anders lag. Ik denk dat jullie er eerder ook al zijn geweest. Misschien zelfs regelmatig, denk ik, maar dan ga ik me afvragen waarom jullie erover zouden liegen? Wat heb je dan te verbergen? Bedenk wel dat we hier bezig zijn met een onderzoek naar een vermissing. Je hoeft niet te denken dat je iets geheim kunt houden voor ons.'

'Wij hebben niks gedaan.' Joey, in een plat plaatselijk accent, met een stem als een schrobzaag.

'Ik zeg toch niet dat je iets gedáán hebt, Joey?'

'Niet?' Heel even hield hij Rebus' blik vast.

'Misschien heb je wel iets níét gedaan.'

'Ik zeg u net, we hebben niks gedaan.'

'Misschien heb je niet de waarheid gesproken over die avond? Misschien waren jullie wél eerder in Edinburgh gaan stappen...'

'We zijn er wel eens eerder geweest,' zei Pete Mathieson.

'Goeiemorgen, Pete,' zei Rebus. 'Ik dacht even dat je je tong was kwijtgeraakt.'

'Shit, man,' siste Joey.

Mathieson keek zijn vriend even aan, maar toen hij verder ging was het tegen Rebus.

'We waren er al eens geweest.'

'Bij Guiser's?'

'En andere tenten – pubs, clubs.'

'Hoe vaak?'

'Vier, vijf keer.'

'Zonder het tegen je vriendin te zeggen?'

'Die dachten dat we naar Kirkcaldy waren, net als altijd.'

'Waarom mochten zij het niet weten?'

'Dan was de lol ervanaf geweest,' zei Joey en hij sloeg zijn armen over elkaar. Rebus dacht dat hij wel begreep wat hij bedoelde. Het was pas een avontuur als het stiekem gebeurde. Mannen hielden van geheimpjes en leugentjes. Dingen doen die niet mochten. Toch had hij het gevoel dat het nog iets verder ging. Zoals Joey daar achteroverleunde in de bank, zijn enkel op de andere knie vasthield. Hij zat aan iets te denken, iets in verband met die avondjes uit, een prettige herinnering...

'Was jij de enige die vreemdging, Joey, of deden jullie dat allemaal?'

Joey's gezicht betrok. Hij keek zijn vriend aan.

'Ik heb niks gezegd!' sputterde Pete.

'Dat hoefde ook niet,' zei Rebus. 'Het staat op je gezicht geschreven.'

Joey schoof in zijn stoel, zijn zelfvertrouwen slonk met de seconde. Uiteindelijk ging hij rechtop zitten, met zijn armen op zijn knieën. 'Als Alice erachter komt, vermoordt ze me.'

Daar sprak de ware avonturier.

'Ik ga niemands geheimen verklappen, Joey. Ik moet alleen weten wat er die avond is gebeurd.'

Joey keek naar Pete, alsof hij hem toestemming gaf om antwoord te geven.

'Joey had een meid ontmoet,' begon Pete. 'Drie weken daarvoor. Dus elke keer als we gingen, zocht hij haar op.'

'Dus je was niet in Guiser's?'

Joey schudde zijn hoofd. 'We zijn een uurtje naar haar flat geweest.'

'We hadden afgesproken,' legde Pete uit, 'dat we elkaar later weer bij Guiser's zouden treffen.'

'Jij was er ook niet?'

Pete schudde zijn hoofd. 'We waren daarvoor in een kroeg en ik raakte aan de praat met een meisje. Volgens mij zat Damon zich daar te vervelen.'

'Volgens mij was ie gewoon jaloers,' vulde Joey aan.

'Dus hij is in z'n eentje doorgegaan naar Guiser's?' vroeg Rebus.

'Tegen de tijd dat ik daar kwam,' zei Pete, 'was ie niet te vinden.'

'Dus hij stond niet bij de bar om een rondje te halen? Dat zeiden jullie maar om te verbergen dat je eigenlijk ergens anders was?' Hij keek Joey aan.

'Eigenlijk wel,' antwoordde Pete. 'Maakt niet uit, dachten we.'

Rebus dacht na. 'En Damon? Versierde hij wel eens iemand?'

'Het was net of het hem nooit lukte.'

'Niet omdat hij met zijn hoofd bij Helen zat?'

Joey schudde zijn hoofd. 'Hij wist gewoon niet wat ie met meisjes moest beginnen.'

En hij was in zijn eentje naar Guiser's vertrokken... met wat voor idee? Met het idee dat hij van hun drieën de enige was die op een avond niet wist te scoren. Met het idee dat hij er niks van kon. Toch was hij uiteindelijk met de onbekende blondine in een taxi terechtgekomen...

'Maakt het wat uit?' vroeg Pete.

'Zou kunnen. Moet ik over nadenken.' Het maakte wat uit dat Damon daar alleen was geweest. Het maakte wat uit omdat Rebus nu geen idee had wat er met hem was gebeurd tussen het moment dat hij Pete in de kroeg had achtergelaten en aan de bar van Guiser's was verschenen, wachtend op zijn bestelling met een blonde vrouw naast zich. Ze konden elkaar onderweg zijn tegengekomen. Er kon iets zijn gebeurd. En Rebus had geen idee wat. Net toen het beeld scherper had moeten worden, was het aan diggelen gevallen.

Toen Janice en Brian boodschappen uit de auto naar binnen begonnen te brengen, stuurde Rebus Pete en Joey weg. Nog iets wat ze hadden gezegd: Damon was best in geweest voor een onenightstand. Wat zei dat over zijn relatie met Helen?

'Alles goed, John?' vroeg Janice glimlachend.

'Prima,' antwoordde hij.

Na de lunch vroeg Brian hem mee naar de pub. Het was een vaste routine: zaterdagmiddag, voetballen op de radio of tv, wat drinken met de jongens. Maar Rebus sloeg de uitnodiging af. Hij had het excuus dat Janice hem een rondwandeling door de stad had aangeboden. Rebus wilde niet gaan drinken met Brian, wilde geen banden vernieuwen of aanhalen, geen geheimen 'in vertrouwen' horen uitlekken. Hij had Janice zien slapen in de andere kamer en had nu al het gevoel dat hij meer wist dan hij moest weten.

Het kon natuurlijk best zijn dat ze daar sliep vanwege Damon, omdat ze hem miste. Maar Rebus dacht van niet.

Dus Brian vertrok naar de pub en Janice en Rebus gingen wandelen. Het regende, maar zachtjes. Ze droeg een rode montycoat met een capuchon. Ze bood Rebus een paraplu aan, maar die weigerde hij, met de uitleg dat hij paraplu's beschouwde als steekwapens sinds hij op Princes Street eens had gezien hoe iemand er bijna een oog mee werd uitgestoken.

'Hier is het nooit zo druk,' zei ze.

En dat klopte. De straten waren leeg. Om te winkelen gingen de inwoners naar Kirkcaldy of naar Edinburgh. Toen Rebus jong was had niemand in zijn familie een auto. Ze haalden alles wat ze nodig hadden in de winkels in de hoofdstraat. Tegenwoordig bestond blijkbaar alleen nog behoefte aan video's en afhaalmaaltijden. De Goth was inderdaad dicht, de ramen dichtgespijkerd, wat Rebus deed denken aan Darren Roughs flat. De flats aan Craigside Road waren gesloopt en vervangen door nieuwbouw. Een deel eigendom van de woningcorporatie, een ander deel koopwoningen.

'Niemand had een eigen huis toen wij op school zaten,' verklaarde Janice en ze begon te lachen. 'Hoor mij, alsof ik achtenzeventig ben.'

'De goeie ouwe tijd,' stemde Rebus in. 'Maar een stad verandert nou eenmaal.'

'Ja.'

'En mensen mogen ook veranderen.'

Ze keek hem aan maar vroeg niet wat hij bedoelde. Misschien wist ze het al.

Ze klommen The Craigs op, een woeste heuvel boven Auchterderran, en liepen langs de kam tot ze de oude school konden zien.

'Niet dat ie nog als school wordt gebruikt,' legde Janice uit. 'De kinderen gaan tegenwoordig naar Lochgelly. Weet je het schoolinsigne nog?'

'Jazeker.' Auchterderran Secondary School: ASS. Leerlingen van andere scholen riepen het ze achterna, om ze te plagen.

'Wat kijk je steeds om?' vroeg ze. 'Denk je dat er iemand achter ons aan zit?'

'Nee.'

'Zo is Brian niet, als je dat soms denkt.'

'Nee, nee, helemaal –'

'Soms wou ik dat ie zo was.' Ze stapte voor hem uit. Hij haastte zich niet haar in te halen.

Ze liepen langs de pub Auld Hoose terug de stad in. Het Cardenden van nu bestond vroeger uit vier aparte kerkdorpen die bekendstonden als de ABCD: Auchterderran, Bowhill, Cardenden en Dundonald. Toen ze met elkaar gingen, woonde Rebus in Bowhill en Janice in Dundonald. Deze weg namen ze als hij haar thuisbracht, de langste omweg die ze konden bedenken. Dan staken ze de River Ore over bij de oude gebochelde brug, waar nu allang een asfaltweg lag. Soms, bijvoorbeeld in de zomer, gingen ze door het park en staken de rivier over via een van de brede rioolbuizen. Voor kinderen waren die buizen een wedstrijdparcours. Rebus had meegemaakt dat jongens halverwege niet meer heen of terug durfden, tot ze hun ouders erbij moesten roepen. Hij had gezien hoe een jongen het in zijn broek deed van de angst maar toch centimeter voor centimeter voortschuifelde over de pijp terwijl de rivier onder hem kolkte. Anderen namen de hindernis op een drafje en hielden hun handen in hun zak om te laten zien dat ze die niet nodig hadden om in evenwicht te blijven.

Rebus was van het voorzichtige type geweest.

Dezelfde buis liep helemaal het park door voordat hij in de verte in het kreupelhout verdween. Je kon hem volgen tot de stortberg, een heuvel van slakken en kolenschraapsel die de mijn daar had opgeworpen. Als er vuur uitbrak kon het maanden smeulen en zag je uit de helling rookpluimen opstijgen als bij een vulkaan. Mettertijd waren de hellingen begroeid geraakt, zodat de stortberg nu meer dan ooit op een natuurlijke heuvel leek. Maar als je naar de top klom, was er een plateau, een buitenaards landschap dat voor de veiligheid was omheind. Het was net een klein ven met een olieachtig zwart en stroperig uitziend oppervlak. Niemand wist wat het was, maar je bekeek het met ontzag – je hield afstand en gooide er stenen in en keek hoe ze langzaam onder het oppervlak werden gezogen en uit het zicht verdwenen.

Jongens en meisjes zochten hun geheime plekken in de woestenij achter het park, kommen in de helling waar ze hun eigen domein inrichtten. Janice en Johnny ook, lang geleden.

The Kinks: 'Young and Innocent Days'.

Het was er nu allemaal anders. De stortberg was afgegraven en het hele gebied heringericht. De mijn was gesloopt. Cardenden was op de steenkool gegroeid en in de jaren twintig en dertig haastig uitgebreid om de binnenstromende mijnwerkers te huisvesten. De nieuwe straten hadden zelfs geen namen gekregen, enkel een nummer. Rebus' familie was op 13th Street komen wonen, verhuisd naar een prefabwoning in Cardenden en vandaar naar een rijtjeshuis aan een doodlopende straat in Bowhill. Maar tegen de tijd dat Rebus naar de middelbare school ging, werd de steenkoolwinning steeds moeilijker: gebroken lagen, waardoor een front een laag tonnage kon opleveren. De mijn werd onrendabel. De sirene die dagelijks de wisseling van de ploegendiensten aankondigde kwam tot zwijgen. Schoolvrienden van Rebus wier vaders en grootvaders in de mijn hadden gewerkt, moesten zich afvragen wat zij zouden gaan doen.

En Rebus zelf was er ook over gaan nadenken. Maar met de hulp van Mitch was hij tot een beslissing gekomen. Ze zouden samen in het leger gaan. Zo makkelijk als het toen leek...

'Woont Mickey hier nog in de buurt?' vroeg Janice.

'In Kirkcaldy.'

'Hij was een etter, jouw broertje. Weet je nog hoe hij de slaapkamer binnen kwam vallen? Of ineens het bordengat opendeed om ons te betrappen?'

Rebus lachte. Het bordengat, een woord dat hij in jaren niet meer had gehoord. Het doorgeefluik tussen de keuken en de woonkamer. Hij zag Mickey weer voor zich, hoe hij op het aanrecht in de keuken ging zitten om Rebus en Janice te bespioneren als ze alleen in de kamer waren.

Rebus keek weer om zich heen. Hij kon zich niet voorstellen dat Cary Oakes in de buurt was. Zo'n stadje als dit, waar iedereen elkaar kende, bood weinig mogelijkheden om je te verstoppen. Er waren al een paar mensen naar hem toe gekomen om goedendag te zeggen, alsof ze hem de vorige dag nog hadden gezien in plaats van vijftien jaar terug of meer. En Janice was misschien al door tien mensen staande gehouden – buren of gewoon nieuwsgierigen – die naar Damon hadden gevraagd. Hij was moeilijk te ontlopen: zijn foto leek op elke muur, lantaarnpaal of etalageruit te hangen.

'Ik ben een paar jaar geleden nog hier geweest,' vertelde Rebus

Janice. 'Hutchy's wedkantoor.'

'Zat je zeker achter Tommy Greenwood aan?'

Hij knikte. 'En ik kwam Cranny tegen.' Hun oude bijnaam voor Heather Cranston.

'Zij woont nog hier. Haar zoon ook.'

Rebus zocht in zijn geheugen naar de naam. 'Shug?'

'Klopt,' zei Janice. Ze waren terug op de weg en volgden het trottoir langs de begraafplaats. 'Met een beetje geluk zie je Heather vanavond.'

'O?'

'Ze komt vaak naar de karaoke.'

Rebus vroeg Janice of ze een stukje terug konden lopen. 'Ik wil even op het kerkhof kijken,' legde hij uit. En op je schreden terugkeren, had hij kunnen toevoegen, was een goede manier om te checken of je iemand in je rug had – dat had hij in het leger geleerd. Dus ze liepen terug richting Bowhill en de helling van de begraafplaats op. Hij dacht aan de geschiedenissen die er begraven lagen: de mijnongelukken, het meisje dat verdronken in de Ore was gevonden, het verkeersongeluk dat een heel gezin op vakantie het leven had gekost. En dan Johnny Thomson, keeper van Celtic, dodelijk gewond geraakt in de Old Firm, de derby tussen Celtic en de Glasgow Rangers, net iets in de twintig toen hij stierf.

Rebus' moeder was gecremeerd, maar zijn vader had gestaan op een 'echte' begrafenis. Zijn grafsteen stond bij de achtermuur. Liefhebbende echtgenoot van... en vader van... En onderaan de woorden HIJ IS NIET DOOD, HIJ RUST IN DE ARMEN VAN DE HEER. Maar toen ze het graf naderden, zag Rebus dat er iets mis was.

'Ach, John,' verzuchtte Janice.

De grafsteen was overgoten met witte verf, die de opschriften bijna helemaal bedekte.

'Kleine etterbakken,' zei Janice.

Rebus zag verfsporen op het gras, maar geen spoor van een leeg blik.

'Dat zijn geen kinderen geweest,' zei hij. Te toevallig.

'Wie dan?'

Hij voelde met zijn vinger aan de grafsteen en de verf was nog vochtig. Oakes was dus wel in de buurt geweest. Janice pakte hem bij zijn arm.

'Ik vind het zo erg voor je.'

'Het is maar een stuk steen,' zei hij zacht. 'Dat krijgen we er wel af.'

Ze dronken thee in de woonkamer. Rebus had Oakes' hotel gebeld: de kamer van Stevens, de bar, hij kreeg ze geen van beiden te pakken.

'We krijgen telefoontjes,' vertelde Janice hem.

'Pesterijen?' raadde hij.

Ze knikte. 'Zeggen ze dat Damon dood is, of dat wij hem hebben vermoord. Maar weet je, die bellers... ze klinken alsof ze hier uit de buurt komen.'

'Komen ze dan waarschijnlijk ook.'

Ze bood hem een sigaret aan. 'Beetje ziek, hè, vind je niet?'

Hij draaide zich naar haar om en knikte instemmend.

Ze zaten nog in de woonkamer toen Brian uit de pub terugkwam.

'Ik ga even douchen,' zei hij.

Janice legde uit dat hij dat altijd deed. 'Kleren in de wasmand en flink douchen. De sigarettenrook, denk ik.'

'Houdt ie daar niet van?'

'Hij heeft er de pest aan,' zei ze. 'Misschien ben ik daarom wel begonnen.' De voordeur ging weer open. De moeder van Janice. 'Ik pak even een kopje,' zei Janice en ze stond op.

Mevrouw Playfair knikte naar Rebus bij wijze van groet en ging tegenover hem zitten.

'Je hebt hem nog niet gevonden?'

'We doen ons uiterste best, mevrouw Playfair.'

'Ach, ik weet wel dat je je best doet, jongen. Hij is ons enige kleinkind, weet je.'

Rebus knikte.

'Een goeie knul, doet geen vlieg kwaad. Kan me niet voorstellen dat ie in de narigheid zou raken.'

'Waarom denkt u dat hij in de narigheid zit?'

'Anders zou hij ons dit niet aandoen.' Ze nam hem aandachtig op. 'En hoe is het met jou gegaan, jongen?'

'Hoe bedoelt u?' Hij vroeg zich af of ze zijn gedachten had gelezen.

'Ik weet niet... met je leven. Heb je het een beetje naar je zin?'

'Daar denk ik eigenlijk nooit over na.'

'Waarom niet?'

Hij haalde zijn schouders op. 'Ik kijk graag naar het leven van anderen. Dat is mijn werk.'

'Met het leger is het niks geworden?'

'Nee,' zei hij, meer niet.

'Soms lukt het gewoon niet met dingen,' zei ze terwijl Janice terug de kamer inkwam. Ze keek toe terwijl haar dochter thee inschonk.

'Veel mensen hier gaan tegenwoordig scheiden.'

'Denkt u dat het met Damon en Helen wat geworden was?'

Ze nam uitgebreid de tijd voor ze antwoordde en pakte eerst het kopje van Janice aan. 'Het zijn jongelui, wat kun je ervan zeggen?'

'Hoeveel procent kans zou u ze geven?'

'Je hebt het tegen Damons oma,' zei Janice. 'Er is geen meid ter wereld die goed genoeg is voor onze Damon, hè ma?' Ze lachte om hem te laten weten dat ze het maar half meende. En toen, weer tegen haar moeder: 'Johnny heeft zo iets ergs meegemaakt.' Ze vertelde hoe het graf was beklad. Brian kwam binnen terwijl hij zijn haar gladstreek. Hij had zich omgekleed. Janice vertelde het ook aan hem.

'Kleine etterbakken,' zei Brian. 'Het is al vaker gebeurd. Gooien ze de stenen om, of slaan ze kapot.'

'Ik zal een mok voor je pakken,' zei Janice en ze maakte aanstalten weer op te staan.

'Hoeft niet,' zei Brian en hij gebaarde dat ze moest blijven zitten. Hij keek Rebus aan. 'Dan heb je misschien geen zin meer om mee uit eten te gaan? Wij hadden je willen trakteren.'

Rebus dacht even na en zei: 'Wil ik best, maar eigenlijk moet ik betalen.'

'Betaal jij de volgende keer,' zei Brian.

'Als we afgaan op de ervaring,' zei Rebus, 'kan dat nog een jaar of dertig duren.'

Rebus dronk alleen mineraalwater bij zijn curry. Brian zat aan het bier en Janice kon twee grote glazen witte wijn aan. Haar ouders waren meegevraagd maar hadden de uitnodiging afgeslagen. 'Gaan jullie jongelui maar je eigen gang,' had mevrouw Playfair gezegd.

Van tijd tot tijd, als Janice niet keek, wierp Brian een blik in haar richting. Rebus dacht dat hij bang was dat ze bij hem weg zou gaan en zich afvroeg wat hij verkeerd deed. Zijn leven stond op instorten en hij zocht naar een verklaring.

Rebus beschouwde zichzelf als een soort deskundige in gebroken relaties. Hij wist dat het perspectief soms kon verschuiven en de ene partner naar dingen ging verlangen die buiten bereik leken zolang hij of zij getrouwd bleef. Zo was het in zijn eigen huwelijk trouwens niet gegaan. Daar had hij gewoon nooit aan moeten beginnen. Toen het werk hem in beslag was gaan nemen, was er voor Rhona niet veel overgebleven.

'Wat er door dat koppie gaat...' merkte Janice op een gegeven moment op, terwijl ze een stuk naanbrood uit elkaar scheurde.

'Ik vraag me af hoe ik die grafsteen weer schoon kan krijgen.'

Brian zei dat hij een man kende die het kon doen; hij werkte bij de gemeente en haalde graffiti van muren af.

'Stuur ik je het geld,' zei Rebus. Brian knikte.

Na het eten reden ze in zijn auto terug naar Cardenden. De karaokeavond werd gehouden in een zaaltje van de Railway Tavern. De installatie stond op een podiumpje maar de zangers bleven op de dansvloer, vanwaar ze hun ogen gericht hielden op de monitor met zijn stroperige videoclips en de tekst die aan de onderkant langs het scherm trok. Er werden prints uitgedeeld met de titels van alle liedjes. Je schreef je keuze op een strookje papier en gaf dat aan de presentator. Een skinhead kwam naar voren en zong 'My Way'. Een vrouw van middelbare leeftijd probeerde het met 'You To Me Are Everything'. Janice zei dat ze altijd 'Baker Street' koos. Brian wisselde naargelang zijn stemming tussen 'Satisfaction' en 'Space Oddity'.

'Dus de meeste mensen zingen elke week hetzelfde nummer?' vroeg Rebus.

'Die vent die daar net overeind komt,' zei ze, en ze knikte naar een hoek van de zaal waar mensen met hun stoel schoven om iemand langs te laten, 'kiest altijd REM.'

'Dan is ie er onderhand zeker wel goed in geworden?'

'Ja, niet slecht,' stemde ze in. Het nummer was 'Losing My Religion'.

Stamgasten kwamen vanaf de bar voorin aanlopen en bleven in de deuropening staan kijken. Het achterzaaltje had een eigen bar: een luik, bemand door een tiener die maar bleef pulken aan de acne op zijn wangen. Blijkbaar hadden de gasten hun vaste tafels. Rebus, Janice en Brian zaten dicht bij een van de luidsprekers. Brians moeder was er ook, ze zat naast meneer en mevrouw Playfair. Er kwam een oudere man naar hen toe. Brian leunde tegen Rebus aan.

'Dat is de vader van Alec Chisholm,' zei hij.

'Ik zou hem niet hebben herkend,' bekende Rebus.

'Ze praten niet graag met hem. Hij gaat maar door over hoe lang Alec al verdwenen is.'

De Playfairs en mevrouw Mee hoorden Chisholm inderdaad met een uitgestreken gezicht aan. Rebus ging een rondje halen. Hij voelde zich verdoofd, moest weer denken aan het tafereel dat hij op de begraafplaats had aangetroffen, Oakes die liet weten dat hij hem één stap voor was, die hem persoonlijk uitdaagde. Rebus zag het als het volgende onderdeel van de proef: Oakes wilde hem breken. Rebus nam zich des te meer voor dat niet te laten gebeuren.

De moeder van Janice dronk Bacardi Breezers, watermeloensmaak.

Rebus betwijfelde of ze in haar leven ooit een echte watermeloen had gezien. Hij zag Helen Cousins met een paar vriendinnen in de deuropening staan en ging haar goedendag zeggen.

'Al iets bekend?' vroeg ze.

Hij schudde zijn hoofd en ze haalde alleen haar schouders op, alsof ze Damon al had opgegeven. Niet direct de tragische liefde dus. In haar hand een flesje Hooch, citroensmaak. Al die suikerdrankjes, typisch iets voor Schotland: zoetigheid met een kick. In de saloon zag hij dat er op de bar flessen mixdrank stonden – limonade en Irn Bru – waarvan de klanten zich gratis konden bedienen. Dat deden niet veel pubs meer. Nog zoiets: het bier was goedkoop. Een economieles: in een achterstandsgebied moet je zorgen voor betaalbaar bier. Hij had Heather Cranston op een kruk aan de bar zien zitten, met neergeslagen ogen nu een man in haar oor praatte en zijn hand op haar nek liet rusten.

Helen gaf haar flesje aan een van haar vriendinnen en zei dat ze naar de wc ging. Rebus bleef hangen. De meisjes staarden hem aan en vroegen zich af wie hij was.

'Het moet een zware klap voor haar zijn,' zei hij.

'Wat?' vroeg de ene die met een verbaasd gezicht op haar kauwgum kauwde.

'Dat Damon vermist wordt.'

Het meisje haalde haar schouders op.

'Meer een afgang,' merkte haar vriendin op. 'Staat niet goed, hè, als je vriendje ervandoor gaat.'

'Nee, dat zal wel niet,' zei Rebus. 'Ik ben John, trouwens.'

'Corinne,' zei de kauwgumkauwster. Ze had lang zwart haar met slagen van een krultang. Haar schriele vriendin heette Jacky en had platinablond geverfd haar.

'En wat vinden jullie van Damon?' vroeg hij. Hij doelde op het feit dat Damon verdwenen was, maar zo vatten ze het niet op.

'Ach, hij gaat wel,' zei Jacky.

'Gaat wel?'

'Nou, weet je,' zei Corinne. 'Hij heeft z'n hart wel op de goeie plaats maar hij is een beetje sullig. Een beetje traag, weet je.'

Rebus knikte, alsof hij zelf ook die indruk had. Maar als je Damons familie over hem hoorde praten, was hij eerder een nog onontdekt genie. Rebus realiseerde zich ineens hoe oppervlakkig zijn eigen kijk op Damon eigenlijk was. Tot dan toe had hij maar één kant van het verhaal gehoord.

'Maar Helen is wel dol op hem, toch?' vroeg hij.

'Zal wel.'

'Ze zijn verloofd.'

'Nou ja, hoe gaat dat,' zei Jacky. 'Ik heb vriendinnen die zich enkel hebben verloofd om een feestje te kunnen geven.' Ze zocht met haar blik steun bij haar vriendin en boog zich toen vertrouwelijk naar Rebus. 'Ze konden soms megaruzie hebben.'

'Waarover?'

'Jaloezie, en zo.' Ze wachtte tot Corinne bevestigend had geknikt. 'Zag ze hem naar iemand kijken of dan zei hij dat ze met een vent had geflirt. Van die dingen gewoon.' Ze keek hem aan. 'Denkt u dat ie er met iemand anders vandoor is?' Achter haar eyeliner zag Rebus ineens een scherpe blik.

'Best mogelijk,' zei hij.

Maar Corinne schudde haar hoofd. 'Dat zou ie niet durven.'

Toen hij de gang in keek, zag Rebus dat Helen de wc niet had bereikt. Ze stond met haar handen achter zich tegen de muur geleund te praten met een man. Rebus vroeg Corinne en Jacky wat ze dronken. Twee Bacardi-cola. Die voegde hij aan zijn boodschappenlijstje toe.

Toen hij bij de tafel terugkwam liep Janice net naar de microfoon. Ze zong 'Baker Street' met veel gevoel en gesloten ogen, ze kende de tekst uit haar hoofd. Brian keek toe; van zijn gezicht viel weinig af te lezen. Hij had waarschijnlijk niet in de gaten dat hij het hele nummer door bezig bleef met het verscheuren van een bierviltje in steeds kleinere stukjes; toen het nummer eindigde, veegde hij het hoopje snippers met een bruusk armgebaar op de grond.

Rebus ging naar buiten, waar hij de frisse avondlucht met diepe teugen inademde. Hij hield het bij whisky, met veel water. In de verte hoorde hij roepen, voetbalyells. Op de zijmuur van de pub waren de letters UVF gespoten. Er stond een man te plassen. Toen hij klaar was, wankelde hij op Rebus af en vroeg een sigaret te leen. Rebus gaf hem er een, en een vuurtje.

'Cheers, Jimmy,' zei de dronkenlap. Toen keek hij Rebus aandachtig aan. 'Ik heb jouw vader nog gekend,' zei hij, en liep weg voordat Rebus hem er nader naar kon vragen.

Rebus bleef staan. Hier hoorde hij niet, dat was nu wel zeker. Je kon het verleden opzoeken, maar je kon er beter niet te lang blijven hangen. Hij had te veel gedronken om te rijden, maar morgenvroeg... morgenvroeg was hij ervandoor. Cary Oakes was niet meer hier. Die was net lang genoeg langsgekomen om een boodschap af te geven. Rebus had te doen met Janice en Brian, hoe hun leven was gelopen. Maar op dit moment had hij grotere problemen aan zijn hoofd. Hij had de juiste verhoudingen uit het oog verloren en Oakes had daar veel te veel munt uit geslagen.

Terug in het zaaltje probeerde niemand hem de microfoon op te dringen. Ze wisten onderhand allemaal wie hij was, en wisten ook van de grafschennis. Nieuws verspreidde zich snel in een klein stadje als Cardenden. Waar bestond de geschiedenis anders uit?

34

Het was nog donker toen hij wakker werd. Hij kleedde zich aan, vouwde de dekens op en liet een briefje achter op de eettafel. Naar buiten en zijn auto in, door de stille stad en het nog stillere platteland naar de snelweg, waar hij de Saab aan een stevige ochtendtraining onderwierp, zuidwaarts naar Edinburgh.

Hij vond een parkeerplek om de hoek van Oxford Terrace en liep terug naar de flat van Patience. De voordeur was in het donker nog niet te zien, dus hij liet zijn vingers erlangs lopen, vond het slot en stak de sleutel erin. De hal was ook donker. Hij sloop op zijn tenen naar de keuken en hield de waterkoker onder de kraan. Toen hij zich omdraaide stond Patience in de deuropening.

'Waar heb jij in godsnaam gezeten?' vroeg ze, te moe om haar ergernis te verbergen.

'In Fife.'

'Je hebt niet gebeld.'

'Ik had het je toch gezegd?'

'Ik heb je gsm geprobeerd.'

Hij zette de waterkoker aan. 'Ik had hem uitgezet.' Ineens zag hij haar gezicht vertrekken van de pijn. Hij pakte haar bij de armen. 'Wat is er, schat?'

Ze schudde haar hoofd. Er stonden tranen in haar ogen. Ze knipperde ze weg en nam hem bij de hand de gang in, waar ze het licht aandeed. Hij zag vlekken op de vloer, een spoor dat naar de voordeur leidde.

'Wat is er gebeurd?' vroeg hij.

'Verf,' zei ze. 'Het was donker, ik had niet gemerkt dat ik erin had gestaan. Ik heb geprobeerd om ze weg te krijgen.'

Een slakkenspoor van witte voetstappen... Rebus dacht aan de witte vlekken naar zijn vaders graf. Hij staarde haar aan, ging toen naar de voordeur en opende die. Zij bleef achter hem en reikte naar de lichtknop van de buitenlamp. Rebus zag de verf. Grote letters op de vloertegels. Hij boog zijn hoofd schuin om ze te lezen.

JOUW POLITIEVRIENDJE HEEFT DARREN VERMOORD.

De hele boodschap onderstreept.

'Godverdomme,' hijgde hij.

'Is dat alles wat je te zeggen hebt?' Haar stem trilde. 'Ik probeer je al het hele weekend te bereiken!'

'Ik was... Wanneer is het gebeurd?' Hij liep om de letters heen.

'Vrijdagavond. Ik was laat thuis, ben meteen naar bed gegaan. Om een uur of drie werd ik wakker met hoofdpijn. Ging wat water halen, deed het licht in de gang aan...' Ze streek haar haar naar achteren en haar gezicht verstrakte. 'Ik zag de verf, ging hier kijken en...'

'Wat vreselijk, Patience.'

'Wat betekent het?'

'Ik weet het niet zeker.' Oakes weer. Al die tijd dat Rebus in Fife zat was hij hier geweest om zijn volgende zet te doen. Hij wist niet alleen van Janice, hij wist ook van Patience. Dat had hij Rebus laten weten toen hij hem zei dat hij geluk had dat hij een dokter kende.

Hij had zijn volgende zet aangekondigd en Rebus had het niet doorzien.

'Je liegt,' zei Patience. 'Je weet het donders goed. Dat was híj, of niet?'

Rebus probeerde zijn armen om haar heen te slaan, maar ze schudde hem af.

'Ik heb naar het bureau gebeld,' zei ze. 'Die hebben iemand langs gestuurd. Twee jochies in uniform. Toen kwam Siobhan, de volgende ochtend.' Ze glimlachte. 'Die heeft me meegenomen om te ontbijten. Ik denk dat ze wel wist dat ik niet had geslapen. Het heeft me aan het denken gezet over hoe inbraakgevoelig het hier is. Tuin achter: iedereen kan over de muur klimmen en binnenkomen door de serre. Of de voordeur openbreken – wie zou het merken?' Ze keek hem aan. 'Wie kan ik dan bellen?'

Hij probeerde haar weer in zijn armen te nemen. Deze keer liet ze het toe, maar hij voelde haar verzet.

'Het spijt me,' zei hij. 'Als ik het geweten had... als ik ook maar iets...' Hij had vrijdagavond zijn mobiel uitgeschakeld. Nu vroeg hij zich af waarom. Om de batterij te sparen? Dat was wat hij op dat moment tegen zichzelf had gezegd, maar misschien wilde hij Fife afschermen van de rest van zijn leven. Was hij zo druk met Janice bezig dat hij Oakes' meer voor de hand liggende actie over het hoofd had gezien. Hij kuste haar haar. De verhoudingen uit het oog verloren, niet nuchter nagedacht. Oakes had hem goddomme nog elke ronde verslagen. De band die Rebus met Janice voelde was onmiskenbaar, maar dat was allemaal een kwestie van gemiste kansen. In het hier en nu was Patience zijn geliefde. Patience was degene die hij omhelsde en kuste.

'Het komt wel goed,' zei hij. 'Het komt allemaal weer goed.'

Ze maakte zich los uit zijn armen en veegde haar ogen af met de mouw van haar ochtendjas. 'Er is iets raars met je stem gebeurd. Je klinkt helemaal naar Fife.'

Hij glimlachte. 'Ik zal thee zetten. Ga jij maar terug naar bed. Als je me nodig hebt, weet je waar ik ben.'

'En waar is dat?'

'In de keuk'n, mop.'

'Het moet Oakes zijn,' zei hij.

Hij had Siobhan gebeld om haar te bedanken. Patience had hem gezegd haar te vragen voor de lunch. Dus daar zaten ze nu in de zon, aan tafel in de serre. De zondagskranten lagen ongelezen op een stapeltje in de hoek. Ze aten *Scotch broth*, ham en salade. Een paar flessen wijn hadden het loodje gelegd.

'Weet je wat zij gisteravond heeft gedaan?' had Patience Rebus gezegd, doelend op Siobhan. 'Gebeld om te kijken of het goed met me ging. Zo niet, zei ze, kon ik bij haar komen slapen.' Een luie, half aangeschoten glimlach, toen stond ze op om koffie te gaan zetten. Dat was het moment waarop Rebus Siobhan over zijn veronderstelling vertelde.

'Bewijs?' antwoordde ze, voor ze haar glas leegdronk – haar tweede, ze moest nog rijden.

'Onderbuik. Hij houdt mijn flat in de gaten. Hij weet dat ik de laatste was die Rough in leven heeft gezien. Hij is met Janice koffie gaan drinken en nu is Patience aan de beurt.'

'Wat heeft ie tegen jou?'

'Ik weet het niet. Misschien had het ieder van ons kunnen zijn en heb ik toevallig pech.'

'Zoals jij hem beschrijft is hij daar veel te berekenend voor.'

'Ja.' Rebus rolde een kerstomaatje rond het slablad op zijn bord. 'Er is iets wat Patience een tijdje terug zei. Ze zei dat het allemaal een of andere tactiek kon zijn om ons af te leiden van wat hij werkelijk in de zin heeft.'

'En wat zou dat dan moeten zijn?'

Rebus zuchtte. 'Ik wou bij God dat ik het wist.' Hij keek weer neer op zijn salade. 'Weet je nog dat je maar één soort sla kon krijgen? En één soort tomaat?'

'Ben ik te jong voor.'

Rebus knikte nadenkend. 'Denk je dat het wel zal gaan met haar?' Oftewel Patience.

'Komt wel goed.'

'Ik had hier moeten zijn.'

'Ze zei dat je in Fife was. Wat deed je daar?'

'Teruggaan in de tijd,' zei hij, en spietste het tomaatje eindelijk aan zijn vork.

Hij bleef de rest van de dag bij Patience. Ze gingen wandelen in de Botanic Gardens en zochten toen Sammy op. Patience was zaterdag niet naar haar toe gegaan, had opgebeld dat er iets tussen was gekomen, zonder nadere uitleg. Ze had Rebus ingelicht over de uitvlucht die ze had bedacht, zodat hij die zou bevestigen. Weer een wandeling, nu met Sammy in de rolstoel. Rebus voelde zich nog altijd ongemakkelijk als hij met haar uitging. Ze plaagde hem ermee.

'Schaam je je om met een mankepoot gezien te worden?'

'Doe niet zo gek.'

'Wat is het dan?'

Maar daar had hij geen antwoord op. Wat was het? Hij wist het zelf niet. Misschien waren het de mensen, hoe ze nagekeken werden. Hij wilde ze zeggen: ze wordt beter, ze zit niet voor altijd aan dat ding vast. Hij wilde uitleggen hoe het was gekomen en hoe goed ze het had verwerkt. Hij wilde zeggen dat ze normaal was.

Met Sammy in een rolstoel... was het alsof ze weer een kleuter in de wandelwagen was; hij keek onbewust uit naar hobbels en kuilen in de stoeptegels, naar lastige stoepranden en veilige oversteekplaatsen. Hij wilde per se wachten op het groene mannetje, al was er geen verkeer te bekennen.

'Pa,' zei ze dan, 'hoe groot is de kans dat ik nog een keer word aangereden?'

'Ja, ja, maar vergeet niet dat de bookmakers Napoleon ook als favoriet hadden staan voor Waterloo.'

En dan moest ze lachen.

Haar vriend Ned ging mee, maar Sammy weigerde zich te laten duwen, leunde achterover en liet de rolstoel rondtollen om te laten zien hoe goed ze het voertuig beheerste. Ned lachte met haar mee en liep naast haar met zijn handen in zijn zakken. Patience liet haar hand in die van Rebus glijden.

Gewoon, een zondagsuitje.

En naderhand wachtten in Sammy's flat slagroomgebakjes en mokken Darjeeling en de voetbalsamenvattingen op tv met het geluid zacht. Sammy die Patience vertelde over haar nieuwe trainingsschema. Ned die tegen Rebus praatte, en Rebus die niet luisterde. Zijn blik dwaalde steeds naar het raam en hij vroeg zich af waar Cary Oakes daarbuiten was...

Tegen Patience zei hij die avond dat hij even naar huis moest. 'Even een paar dingen halen, ik kom straks terug.' Hij kuste haar. 'Zou het gaan hier, of wil je liever met me mee?'

'Ik blijf wel hier,' zei ze.

Dus stapte Rebus in zijn auto en vertrok. Niet naar Arden Street maar naar Leith. Liep het hotel binnen en vroeg naar Cary Oakes. De receptie probeerde zijn kamer: geen gehoor.

'Misschien zit hij in de bar,' zei de vrouw.

Cary Oakes zat niet in de bar, maar Jim Stevens wel.

'Wat drink je van me?' vroeg hij. Rebus schudde zijn hoofd; hij zag dat Stevens aan de dubbele gin-tonics zat.

'Waar is je vriend?'

Stevens haalde alleen zijn schouders op.

'Ik zou denken dat je wel zou willen weten waar ie uithangt,' zei Rebus en hij probeerde zijn woede te beheersen.

'Dat wil ik ook, geloof me. Maar hij is als een paling in een emmer met snot.'

'Krijg je nog iets uit hem, denk je?'

Stevens glimlachte hoofdschuddend. 'Er is iets vreemds en wonderbaarlijks gebeurd. Jij kent me, Rebus, ik ben een ouwe rot in het vak, zoals ze zeggen, en dat betekent dat ik hard en meedogenloos ben en me niet laat besodemieteren.'

'En?'

'En ik denk dat die kleine eikel me wat op de mouw zit te spelden.' Stevens tilde zijn hand op en liet hem weer vallen. 'Het is allemaal niet slecht, begrijp me goed. Maar wie zegt dat het waar is?'

'Sinds wanneer zit jij daarmee?'

Stevens boog zijn hoofd bij wijze van bekentenis. 'Ik wil het graag weten,' zei hij, 'al was het alleen maar voor mezelf. En intussen heeft onze goeie ouwe Cary misschien wel evenveel verhalen uit mij losgepeuterd als ik uit hem.'

'Terwijl jij toch bekendstaat om je discretie.'

'Ach, ik vertel best graag een verhaaltje... beetje kletsen aan de bar. Maar Oakes... ik weet niet. Wat hem interesseert zijn niet zozeer die verhalen als wel wat ze zeggen over de mensen die erin voorkomen.' Hij pakte zijn glas. Er stonden drie lege glazen naast. Hij had alle schijfjes citroen in zijn laatste drankje gegooid. 'Dat zal wel nergens op slaan. Kan me niet schelen, ik heb m'n vrije avond.'

'Dus je bent wel klaar met hem?'

Stevens smakte. 'Duurt niet lang meer, zou ik zeggen. De vraag is: is hij klaar met mij?'

Rebus pakte een sigaret en stak die op, bood de journalist er een aan. 'Hij achtervolgt me, mensen die ik ken.'

'Waarom?'

'Misschien zoekt ie nog een verhaaltje voor jou.' Rebus boog zich naar Stevens toe. 'Luister, even off the record, gewoon twee ouwe rukkers die een praatje maken...'

Stevens knipperde wat van de alcohol uit zijn ogen. 'Oké?'

'Heeft ie iets losgelaten over Deirdre Campbell?' Stevens kon de naam niet plaatsen. 'Het nichtje van Alan Archibald.'

'O ja, die.' Overdreven knikken, een gezicht dat zich over het glas boog en toen een frons van concentratie. 'Hij zei wel iets over oplossingspercentages. Dat ze die willen opkrikken. Dus zodra ze je ergens op kunnen pakken, proberen ze je ook nog een paar andere onopgeloste zaken in de schoenen te schuiven.'

Rebus had zich op een kruk laten zakken. 'Hij gaf er verder geen details bij?'

'Denk je dat ik iets heb gemist?'

Rebus dacht na. 'Je zei het net zelf: je denkt dat hij jou zit uit te horen.'

'Door aanwijzingen in zijn verhalen te stoppen die ik niet opmerk? Je denkt toch niet dat ik zo achterlijk ben?'

'Hij houdt van spelletjes,' siste Rebus. 'Dat is het enige waar wij goed voor zijn.'

'Ik niet, vriend. Ik ben zijn weldoener.'

'Weldoeners zijn er om belazerd te worden.'

'John...' Stevens ging rechtop zitten en zoog zijn borst vol verkwikkende lucht. 'Met dit verhaal sta ik weer op de kaart. Ik had hem het eerst te pakken. Ik, die uitgekakte ouwe Jim Stevens, goudenhorlogekandidaat. Al verdween ie vanavond van de aardbodem, dan nog heb ik bijna een boek vol.' Hij knikte naar zichzelf, zijn blik op het glas dat hij van de bar pakte. Rebus wist dat hij zat te bluffen. 'Weet je, als ik tegenwoordig proost,' ging Stevens verder en hij hief zijn glas, 'is het alleen nog maar op Nummer Een. Wat mij betreft hè, vriend, kunnen jullie verder allemaal in de stront zakken, en geen gelul van "ik wist het niet" of "kan ik het goedmaken".' Hij hield het glas aan zijn mond tot er geen druppel meer in zat.

Bestelde er nog een toen Rebus onderweg was naar de deur.

35

Toen Rebus de volgende ochtend bij Patience vertrok, stond ze op het plaatsje buiten met twee werklieden te bespreken hoe ze de verf op de flagstones het best konden verwijderen. Aangekomen op St. Leonard en onderweg naar de rechercheafdeling kreeg hij het gevoel dat er iets was gebeurd. Er was veel drukte en de sfeer voelde geladen aan. Siobhan Clarke kwam met het nieuws.

'Die vrijer van Joanna Horman.' Ze gaf Rebus een verslag aan. 'Die deugt niet.'

Rebus keek op het papier neer. De vrijer heette Ray Heggie. Hij had gezeten voor inbraak en was verschillende keren opgepakt voor openbare dronkenschap en geweldpleging. Hij was tien jaar ouder dan Joanna. Hij woonde sinds zes weken met haar samen.

'Roy Frazer heeft hem in de verhoorkamer.'

'Hoe dat zo?'

'Een vroegere vriendin van Heggie. Ze had gelezen over het verdwenen jochie en belde ons om te zeggen dat hij haar dochtertje had misbruikt. Daarom was het uitgegaan.'

'En ze was eerder niet op het idee gekomen om het ons te melden?'

Clarke haalde haar schouders op. 'Nu wel.'

Rebus trok zijn neus op. 'Hoe oud is die dochter?'

'Elf. Er is iemand van Zeden heen om met haar te praten.' Ze keek hem aan. 'Je ziet er niks in, of wel?'

'Ik ruik een luchtje. Eerst maar een proefritje maken.' Hij knipoogde en liep door. Een ex-vriendin met rancune, meer niet misschien. Zag een kans om hem een hak te zetten... Hoe dan ook, als Heggie een pedo was, had hij Darren Rough misschien gekend. Rebus klopte op de deur van de verhoorkamer.

'Inspecteur Rebus komt binnen,' zei Frazer in de microfoon. Hij ging te werk volgens het boekje: audio- én video-opnames. 'Hi-Ho' Silvers zat naast hem aan de ene kant van de tafel, armen over elkaar, blijkbaar niet onder de indruk van wat hij had gehoord. Dat was Silvers' rol: niets zeggen, maar de verdachte onzeker maken. Tegenover hen zat een man van in de veertig, met zwart krulhaar rond een opvallende kale plek. Zwarte kringen onder de ogen. Hij droeg een zwart T-shirt en streek met zijn handen over zijn dik behaarde armen.

'Hoe meer zielen,' begroette hij Rebus. De kamer was zo klein dat Rebus tegen de muur ging staan en ook zijn armen over elkaar sloeg, klaar voor wat er komen ging.

'De buurt heeft meteen een zoekactie opgezet,' ging Frazer verder, 'maar daar deed u niet aan mee. Waarom niet?'

'Ik was er niet.'

'Waar was u dan?'

'Glasgow. Ik was met een vriend uit en ben bij hem thuis blijven slapen. Vraag het hem maar, zal ie het zeggen.'

'Vast wel. Waar heb je anders vrienden voor, hè?'

'Het is gewoon zo.'

Frazer krabbelde voor zichzelf een aantekening neer. 'Als u die avond bent uitgegaan, zullen er wel getuigen zijn.' Hij keek op van zijn blocnote. 'Noem me er eens een paar.'

'Doe me een lol. Weet u, in de kroegen was niks te beleven, dus we hebben wat drank gehaald en meegenomen naar zijn flat. Hebben we video's gekeken.'

'Zat er wat moois bij?'

'Bovenste plank.' Heggie knipoogde. Frazer staarde alleen terug.

'Porno?'

'Wat ik zeg.'

'Recht op en neer?'

'Ik ben geen flikker.' Heggie hield op met het wrijven over zijn armen.

'Lesbo, misschien?'

'Misschien wel.'

'SM? Dieren? Kinderen?'

Heggie begreep welke kant het op ging. 'Daar heb ik helemaal niks mee, heb ik u al gezegd.'

'Uw ex komt met een ander verhaal.'

'Die slet zegt alles wat je horen wil. Als ik die tegenkom...'

'Als haar ook maar iets gebeurt, al vat ze maar kou, zit u direct weer hierbinnen. Begrepen?'

'Ik bedoelde er niks mee. Het is maar bij wijze van spreken, niet? Maar ze zit me al de hele tijd zwart te maken, zegt tegen mensen dat ik aids heb en ga zo maar door. Ze heeft de pest in, da's alles. Ik zou anders best een bakkie lusten, kan dat?'

Frazer keek omstandig op zijn horloge. 'We nemen over vijf minuten wel even pauze.' Rebus moest een glimlach onderdrukken want hij wist dat er pas een pauze zou komen als dat Frazer uitkwam. 'U hebt nogal wat geweldsdelicten op uw lijst staan, meneer Heggie. Dan denk ik: u bent uit uw slof geschoten tegen het kind, u wou hem geen pijn doen. Maar toen knapte er iets en voor u het wist was hij dood.'

'Nee.'

'En dus moest u hem ergens verstoppen.'

'Nee. Dat zeg ik al steeds –'

'Waar is ie dan? Hoe komt het dat hij verdwijnt terwijl u bekendstaat om geweld tegen kinderen?'

'De enige die dat zegt is Belinda!' Belinda, de ex. 'Ik zweer het u, laat Fliss maar door een dokter nakijken.' Fliss, de dochter van de ex. 'En als er al iemand 'r geneukt heeft, ik in elk geval niet. No fucking way. Vraag het haar zelf maar.'

'Daar zijn we ook juist mee bezig, meneer Heggie.'

'En als ze zegt dat ik iets heb gedaan, dan is ze opgestookt door d'r moeder.' Hij wond zich steeds meer op. 'Zoiets verzin je toch niet, werkelijk.' Hij schudde zijn hoofd. 'Jullie hebben het Joanna verteld. En wat gaat zij dan denken?'

'Waarom trekt u altijd in bij alleenstaande moeders?'

Heggie hief zijn ogen naar het plafond. 'Dit droom ik toch zeker?'

Frazer, die zijn armen op tafel had laten rusten, ging nu rechtop zitten en wierp Rebus een blik toe. Het was het signaal waarop Rebus wachtte. Het betekende dat Frazer voorlopig uitgevraagd was.

'Kent u Darren Rough, meneer Heggie?' vroeg Rebus.

'Die ze om zeep geholpen hebben?' Hij wachtte op Rebus' bevestigende knikje. 'Nooit mee te maken gehad.'

'Nooit gesproken?'

'We woonden niet in hetzelfde blok.'

'Dus u wist waar hij woonde?'

'Staat allemaal in de krant. Kleine viespeuk. Degene die het heeft gedaan moesten ze een lintje geven.'

'Waarom zei u "kleine"? Was hij trouwens ook. Niet groot, in elk geval. Maar dat stond niet in de krant.'

'Gewoon, bij wijze van... Zo zeg je zoiets, toch?'

'In elk geval zegt ú zoiets. Dan denk ik dat u hem wel eens hebt gezien.'

'Kan best zijn. Zo groot is die buurt niet.'

'Nee, klopt,' zei Rebus kalm. 'Iedereen kent iedereen.'

'Behalve als de gemeente er van die klootzakken in zet die ze nergens kwijt kunnen.'

Rebus knikte. 'Dus u kunt Darren Rough wel eens in de buurt gezien hebben?'

'En dan?'

'Gewoon, hij hield ook van kinderen. En pedofielen schijnen elkaar te herkennen.'

'Ik ben geen pedofiel!' Hij kookte over. Zijn stem trilde en hij ging staan. 'Ik zou ze tot de laatste man uitroeien.'

'En, bent u met Darren begonnen?'

'Wat?'

'Als u die uitroeide zou u de grote held zijn.'

Een zenuwachtige lachuitbarsting. 'O, dus nou heb ik niet alleen Billy om zeep geholpen, maar die smeerlap ook?'

'Is dat wat u zegt?' vroeg Rebus.

'Ik heb niemand om zeep geholpen!'

'Kon u eigenlijk goed opschieten met Billy? Moet lastig zijn geweest, zo'n kind in de buurt, als je de moeder helemaal voor jezelf wilt hebben?'

'Het is een goed jong.'

'Gaat u zitten, meneer Heggie,' beval Frazer.

Uiteindelijk ging Heggie zitten, maar sprong toen weer op en wees naar Rebus. 'Hij probeert me erin te luizen!'

Rebus schudde zijn hoofd en glimlachte zuinig. Hij duwde zich van de muur af.

'Ik probeer alleen achter de waarheid te komen,' zei hij en hij liep naar de deur.

'Inspecteur Rebus verlaat de verhoorkamer,' kon hij Frazer achter zich horen zeggen.

Later kwam Frazer bij Rebus' bureau langs. 'Je hebt hem niet echt in gedachten voor Darren Rough, of wel?'

Rebus haalde zijn schouders op. 'Heb jij hem in gedachten voor het jochie?'

'Als Zeden met iets voor de dag komt misschien. Wat ik nu hoor is dat mama d'r op schoot houdt, antwoord voor d'r geeft, haar dingen in de mond legt.'

'Zegt nog niet dat ze liegt.'

'Nee.' Frazer keek nadenkend. 'Heggie zit helemaal niet in z'n maag met Billy Horman. Het enige waar hij mee zit is dat Joanna hem buiten de deur zet.' Hij schudde zijn hoofd langzaam. 'Zo iemand, daar kom je nooit bij, hè?'

'Nee.'

'En ze veranderen niet, wat je ook doet.' Hij keek Rebus aan. 'Zo denkt u er ook over, hè?'

'Pas maar op, Roy,' zei Rebus terwijl hij naar de telefoon reikte, 'straks word je nog net als ik.'

Hij moest aan het werk blijven, moest zich niet laten verteren door gedachten aan Cary Oakes. Dus belde hij Phyllida Hawes op bureau Gayfield.

'Is uw vermiste terecht?' vroeg ze.

'Nog geen spoor.'

'Nou ja, dat kan ook goed nieuws zijn, niet? Is ie in elk geval nog in leven, waarschijnlijk.'

'Of goed opgeborgen.'

'Altijd even optimistisch.'

Op een ander moment had Rebus het praatje nog even voortgezet. In plaats daarvan kwam hij meteen ter zake: 'Zeg, die tent, Gaitano's?'

'Ja,' klonk het, benieuwd naar wat hij te zeggen had.

'Die is toch van Charmer Mackenzie?'

'Ja.'

'Wat weet je van hem?'

Een ogenblik stilte. 'Ziet u een verband met die vermiste persoon?'

'Ik weet het niet zeker.' Rebus vertelde haar over de Clipper.

'Ja, daar weet ik wel van,' zei ze. 'Maar dat gaat alleen om geld. Ik bedoel, Mackenzie heeft er een aandeel in, maar hij bemoeit zich er niet mee. Hebt u Billy Preston gesproken?' Rebus bevestigde dat. 'Charmer laat het werk aan hem over.'

'Niet helemaal. De bedrijfsleider van Gaitano's, een jonge vent die Archie Frost heet, die houdt de Clipper in de gaten. En die zorgt voor sterke jongens bij de ingang.'

'O ja?' Rebus kon haar een aantekening horen neerkrabbelen.

'Heeft ie nog andere belangen?' vroeg hij.

'Misschien moet u daar eens met de NCID over praten.'

Oftewel de Nationale Criminele Inlichtingendienst. Rebus ging rechtop in zijn stoel zitten. 'Die hebben dingen over Mackenzie?'

'Een dossier, ja.'

'Dus dan heeft ie vuile handen. Wat is het precies?'

'Gewoon boerenstront voor zover ik weet. Bel de NCID maar.'

'Zal ik doen.' Rebus hing op, logde in op een van de computers en vulde Mackenzies gegevens in. Onder aan het scherm verscheen een referentienummer en de naam van een rechercheur. Rebus belde de NCID en vroeg naar de genoemde: brigadier Paul Carnett.

'Dat is een typefout,' kreeg hij van de telefoniste te horen. 'Het is niet Paul, maar Pauline.' Ze verbond hem toch door naar een telefoon waar een mannenstem Rebus liet weten dat brigadier Carnett nog zeker een uur in een vergadering zat, misschien anderhalf uur. Rebus keek op zijn horloge.

'Heeft ze daarna iets?'

'Zo te zien niet.'

'In dat geval wil ik graag reserveren: een tafel voor twee, mijn naam is inspecteur Rebus.'

36

Het Schotse bureau van de NCID was gevestigd in Osprey House in Paisley, niet ver van de M8. De laatste keer dat Rebus deze kant op was geweest, was het om zijn ex-vrouw af te zetten op Glasgow Airport. Ze was Sammy komen opzoeken uit Londen en alle vluchten vanuit Edinburgh waren vol geweest. Hij kon zich niet herinneren waar ze het tijdens de autorit over hadden gehad.

Osprey House werd beschouwd als hét laboratorium van geavanceerd opsporingswerk in Schotland en huisvestte niet alleen het Schotse Team Zware Criminaliteit en de Douane, maar ook de NCID en de Schotse Criminele Inlichtingendienst. Informatie verzamelen was de gemeenschappelijke kerntaak. Begonnen met niet meer dan twee rechercheurs, had de NCID nu een staf van tien. Er was verzet gerezen toen het bureau werd opgericht, omdat het Schotse NCID-team geen verantwoording aflegde aan een Schotse hoofdcommissaris maar aan de in Londen gezeten directeur van het Britse bureau, die op zijn beurt onder de Staatssecretaris voor Schotse Aangelegenheden viel. De NCID hield zich bezig met valsemunterij, witwaspraktijken, georganiseerde handel in drugs en voertuigen en, als Rebus zich niet vergiste, pedofielennetwerken. Rebus had de rechercheurs van de NCID horen omschrijven als 'mutsen' en 'nerds', maar niet door iemand die werkelijk met ze te maken had gehad.

'Het is nogal ongebruikelijk,' zei Pauline Carnett nadat Rebus had uitgelegd waarom hij was gekomen.

Ze zaten in een kantoortuin, omringd door het aanhoudende gezoem van computerkoelingen en telefoongesprekken op gedempte toon. Nu en dan het geritsel van een toetsenbord. Jonge mannen in overhemd en stropdas; twee vrouwen, beiden in mantelpakjes. Het bureau van de tweede vrouwelijke rechercheur stond helemaal aan de andere kant van de kamer. Rebus vroeg zich af of dat iets te betekenen had.

Pauline Carnett was halverwege de dertig en droeg haar korte blonde haar met een scheiding in het midden. Ze was lang en breedgeschouderd en haar handdruk was steviger dan Rebus van vrijmetselaars had meegemaakt. Ze had een spleetje tussen haar twee voortanden en leek zich daar erg van bewust, waardoor Rebus zin kreeg haar aan het lachen te maken.

Net als de andere bureaus had het hare een L-vorm, met papieren aan de ene en een computer aan de andere kant. Het bureau had een gedeelde printer. Die spuwde bladzijden uit, terwijl een jonge man er verveeld bij stond te kijken.

'Dus dit is de machinekamer,' had Rebus opgemerkt toen ze de zaal betraden.

Carnett zette haar bekertje op een muismat vol koffiekringen. Rebus zette zijn eigen kopje op het bureaublad.

'Ongebruikelijk,' zei ze nogmaals, alsof dat hem kon overreden om weg te gaan. Hij haalde alleen zijn schouders op. 'Informatie wordt gewoonlijk telefonisch of per fax opgevraagd.'

'Ik ben nog gewend aan de persoonlijke benadering,' zei Rebus. Hij gaf haar een strookje papier waarop hij het referentienummer voor Charmer Mackenzie had genoteerd. Ze schoof haar stoel naar het bureau en hamerde het nummer in alsof ze het toetsenbord geweld aan wilde doen. Toen schoof ze de muis behendig rond het kopje op haar mat en dubbelklikte.

Charmer Mackenzies dossier kwam in beeld. Rebus zag direct dat er nogal wat in stond. Hij schoof zijn stoel dichter bij de hare.

'In eerste instantie,' zei ze, 'zijn we hem kennelijk op het spoor gekomen via het Team Zware Criminaliteit. Die wisten dat hij privéfeestjes organiseerde voor een zekere Thomas Telford.'

'Telford ken ik,' zei Rebus. 'Ik heb hem helpen opbergen.'

'Goed zo. Telford ontmoette mensen in Mackenzies club en huurde ook een boot waarvan Mackenzie mede-eigenaar was. Die boot was voor de feestjes en het TZC hield hem in de gaten, want je kon nooit weten wie er zou opdagen. Maar daar kwam niet veel uit: actie gestaakt.' Ze tikte op de entertoets zodat er een andere pagina verscheen. 'Ah, kijk,' zei ze en ze boog zich naar het scherm. 'Leningen.'

'Mackenzie?'

Ze knikte. Rebus las over haar schouder mee. De NCID verdacht Mackenzie van een nevenactiviteit: voorschotten leveren voor criminele zaken – geld terug, succes of niet – maar ook contant geld lenen aan mensen die het geld niet elders konden krijgen of goede redenen hadden om bij een bank of kredietmaatschappij uit de buurt te blijven.

'Hoe betrouwbaar is dit?' vroeg Rebus.
'Honderd procent, anders zat het hier niet in.'
'Maar dan nog...'
'Maar dan nog is het kennelijk niet genoeg, of we hadden hem voor de rechter gebracht.' Ze wees naar een icoon onder aan het scherm. 'Het dossier is naar de openbare aanklager gegaan en die heeft besloten dat er geen zaak in zat.'
'Dus dat loopt door?'
Ze schudde haar hoofd. 'We hebben geduld, we kunnen wachten. Kijken wat er nog meer onze kant op komt en dan beslissen wanneer de tijd rijp is.' Ze wierp hem een blik toe. 'Wat in het vat zit en die dingen meer.'
Rebus zat nog naar het scherm te staren. 'Heb je namen?'
'U bedoelt mensen die geld van hem hebben geleend?'
'Ja.'
'Momentje.' Ze tikte verder en bestudeerde de informatie die op het scherm verscheen. 'Niet ingevoerd,' mompelde ze uiteindelijk. Toen stond ze op en zei dat hij met haar mee moest gaan. De bestemming: een berghok vol archiefkasten.
'En dan hebben ze het over het papierloze kantoor,' zei Rebus.
'Zeg dat wel.' Ze vond de kast die ze zocht, trok de bovenste lade open en tikte de ruiters weg tot ze de map had gevonden die ze zocht, en haalde die eruit.
Een groene map met daarin een stuk of dertig vellen papier, twee met 'veronderstelde' deelnemers aan Charmer Mackenzies geldhandel.
'Geen verklaringen,' zei Rebus terwijl hij de bladzijden doornam.
'Zo ver is het waarschijnlijk niet gekomen.'
'Was het niet jouw zaak?'
Ze haalde haar schouders op. 'We krijgen van alles opgestuurd door het TZC, de douane, ga zo maar door. Dat gaat de computer in en dan in een la – dat doe ik.'
'Dus je bent een soort archiefmedewerker?' opperde Rebus. Ze kneep nijdig haar ogen toe. 'Sorry,' zei hij. 'Was als grapje bedoeld.' Hij keek weer in het dossier. 'En hoe ben je dan aan deze namen gekomen?'
'Een paar mensen die gepraat hebben, denk ik.'
'Maar waar je niks mee aan kunt als getuige?'
Ze knikte. 'De brave burger gaat niet naar een woekeraar.'
Rebus herkende een paar namen: bekende inbrekers. Misschien geld nodig om iets groters te financieren.
'Er kunnen er ook een paar bij zijn,' was Carnett verdergegaan,

'die door Mackenzie of zijn mensen te grazen zijn genomen. Dan is het TZC erachter gekomen.'

'Maar dan wilden ze zelf niet praten?' raadde Rebus. Zulke dingen was hij vaker tegengekomen, zij allebei. Dat je het ziekenhuis in werd geslagen als je niet op tijd betaalde kon gebeuren, maar daar ging je niet met de politie over praten. Dan had je binnen de kortste keren in grote letters ZWIJN op je voordeur staan en staken mensen de straat over om je te mijden. Rebus begon namen en adressen neer te krabbelen, al wist hij zeker dat hij er niets aan zou hebben. Maar hij was nu eenmaal helemaal hierheen gekomen.

'Ik kan kopieën maken,' stelde Carnett voor.

Rebus knikte. 'Ik ben nog van voor de oorlog, mijn boekje is m'n geheugen.' Hij tikte op een vermelding. Geen naam, alleen een serie cijfers. 'Is dit hoe Prince tegenwoordig genoemd wil worden?'

Ze lachte, maar hield snel haar hand voor haar mond. 'Is zo te zien weer een verwijzing naar een ander dossier,' zei ze. 'Moet ik weer op m'n computer nakijken.'

Dus gingen ze terug naar haar bureau en Rebus dronk zijn koude koffie op en keek toe terwijl ze aan de slag ging.

'Interessant,' zei ze uiteindelijk, achteroverleunend in haar stoel. 'Zo houden we bepaalde namen stil. Computers zijn niet altijd veilig tegen indringers.'

'Hackers.'

Ze keek hem aan. 'Niet helemaal van gisteren dus,' merkte ze op. 'Wacht even, ik ben met een minuutje terug.'

Het werden er drie, lang genoeg voor haar screensaver om aan te springen. Toen ze terugkwam had ze een vel papier in haar hand, dat ze aan Rebus gaf.

'Die getallen gebruiken we als code voor namen die ons te gevoelig lijken: dus als het over iemand gaat waar niet iedereen van hoeft te weten. Enig idee wie dit is?'

Rebus zat naar de naam op het papier te staren. Verder stond er niets bij.

'Ja,' zei hij uiteindelijk. 'Zijn vader is rechter.'

'Vandaar dus,' zei Pauline Carnett en ze pakte haar bekertje.

De naam op het papier was Nicol Petrie.

Toen ze wat verder groeven, vonden ze een verslag van het Team Zware Criminaliteit over een mishandeling op straat. Nicol Petrie was bewusteloos aangetroffen in een van de achterafsteegjes bij Rose Street – nog geen honderd meter van Gaitano's. Petrie was met de ambulance naar het ziekenhuis gebracht, waar een uniformagent wachtte om met hem te praten. Maar toen hij bij bewustzijn was gekomen, had hij niets te zeggen.

'Ik weet het niet meer,' was zijn refrein geweest. Hij kon zelfs niet zeggen of er iets van hem was gestolen. Maar een stel ooggetuigen had twee mannen beschreven die het steegje uit kwamen. Ze lachten en staken sigaretten op. Een van hen klaagde zelfs over geschaafde knokkels. De politie was nog zo ver gekomen dat ze voor de ooggetuigen een confrontatie hadden opgezet, maar tegen die tijd waren ze allang weer nuchter en wilden ze er niets meer mee te maken hebben; ze weigerden iemand aan te wijzen.

In de rij stonden twee uitsmijters van Gaitano's, een van hen was Calumn Brady.

Rebus liep de getuigenverklaringen door. De beschrijvingen waren vaag. In een van de aanvallers, de kleinere, kon Rebus met wat goede wil Cal Brady zien. Maar het maakte geen verschil. Nicol Petrie liet niets los en de getuigen waren gewaarschuwd, of omgekocht, of wijzer geworden.

Het TZC had er een 'aanmaning' van Mackenzie in gezien en had het daarbij laten zitten. Speculatie, meer niet. Maar Rebus wilde er wel in meegaan. En toch... zat er iets niet lekker.

'Die jongen z'n vader is rechter, geld zat. Waarom leent ie het niet gewoon bij hem?'

Daar had Pauline Carnett geen antwoord op.

Later vroeg hij of hij iemand kon spreken van de eenheid Pedofielen. Hij werd voorgesteld aan een vrouwelijke rechercheur, brigadier Whyte. Hij vroeg haar naar Darren Rough. Ze haalde de details voor zich op het scherm.

'Wat wil u van hem weten?'

'Vrienden en bekenden.'

Ze hamerde op de toetsen en schudde haar hoofd. 'Een einzelgänger – GBG.'

GBG: Geen Bekenden Geïdentificeerd. Rebus krabde zich op zijn kin. 'En Ray Heggie?'

Weer enkele toetsaanslagen. 'Niet bij ons bekend,' zei ze uiteindelijk. 'Is hij iemand waar ik vanaf zou moeten weten?'

Rebus haalde zijn schouders op.

'In dat geval...' zei ze, en voegde de naam toe op haar scherm, plus die van Rebus zelf. 'Dan weet ik waar ik de naam heb gehoord.'

Rebus knikte. 'Volgt u de Shiellion-zaak?'

'Ik heb gehoord dat de jury in beraad zit. Goeie kans dat ze worden veroordeeld.'

'Niet als Richie Cordover zijn zin krijgt.'

'Hij is gewiekst, maar ik heb vaker met rechter Petrie te maken gehad en als hij ergens een hekel aan heeft, zijn het pedofielen. Zoals hij de zaak voor de jury samenvatte, kunnen Ince en Marshall het wel schudden.'

'En geen dag te vroeg,' vulde Rebus aan terwijl hij opstond.

37

Terug in Edinburgh bleek hij ontboden op Fettes, door de plaatsvervangend korpschef nog wel.

De plaatsvervangend korpschef (hoofd misdaadbestrijding) stond bekend als nauwgezet, eerlijk en goed bestand tegen dombo's. Hij bezat een mooi dik dossier over Rebus dat hem vertelde dat de rechercheur in kwestie 'lastig maar bruikbaar' was. Voor Rebus was het maken van vijanden zoiets als een tweede carrière geweest, maar tot die groep rekende PK Colin Carswell zich niet.

Hij had een naambordje op zijn deur met daaronder het kamernummer: 278. De kamer zelf was groot, met standaard vloerbedekking en gordijnen en een vaas met bloemen op de vensterbank. Verder weinig aankleding. Carswell, lang en mager en voorzien van een forse bos peper-en-zoutkleurig haar en dito snor, verhief zich net lang genoeg uit zijn stoel om Rebus de hand te schudden. Een handelsmerk van hem was dat hij gesprekken niet voerde vanachter zijn bureau, maar in een zitje bij het raam. De stoelen waren wel gewone draaiende bureaustoelen op wieltjes, iets waar onoplettende bezoekers achter konden komen als ze ineens achterstevoren zaten of naar Carswells bureau teruggleden. Die bezoekers hadden achteraf liever een standaardgesprek gehad.

Dat was precies de reden, had Carswell hen kunnen uitleggen, waarom hij het zo deed.

De wallen onder zijn ogen getuigden van slaapgebrek. Ondanks zijn leeftijd was Carswell onlangs voor de vierde keer vader geworden. Aangezien zijn andere kinderen volwassen waren, was men het er in elk bureau in de stad over eens dat deze laatste een ongelukje was, en dus zo ongeveer het enige in zijn leven dat de PK niet geregeld of onder controle had.

'Hoe gaat het, John?' vroeg hij.

'Niet slecht, commissaris. Hoe is het met de kleine?'

'Groeit en bloeit. Luister...' Carswell verspilde nooit veel tijd aan koetjes en kalfjes. 'Mij is gevraagd om naar dat moordonderzoek te kijken.'

'Darren Rough?'

'Die, ja.'

'Maatschappelijk Werk zeker?' Rebus liet zijn armen op de leuningen rusten.

'Een zekere Andrew Davies. Heeft een soort klacht ingediend.'

'Een soort?'

'Nogal onduidelijk verwoord.'

'Er zit misschien wel iets in.'

Carswell hield een ogenblik zijn adem in. 'Versta ik dat goed?'

'Ik ben in de dierentuin zonder concrete verdenking achter Rough aan gegaan, waardoor die gifmenger weer kon toeslaan. En toen ik erachter kwam dat Rough boven een speelplaatsje woonde, heb ik z'n gegevens op straat gegooid.'

Carswell vouwde zijn handen alsof hij bad. Rebus' reputatie kennende was een bekentenis wel het laatste wat hij had verwacht. 'Jij hebt bekendgemaakt wie hij was?'

'Klopt. Ik wilde hem kwijt. Op dat moment...' Rebus maakte zijn zin niet af. 'Ik dacht niet na over de consequenties. Later heb ik hem uit Greenfield helpen ontsnappen. Althans, dat was het plan. Hij ging er bij mij thuis vandoor en dat is hem zuur komen te staan. Maar uiteindelijk... denk ik wel dat ik heb geprobeerd mijn fout te herstellen.'

'Juist. Wil je dat ik daarmee naar het maatschappelijk werk ga?'

'Dat laat ik aan u over.'

'Maar wat wil jij?'

Rebus keek hem aan. Buiten scheen de zon. Nog zo'n techniek van de commissaris: hij gebruikte de truc met het zitje vooral als het mooi weer was. Rebus kon van zijn leidinggevende nauwelijks meer zien dan een wolk licht.

'Ik heb een tijdje gedacht dat ik bij de politie weg wilde. Misschien speelde dat in mijn achterhoofd toen ik achter Rough aan ging: als ik hem hard aanpakte, kon het me wel eens mijn baan kosten en hield ik er toch een goed gevoel aan over.'

'Maar dat is niet gebeurd.'

'Nog niet, nee.'

Carswell dacht na. 'Hoe voel je je nu?'

Rebus knipperde tegen het licht. 'Ik weet niet. Moe, vooral.' Een flauwe glimlach.

'Lang geleden – ik weet wel dat jullie graag denken dat ik m'n hele leven al achter een bureau zit – maar lang geleden heb ik eens een man meegemaakt die in Leith in elkaar was geslagen. Keurig type, kostuum, das en alles. Vrouw en kinderen thuis. Hij was een pub aan de haven binnengelopen, had de grootste, meest gevaarlijk uitziende bullebak uitgezocht die hij kon vinden en was die te lijf gegaan. Ik was nog jong toen, en ze stuurden mij naar het ziekenhuis om hem te horen. Bleek dat hij zelfmoord had willen plegen, maar de moed niet had kunnen opbrengen. Dus was hij op zoek gegaan naar iemand die het voor hem zou doen. Klinkt een beetje als waar jij met Darren Rough mee bezig was: hulp zoeken bij carrièrezelfmoord.'

Rebus glimlachte weer, maar hij dacht: *weer zelfmoord... net als Jim Margolies. Hulp bij carrièrezelfmoord...*

'Ik geloof niet dat onze vrienden van het maatschappelijk werk hier iets aan hebben,' zei Carswell uiteindelijk. 'Ik denk dat ik het nog even voor me hou. Misschien is er ruimte voor een of andere verontschuldiging... dat laat ik aan jou over.'

'Dank u.'

'En John,' hij kwam overeind en schudde Rebus opnieuw de hand, 'ik ben blij dat je niet met een of ander verhaaltje bent aangekomen.'

'Goed, meneer.' Rebus stond nu ook. 'En met alle respect, meneer, er is iets wat u voor *míj* zou kunnen doen...'

Nicol Petrie woonde in een flat die de bovenste twee verdiepingen van een woonblok in Georgianstijl in beslag nam. Het gebouw had een gemeenschappelijke hal met her en der tafels en tapijten. Tafels met vazen en ornamenten. Een wereld van verschil, vergeleken met de portieken van de flats waar Rebus meestal kwam.

En er was een lift met glimmend geboende spiegelwanden en gelakte hardhouten behuizing. Naast de knoppen van elke verdieping gedrukte kaartjes met de naam van de bewoners. Twee Petries, N en A. Rebus raadde dat de A stond voor Amanda.

Rebus verliet de lift op een overloop met een glazen koepel. Planten in potten rondom. En meer tapijten. Nicol Petrie deed open en nodigde Rebus met een knikje uit binnen te komen.

Rebus had een antiek interieur verwacht maar werd teleurgesteld. De wanden van de flat waren bijna lichtgevend wit geschilderd en vrij gehouden van schilderijen of posters. De vloerplanken waren ontdaan van vloerbedekking en gelakt. Het was alsof hij een Ikea-catalogus binnenstapte. Vanuit de gang leidde een trap naar de bovenste verdieping, maar Nicol voerde Rebus erlangs naar de woonkamer, zeker twaalf meter lang en vier hoog, met dubbele erkerramen die een onbelemmerd uitzicht boden over de Dean Valley en het Water of Leith. In de verte was de kustlijn van Fife zichtbaar. Terwijl hij dit alles in zich opnam, zag Rebus de pop op de grond over het hoofd en schopte ertegen, zodat ze ruggelings richting haar eigenares vloog.

'Jessica!' gilde het meisje terwijl het naar haar bezit kroop, het oppakte en troostend aan haar boezem wiegde. Toen gleed ze terug naar de hoek van de kamer waar een theepartijtje voor poppen gaande was. Rebus verontschuldigde zich, maar Hannah Margolies hoorde het niet.

'Daar bent u weer,' zei Hannahs moeder, gezeten op een witte sofa. 'Sorry hoor. Hannah laat haar speelgoed overal slingeren.' Ze klonk moe. Rebus merkte op dat ze nog altijd in het zwart gekleed ging, zij het een kort zwart jurkje met zwarte panty. Rouw als modestatement.

'Sorry,' zei hij tegen Nicol Petrie. 'Ik wist niet dat u bezoek had.'

'Jullie kennen elkaar?' Petrie boog het hoofd om zijn stomme vraag. 'Via Jim natuurlijk. Sorry.'

Het kwam Rebus voor alsof de conversatie tot nu toe alleen uit verontschuldigingen had bestaan. Katherine Margolies kwam plotseling met een elegante beweging overeind.

'Kom, Han-Han. We moeten gaan.'

Zonder weerwoord of klacht kwam Hannah overeind en liep naar haar moeder.

'Nicky,' zei Katherine en kuste hem op beide wangen, 'bedankt voor je luisterend oor, zoals altijd.'

Nicol Petrie omhelsde haar en hurkte toen neer om een zoen van Hannah in ontvangst te nemen. Katherine Margolies pakte Hannahs jas van de sofaleuning.

'Tot ziens, inspecteur.'

'Dag mevrouw Margolies. Dag Hannah.'

Hannah nam hem op. 'U vindt ook dat ik had moeten winnen, hè?'

Katherine streelde het haar van haar dochter. 'Iedereen weet dat je bestolen bent, liefje.'

Hannah bleef Rebus aanstaren. 'Mijn vader is gestolen,' zei ze.

Nicol Petrie redderde om haar heen terwijl hij moeder en dochter uitliet. Toen hij de kamer weer binnenkwam, stond Rebus bij het raam uit te kijken op de straat direct onder zich. Petrie begon het speelgoed op te ruimen in een kartonnen doos.

'Sorry nogmaals als ik u stoor, meneer,' begon Rebus, zonder veel overtuiging.

'Het geeft niet. Katy komt vaak onaangekondigd langs. Vooral sinds... nou ja, u weet wel.'

'Kunt u goed luisteren, meneer Petrie?'

'Niet beter dan iemand anders, denk ik. Meestal is het eerder dat ik niks nuttigs te zeggen weet, dan vul ik de gaten met vragen.'

'Dan zou u een goeie rechercheur zijn.'

Petrie lachte. 'Dat weet ik nog niet zo net, inspecteur.' Hij opende een deur die van de woonkamer toegang gaf tot een inloopkast met schappen tegen de muren. Hij zette de doos op een plank. Alles netjes opgeruimd. Rebus durfde te wedden dat de doos elke keer terugging op dezelfde plank, dezelfde plek. Hij kende meer mensen die zo waren, die hun leven in hokjes indeelden. Siobhan Clarke was ook zo iemand: als je haar wilde pesten, hoefde je maar iets van haar van de ene bureaula naar de andere te verplaatsen.

Beneden kwamen Katherine Margolies en haar dochter naar buiten. De autosloten werkten op een afstandsbediening. Het was een vierdeurs Mercedes, zo te zien vrij nieuw. Hetzelfde kenteken als hij met lippenstift geschreven had zien staan op een muur in Leith.

Een witte Mercedes.

Wit...

'Is ze er erg verdrietig onder?' vroeg hij, nog altijd toekijkend door het raam.

'Verslagen, zou ik eerder zeggen.'

'En de kleine?'

'Ik weet niet zeker of het al tot Han-Han is doorgedrongen. Zoals ze zegt, ze denkt dat hij gestolen is.'

'Daar heeft ze in zekere zin ook gelijk in.'

'Misschien wel.' Petrie kwam naar het raam en keek samen met Rebus toe terwijl de auto wegreed. 'Zoiets schokt iedereen.'

'Waarom denkt u dat hij het heeft gedaan?'

Petrie keek hem aan. 'Ik heb geen flauw idee.'

'Zijn weduwe zegt er niets over?'

'Dat is tussen haar en mij.'

'Sorry,' herstelde Rebus zich. 'Ik was gewoon benieuwd. Ik bedoel, iemand als Jim Margolies... dan ga je je toch dingen afvragen, niet?'

'Ik denk dat ik begrijp wat u bedoelt.' Petrie wendde zich af van het raam. 'Als je alles hebt en je bent nog ongelukkig, wat heeft het dan allemaal voor zin?' Hij liet zich in een stoel vallen. 'Misschien is het iets Schots.'

Rebus nam plaats op de sofa. 'Wat?'

'We moeten niet alles hebben, hè? Wij moeten glorieus ten onder gaan. Als we ergens in slagen, houden we het stil. Onze mislukkingen, die mogen we rondbazuinen.'

Rebus glimlachte. 'Zit misschien iets in.'
'Het zit in onze hele geschiedenis.'
'En het komt uit bij het nationaal elftal.'
Petrie glimlachte op zijn beurt. 'Ach, ik ben heel onbeleefd: kan ik u iets te drinken aanbieden?'
'Wat neemt u zelf?'
'Ik dacht misschien een glas wijn. Ik had een fles opengetrokken voor Katy, ik dacht dat ze met de taxi zou komen. Parkeren is een ramp, hier in de buurt.' Hij liep de kamer uit met Rebus in zijn voetspoor. De keuken was lang en smal en smetteloos. Het fornuis zag eruit alsof het nog nooit was gebruikt. Petrie haalde uit de koelkast een fles sancerre.
'Prachtige flat,' zei Rebus terwijl Petrie twee glazen uit een kastje pakte.
'Dank u. Mij bevalt ie wel.'
'Wat voor werk doet u, meneer Petrie?'
Petrie wierp hem een blik toe. 'Ik studeer, tweede jaar postdoctoraal.'
'Heeft u uw doctoraal in Edinburgh gehaald?'
'Nee, St. Andrews.' Hij schonk de wijn in.
'Niet veel studenten met zo'n luxe flat als deze – of loop ik achter?'
'Hij is niet van mij.'
'Van uw vader?' raadde Rebus.
'Klopt.' Hij schonk het tweede glas in, zijn blik nu wat minder sereen.
'Dan moet hij erg op u gesteld zijn.'
'Hij houdt van zijn kinderen, inspecteur. Doen de meeste ouders dat niet?'
Rebus dacht aan zichzelf en Sammy. 'Maar het is niet altijd wederzijds.'
'Daar weet ik niet veel van.'
Rebus haalde zijn schouders op en nam het glas aan. 'Proost.' Hij nipte eraan. Petrie stond aan de andere kant van de smalle keuken: geen uitweg of hij moest langs Rebus. En Rebus bleef staan. 'Het gekke is: als ik een vader had die van me hield, die een fortuin had uitgegeven aan een flat voor me, zou ik hem te hulp roepen als ik me in de nesten had gewerkt.'
'Hé, wat –'
'Als ik geld nodig had, bijvoorbeeld. Dan ging ik niet naar een woekeraar.' Rebus stopte en nam nog een slokje. 'En u, meneer Petrie?'

'Jezus, gaat het daarover? Die twee schooiers die me een pak slaag hebben gegeven?'

'Misschien ging het niet om geld. Misschien hadden ze iets tegen uw uiterlijk.' Nicol Petrie: gaaf gezicht, dunne donkere wenkbrauwen, hoge jukbeenderen. Zo'n volmaakt knap gezicht dat je misschien zin zou krijgen om erop te timmeren.

'Ik weet niet waar het ze om ging.'

Rebus glimlachte. 'Ja, dat weet u wel. Dat selectieve geheugen van u speelde net even op. U wist zogenaamd niet dat het er twee waren.'

'Dat zei de politie destijds.'

'Twee werknemers van Charmer Mackenzie. Wij noemen ze "bangmakers", en geloof me, ik zou ook bang zijn geweest. Hij is een gemene klootzak, of niet, die Cal Brady?'

'Wie?'

'Cal Brady. Die bent u vast wel eens tegengekomen.'

Petrie schudde zijn hoofd. 'Volgens mij niet.'

'Hoeveel had Mackenzie van u tegoed? U zult het onderhand wel hebben terugbetaald. En waarom probeerde u het geld eigenlijk niet van uw vader los te krijgen? Ik ben gewoon benieuwd, meneer Petrie, en als ik eenmaal vragen begin te stellen, hou ik meestal niet op tot ik de antwoorden heb.'

Petrie zette zijn glas op het aanrecht. Hij keek Rebus niet aan toen hij begon te praten. 'Even onder ons? Ik peins er niet over om er verder nog werk van te maken.'

'Oké,' zei Rebus.

Petrie sloeg zijn armen om zichzelf heen, zodat hij er nog magerder uitzag dan anders. 'Ik had inderdaad geld geleend van Mackenzie. We wisten, die lui die toen in de Clipper kwamen wisten dat hij geld leende. En ik had geld nodig. Mijn vader kan heel gul zijn als het hem uitkomt, inspecteur, maar ik had er al flink wat van zijn geld doorheen gejaagd. Ik wilde niet dat hij erachter kwam. Dus ben ik naar Mackenzie gegaan.'

'U had toch wel iets met de bank kunnen regelen?'

'Vast wel.' Petrie keek weg. 'Maar het had iets... het idee om met Mackenzie in zee te gaan had iets heel aantrekkelijks.'

'Hoezo dat?'

'Het gevaar, verboden vruchten.' Hij draaide zich weer naar Rebus. 'De Edinburghse society is er dol op, dat weet u. Deacon Brodie hoefde niet bij mensen te gaan inbreken, maar hij deed het toch. Kouwekakstad, wat valt er anders nog te beleven?'

Rebus staarde hem aan. 'Weet je wat, Nicky? Ik zou je bijna gaan geloven. Bijna, maar niet helemaal.' Hij hief een hand naar Petrie op, die terugdeinsde. Maar Rebus raakte alleen zijn slaap even aan met zijn wijsvinger. Toen de vinger terugkwam hing er een zweetdruppel aan. De druppel viel en spetterde op het aanrecht.

'Zou ik maar afvegen,' zei Rebus terwijl hij zich omdraaide. 'Straks hou je nog een vlekje op dat glimmende oppervlak van je.'

38

Nog altijd geen teken van Billy Horman.

Zijn moeder Joanna was op de persconferentie in tranen uitgebarsten, zodat ze de tv-journaals had gehaald. Ray Heggie, haar vriend, had naast haar gezeten maar niets gezegd. Toen ze begon te huilen, had hij geprobeerd haar te troosten maar ze had hem weggeduwd. Rebus wist dat hij uiteindelijk weer uit beeld zou verdwijnen, als hij tenminste onschuldig was.

GTP was nog even actief. Ze hielden een wake buiten de High Court terwijl de jury zich had teruggetrokken om tot een oordeel in de zaak-Shiellion te komen. Ze hadden kaarsen aangestoken en pamfletten aan de spijlen van het hek gehangen. De pamfletten gaven informatie over kindermoordenaars en pedofielen en hun slachtoffers. De politie had instructies gekregen de demonstranten met rust te laten. Intussen waren er nieuwe berichten binnengekomen van pedofielen die binnenkort vrijkwamen. GTP stuurde vertegenwoordigers naar de betrokken steden. Het was een landelijke beweging geworden, met Van Brady als surrealistisch boegbeeld. Ze organiseerde haar eigen persconferenties, met uitvergrote foto's van Billy Horman en Darren Rough op de muur achter haar.

'De wereld,' had ze op zo'n bijeenkomst gezegd, 'zou een groene weide zonder grenzen moeten zijn, waar onze kinderen veilig kunnen spelen en ouders hun kinderen zonder angst achter kunnen laten. Dat is het doel en de functie van het Green Field Project.'

Rebus vroeg zich af wie haar speeches voor haar schreef. GFP was een aftakking van GTP, een stichting die met giften en subsidies bewaakte speelterreinen wilde inrichten, met beveiligingscamera's en dergelijke. De wereld waar Rebus aan moest denken was niet zozeer een groene weide als wel een gevangenenkamp. Het GFP had bij de staatsloterij en de EU subsidie aangevraagd. Andere wijken hadden er in het verleden succes mee geboekt en hielpen Greenfield. Ze vroegen iets van twee miljoen pond. Rebus huiverde bij de gedachte dat

Van en Cal Brady zo'n fonds zouden beheren.

Aan de andere kant was het zijn probleem niet, of wel?

Zijn dringendste probleem, wist hij zodra hij de telefoon aannam, was Cary Oakes.

De stem aan de lijn behoorde toe aan Alan Archibald. 'Hij heeft ja gezegd.'

'Ja gezegd waarop?'

'Om met me mee te gaan naar Hillend. De heuvels in.'

'Hij heeft het toegegeven?'

'Praktisch.' Archibalds stem trilde van opwinding.

'Maar heeft hij iets concreets gezegd?'

'John, als we eenmaal daar zijn, weet ik zeker dat ie het me gaat vertellen, linksom of rechtsom.'

'Wou je hem soms gaan martelen?'

'Zo bedoel ik het niet. Ik bedoel, als ie eenmaal daar is, op de plaats van het misdrijf, denk ik dat ie breekt.'

'Dat moet ik nog zien. En als het een val is?'

'Daar hebben we het al over gehad, John.'

'Weet ik.' Rebus aarzelde. 'En je gaat toch.'

Zijn stem klonk nu zacht, kalm. 'Ik moet gaan, wat er ook gebeurt.'

'Ja,' zei Rebus. Natuurlijk zou Archibald gaan. Het was zijn lot. 'Nou, dan ga ik mee.'

'Ik zal hem vragen –'

'Nee, Alan, je zégt het tegen hem. We gaan samen of we gaan niet.'

'En wat als hij –'

'Dat doet ie niet. Neem dat maar van me aan. Hij wil dat ik ook meega.'

De tape liep nog, maar Cary Oakes had al een paar minuten niets gezegd. Jim Stevens was eraan gewend, de lange stiltes die vielen als Oakes zijn gedachten verzamelde. Hij liet nog zestig seconden verstrijken voor hij vroeg: 'Nog iets, Cary?'

Oakes keek verbaasd. 'Moet er nog iets zijn?'

'Dit is het dus?' Toch liet Stevens de tape lopen. Oakes knikte alleen en sloeg zijn handen achter zijn hoofd ineen: klus geklaard. Stevens keek op zijn horloge, sprak de tijd in op de band en duwde toen op de stopknop. Hij liet de recorder in de borstzak van zijn lila overhemd glijden. Het was ooit paars geweest, maar had zo'n driehonderd wasbeurten ondergaan sinds Stevens het vijf jaar geleden had gekocht. Hij wist dat zijn collega's op de krant dachten dat hij de afgelopen jaren dikker was geworden. Het overhemd bewees dat dat niet zo was, maar ook dat Stevens zelden nieuwe kleren kocht.

'Tevreden?' zei Oakes; hij stond op en rekte zich uit als na een zware dag in de mijngang.

'Niet echt. Dat zijn journalisten nooit.'

'Hoezo dat?'

'Omdat, wát we ook te horen krijgen, we weten dat het niet alles is.'

Oakes stak zijn handen op. 'Ik heb je bloed gegeven, Jim. Ik voel me alsof je een hele transfusie van me hebt gehad.' Weer die akelige grijns, zo gespeend van humor. Stevens schreef de datum en tijd op een sticker, trok die los en plakte hem op de rug van het cassettehoesje. Volgens hem waren het er nu elf. Elf uur Cary Oakes. Niet genoeg voor een boek, maar misschien wel voor een contract, en dan was de rest wel op te vullen met procesverslagen, interviews en foto's.

Behalve dat hij niet verwachtte er een uitgever voor te vinden. Hij ging het niet eens proberen.

'Waar denk je aan, oom Jim?' vroeg Oakes. Hij was hem 'oom Jim' gaan noemen. Stevens was niet zo naïef dat hij het als een koosnaam opvatte; ironie was nog het minste wat erin doorklonk.

'Ik... eigenlijk denk ik helemaal nergens aan.' Stevens haalde zijn schouders op. 'Dat het klaar is, meer eigenlijk niet.'

'Dus nou gaat onze kleine Cary beuren.'

'Je cheque komt eraan.'

'Wat moet ik met een cheque? Ik zei cash.'

Stevens schudde zijn hoofd. 'Een cheque, anders gaat onze administratie door het lint. Je kunt er gewoon een bankrekening mee openen.'

'En wie weet hoe lang afwachten tot ie gecheckt is?' Oakes ijsbeerde door de kamer. Nu kwam hij bij Stevens' stoel staan, boog zich over hem heen en hield zijn blik met staarogen vast. Stevens knipperde het eerst, wat voor Oakes al genoeg scheen. Hij zwiepte weer overeind en richtte zijn gezicht schaterlachend naar het plafond. Toen boog hij zich weer even voorover, lang genoeg om Stevens een klopje op een strakke wang te geven.

'Het is best, Jim, echt waar. Ik zat sowieso niet echt om dat geld te springen. Ik wou alleen jou het gevoel geven dat je me bij m'n ballen had.'

'Dat gevoel heb ik geen moment gehad, Oakes.'

'Is het nou ineens "Oakes"? Heb ik je kwaad gemaakt of zo?'

Stevens schudde met het cassettehoesje. 'Hoeveel hiervan is lulkoek?'

Oakes grijnsde weer. 'Wat dacht je zelf, oom Jim?'

'Ik weet het niet. Daarom vraag ik het.' Hij zag Oakes omkijken naar de klok naast het bed. 'Moet je ergens heen?'

'Ik ben klaar. Niks wat me hier houdt.'

'Waar ga je naartoe?' Stevens wist niet waarom, maar terwijl Oakes had staan lachen had hij de recorder weer aangezet. Hij zat in z'n borstzakje, dus hij wist niet wat hij zou oppikken. Hij hoorde het motortje zoemen en voelde het trillen tegen zijn borst.

'Wat kan jou dat schelen?'

'Ik ben journalist en jij bent nog altijd een verhaal.'

'En dan heb je het mooiste nog niet gehoord, Jimmy baby.'

Stevens' droge tong ging langs zijn lippen.

'Ben je bang voor mij, Jim?'

'Soms,' gaf Stevens toe.

'Je bent groter dan ik, zwaarder in elk geval. Je zou me aan moeten kunnen, toch?'

'Het gaat er niet altijd om hoe groot je bent.'

'Heb je gelijk in. Soms hoeft je tegenstander alleen maar volkomen gestoord en bloeddorstig te zijn. Denk je dat ik een tikje gestoord ben, Jimbo?'

Stevens knikte langzaam. 'En bloeddorstig ook,' vulde hij aan.

'Zeg dat wel.' Oakes bekeek zichzelf in de passpiegel aan de wand en streek met een hand over zijn stekels. 'Zeg maar bloedgestoord, Jim, dat ik mensen naar de strot wil vliegen.' Een sluwe blik opzij. 'Jou niet hoor, daar hoef je je geen zorgen om te maken.'

'Waar moet ik me dan zorgen om maken?'

'Daar kom je gauw genoeg achter.' Hij bekeek zichzelf weer in de spiegel. 'Ik heb een afspraak met mijn verleden. Een afspraakje met het lot, zoals jij en je collega's het misschien zouden zeggen. Met iemand die nooit naar me heeft willen luisteren.' Hij knikte in zichzelf. 'Nog één dingetje.' Hij draaide zich naar de journalist. 'Ik wist dat ik mijn verhaal zou gaan vertellen als ik vrijkwam. Ik heb ruim de tijd gehad om het kloppend te krijgen.'

'"Kloppend" of "waar"?'

'Jij bent nog niet zo dom als je eruitziet,' lachte Oakes.

Stevens' hart klopte wat sneller. Hier wachtte hij al een paar dagen op, maar dat maakte het nog niet makkelijker om het te horen.

'Er zal toch minstens wel een deel van waar zijn,' wist hij uit te brengen.

'Schotten zijn geboren verhalenvertellers, Jim, of niet?' Hij gaf Stevens nog een klopje op zijn wang en keerde zich toen om naar de deur. 'Het was allemaal lulkoek, oom Jim. Denk daar maar aan tot je de pijp uit gaat.'

Nadat de deur achter Oakes was dichtgevallen, liet Stevens zijn gezicht op zijn handen rusten en bleef zo een tijdje zitten, opgelucht omdat het achter de rug was, wat er ook van terechtkwam. Toen zijn telefoon overging herinnerde hij zich de recorder in zijn zak. Hij haalde hem eruit en zette hem af, spoelde terug en drukte op play.

Oakes' stem klonk dun en metalig, maar niet minder hatelijk. *Het was allemaal lulkoek, oom Jim.* Hij schakelde de recorder uit en liep naar de telefoon. Schraapte eerst zijn keel en ging op de rand van het bed zitten.

'Hallo?' zei hij in de hoorn.

'Jim, ben jij dat? Met Peter Barclay.'

Barclay werkte voor een concurrerende tabloid. 'Ja, wat is er?'

'Bel ik op een slecht moment?' giechelde Barclay. Hij praatte altijd met een sigaret in zijn mond, zodat hij klonk als een slechte buikspreker.

'Kun je wel zeggen.'

'Zou ik zeggen. Jouw vriend heeft uit de school geklapt.'

'Wat?' Stevens stopte met het masseren van zijn nek.

'Hij heeft een brief gestuurd aan al die fijne concurrenten van je, waarin hij zegt dat die "autobiografie" van hem pure lulkoek is. Zou je daarop willen reageren, Jim? Voor de krant, natuurlijk.'

Stevens ramde de hoorn terug op de haak en veegde het apparaat toen van het nachtkastje op de vloer.

'Geen gehoor,' zei hij, en gaf er voor de zekerheid een forse trap tegen.

39

In de Pentland Hills hing een mist waarin de kleuren van het landschap oplosten en Hillend en Swanston het contact dreigden te verliezen met de stad net ten noorden van hen.

'Ik hou niet van mist,' zei Rebus terwijl hij parkeerde.

'Bang dat we verdwalen?' Cary Oakes glimlachte. 'Zou dat even een ramp voor de mensheid zijn.'

Hij zat in de passagiersstoel, Alan Archibald achterin. Rebus had Oakes niet achterin willen hebben, waar hij hem niet kon zien. Voor ze vertrokken had hij erop gestaan Oakes te fouilleren. Oakes had voorgesteld hetzelfde bij hem te doen.

'Ik ben hier niet de moordenaar,' had Rebus gezegd.

'Dat moet zeker "nee, dank u" betekenen.' Oakes had zich naar Archibald omgedraaid. 'Ik dacht dat we alleen met z'n tweeën zouden gaan. Had ik gezelliger gevonden.' En met een knikje naar Rebus: 'Buitenstaanders hebben we toch niet nodig, meneer Archibald.'

'Zonder mij gaan jullie nergens heen,' had Rebus gezegd.

Dus daar waren ze. Archibald leek nerveus. Bij het uitstappen liet hij zijn stafkaart vallen. Oakes raapte hem voor hem op.

'Misschien moeten we een spoor van broodkruimeltjes achterlaten,' opperde hij.

'Laten we maar gaan,' antwoordde Archibald, met een geërgerde klank in zijn stem.

Rebus keek rond. Geen andere auto's in de buurt, geen wandelaars, geen geluid van honden die werden uitgelaten.

'Eng, hè?' zei Oakes. Hij droeg een goedkoop groen regenjack.

Rebus' jack had een capuchon in de kraag. Die had hij uitgerold maar niet opgezet. Hij wist dat een capuchon werkt als een stel oogkleppen en hij wilde naar alle kanten vrij zicht houden. Archibald had een platte tweedpet op en droeg bergschoenen. De pet en de schoenen zagen er nieuw uit: die hadden al een tijd liggen wachten op deze dag.

'Neutje?' zei Oakes en hij haalde een heupflacon uit zijn zak. Rebus staarde hem aan. 'Gaat u zo de hele dag lopen mokken?' Oakes lachte. 'Zit u misschien ergens mee wat u eerst kwijt wil?'

'Plenty.' Rebus had zijn vuisten gebald.

'Niet hier, John,' vermaande Archibald hem. 'Niet nu.'

Met zijn blik op Rebus gevestigd hield Oakes Archibald het flesje voor, die zijn hoofd schudde. Oakes zette de fles aan zijn eigen mond en liet hen zien hoe het vocht naar binnen druppelde. Hij slikte theatraal.

'Ziet u,' zei hij, 'er zit geen vergif in.' Hij bood hen opnieuw een slok aan en nu nam Archibald een slokje. 'Ik heb hem in de bar van het hotel laten vullen.' Hij nam de fles weer van Archibald aan. 'En u, inspecteur?'

Rebus nam de flacon aan en rook eraan. Shit, wat rook dat lekker, maar hij gaf hem onaangeroerd terug.

'Balvenie,' zei hij. 'Als ik me niet vergis.'

Oakes lachte weer; Archibald produceerde een flauw glimlachje.

'Ik dacht dat je niet dronk,' zei Rebus.

'Doe ik ook niet, maar dit telt wel als een bijzondere gelegenheid, vindt u ook niet?'

Toen begon Archibald de kaart open te vouwen en kwamen ze ter zake; Oakes bestudeerde het gebied aandachtig, wetend dat Rebus over zijn schouder meekeek, en zei uiteindelijk: 'Ik weet niet of we hier veel mee opschieten.' Hij keek rond. 'Ik moet maar gewoon mijn neus volgen, denk ik.' Hij wierp een blik in Archibalds richting. 'Sorry hoor.'

'Neem me maar gewoon mee naar waar ze vermoord is,' zei de oudere man.

'Misschien moet u maar voorgaan,' zei Oakes. 'Ik ben hier immers nog nooit geweest.' Hij knipoogde.

Ze begonnen te lopen.

Uiteindelijk zei Rebus: 'Weer een spelletje, Oakes?'

Oakes bleef staan en wachtte even tot hij op adem was gekomen. 'U kent dat nummer van Elvis toch wel, inspecteur, "Suspicious Minds"? Als je zo achterdochtig blijft denken, komen we nergens. Wat mij betreft zijn we gewoon een frisse neus aan het halen. En ik ben benieuwd waar het lijk is gevonden.'

'Je weet goddomme heel goed waar het lijk is gevonden!' beet Alan Archibald hem toe.

Oakes vormde zijn lippen tot een pruilmondje. Op die lippen wilde Rebus bloed zien, weggeslagen tanden en bloed uit zijn neus. In plaats daarvan groeven zijn nagels zich echter dieper in zijn handpalmen.

'Heb je haar vermoord?' vroeg hij.
'Wanneer?'
Rebus voelde zijn stem aanzwellen. 'Heb je haar vermoord?'
Oakes zwaaide vermanend met zijn wijsvinger. 'Ik ben misschien nog niet zo lang terug, maar daarom ben ik nog niet achterlijk. Jullie zijn met z'n tweeën. Als ik iets toegeef, zijn er twee getuigen.'
'Dit is iets tussen ons,' zei Alan Archibald. 'Dit heeft allang niet meer met de politie te maken.'
Oakes glimlachte. 'Hoe lang jaag je al op spoken? Als ik zeg dat ik het heb gedaan, zou je dan rustig slapen?' Archibald gaf geen antwoord. 'En u, inspecteur: wordt u 's nachts wel eens door spoken uit uw slaap gehouden?'
Alsof hij het wist. Rebus probeerde niets te laten merken, maar Oakes knikte en glimlachte in zichzelf. 'Een carrière bezaaid met lijken, man,' ging hij verder, 'en míj sluiten ze op.' Hij zweeg even. 'Vertel mij eens iets,' hij sloeg zijn armen over elkaar en hield zijn blik nu op Archibald gevestigd, 'hoe heeft de dader haar hier naar boven gekregen? Nogal een eind om een slachtoffer mee te nemen.'
'Ze was doodsbang.'
'En zo niet? Wat als ze vrijwillig meekwam? Ze was wezen stappen, niet? Gedronken, beetje geil...'
'Hou je bek, Oakes.'
'Je wou toch dat ik wat zou zéggen?' Hij spreidde zijn armen. 'Het is misschien maar speculeren wat ik doe, maar stel dat ie haar heeft opgepikt en met haar hierheen is gereden. Stel dat ze dat nou net wou. Oké, ze zit in de auto met iemand die ze totaal niet kent, maar vanavond heeft ze zin in iets spannends. In gevaar. Wie weet wíl ze zelfs dat het gebeurt.'
Archibald kwam met zwaaiende vuist op hem af. 'Zo praat je niet over haar.'
'Ik zeg alleen –'
'Je hebt haar ontvoerd. Neergeslagen en hierheen gesleept.'
'Enig spoor van een worsteling gevonden, Al? Bleek dat uit de lijkschouwing, dat ze was versleept?'
Archibald staarde hem aan. 'Nee, dat weet je best.'
Meer gelach. 'Nee, Al, ik weet er geen zak van. Ik doe maar een gok, net als jij.'
Oakes begon weer te lopen. De wind trok aan en de fijne regen blies hen in het gezicht; nog even en ze zouden doornat worden. Rebus keek om. De auto was al niet meer te zien.
'Het is oké,' stelde Archibald hem gerust. 'Ik noteer onze route.' Hij had de kaart opgevouwen en tikte met een pen tegen een van de contourlijnen.

Rebus nam de kaart van hem aan, voor de zekerheid. Hij had in het leger kaartlezen geleerd. Zo te zien had Archibald het goed gedaan. Rebus knikte en gaf de kaart terug. Maar de blik in Archibalds ogen, dat mengsel van angst en hoop... Rebus gaf hem een klopje op zijn schouder.

'Kom op, ouwelui,' zei Oakes en hij wachtte tot ze hem hadden ingehaald.

'Je bent te ver gegaan,' zei Rebus tegen hem.

'Huh?'

'Dat geintje met die vuilcontainer, dat was nog niet zo erg. Maar het kerkhof, die patio... daar kom je niet mee weg.'

'Niet te vergeten je ouwe vlam.' Oakes draaide zich naar hem toe, maar een paar decimeter van hem vandaan. 'Ik heb haar gesproken, weet je nog? Waarom staat zij niet op je slachtofferlijst? Ze zei me dat jullie tweeën misschien weer bij elkaar zouden komen.' Hij maakte een tss-geluid. 'Je gaat haar toch niet teleurstellen? Weet ze ervan?'

Rebus haalde uit maar Oakes leunde zonder een stap te verzetten achterover en Rebus' vuist raakte zijn wang nauwelijks. Snel, vreselijk snel was hij. Bleef gewoon staan, zo zelfverzekerd, zo zeker van zijn tegenstander. Archibald sloeg zijn armen om Rebus heen, maar Rebus schudde ze van zich af.

'Oké,' zei hij met een toonloze stem.

'Wou je doorgaan?' Oakes spreidde zijn armen. 'Kom maar op, man.' Op zijn wang was een rode vlek verschenen, maar hij besteedde er geen aandacht aan.

Rebus wíst dat hij zich niet mocht laten gaan, dat hij kalm moest blijven. Maar Oakes haalde hem het bloed onder de nagels vandaan. Lachte hem nu uit en voelde met een theatraal gebaar aan zijn gezicht.

'Au, dat doet pijn!' Nog altijd lachend. Toen liep hij weg en was het Archibalds beurt om Rebus een klop op zijn schouder te geven.

'Het gaat wel,' zei Rebus en hij ging achter Oakes aan.

Even later bleef Oakes staan. Nog honderd meter zicht, misschien niet eens. 'Waar is Swanston Village vanaf hier?' vroeg hij. Hij leek Rebus helemaal te zijn vergeten. Archibald keek op zijn kaart en wees. Hij wees in de kolkende mist, in het niets.

'Het lijkt goddomme wel *Brigadoon*,' zei Rebus en hij stak een sigaret op. Oakes haalde een reep chocola uit zijn zak en stak die naar hen uit.

'Weet u,' zei hij, 'ik sta ervan te kijken dat u me zo vertrouwt. Niet u, meneer Archibald, u heeft geen keus. Maar de inspecteur hier.' Oakes hield Rebus' blik vast met zijn donkere, doordringende ogen. 'U bent moeilijk te doorgronden.'

'En jij bent een zak stront.'

'John, alsjeblieft...' Archibald had zijn hand op Rebus' schouder gelegd. Hij zag er ondanks zijn kleding verkleumd en moe uit en ineens ook oud. Rebus realiseerde zich wat dit voor hem betekende: een antwoord, hoe het ook zou uitpakken. Ofwel Oakes had zijn nichtje vermoord, en dan kon hij nu echt gaan rouwen, of iemand anders had het gedaan, en dan had hij jaren verspild aan een waanbeeld en liep haar moordenaar nog ergens vrij rond.

'Oké,' zei Rebus. Drie kerels op een heuvel: een oudere man, een gestoorde met stekeltjeshaar en priemende ogen, en dan had je nog Johnny Rebus. Oakes genoot met volle teugen en Archibald zag er zo breekbaar uit als de reep chocola.

En Rebus? Hij moest zich met alle macht bedwingen op de heuvel niet nóg een slachtoffer te laten vallen.

Oakes hield Archibald zijn flesje voor en Archibald nam het dankbaar aan. Rebus weigerde en Oakes schroefde de dop er weer op.

'Je neemt zelf niks?' vroeg Rebus.

Oakes negeerde het en bood hem in plaats daarvan de chocola aan. Ook die weigerde hij.

'En, waar gaan we nu precies naartoe?' vroeg Oakes.

'Het is niet ver meer,' antwoordde Archibald.

Oakes zag hoe Rebus hem opnam. 'Had je me zelf ook wat te vragen, John? Ook een onopgeloste zaak waar je mij voor wil laten opdraaien?'

'Zeg jij maar waar ik moet beginnen.'

'Mooi gesproken, meneer. Er was sprake van een zekere Darren Rough.'

'Jij bent die nacht bij mijn flat geweest.'

'O ja?'

'Je hebt die auto meegenomen.' Rebus zweeg even. 'Je hebt Rough zien weggaan.'

'Man, man, wat heb ik het die nacht druk gehad, hè?' Rebus bleef hem aankijken. Oakes kwam dichterbij en boog zich naar hem toe alsof hij hem iets wilde influisteren. Rebus deed een stap terug. 'Ik bijt niet,' zei Oakes.

'Zeg wat je wou zeggen.'

Oakes trok een gekwetst gezicht. 'Ik weet niet of ik dat nog wil.' Toen grijnsde hij. 'Nou, goed dan. Ik zag hem bij jou vandaan gaan, ik heb hem zelfs een tijdje gevolgd. Ik vroeg me af wie hij was, maar daar kwam ik pas later achter, toen ik z'n foto in de krant zag staan.'

'Wat gebeurde er?'

'Zeg jij het maar. Ik ben hem kwijtgeraakt.' Oakes haalde zijn schouders op. 'Hij ging de Meadows in. Kon ik hem met de auto onmogelijk volgen.' Hij knipoogde nog eens.

'Voor jou is het allemaal niet meer dan een –'

'Hou je kop!' gilde Archibald. 'Zeg niet dat het een spelletje is! Het ís geen spel, voor mij niet!' Hij beefde.

Rebus wees naar Oakes maar praatte tegen Archibald. 'Dit is wat hij wil. Je dacht dat je door hem hierheen te brengen overwicht op hem zou hebben. Denk je dat hij dat niet wist, dat ie er niks op had bedacht? Kijk naar hem, Alan, hij lacht je uit. Hij lacht ons allemaal uit!'

'Mij hoor je niet lachen.' En dat was waar: Oakes' gezicht stond strak, zijn blik op Archibald gevestigd. Hij liep naar hem toe en raakte zijn arm aan. 'Sorry,' zei hij. 'Kom op, je hebt gelijk, we hebben werk te doen.'

Hij begon weer te lopen. Archibald wilde zich verontschuldigen bij Rebus, maar Rebus wuifde het weg. Oakes zette er flink de pas in, alsof hij nu snel spijkers met koppen wilde slaan. Die blik op zijn gezicht... Rebus wist niet wat hij ervan moest maken. Er was iets geweest, een glimp van medelijden. Maar daaronder meende hij iets wilders te bespeuren, op zijn beurt vermengd met de verbazing van de wetenschapper wiens experiment een onverwachte wending neemt.

Nu ze klommen nam het zicht nog verder af.

'Jij bent zelf een spelletje met mij aan het spelen, of niet, Al?'

'Wat bedoel je?'

'Kom op, Al, zoals we gelopen zijn, we zijn het punt al gepasseerd waar ze vermoord is. Ik wed dat je het helemaal zo hebt gepland, dat we er uiteindelijk in een kringetje omheen lopen. Je wil mij in de war brengen, of niet? Gaat je niet lukken.'

'Hoe weet jij waar ze vermoord is?' vroeg Rebus.

'Ik heb alle kranten gehad. Bovendien stuurde Al me voortdurend spullen op, of niet, Al?'

'Je zei dat je er nooit iets van las,' zei Archibald, hijgend om op adem te komen.

'Goh, zou ik gelogen hebben? Punt is, er komt een beeld bij me op... Ze hebben hoger op de heuvel seks gehad. Dan raakt ze in paniek en rent naar beneden. Daar slaat hij haar. Maar waar ze seks hebben gehad... daar heeft ie iets achtergelaten.'

'Wat?'

'Verstopt.'

'Wat?'
'Alan, hij wil –'
Archibald richtte zich tot Rebus. 'Hou je bek!' schreeuwde hij.
'Ik zie drie heuveltoppen,' riep Oakes over zijn schouder. 'Als er hier in de buurt een rij heuveltoppen is, wil ik die wel graag zien.'
'Heuveltoppen...?' Archibald probeerde Oakes op een drafje in te halen. Hij had de kaart voor zijn gezicht en probeerde bijpassende hoogtelijnen te ontwaren. 'Misschien net iets naar het westen.'
Rebus had hem niets zien markeren met zijn pen, een tijdje al niet.
'Waar zitten we, Alan?'
Maar Archibald luisterde niet, niet naar Rebus.
'Misschien op driekwart ten opzichte van de top,' was Oakes begonnen. 'Een rij van drie, misschien vier... maar drie duidelijke rotspunten, ongeveer even hoog.'
'Wacht even,' zei Archibald. Zijn vinger kraste over de kaart. Hij vouwde hem kleiner op, hield hem dichter bij zijn gezicht en knipperde om scherper te zien. 'Ja, net iets naar het westen. Die kant op, een meter of honderd.'
Hij begon te klimmen. Oakes was al verder en Rebus volgde. Hij keek achter zich: helemaal niets te zien. Een tijdloos landschap. Als er krijgers in kilts uit die mist tevoorschijn waren gekomen, had hij er niet verbaasd van gestaan. Hij ontweek een bos kreupelhout en zette door, met pijn in zijn gewrichten en een brandend gevoel op zijn borst. Archibald ging sneller, hij bewoog zich met de drift van een bezetene.
Rebus wilde hem zeggen: jij hebt een kaart, maar wie zegt dat Oakes er ook niet een heeft gekocht? Wie zegt dat hij die niet heeft bestudeerd, op zoek naar herkenbare punten? Of dat hij hier zelfs niet alvast is gaan kijken? Hij is vaak genoeg aan zijn oppassers ontsnapt.
'Wacht even!' riep hij en hij versnelde zijn pas.
'John!' riep Archibald terug; van zijn gestalte daarboven was nauwelijks een schim over. 'Probeer jij die kant, dan pakken wij de andere twee!' Hij bedoelde dat Rebus de meest oostelijke heuveltop moest zoeken.
'Moet ik graven?' riep hij uit. Gelach was zijn antwoord, gelach van Oakes. Spookachtig gelach, hij was ook nauwelijks meer te zien.
'Nou?' hoorde hij Archibald Oakes vragen.
'Ach nee, ik denk het niet,' antwoordde Oakes. 'We laten de lijken gewoon liggen waar ze vallen.'
Rebus vroeg zich nog af of hij het goed had verstaan toen hij de doffe klank van een klap hoorde, gevolgd door een vaag gekreun.

'Oakes!' brulde hij en hij versnelde zijn pas. Hij kreeg een vaag silhouet in het oog: Oakes die oprees boven de gevallen Archibald, met een steen in zijn hand, klaar om nog eens te slaan.

'Oakes!' herhaalde hij.

'Ik hoor je wel!' riep Oakes terug en hij liet de steen op Archibalds hoofd neerkomen.

Inmiddels had Rebus hem bijna te pakken. Oakes gooide de steen op de grond en likte zijn lippen toen Rebus hem bereikte. 'Zó lekker... dat zul je nooit meemaken,' zei hij. 'Je wordt jarenlang door een mug geprikt, en nou heb ik hem doodgemept.' Hij liet een hand in zijn broekband glijden en trok er een knipmes uit.

'Sta je van te kijken, hè? Wat het menselijk lichaam allemaal kan verbergen,' zei Oakes, nu grijnzend. 'Die ouwe kon ik met een steen wel aan, maar volgens mij kun jij wel iets pittigers gebruiken.' Hij haalde uit. Rebus deinsde terug, verloor zijn evenwicht en gleed de helling af. Boven zich zag hij dat Oakes hem achtervolgde, huppelend als een berggeit.

'Dit wordt genieten!' riep hij. 'Dat wil je niet weten!'

Rebus liet zich doorrollen tot hij door het kreupelhout werd gestuit. Hij hees zich overeind, pakte een steen op en gooide ermee. Slecht gemikt en Oakes kon hem makkelijk ontwijken. Nog tien meter, maar hij daalde nu langzamer af.

'Ooit een konijn gevild?' vroeg Oakes, zwaar ademend, zijn voorhoofd glimmend van het zweet.

'Nou, ik heb jou anders precies waar ik je hebben wil,' beet Rebus hem toe.

Oakes deed alsof hij verrast keek. 'Nou, waar dan?'

'Op heterdaad. Nou kan ik je arresteren, en met schone handen.'

'Jij gaat me arrestéren?' Proestend van de lach. Hij was zo dichtbij dat zijn spuug Rebus' gezicht raakte. 'Man, wat heb jij een ballen.' Hij richtte zijn mes. 'Zolang het duurt, natuurlijk.'

'Al die spelletjes,' was Rebus verdergegaan. 'Er is iets anders, hè? Iets wat wij niet mogen weten. Je houdt ons met andere dingen bezig, zodat we er niet achter komen waar je werkelijk op uit bent.'

'Je meent het.'

'Wat is het?'

Maar Oakes schudde zijn hoofd en speelde met het mes. Rebus draaide zich om en rende weg. Oakes kwam joelend achter hem aan, huppelend over het struikgewas. Rebus keek om maar zag niets dan de mistige berghelling en een moordenaar met een mes. Hij struikelde, bleef staan en draaide zich naar Oakes om.

'Hebbes,' riep Oakes.

Rebus, die bijna geen adem meer had, knikte alleen maar.

'Weet je wat jij bent, man?' vroeg Oakes. 'Jij bent mijn bonus, meer niet.'

Rebus liep achteruit en begon zijn overhemd uit zijn broek te trekken. Oakes keek verbaasd tot Rebus het zo ver had opgetrokken dat een microfoontje zichtbaar werd, vastgeplakt op zijn borst. Oakes keek hem aan en Rebus hield zijn blik vast. Keek toen om en zag beweging achter zich.

Stemmen die snel dichterbij kwamen.

'Bedankt voor al dat schreeuwen,' zei Rebus. 'Werkt een stuk beter dan broodkruimels, dat zweer ik je.'

Met een brul viel Oakes hem nog een laatste keer aan. Rebus stapte opzij en Oakes zeilde rennend langs hem heen. Eerst omlaag, toen veranderde hij van gedachten, boog af en begon weer de heuvels in te klimmen. De eerste uniformen doken op uit de mist. Rebus wees Oakes na.

'Pak hem!' riep hij. Toen klom hij ook de helling weer op, terug naar waar Alan Archibald lag. Hij was nog bij kennis maar het bloed gutste uit zijn wonden. Rebus hurkte naast hem neer terwijl agenten in uniform hen voorbijrenden.

'Roep versterking van beneden op!' riep Rebus naar ze. Een van de agenten draaide zich naar hem om.

'Hoeft niet, meneer. Dat heeft u al gedaan.'

Rebus keek naar de microfoon op zijn borst en realiseerde zich dat de man gelijk had.

'Waar komt de cavalerie ineens vandaan?' vroeg Archibald met zwakke stem.

'Gekregen van Carswell,' zei Rebus. 'Hij had me ook een helikopter beloofd, maar die had röntgenstralen nodig gehad.'

Archibald glimlachte flauw. 'Denk je dat hij...?'

'Het spijt me, Alan,' zei Rebus. 'Ik denk dat hij je een verhaaltje heeft verkocht. Volgens mij wilde hij alleen nog een paar scalpen.'

Archibald voelde met trillende vingers aan zijn hoofd. 'De mijne had ie bijna,' zei hij en hij sloot zijn ogen.

Alan Archibald ging naar het ziekenhuis en Rebus ging op zoek naar Jim Stevens. Bij het hotel was hij al weg en op de redactie was hij evenmin. Rebus trof hem uiteindelijk in The Hebrides, een obscuur barretje achter Waverley Station. Stevens zat alleen in een hoek, enkel vergezeld van een volle asbak en een glas whisky.

Rebus bestelde voor zichzelf een whisky met water, sloeg die achterover, bestelde er nog een en ging bij hem zitten.

'Geen beter vermaak dan leedvermaak, hè?'
'Hoezo?'
'Die kleine etterbak heeft me ertussen genomen.' Hij vertelde Rebus wat er was gebeurd.
'Dan zal ik een keer je reddende engel zijn.'
Stevens knipperde met zijn ogen. 'Hoezo dat?'
'Ik ben de brenger van goed nieuws. Of liever gezegd: van een primeur.'
Rebus had nog nooit iemand zo snel nuchter zien worden. Stevens haalde een notitieblok uit zijn zak en sloeg het open. Met de pen in de aanslag keek hij Rebus aan.
'Ik wil er wel iets voor terug,' zei Rebus.
'Je zegt het maar, ik moet wat hebben.'
Rebus knikte en vertelde hem wat er was gebeurd. 'En ik was de volgende geweest als hij z'n zin had gekregen.'
'Godallemachtig.' Stevens ademde uit en nam een grote slok whisky. 'Er zijn waarschijnlijk honderd dingen die ik je zou moeten vragen, maar op het moment kan ik niks bedenken.' Hij pakte zijn mobiel. 'Vind je het goed als ik het doorbel?'
Rebus knikte. 'Dan praten we verder,' zei hij.
Stevens las voor uit zijn aantekeningen, die hij ter plekke omzette in zinnen en alinea's, en Rebus hoorde toe en knikte bevestigend als Stevens hem vragend aankeek. Stevens luisterde terwijl het verhaal hem werd teruggelezen. Hij bracht een paar veranderingen aan en hing toen op.
'Je hebt wat van me te goed,' zei hij en legde de telefoon op tafel. 'Wat zal het zijn?'
'Nog een whisky,' zei Rebus, 'en antwoord op een paar vragen.'
Een halfuur later zat hij met een koptelefoon op zijn hoofd te luisteren naar de opname van Oakes' laatste interview.
' "Een afspraak met m'n verleden",' citeerde hij en hij liet de koptelefoon van zijn hoofd glijden. ' "Een afspraakje met het lot".'
'Hij bedoelt Archibald, hè? Archibald zit hem al jaren op z'n nek.'
Rebus dacht terug aan Alan Archibald... aan hoe hij eruitzag toen hij de ambulance in werd getild. Uitgeput en verdwaasd, alsof hij van zijn liefste bezit was beroofd. Beroofd van een droom, een hoop... door Cary Oakes.
Ongestraft.
'Dus ze hebben hem niet te pakken gekregen?' vroeg Stevens, niet voor het eerst.
'Hij is de heuvels in gerend, die kan overal zitten.'
'Daarginds kun je zoeken tot je een ons weegt,' stemde Stevens

in. 'Hoe kwam je op het idee om versterking mee te nemen?'
Rebus haalde zijn schouders op.
'Weet je, John, er was een tijd dat je dat niet nodig had gevonden.'
'Ik weet het. Dingen veranderen.'
Stevens knikte. 'Dat zal wel.'
Rebus spoelde het bandje terug en luisterde weer naar de laatste helft. '*Een afspraakje met het lot, zoals jij en je collega's het misschien zouden zeggen. Met iemand die nooit naar me heeft willen luisteren...*' Ditmaal fronste hij zijn wenkbrauwen toen hij de koptelefoon afdeed.
'Weet je,' zei hij, 'Ik weet eigenlijk niet of hij Archibald en mij bedoelt. Hij noemde ons zijn bonus.'
Stevens had zijn glas leeggedronken. 'Maar wat kan het anders zijn?'
Rebus schudde langzaam zijn hoofd. 'Er moet een reden zijn waarom hij weer hierheen is gekomen.'
'Ja, ik en mijn chequeboek.'
'Iets groters. Iets belangrijkers dan spelletjes spelen met Alan Archibald...'
'Wat dan?'
'Ik weet het niet.' Hij keek Stevens aan. 'Jij zou het kunnen uitzoeken.'
'Ik?'
'Jij kent de stad als je broekzak. Het moet iets uit zijn verleden zijn, iets van voor hij naar Amerika ging.'
'Ik ben geen archeoloog.'
'Nee? Denk eens aan al die jaren dat je al in de modder zit te wroeten. En Alan Archibald heeft alles wat er te vinden is over Oakes, meer dan wat die schooier je ook heeft verteld.'
Stevens snoof, en glimlachte toen. 'Je weet nooit...' zei hij in zichzelf. 'Het zou een manier zijn om hem een tik terug te geven.'
Rebus knikte. 'Hij heeft een rookgordijn van leugens voor je opgehangen, en jij slaat terug met het ware verhaal.'
'De waarheid over Cary Oakes,' zei Stevens, die overwoog of zo'n kop zou werken. 'Ik doe het,' zei hij uiteindelijk.
'En wat je ook vindt, ik wil het weten.' Rebus reikte naar Stevens' notitieblok. 'Ik zal je mijn mobiele nummer geven.'
'Jim Stevens en John Rebus die samenwerken.' Stevens grijnsde.
'Als jij je mond erover houdt, doe ik het ook.'

40

Er waren boodschappen voor Rebus. Janice had drie keer gebeld, Damons bankmanager één keer. Rebus belde de bankmanager eerst.

'We hebben een transactie,' zei de man.

'Wat, waar en wanneer?' Rebus reikte naar pen en papier.

'Edinburgh, een geldautomaat op George Street. Opname van honderd pond.'

'Vandaag?'

'Gistermiddag om tien over halftwee precies. Goed nieuws, niet?'

'Ik hoop het.'

'Ik bedoel, het bewijst dat ie nog leeft.'

'Het bewijst dat iemand z'n pasje heeft gebruikt. Is niet precies hetzelfde.'

'Juist.' De manager klonk enigszins ontmoedigd. 'U wilt het natuurlijk zeker weten.'

Rebus had een idee. 'Die geldautomaat is niet toevallig beveiligd, of wel?'

'Ik kan het nakijken voor u.'

'Als u het wil doen, graag.' Rebus beëindigde het gesprek en belde Janice.

'Je had gebeld, is er iets?'

'Nee.' Ze zweeg. 'Meer dat je er zondagochtend zo vroeg vandoor was. Ik vroeg me af of wij iets...'

'Had met jullie niks te maken, hoor.'

'Nee?'

'Ik moest gewoon op tijd hier zijn.'

'O.' Weer een stilte. 'Nou ja, ik maakte me zorgen.'

'Over mij?'

'Dat je weer uit m'n leven verdwijnt.'

'Denk je dat ik dat zou doen?'

'Ik weet het niet, John, zeg jij het maar.'

'Tja, ik weet wel dat het tussen jou en Brian niet zo lekker gaat...'

'Ja?'

Hij glimlachte en sloot zijn ogen. 'Meer niet, eigenlijk. Ik ben nou niet direct een relatietherapeut.'

'Die zoek ik niet.'

'Hoor eens,' hij wreef over zijn ogen, 'er is nieuws over Damon.'

Een langere stilte. 'Was je van plan me dat te laten weten?'

'Heb ik net gedaan.'

'Alleen om van onderwerp te veranderen.'

Rebus voelde zich als een bokser die tussen de touwen in de hoek is gedrongen. 'Het gaat erom dat zijn bankrekening is gebruikt.'

'Hij heeft geld opgenomen.'

'Iemand heeft zijn pasje gebruikt.'

Haar stem klonk hoger, hoopvol. 'Maar niemand anders kent zijn pincode. Het moet hem wel zijn.'

'Er zijn manieren om zo'n pasje –'

'Waag het niet om me dit af te pakken, John!'

'Ik wil je alleen een teleurstelling besparen.' Hij zag Alan Archibald weer voor zich, die blik van totale, onherroepelijke verslagenheid.

'Wanneer is dat gebeurd?' vroeg Janice; ze besteedde nauwelijks aandacht aan wat hij zei.

'Gistermiddag. Ik hoorde het een minuut of tien geleden. Het was bij een bank in George Street.'

'Dan is hij nog in Edinburgh.' Een geloofsbelijdenis.

'Janice...'

'Ik voel het, John. Hij is er nog, ik weet dat hij er nog is. Hoe laat gaat de volgende trein?'

'Ik kan me niet voorstellen dat ie nog in de buurt van George Street rondhangt. Het ging om honderd pond. Kan ook reisgeld zijn geweest.'

'Ik kom toch.'

'Ik kan je niet tegenhouden.'

'Klopt.' Ze hing op. Seconden later ging de telefoon weer. Damons bankmanager.

'Ja,' zei hij, 'er hangt een camera.'

'Op de automaat gericht?'

'Ja. Ik heb de tape al opgevraagd, die ligt klaar voor u. Vraag maar naar mevrouw Georgeson.'

Rebus hing op en George Silvers bracht hem een beker koffie. 'Dacht dat je wel naar huis zou zijn,' zei hij; Hi-Ho's manier om zijn medeleven te laten blijken.

'Bedankt, George. Nog niks gevonden?'

Silvers schudde zijn hoofd. Rebus staarde naar de paperassen op zijn bureau. Zaken die afgewerkt moesten worden, die hij zich nauwelijks meer kon herinneren. Namen die door zijn hoofd zwommen. Het vroeg allemaal aandacht.

'Maak je geen zorgen,' zei Silvers. 'We krijgen hem wel.'

'Je bent altijd een steun en toeverlaat voor me, George,' zei Rebus en gaf het bekertje terug. 'En misschien onthou je nog eens dat ik koffie zonder suiker drink.'

Hij vroeg naar mevrouw Georgeson. Ze was in de vijftig en fors gebouwd en deed Rebus denken aan een overblijfmoeder waar hij iets mee had gehad. De videotape lag voor hem klaar.

'Wilt u hem hier bekijken?' vroeg ze.

Rebus schudde zijn hoofd. 'Ik neem hem mee naar het bureau als u het niet erg vindt.'

'Nou, dan moet ik eigenlijk een kopie voor u maken...'

'Ik ben niet van plan om hem kwijt te raken, mevrouw. En ik breng hem zeker terug.'

Hij had de tape stevig in zijn hand geklemd toen hij de bank verliet. Keek op zijn horloge en richtte toen zijn schreden naar Waverley Station. In de hal haalde hij een koffie met veel melk – of een café latte, zoals de verkoper het noemde – en ging op een bankje zitten wachten. Hij had de tape in zijn jaszak, geen denken aan dat hij die in de auto liet liggen. Hij bladerde de avondkrant door. Niets over Cary Oakes; dat zou de volgende ochtend de exclusieve reportage in Stevens' krant zijn waarmee Stevens een levensgrote middelvinger naar zijn concurrenten zou opsteken.

Een afspraakje met het lot...

Wat moest dat in hemelsnaam betekenen? Weer een dwaalspoor van Oakes? Rebus zag hem ervoor aan. Hij had Stevens, Archibald en hemzelf gedold als George Best een stel zondagamateurs.

Uiteindelijk zag hij haar. Laat in de middag waren de treinen naar Edinburgh niet druk, al het verkeer ging de andere kant op. Ze liep tegen de menigte in toen ze van het perron kwam. Hij liep al naast haar voor ze hem opmerkte.

'Zoekt u een taxi?' vroeg hij.

Ze keek verbaasd, toen nieuwsgierig. 'John,' zei ze. 'Wat doe jij hier?'

Als antwoord haalde hij de video uit zijn zak en hield die omhoog.

'Om het goed te maken,' zei hij en ging haar voor naar zijn auto.

Ze gingen naar het recherchekantoor. Ook daar was het rustig, de meeste mensen hadden hun dienst erop zitten. De achterblijvers probeerden verslagen af te maken of achterstallig werk in te halen. Niemand was in de stemming om te blijven plakken. De videoapparatuur stond in de hoek. Rebus trok er twee stoelen naartoe. Hij had voor hen beiden koffie gehaald. Janice keek opgewonden en angstig tegelijk. Weer moest hij denken aan Alan Archibald in de heuvels.

'Luister, Janice,' sprak hij haar toe, 'als hij het niet is...'

Ze haalde haar schouders op. 'Als hij het niet is, is hij het niet. Kun jij niks aan doen.' Ze schonk hem een vluchtige glimlach. Hij zette de tape aan. Mevrouw Georgeson had uitgelegd dat de camera was uitgerust met een bewegingssensor en alleen filmde als er iemand in de buurt van de automaat kwam. Rebus had de automaat voor de bank bekeken. De camera hing erboven en nam op vanachter een raam van de bank. Toen het eerste gezicht in beeld verscheen, zagen Rebus en Janice het van boven. De tijdsindicator zei 08.10, dus spoelde Rebus met de afstandsbediening verder.

'We moeten tien over halftwee hebben,' legde hij uit. Janice zat op het puntje van haar stoel, met het koffiekopje tussen haar handen geklemd.

Zo was het ook begonnen, bedacht Rebus, met een beveiligingstape, grofkorrelige beelden. Rond het middaguur werd het drukker bij de automaat. Het doorspoelen duurde lang. Rijen mensen met lunchpauze, maar tegen halftwee werd het wat rustiger.

Het klokje stond op 13.40.

'O mijn God, daar heb je hem,' zei Janice. Ze had het kopje op de grond gezet en sloeg haar handen voor haar gezicht.

Rebus keek. Het gezicht keek omlaag, gebogen over het toetsenbordje van de automaat. Vingers die ongeduldig op het scherm trommelden. Het pasje werd teruggepakt, de andere hand ging naar de lade om het geld te pakken. Hij bleef niet staan, wachtte niet op een bonnetje. De volgende klant kwam al naar voren.

'Weet je het zeker?' vroeg hij.

Van haar wang viel een traan. 'Heel zeker,' zei ze knikkend.

Rebus durfde er weinig van te zeggen. Hij had Damon alleen op foto's gezien en op de beelden van Gaitano's, maar nooit ontmoet. Het haar leek wel... de neus misschien ook, de vorm van de kin. Maar die waren ook niet zo bijzonder. De persoon die nu was verschenen, leek veel op de klant die net weg was. Maar Janice snoot haar neus. Zij had genoeg gezien.

'Het is hem, ik zou er een eed op doen.' Ze zag de onzekerheid op zijn gezicht. 'Ik zou het niet zeggen als het niet zo was.'

'Natuurlijk niet.'

'Niet alleen het gezicht, z'n haar of z'n kleren... ik bedoel, hoe hij staat, z'n houding. En dat ongeduldige getrommel.' Ze veegde haar ogen af met een hoekje van haar zakdoek. 'Het is hem, John. Het is hem.'

'Oké,' zei Rebus. Hij spoelde de tape terug en speelde de laatste minuten voor 13.40 af. Hij concentreerde zich op de achtergrond om te kijken of hij Damon op de automaat af kon zien komen. Hij wilde weten of hij alleen was geweest. Maar hij verscheen plotseling, en van opzij, in beeld. Weer die blik in de richting waaruit hij net was gekomen. Gaf hij een knikje met zijn hoofd... een of ander teken tegen iemand die buiten beeld bleef? Rebus spoelde terug en keek opnieuw.

'Wat zoek je?' vroeg Janice.

'Of hij iemand bij zich had.'

Maar hij vond niets. Dus liet hij de tape doorspelen en kreeg hij zijn beloning een minuut of wat later, toen boven in het beeld, net achter de persoon bij de automaat, benen zichtbaar werden. Twee paar: een man en een vrouw. Rebus drukte op pauze maar kreeg het beeld niet volkomen stil en scherp. Dus spoelde hij in plaats daarvan terug en speelde de passage opnieuw af, met zijn vinger bij de voeten op het scherm.

'Herken je die broek, die schoenen?'

Maar Janice schudde haar hoofd. 'Veel te vaag.'

En dat waren ze ook.

'Kan iedereen zijn,' vulde ze aan.

En dat was ook zo.

Ze stond op. 'Ik ga naar George Street.' Hij wilde iets zeggen maar ze sneed hem de pas af. 'Ik weet wel dat hij er niet zal zijn, maar er zijn winkels, pubs, ik kan de mensen daar op z'n minst zijn foto laten zien.'

Rebus knikte. Ze pakte hem bij de arm.

'Hij is nog hier, John. Dat is althans iets.'

Ze vertrok en hield de deur open voor iemand die net binnenkwam: Siobhan Clarke.

'Enig spoor van hem?' vroeg Rebus.

Siobhan liet zich in een stoel vallen. 'Billy Horman?'

Rebus schudde zijn hoofd. 'Cary Oakes.'

Ze strekte haar nek, hij kon het horen kraken. 'Weer een dag,' zei hij.

Ze knikte. 'Ik ben niet met Oakes bezig. Ik zoek nog steeds naar Billy Boy.'

'Niks opgeschoten?'
Ze schudde haar hoofd. 'We hebben nog een man of tien nodig. Misschien twintig.'
'Zal toch wel een budget voor zijn.'
'Als we een paar van die centenneukers kwijt konden misschien wel.'
'Pas op, Siobhan. Je klinkt als een anarchist.'
Ze glimlachte. 'Hoe is het met jou? Ik hoor dat Oakes jullie allebei een koppie kleiner wou maken.'
'Het trillen is over,' informeerde hij haar. 'Rondje van mij?'
'Vanavond niet. Ik heb een afspraak met een warm bad en een pizza. En jij?'
'Rechtstreeks naar huis, net als jij.'
'Nou...' Ze stond op alsof de beweging haar moeite kostte. 'Tot morgen dan.'
'Trusten, Siobhan.'
Ze zwaaide met haar vingers over haar schouder toen ze de deur uit liep.

Rebus hield zich aan zijn woord, zo goed als: eerst nog één bezoekje. Hij beklom de trap van Cragside Court. De avond viel, maar buiten waren nog kinderen aan het spelen, zij het onder toezicht van een GTP-lid. Ze hadden T-shirts laten maken met een logo voorop, werden met de dag professioneler. De vrouw met het T-shirt had Rebus van top tot teen opgenomen; ze wist dat ze hem eerder ergens had gezien, maar herkende hem niet als bewoner.

Hij bleef staan uitkijken over Greenfield. Aan de ene kant Holyrood Park, aan de andere de Old Town en de bouwplaats van het nieuwe parlement. Hij vroeg zich af of de buurt zou mogen overleven. Als de gemeente ervanaf wilde, kon ze het onopvallend aanpakken. Geen onderhoud, of alleen prutswerk. Flats die onbewoonbaar werden, bewoners die elders een huis toegewezen kregen, ramen en deuren dichtgespijkerd of versperd. De buurt zou langzaam achteruitgaan en veel bewoners zouden eieren voor hun geld kiezen. Wegtrekken. De hoogbouw zou 'zorgwekkende situaties' gaan vertonen, waar de media schande van gingen roepen. De gemeente zou met hulpinitiatieven toeschieten, oftewel herhuisvesting: goedkoper dan de wijk opknappen. En uiteindelijk zou hij leeglopen, een braakliggend terrein, klaar voor nieuwbouw. Exclusieve pied-à-terres voor de parlementariërs misschien. Of kantoren en dure winkels. Het was een A-locatie, geen twijfel mogelijk.

En dan de Salisbury Crags... daar zou ook gebouwd worden als mensen de kans kregen. Maar die kans zou niet zo snel komen. Na alle veranderingen die de stad in de loop der eeuwen had gezien, was het park nog altijd hetzelfde. Het velde geen oordeel over de omringende activiteit, het lag daar en keek over alles uit. Al die mensen die eroverheen waren gelopen, waren kleine ergernissen die het een jaar of zeventig volhielden, of minder. Daar was het niet van onder de indruk, in het licht van de eeuwigheid.

Rebus stond inmiddels voor Darren Roughs flat. Darren was teruggekomen om te getuigen tegen twee verdorven lieden. Als beloning was hij opgejaagd, vervloekt en uiteindelijk vermoord. Rebus was er niet trots op dat hij de aanval had ingezet. Hij hoopte dat Darren hem op een dag zou kunnen vergeven. En hij had bijna iets in die trant gezegd tegen de spookachtige gestalte aan het eind van de galerij, maar toen die op hem afkwam, zag hij dat deze van vlees en bloed was, en maar al te levend.

Het was Cal Brady, zijn gezicht vertrokken van woede.

'Wat moet u hier?'

'Even rondkijken.'

'Ik dacht dat u weer zo'n viespeuk was.'

Rebus knikte naar de gsm in Brady's hand. 'Seintje van de speelplaatswacht?' Hij knikte in zichzelf. 'Fijne organisatie heb je hier, Cal. Wat schuift dat?'

'Het is mijn burgerplicht,' zei Brady en hij zoog zijn borst vol.

Rebus zette een stap in zijn richting, zijn handen in zijn jaszakken. 'Nou jong, als lui als jij ons gaan voorschrijven wat goed en kwaad is, gaan we allemaal de verkeerde kant op.'

'Wou jij soms zeggen dat ik een flikker was?' schreeuwde Brady, maar Rebus was hem al gepasseerd onderweg naar de trap.

41

'Vertel eens over Janice,' zei Patience.

Ze zaten in de woonkamer, met een fles rode wijn tussen hen in op het tapijt. Patience lag op de bank, met op haar borst een opengeslagen paperback. Daar had ze het boek al een tijdje liggen terwijl ze voor zich uit staarde en luisterde naar de muziek op de stereo. Nick Drake, *Pink Moon*. Rebus zat in de leunstoel, met zijn benen over de armleuning. Hij had zijn schoenen en sokken uitgetrokken en was bezig met het voetbalnieuws in de krant.

'Wat?'

'Janice, ik wil meer van haar weten.'

'We hebben samen op school gezeten.' Rebus hield op met lezen. 'Ze is getrouwd, ze hebben alleen die ene zoon. Ze heeft als onderwijzeres gewerkt. Haar man zat ook bij ons op school. Brian heet ie.'

'Ging je met haar?'

'Op school, ja.'

'Sliep je met 'r?'

'Zo ver zijn we nét niet gekomen.'

Ze knikte in zichzelf. 'Ben je benieuwd hoe het geweest zou zijn?'

Hij haalde zijn schouders op.

'Zou ik wel zijn, denk ik,' ging ze door. Haar glas was leeg en ze reikte naar de fles. Het boek gleed op de grond maar ze besteedde er geen aandacht aan. Rebus was nog met zijn eerste glas rioja bezig en de fles was bijna leeg.

'De mensen zouden denken dat jij degene was met het drankprobleem,' zei hij, glimlachend om het luchtig te houden.

Ze maakte het zich weer gemakkelijk. Ze morste wat wijn op de rug van haar hand en zette haar lippen erop.

'Nee, ik heb gewoon zo nu en dan zin in iets te veel. Zeg, maar heb je erover gedacht om met haar te slapen?'

'Jezus, Patience...'

'Gewoon uit interesse. Sammy zei dat Janice zo'n blik had.'

'Wat voor blik?'

Patience fronste alsof ze de precieze woorden uit haar geheugen wilde opdiepen. 'Hongerig. Hongerig en een beetje wanhopig, denk ik. Hoe gaat het met haar en d'r man?'

'Moeilijk,' erkende Rebus.

'En toen ging jij ook nog naar Fife... heeft dat geholpen?'

'Ik heb niet met haar geslapen.'

Patience stak het vingertje naar hem op. 'Je hoeft je niet te verdedigen voor je bent aangeklaagd. Je bent zelf rechercheur, je weet wat voor indruk dat maakt.'

Hij wierp haar een vuile blik toe. 'Ben ik de beklaagde?'

'Nee, John, je bent een man, da's alles.' Ze nam nog een slokje wijn.

'Ik zou jou geen pijn doen.'

Ze glimlachte en stak haar hand uit alsof ze de zijne wilde pakken, maar de afstand was te groot. 'Dat weet ik, liefje. Het probleem is dat je op dat moment geen seconde aan me zou denken, zodat de gedachte dat je me pijn zou kunnen doen niet eens opkomt.'

'Wat weet je dat zeker.'

'Ik zie het toch elke dag, John? Vrouwen komen op spreekuur, willen antidepressiva. Willen wát dan ook om ze door dat afschuwelijke huwelijk te helpen waarin ze beland zijn. Ze vertellen me dingen, het hele verhaal komt eruit. Sommige gaan aan de drank of de drugs, of ze snijden hun polsen door. Bizar hoe zelden ze gewoon opstappen. En degenen die ervandoor gaan, zijn meestal degenen die met de gewelddadige types getrouwd zijn.' Ze keek hem aan. 'En weet je wat díé doen?'

'Gaan toch weer terug?' raadde hij.

Ze kneep haar ogen samen. 'Hoe weet jij dat?'

'Ik heb er toch ook mee te maken? Huiselijk geweld, buren die klagen over schreeuwen en stompen. Dezelfde vrouwen die jij krijgt, maar dan later. Ze doen geen aangifte. Ze worden ondergebracht in een opvanghuis. En daarna gaan ze terug naar het enige leven dat ze kennen.'

Ze knipperde een traan weg. 'Hoe kan het toch, dat dat gewoon zo doorgaat?'

'Ik wou dat ik het wist.'

'En wat doen wij eraan?'

Hij glimlachte. 'Wij verdienen er ons brood mee.'

Ze had haar blik van hem afgewend. Raapte haar boek van de grond en zette haar wijnglas neer. 'Die man die hier die boodschap heeft geklad... Waarom deed ie dat?'

'Ik weet het niet goed. Misschien wou hij me laten weten dat hij hier was geweest.'

Ze had de gezochte bladzijde gevonden en staarde nu naar de woorden zonder te lezen. 'Waar is hij nou?'

'Verdwaald in de Pentland Hills en doodgevroren.'

'Denk je dat echt?'

'Nee,' gaf hij toe. 'Zo iemand als Oakes... dat zou te gemakkelijk zijn.'

'Komt ie achter je aan?'

'Ik sta niet boven aan zijn lijst.' Nee, want Alan Archibald leefde nog. Uit de foto's was gebleken dat hij een schedelbasisfractuur had, dus hij kwam het ziekenhuis voorlopig niet uit. Er zat een politieman bij zijn bed om hem te bewaken.

'Komt ie hierheen?' vroeg Patience.

De cd was gestopt, het was stil in de kamer. 'Ik weet het niet.'

'Als hij nog een keer verf op mijn plavuizen kladt, krijgt ie een pak slaag van me.'

Rebus keek haar aan en begon toen te lachen.

'Wat is daar zo grappig aan?' zei ze.

Rebus schudde zijn hoofd. 'Niks, eigenlijk. Ik ben gewoon blij dat je aan mijn kant staat.'

Ze bracht het wijnglas weer aan haar lippen. 'Hoe bent u daar zo zeker van, inspecteur?'

Rebus proostte haar met zijn glas toe, blij dat hij die avond, totdat Patience over haar was begonnen, niet één keer aan Janice Mee had gedacht. Hij duwde op replay op de afstandsbediening van de stereo. 'Die vent klinkt alsof hij hulp nodig heeft,' zei Patience.

'Was ook zo,' antwoordde Rebus. 'Hij is gestorven aan een overdosis.' Ze keek hem aan en hij haalde zijn schouders op. 'Zoveelste slachtoffer,' zei hij.

Later ging hij buiten een sigaret roken. Op het plaatsje nog altijd de boodschap: JOUW POLITIEVRIENDJE HEEFT DARREN VERMOORD. De werklieden kwamen het morgen schoonmaken. Oakes zei dat hij Darren was gevolgd, maar kwijtgeraakt. Nou, iemand had hem gevonden, dat kon Rebus zichzelf niet verwijten. Hij stak de sigaret op en klom het trapje op. Recht voor het huis stond een surveillancewagen in vol ornaat geparkeerd als boodschap voor Cary Oakes, voor het geval hij nog eens op bezoek wilde komen. Rebus maakte een praatje met de twee agenten in de auto, rookte zijn sigaret op en ging weer naar binnen.

42

'Eindje om?' stelde Siobhan Clarke voor.

'Rijden bedoel je toch, niet lopen?'

'Maak je geen zorgen, ik zou het niet durven voorstellen.'

'Goed zo. Waar gaan we heen?'

Het was ochtend op bureau St. Leonard. Het weer in de Pentlands was opgeklaard en Rebus had zich ervan vergewist dat de helikopter het gebied afzocht naar tekenen van Cary Oakes. De boerderijen en dorpen rondom waren gewaarschuwd om uit te kijken.

'Probeer hem niet in te sluiten,' had de boodschap geluid, 'maar bel ons direct als u hem ziet.'

Tot nu toe had nog niemand gebeld.

Rebus voelde zich overtollig op het bureau. Hij had ontbijt voor Patience gemaakt – verse jus, glaasje water en Alka Seltzer – en was door haar gecomplimenteerd, zowel op zijn diagnose als op de behandeling. Ze zei dat ze de praktijk wel zou halen – 'Ik hoop alleen niet dat ik vandaag voor Lieve Lita moet spelen.'

En nu was Rebus in het recherchekantoor, met een Mars en een kop koffie.

'Hartaanvalontbijt,' zei hij toen hij Siobhan haar neus op zag halen.

'We hebben een melding dat iemand Billy Boy heeft gezien. Zal wel weer tijdverspilling blijken te zijn...'

'En je verspilt je tijd het liefst met mij?' Rebus glimlachte. 'Is dat even attent.'

'Oké, laat maar gaan,' zei ze, zich omdraaiend.

'Hoho, wacht even. Met welk been ben jij uit bed gestapt?'

'Ik heb m'n bed vannacht niet gezien,' snauwde ze. Toen ontdooide ze iets. 'Lang verhaal.'

'Vast lang genoeg voor een autoritje,' zei hij. 'Kom op dan, nou heb je me nieuwsgierig gemaakt.'

Het verhaal was dat de wasmachine van de bovenburen lek was geraakt. Zij waren uit en merkten er niets van. En zij had het pas gemerkt toen ze haar slaapkamer binnenging.

'Hun wasmachine staat dus boven jouw slaapkamer?' vroeg Rebus.

'Ja, dat is ook al zoiets. Hoe dan ook: ik zag die vochtplek op het plafond en toen ik aan het bed voelde was het doornat. Dus ik belandde uiteindelijk op de bank met een vieze oude slaapzak.'

'Arm kind.' Rebus dacht aan al die keren dat hij in zijn stoel had geslapen, maar dat was vrijwillig geweest. Hij keek in het zijspiegeltje nu ze westwaarts de stad uit kropen. 'Zeg, maar waarom gaan we naar Grangemouth? Konden die lui van daar er niet achteraan?'

'Ik hou niet zo van delegeren.'

Rebus glimlachte: ze had een van zijn uitspraken gejat. 'Je bedoelt dat je er niet op vertrouwt dat iemand anders het fatsoenlijk opknapt.'

'Zoiets,' zei ze, en wierp hem een blik toe. 'Heb ik van m'n leraar.'

'Nou nou, of ik jou de laatste tijd nog iets heb kunnen leren.'

'Bedankt.'

'Maar dat komt omdat je niet meer luistert.'

'O, wat zijn we weer spits.' Ze strekte haar nek. 'Wat is er met het verkeer?'

De voertuigen voor hen kwamen nauwelijks vooruit.

'Deel van een nieuw gemeente-initiatief: de autobestuurders het leven zuur maken zodat ze niet meer naar de stad komen en overal rommel maken.'

'Ze willen er een openluchtmuseum van maken.'

Rebus knikte. 'Met alleen een half miljoen dorpsbewoners.'

Uiteindelijk kwamen ze toch op gang. In het westen, langs de zeearm van de Forth, lag Grangemouth. Rebus was er in jaren niet geweest. Zijn eerste indruk nu ze het plaatsje naderden was dat ze op de set van *Blade Runner* waren beland. Een uitgestrekt petrochemisch complex doemde op, met puntige schoorstenen en zonderlinge composities van buizen en pijpen. Het complex zag eruit als een snelgroeiende buitenaardse levensvorm die op het punt stond zijn armen naar de stad uit te strekken en al het bloed eruit te knijpen.

De waarheid was in feite omgekeerd: de petrochemische industrie en alles wat erbij kwam, had Grangemouth werkgelegenheid gebracht. De straten waar ze op uitkwamen waren donker en smal, en de architectuur was er van veel eerder in de eeuw.

'Botsing van twee werelden,' mompelde Rebus terwijl hij het in zich opnam.

'Dit komt niet bij het openluchtmuseum, vrees ik.'

'En de inwoners maar huilen.' Hij tuurde naar de straatnamen. 'Daar zijn we.' Ze parkeerden voor een rijtje oude landarbeidershuisjes, allemaal uitgebouwd met een zolderkamer met dakkapel.

'Nummer elf,' zei Siobhan. 'De dame heet mevrouw Wilkie.' Mevrouw Wilkie wachtte op ze. Ze leek het type buurvrouw dat je in elke straat wel vindt: geïnteresseerd, op het bemoeizuchtige af. Een type dat grote verdiensten kon hebben, maar Rebus wedde dat haar buren er niet allemaal zo over dachten.

Haar woonkamer was één oververhitte uitstalkast, met als pronkstuk een groot en rijkversierd poppenhuis. Toen Siobhan uit beleefdheid deed alsof het haar interesseerde, kreeg ze een speech van tien minuten over de geschiedenis van het huis te verduren. Rebus zou hebben gezworen dat mevrouw Wilkie niet één keer ademhaalde; geen van haar gevangenen kon ertussen komen om het gesprek een andere richting in te sturen.

'Nou zeg, wat leuk!' zei Siobhan en ze keek even richting Rebus. Ze moest diep inademen om bij de blik op zijn gezicht niet in de lach te schieten. 'Zeg, maar, die jongen die u had gezien, mevrouw...?'

Ze gingen allemaal zitten en mevrouw Wilkie deed haar verhaal. Ze had de foto van het jochie in de krant zien staan en toen ze om een uur of twee van de winkel thuiskwam, had ze hem op straat zien voetballen.

'Hij trapte met een bal tegen de muur van Montefiore's Garage. Voor de garage is er zo'n soort...' Ze gebaarde met haar handen. 'Hoe noem je zoiets?'

'Erf?' opperde Siobhan.

'Natuurlijk.' Ze glimlachte naar Siobhan. 'Je bent vast ook goed in kruiswoordpuzzels, zo slim als jij bent.'

'Hebt u iets tegen de jongen gezegd, mevrouw Wilkie?'

'Vroeger zeiden ze nog mejuffrouw. Ik ben nooit getrouwd.'

'Meent u dat?' Rebus keek stomverbaasd. Siobhan kuchte achter haar hand en gaf mevrouw Wilkie toen een stel foto's van Billy aan.

'Ja, dat is hem, sprekend,' zei de oude vrouw terwijl ze de foto's door haar handen liet gaan. Ze haalde er een tussenuit. 'Behalve deze dan.'

Siobhan pakte de foto die de vrouw haar aangaf en stopte die terug in haar map. Rebus wist dat ze een foto van een ander jongetje in het stapeltje had gestopt om te testen hoe alert haar getuige was. Mevrouw Wilkie was geslaagd.

'Maar om antwoord op uw vraag te geven,' zei mevrouw Wilkie: 'Nee, ik heb niets tegen hem gezegd. Thuis heb ik de krant nog eens goed bekeken. Toen heb ik het nummer gebeld dat erbij stond. En bij het politiebureau kreeg ik een hele aardige jongeman aan de lijn.'

'En dat was gisteren?'

'Dat klopt; vandaag heb ik het jochie niet gezien.'

'En u heeft hem alleen die ene keer gezien?'

Mevrouw Wilkie knikte. 'In z'n eentje aan het voetballen. Hij zag er zo eenzaam uit.' Ze had de foto's teruggegeven en stond op om uit het raam te gaan kijken. 'In zo'n straat als deze vallen mensen die je niet kent je op.'

'Ik denk niet dat er veel is wat u ontgaat,' zei Rebus.

'Al die auto's tegenwoordig... Ik sta ervan te kijken dat u een plek hebt kunnen vinden.'

Rebus en Siobhan keken elkaar aan, bedankten mevrouw Wilkie voor haar tijd en vertrokken. Buiten gekomen keken ze links en rechts. Op de hoek aan het eind van de straat was een garage. Ze liepen ernaartoe.

'Wat bedoelde ze met al die auto's?' vroeg Siobhan.

'Ik vermoed dat er altijd een voor haar raam geparkeerd staat, maakt het haar lastiger om alles in de gaten te houden.'

'Zo zo, combineren en deduceren.'

'Niet dat ik uit ervaring spreek, hoor.'

Toch had Rebus in het huisje van mevrouw Wilkie een deprimerende gedachte gehad. Hij was zelf ook een toeschouwer. 's Nachts zat hij zelf ook met het licht uit in zijn flat uit het raam te kijken. Zou hij nu hij ouder werd een soort mevrouw Wilkie worden, de buurman die alles in de gaten hield?

Montefiore's Garage bestond uit één rijtje benzinepompen, een winkeltje en twee garageboxen. In een ervan stond een man in een blauwe overall, zijn hoofd nog net zichtbaar boven de smeerkuil waarin hij stond, onder een blauwe Volkswagen Polo. Achter de toonbank in het winkeltje zat een andere, oudere man. Rebus en Siobhan waren op het trottoir blijven staan.

'Kunnen we net zo goed vragen of zij hem hebben gezien,' zei Siobhan.

'Ja,' zei Rebus, weinig enthousiast.

'Ik zei al dat het een kleine kans was.'

'Kan een kind uit de buurt zijn. Net hier komen wonen, nog geen vriendjes kunnen maken.'

'Het was twee uur toen ze hem zag. Had ie op school moeten zitten.'

'Klopt,' zei Rebus. 'Ze leek erg zeker van haar zaak, vond je niet?'
'Dat heb je soms. Willen ze zo graag helpen dat ze desnoods iets verzinnen.'
'Tss,' zei Rebus. 'Zo cynisch, dat heb je van mij niet geleerd.' Hij keek om naar de straat, waar de auto's bumper aan bumper geparkeerd stonden. 'Ik vraag me af...'
'Wat?'
'Hij was toch met de bal tegen de muur aan het trappen?'
'Ja.'
'Kan niet veel lol aan zijn als al die auto's in de weg staan. Die stoep is veel te smal.'
Siobhan keek naar de muur, naar het trottoir. 'Misschien stonden die auto's er niet.'
'Volgens mevrouw Wilkie staat het altijd vol.'
'Ik snap niet waar je naartoe wilt.'
Rebus wees naar het voorplein van de garage. 'Als hij nou eens aan de binnenkant bezig was? Plek zat als er geen auto's aan het tanken zijn.'
'Dan zouden ze hem wegsturen.' Ze keek hem aan. 'Toch?'
'Laten we het maar vragen.'
Ze gingen eerst de winkel in en stelden zich voor aan de man achter de toonbank.
'Ik ben hier niet de baas,' zei hij. 'Dat is m'n broer.'
'Was u hier gisteren ook?'
'De afgelopen tien dagen. Eddie en Flo zijn op vakantie.'
'Naar de zon zeker?' vroeg Siobhan, alsof ze gewoon een babbeltje maakten.
'Jamaica.'
'Kunt u zich herinneren dat er hier gisteren een jongetje...' Siobhan hield de man een foto voor, 'een balletje tegen de muur stond te trappen?'
De broer van de eigenaar knikte. 'Neefje van Stan.'
Rebus probeerde zijn stem vlak te houden. 'Stan, en verder?'
De man lachte. 'Stan Lawrell, als je het weten wil.' Hij spelde de naam voor ze en ze lachten met hem mee.
'Ik hoop voor hem dat ie niet te dik is,' zei Siobhan, terwijl ze zogenaamd een traan wegveegde. 'Enig idee waar we meneer Lawrell kunnen vinden?'
'Charlie weet het wel.'
Siobhan knikte. 'En wie is Charlie?'
'Sorry,' zei de man. 'Charlie is de andere monteur.'
'Die onder de Polo?' vroeg Rebus. De man knikte.

'Dus meneer Lawrell werkt hier?'

'Ja, ook als monteur. Hij heeft vandaag vrij. We hebben het niet druk en hij moet op Billy passen...' Hij gebaarde naar de foto van Billy Horman.

'Billy?' vroeg Siobhan.

Een minuutje later stonden ze buiten en had Rebus zijn mobiel aan Siobhan gegeven. Ze belde St. Leonard en vroeg of Billy Horman een oom had die Stan Lawrell heette. Toen ze het antwoord te horen kreeg, schudde ze haar hoofd om Rebus te laten weten wat ze te horen kreeg. Ze liepen naar de smeerkuil.

'Kunnen we u even spreken?' riep Rebus. Ze hadden hun legitimatie in de hand toen de monteur genaamd Charlie vanonder de Polo kroop en zijn handen afveegde aan een van olie doordrenkt vod.

'Wat heb ik gedaan?' Hij had rossig haar dat achter in zijn nek krulde en aan een van zijn oren bungelde een lange oorbel. Tattoos op zijn handen en, zo merkte Rebus op, een linkerhand zonder pink.

'We zijn op zoek naar Stan Lawrell,' zei Siobhan, 'waar kunnen we die vinden?'

'Die woont in Adamson Street. Wat is er aan de hand?'

'Is hij nu thuis, denkt u?'

'Weet ik veel.'

'Hij heeft een dag vrij genomen,' zei Rebus en hij kwam een stap dichterbij. 'Hij heeft u misschien verteld wat zijn plannen waren?'

'Dagje uit met Billy.' De ogen van de monteur schoten van de ene rechercheur naar de andere.

'En Billy is...?'

'Zoontje van z'n zus. Gaat niet goed met 'r, alleenstaande moeder en zo. Moest Stan kiezen: of Billy naar een inrichting, of hij moest hem zolang opvangen. Gaat het om Billy? Heeft ie iets gedaan?'

'Zou u denken?'

'Helemaal niet.' De monteur glimlachte. 'Heel stil jochie eigenlijk. Wou niks loslaten over z'n moeder...'

'Wou niks loslaten over z'n moeder,' herhaalde Siobhan terwijl ze het pad op liepen naar het huis in Adamson Street. Het was een halfvrijstaand huis in een nieuwbouwwijk uit de jaren zestig aan de rand van de stad. Grotendeels sociale woningbouw. De woningen die door de bewoners waren gekocht, waren goed te herkennen: dubbel glas en betere deuren. Maar ze hadden allemaal dezelfde muren van grijs pleisterwerk.

'Geïnstrueerd door ome Stan, natuurlijk.'

Ze belden aan en wachtten. Rebus dacht dat hij bij een raam boven iets zag bewegen. Deed een stap achteruit, maar zag niets.

'Probeer het nog eens,' zei hij en opende de brievenbus terwijl Siobhan op de bel drukte. Aan het eind van de gang stond een deur halfopen. Daarachter zag hij schaduwen en hij liet de brievenbus dichtvallen.

'Achterom,' zei hij en liep naar de zijkant van het huis. Toen ze de achtertuin bereikten, zagen ze een man over de houten schutting verdwijnen.

'Meneer Lawrell!' riep Rebus.

In plaats van antwoord te geven, riep de man 'Rennen!' tegen de jongen die bij hem stond. Rebus liet het beklimmen van de schutting aan Siobhan over. Zelf liep hij terug naar de voorkant en rende de weg af, zich afvragend waar de twee tevoorschijn zouden komen.

Plotseling zag hij ze voor zich. Lawrell hinkte en greep naar zijn ene been. De jongen was er als een haas vandoor, aangemoedigd door zijn oom. Maar toen hij omkeek en zag hoe ver Lawrell achterbleef, hield hij in.

'Nee! Rennen, Billy! Ga door!'

Maar de jongen luisterde niet. Hij bleef staan wachten tot de man hem zou inhalen. Siobhan kwam de hoek om, met een winkelhaak in de knie van haar broek. Lawrell gaf zich gewonnen en stak zijn handen op.

'Oké,' zei hij, 'oké.'

Hij keek wanhopig naar Billy, die naar hem terug kwam lopen.

'Kan je nou nooit eens luisteren, Billy?'

Toen Stan Lawrell op zijn knieën zakte, liet Billy zijn armen om zijn nek glijden; een omhelzing van man en kind.

'Ik zal het ze wel zeggen,' snikte Billy. 'Ik zal ze wel zeggen dat ik het zelf heb gedaan.'

Rebus keek op ze neer en zag de tattoos op Stan Lawrells blote armen: *Vechten tot het Eind; UDA; de Rode Hand van Ulster*. Hij herinnerde zich wat Tom Jackson had gezegd: *is ervandoor gegaan naar Ulster om bij de paramilitairen te gaan...*

'Dan bent u zeker Billy's pa,' raadde Rebus. 'Welkom terug in Schotland.'

43

Onderweg terug naar Edinburgh zat Rebus achterin met Lawrell, terwijl Billy bij Siobhan voorin zat.

'U had in de krant gelezen over Greenfield?' raadde Rebus. Stan Lawrell knikte. 'Hoe heet u echt?'

'Eddie Mearn.'

'Sinds wanneer bent u terug uit Noord-Ierland?' vroeg Siobhan.

'Drie maanden.' Hij streek een hand door het haar van zijn zoon. 'Ik wilde Billy terug.'

'Wist zijn moeder ervan?'

'Die trut? Het was ons geheim, of niet, Billy?'

'Aye, pa,' zei Billy.

Mearn richtte zich tot Rebus. 'Ik ging hem in 't geheim opzoeken. Als z'n ma erachter was gekomen, had ze er een eind aan gemaakt. Maar we hielden het stil.'

'En toen las u over Darren Rough?' vulde Rebus aan.

Mearn knikte. 'Het leek bijna te mooi om waar te zijn. Ik wist dat als ik Billy meenam, zij zouden denken dat die eikel hem had, de eerste tijd tenminste. Hadden wij tijd om dingen te regelen. Ging lekker samen, hè Billy?'

'Te gek,' stemde zijn zoon in.

'Je moeder staat anders doodsangsten uit,' zei Siobhan.

'Ik moet die Ray niet,' zei Billy, met zijn kin tegen zijn borst geklemd. Ray Heggie: het vriendje van Joanna Horman. 'Hij slaat haar.'

'Waarom denkt u dat ik Billy daar weg wilde hebben?' vroeg Mearn. 'Daar moet een kind niet mee opgezadeld worden. Dat klopt niet.' Hij boog zich voorover en kuste de jongen boven op zijn hoofd. 'We hadden het helemaal voor mekaar, of niet Billy? We hadden het best gered.'

Billy draaide zich om in zijn stoel en probeerde zijn vader te knuffelen, maar de veiligheidsgordel hield hem tegen. Siobhan ving in de achteruitkijkspiegel Rebus' blik op. Ze wisten beiden wat er zou gebeuren: Billy ging terug naar Greenfield en Mearn kreeg een aanklacht aan zijn broek. Geen van beiden was er erg blij mee.

Toen ze het centrum van Edinburgh binnenreden, vroeg Rebus Siobhan om een omweg langs George Street te maken. Van Janice geen spoor...

'Weet u waar ik mee zit?' vroeg Rebus aan Eddie Mearn.

Ze zaten in een verhoorkamer op bureau St. Leonard. Mearn had een kop thee voor zich. Zijn been was door een dokter bekeken: alleen een verzwikte enkel.

'Nou?'

'U zei dat u wist dat iedereen Darren Rough de schuld zou geven als Billy verdween, zodat u de tijd zou hebben om de dingen te regelen.'

'Klopt.'

'Maar ik kan nog iets beters bedenken, iets waardoor ze helemaal niet meer naar Billy zouden zoeken.'

Mearn keek geïnteresseerd. 'En wat is dat?'

'Als Rough dood was,' zei Rebus zacht. 'Ik bedoel, dan zouden we een tijdje naar Billy blijven zoeken, ook al verwachtten we hem alleen ergens dood en verstopt te vinden. Maar daar zouden we op een gegeven moment mee stoppen.'

'Daar heb ik ook aan gedacht.'

Rebus ging zitten. 'O ja?'

Mearn knikte. 'Nou ja, toen ik in de krant zag dat ie was omgelegd. Dat leek me de ideale oplossing.'

Rebus knikte. 'En daarom hebt u het gedaan?'

Mearn fronste. 'Wat gedaan?'

'Darren Rough vermoord.'

Twee paar ogen die elkaar aanstaarden. Toen een ontzette blik die zich over Mearns gezicht verspreidde. 'N-n-nee,' stamelde hij. 'N-natuurlijk niet...' Hij hield zich vast aan het tafelblad. 'Natuurlijk niet, ik niet.'

'Nee?' Rebus keek verbaasd. 'Maar u had het perfecte motief.'

'Jezus man, ik was een nieuw leven aan het opbouwen. Daar was toch niet aan te denken als ik net iemand om zeep had geholpen?'

'Mensen zat die zoiets doen, Eddie. Ik krijg er zó een paar per jaar binnen. En voor iemand die bij de UVF heeft gezeten moet het ook niet moeilijk zijn.'

Mearn lachte: 'Hoe komt u dáárbij?'

'Dat zeggen ze in de buurt. Toen Joanna zwanger werd van Billy, bent u ervandoor gegaan naar de terroristen.'

Mearn haalde diep adem en keek rond. 'Ik denk dat ik er een advocaat bij wil hebben,' zei hij zacht.

'Er is er een onderweg,' legde Rebus uit.

'En Billy?'

'Z'n moeder is gebeld. Zij is ook onderweg. Is zich waarschijnlijk aan het opmaken voor de persconferentie.'

Mearn kneep zijn ogen dicht. 'Shit,' fluisterde hij. Toen: 'Sorry, Billy.' Hij knipperde zijn tranen weg toen hij Rebus weer aankeek. 'Hoe zijn jullie erachter gekomen?'

Een nieuwsgierig oud mens en een straat vol geparkeerde auto's, had Rebus kunnen zeggen. Maar dat wilde hij hem niet aandoen.

Buiten het bureau stond het vol met camera's en microfoons, zo vol dat de journalisten op de weg stonden. Door het getoeter van auto's en vrachtwagens was het moeilijk Joanna Horman te horen praten over het emotionele weerzien met haar zoon. Geen spoor van Ray Heggie; Rebus vroeg zich af of ze hem al gedumpt had. En geen spoor van emotie bij de jonge Billy Boy. Zijn moeder trok hem steeds naar zich toe en knuffelde hem halfdood in de vele poses waar de fotografen om bedelden. Zijn gezicht werd vlekkerig van de lippenstift. Toen ze een volgende vraag wilde gaan beantwoorden, zag Rebus hoe Billy zijn gezicht probeerde schoon te vegen.

Tussen de journalisten ook gewone voorbijgangers en nieuwsgierigen. Een vrouw met een GTP-T-shirt probeerde folders uit te delen: Van Brady. Aan de overkant van de straat hield een jongen op de fiets zich in evenwicht met een hand aan de lantaarnpaal. Rebus herkende hem: de jongste van Van. Geen folders, geen T-shirt. Interessant, dacht Rebus: liep het jochie misschien minder gemakkelijk met de meute mee dan de anderen?

'En ik wil de politie graag bedanken voor hun inspanningen,' was Joanna Horman bezig. Geen dank, dacht Rebus bij zichzelf, terwijl hij zich door de menigte drong en de weg overstak. 'Maar ik wil vooral iedereen van GTP bedanken voor hun steun.'

Een goedkeurende brul weerklonk: Van Brady...

'Jij bent Jamie, niet?'

De jongen op de fiets knikte. 'En u bent die pliesie die Darren kwam zoeken.'

Darren: alleen de voornaam. Rebus pakte een sigaret en bood Jamie er een aan, die zijn hoofd schudde.

'Je zag Darren zeker wel eens in de buurt?'

'Hij is dood.'

'Maar voor die tijd. Voor het bekend werd.'
Jamie knikte maar sloeg zijn ogen niet op.
'Heeft ie ooit iets geprobeerd?'
Nu schudde Jamie zijn hoofd. 'Zei gewoon hallo, meer niet.'
'Hing ie bij de speelplaats rond?'
'Heb ik niet gezien.' Hij staarde naar het tafereel aan de overkant.
'En nou krijgt Billy alle aandacht, hè?' Volgens Rebus was Jamie jaloers maar wilde hij het niet laten merken.
'Ja.'
'Je bent vast blij dat ie terug is.'
Jamie keek hem aan. 'Cal is bij z'n ma ingetrokken.'
Rebus nam nog een trek van zijn sigaret. 'Dus ze heeft Ray op straat gezet?' Jamie knikte weer. 'En jouw broer in huis genomen?' Rebus leek onder de indruk. 'Die laat er geen gras over groeien.'
Jamie gromde alleen wat. Rebus zag een opening.
'Je klinkt niet al te blij. Je zal hem zeker wel missen?'
Jamie haalde zijn schouders op. 'Boeit me niks.' Vast niet. Zijn broer weg, zijn moeder druk met GTP en nu Billy Horman die in het middelpunt van de belangstelling stond.
'Heb je ooit mensen bij Darren gezien? Ik bedoel geen kinderen, maar bezoek.'
'Niet echt.'
Rebus hield zijn gezicht schuin zodat Jamie weinig anders kon dan hem aankijken. 'Je klinkt niet erg zeker van je zaak.'
'Er was iemand die hem kwam opzoeken.'
'Wanneer was dat?
'Toen dat gedoe met GTP begon.'
'Vriend van Darren?'
Schouderophalend: 'Zei ie niet.'
'Wat zei hij dan, Jamie?'
'Dat ie die kerel uit de krant zocht. Hij had de krant bij zich.' De krant: het artikel dat Roughs identiteit had onthuld.
'Zei hij het precies zo: "Die kerel uit de krant"?'
Jamie moest lachen. 'Volgens mij zei ie "vent".'
'Vent?'
Jamie zette een bekakte stem op: ' "Die vent die in de krant stond".'
'Niet iemand van hier uit de buurt dus?'
Nu liet Jamie een hinnikend lachje horen.
'Hoe zag hij eruit?'
'Oud, vrij lang. Hij had een snor. Grijs haar, maar z'n snor was zwart.'
'Jij kunt een goeie rechercheur worden, Jamie.'

Jamie trok misprijzend zijn neus op. Zijn moeder had gezien dat ze in gesprek waren en stond aan de andere kant van de weg klaar om over te steken.

'Jamie!' riep ze, terwijl ze zigzaggend door het verkeer probeerde te komen.

'En wat zei je tegen hem?' vroeg Rebus.

'Ik heb hem gewezen waar Darren woonde. Zei dat ie niet thuis was.'

'En wat deed die man?'

'Gaf me een vijfje.' Hij keek om zich heen, bijna schuldig. 'Ik ben met hem meegelopen naar z'n auto.'

Rebus glimlachte. 'Je zou echt een goeie rechercheur zijn.'

Schouderophalen. 'Grote witte slee. Volgens mij een Mercedes.'

Rebus nam afstand toen Van Brady hen bereikte.

'Wat heeft ie te zeggen, Jamie?' vroeg ze, met een priemende blik naar Rebus. Maar Jamie keek haar koeltjes aan.

'Niks,' zei hij.

Ze keek naar Rebus, die zijn schouders ophaalde. Toen ze zich weer tot haar zoon richtte, gaf Rebus hem een knipoog. Jamie trok even een mondhoek op. Een paar minuten was híj het middelpunt van iemands aandacht geweest.

'Ik was benieuwd naar Cal,' zei Rebus tegen Van Brady. 'Ik hoor dat hij bij Joanna gaat wonen.'

Ze keek uitdagend naar hem op. 'En wat gaat dat u aan?'

Hij knikte naar de folders in haar hand. 'Mag ik er ook een?'

'Als jullie je werk goed deden,' sneerde ze, 'was er helemaal geen GTP nodig.'

'En wie zegt dat dat nu wél zo is?' vroeg Rebus terwijl hij zich omdraaide.

Rebus ging aan de computer zitten en besloot eerst een belrondje te maken langs de Mercedes-dealers in de regio. Hij kende al één persoon die in een witte Mercedes reed: de weduwe Margolies. Rebus tikte met zijn pen tegen zijn bureau en begon te bellen. Bij het eerste nummer was het raak.

'O ja, dokter Margolies is een vaste klant. Die rijdt al tientallen jaren niet anders dan Mercedes.'

'Sorry, maar ik heb het over een mevrouw Margolies.'

'Ja, zijn schoondochter. Die van haar heeft dokter Margolies ook gekocht.'

Dokter Joseph Margolies... 'Hij heeft er ook een gekocht voor zijn zoon en schoondochter?'

'Dat klopt. Vorig jaar, denk ik?'

'En hijzelf?'

'Hij ruilt snel in: houdt ze een jaar of twee en ruilt ze dan in voor een nieuwe. Zo schrijf je minder af op jaarbasis.'

'En waar rijdt hij op dit moment in?'

De verkoper werd voorzichtig. 'Waarom vraagt u hem dat zelf niet?'

'Zal ik misschien doen,' zei Rebus. 'En dan zal ik hem zeker ook laten weten dat u me de moeite had kunnen besparen.'

Rebus hoorde een lange zucht uit de telefoon komen. Toen: 'Ogenblikje.' Vingers op een toetsenbord. Stilte, toen: 'Een E200, halfjaar geleden gekocht. Zo goed?'

'Perfect.' Rebus krabbelde de gegevens neer. 'En de kleur?'

Weer een zucht. 'Wit, inspecteur. Dokter Margolies koopt ze altijd in het wit.'

Terwijl Rebus ophing kwam Siobhan naar hem toe. Ze leunde tegen de hoek van zijn bureau.

'Zo te zien heeft er iemand zitten slapen,' zei ze.

'Wat bedoel je?'

'Eddie Mearn. Wij gingen er allemaal van uit dat hij nog in Noord-Ierland zat. Iemand heeft naar Lisburn gebeld en te horen gekregen dat ie daar nog was, en heeft dat voetstoots aangenomen.'

'Wie was dat?'

'Roy Frazer, het spijt me dat ik 't moet zeggen.'

'Hij zal het toch zo moeten leren.'

'Ja ja, net zoals jij van je fouten hebt geleerd.'

Hij glimlachte. 'Daarom maak ik dezelfde fout nooit twee keer.'

Ze sloeg haar armen over elkaar. 'Denk je dat Mearn dit al die tijd heeft gepland?'

Rebus knikte langzaam. 'Zit er dik in. Teruggekomen uit Lisburn, kan heel goed zijn dat hij niemand heeft verteld dat hij wegging. Vestigt zich onder een valse naam in Grangemouth, een steenworp van Edinburgh. Waarom die valse naam? De enige reden die ik kan bedenken is dat ie al van plan was Billy daar weg te halen. Nieuw leven voor allebei.'

'En was dat zo erg geweest?' vroeg Siobhan.

'Niet erger dan waar Billy nu zit,' erkende Rebus. Hij keek haar aan. 'Denk erom, Siobhan. Straks ga je nog zeggen dat de wet een ezel is. En dan ben je nog maar één stap verwijderd van eigen rechter spelen.'

'Zoals jij.' Meer een constatering dan een vraag.

'Zoals ik vroeger,' moest Rebus toegeven. 'En je ziet wat er van mij terecht is gekomen.'

'Wat dan?'
Hij gaf een tikje op zijn aantekeningen. 'Ik zie overal witte auto's.'

44

Eén witte auto was gezien in de nacht dat Jim Margolies van de Salisbury Crags was gestort. Nu bezat Jim zelf natuurlijk een witte auto, maar die was volgens zijn vrouw in de garage blijven staan. Volgens haar was hij helemaal naar de Crags gelopen. Hoe waarschijnlijk was dat? Rebus wist het niet.

Een tweede witte auto was in Holyrood Park gesignaleerd rond de tijd dat Darren Rough was doodgeslagen.

En kort daarvoor was iemand in een witte auto Darren gaan opzoeken.

Dat was wat Rebus Siobhan vertelde en ze trok een stoel bij om een paar theorieën met hem door te nemen.

'Jij denkt dat het steeds dezelfde auto is?' vroeg ze.

'Het enige wat ik weet is dat er twee mensen aan hun eind komen die schijnbaar niets met elkaar te maken hebben en dat er telkens een witte auto bij opduikt.'

Ze krabde zich op haar hoofd. 'Er gaat bij mij geen lichtje branden. Hoeveel mensen zijn er nog meer die een witte Mercedes hebben?'

'Je bedoelt: zijn er seriemoordenaars die er onlangs een hebben gekocht of gehuurd?' Ze glimlachte. 'Ik ben het aan het navragen,' ging Rebus verder. 'De enige naam die ik tot nu toe heb is Margolies.' Hij dacht: Jane Barbour had een crèmekleurige auto, een Ford Mondeo...

'Maar er rijden nog meer witte Mercedessen rond?'

Rebus knikte. 'Maar zoals Jamie die man beschreef moet het welhaast de vader van Jim zijn.'

'Heb je hem bij de begrafenis gezien?'

Rebus knikte. En ook nog bij een schoonheidswedstrijd voor kinderen, had hij kunnen toevoegen. 'Hij is een gepensioneerde arts.'

'Verteerd door verdriet om de dood van zijn zoon besluit hij pedo's te gaan uitroeien?'

'Een eind maken aan de zedenverwildering als protest tegen de onrechtvaardigheid van het leven.'

Haar glimlach werd een lach. 'Zie jij het voor je?'

'Nee, ik niet.' Hij kwakte zijn pen op tafel. 'Eerlijk gezegd zie ik helemaal niks voor me. Dat moet haast wel betekenen dat we aan pauze toe zijn.'

'Koffie?' opperde ze.

'Ik dacht eigenlijk aan iets sterkers.' Hij zag de uitdrukking op haar gezicht. 'Maar koffie kan ook wel, tot die tijd.'

Hij wilde op de parkeerplaats een sigaret gaan roken maar kwam achter het stuur van zijn Saab terecht, reed The Pleasance af, de High Street over en langs station Waverley. Sloeg westwaarts af op George Street en keerde toen om, hoewel het verboden was, en reed aan de andere kant terug. Janice zat op de stoeprand, met haar hoofd in haar handen. Mensen keken naar haar maar niemand kwam vragen of ze hulp nodig had. Rebus zette de auto bij haar stil en liet haar instappen.

'Hij is hier,' bleef ze herhalen. 'Ik weet het zeker.'

'Janice, hier schieten jullie geen van beiden iets mee op.'

Haar ogen waren bloeddoorlopen en schraal van het huilen. 'Wat weet jij daarvan? Heb je ooit een kind verloren?'

'Ik was Sammy bijna kwijt.'

'Bijna, ja!' Ze keerde zich van hem af. 'Aan jou heb je helemaal niks. Ach man, je kon Mitch nog niet eens helpen, en dat was zogenaamd je beste vriend. Ze hebben hem bijna blind geslagen!'

Ze had nog veel meer te zeggen, gif genoeg. Hij liet haar praten, met zijn handen rustend op het stuur. Op een bepaald moment wilde ze uitstappen, maar hij trok haar terug de auto in.

'Kom op,' zei hij. 'Zeg het nou maar allemaal. Ik luister.'

'Niks!' siste ze. 'Weet je waarom? Ik zweer je, volgens mij geniet je ervan!' Weer deed ze de deur open en ditmaal probeerde hij haar niet tegen te houden. Ze sloeg op de hoek links af richting de New Town. Rebus keerde weer, draaide rechtsaf Castle Street in, toen links naar Young Street. Stopte voor de Oxford Bar en liep naar binnen. George Klasser stond op zijn gebruikelijke plek. De middagdrinkers waren er; de meesten van hen zouden ergens tussen vijf en zes wel vertrekken, als de kantoormensen kwamen. Harry de barman zag Rebus en hield een pintglas op. Rebus schudde zijn hoofd.

'Een borrel, Harry,' zei hij. 'Maak er maar een grote van.'

Hij ging in de achterzaal zitten. Verder was er niemand behalve de schrijver, die met de grote tas vol boeken. Hij leek het café als kantoor te gebruiken. Rebus had hem een paar keer gevraagd wat voor boeken hij moest lezen. Dan kocht hij wat de man aanried, maar aan lezen kwam hij niet toe. Vandaag waren ze kennelijk geen van beiden in de stemming voor een praatje. Rebus zat alleen met zijn borrel en zijn gedachten. Hij dacht terug aan dertig jaar geleden, het laatste schoolfeest. Zijn eigen versie van het verhaal...

Mitch en Johnny hadden een plan. Ze gingen bij het leger, wat meemaken. Mitch had het voorlichtingsmateriaal opgevraagd en was toen binnengelopen bij de Army Careers Office in Kirkcaldy. De week erna had hij Johnny meegenomen. De rekruteringsofficier had ze verhalen en grappen verteld over zijn eigen tijd 'in het veld'. Hij zei dat de basistraining een eitje voor ze zou zijn. Hij had een snor en een buikje en vertelde dat er 'zat te krikken en te zuipen' zou zijn voor ze: 'Twee van die knappe jongens als jullie, tot je geen pap meer kunt zeggen.'

Johnny Rebus had niet begrepen wat hij nu precies wilde zeggen, maar Mitch wreef in zijn handen en gniffelde met de sergeant mee.

Dat was dus geregeld. Het enige wat Johnny nog moest doen was zijn vader en Janice inlichten.

Zijn vader, zo bleek, was niet enthousiast. Hij had in de Tweede Wereldoorlog een tijd in het Verre Oosten gediend en had er nog wat foto's van en een zwarte zijden sjaal met de Taj Mahal erop geborduurd. Hij had een litteken op zijn knie, dat hij trouwens niet echt had overgehouden aan een kogelwond, al zei hij van wel.

'Daar heb je niks aan,' had Johnny's vader gezegd. 'Zoek liever een echte baan.' Ze hadden er een tijdlang over heen en weer gepraat. Zijn vaders laatste schot op doel: 'Wat zal Janice ervan zeggen?'

Janice zei niets; Rebus bleef talmen om het haar te vertellen. En op een dag hoorde ze het van haar moeder, die Johnny's pa had gesproken.

'Ik blíjf toch niet weg,' had hij gezegd. 'Ik krijg vaak genoeg thuisverlof.'

Ze had haar armen over elkaar geslagen, zoals haar moeder deed als ze het gelijk aan haar kant had. 'En ik moet maar gewoon op jou wachten?'

'Doe maar wat je wil,' had Johnny gezegd terwijl hij een steen wegschopte.

'Precies,' zei ze en liep de andere kant op.

Later hadden ze het goedgemaakt. Hij was naar haar huis gegaan en ze waren in haar slaapkamer gaan zitten, de enige plek waar ze konden praten. Haar moeder kwam boven met sap en biscuitjes, liet ze tien minuten begaan en kwam toen weer kijken of ze iets wilden. Johnny zei dat het hem speet.

'Betekent dat dat je van gedachten bent veranderd?' vroeg Janice.

Hij haalde zijn schouders op. Hij wist het niet goed. Wie moest hij teleurstellen: Janice of Mitch?

De dag voor het schoolfeest had hij zijn besluit genomen. Mitch moest maar alleen gaan. Johnny zou blijven, een of ander baantje zoeken en met Janice trouwen. Was geen slecht leven. Zat jongens waren hem al voorgegaan. Hij zou het Janice zeggen, op het feest. En Mitch ook, natuurlijk.

Maar eerst gingen ze wat drinken. Mitch had wat flessen bier geregeld en een opener. Ze knepen ertussenuit naar het kerkhof naast de school, dronken er elk een paar, liggend in het gras, tussen de opstaande grafstenen. Ze lagen daar goed, op hun gemak. Johnny slikte zijn biecht in; hij kon dit moment niet bederven. Het was alsof hun hele leven in orde was en alles goed zou lopen. Mitch praatte over de landen die ze zouden zien, de dingen die ze zouden doen en meemaken.

'En dan hebben ze allemaal de pest in, wacht maar af.' Te weten al diegenen die in Bowhill bleven, al hun vrienden die gingen studeren of werken in de mijn of op de scheepswerf. 'Wij zien goddomme de hele wereld, Johnny. En het enige wat zij te zien krijgen is dit hier.' En Mitch had zijn armen gespreid tot hij met zijn vingertoppen het ruwe oppervlak van de grafstenen kon voelen. 'Het enige wat hun te wachten staat is dit hier...'

Ze voelden zich onaantastbaar toen ze het schoolterrein op liepen. Aan de deur stonden een leraar en de conrector de kaartjes te controleren.

'Ik ruik bier,' haalde de conrector hun zelfvertrouwen onderuit. Toen knipoogde hij. 'Je had er wel een voor mij mogen bewaren.'

Johnny en Mitch lachten, weer helemaal volwassen nu ze de aula in liepen. Er speelde muziek, mensen waren aan het dansen. Frisdrank en sandwiches op lattentafels in de eetzaal. Stoelen in zitjes rondom de aula; groepjes in vertrouwelijk gesprek, ogen die alle kanten op schoten. Het was – heel even – alsof iedereen naar de nieuw aangekomenen keek... naar hen keek, jalóérs keek. Mitch gaf Johnny een mep op zijn arm en liep naar zijn vriendin Myra. Johnny wist dat hij het hem aan het eind van het feest zou zeggen.

Hij zocht Janice maar zag haar niet. Hij moest het haar vertellen... moest de juiste woorden bedenken. Toen zei iemand tegen hem dat ze in de toiletten whisky hadden en besloot hij daar eerst langs te gaan. Twee hokjes, naast elkaar. In elk drie jongens en de fles ging over de scheidingswand heen en weer. In stilte, zodat ze niet gesnapt zouden worden. Het spul brandde als vuur, en de stoom kwam zijn neusgaten uit. Hij voelde zich beneveld, uitgelaten, onoverwinnelijk.

Toen hij terugkwam in de aula was het schrikkeldans. Mary McCutcheon vroeg hem. Ze dansten lekker samen. Maar van de *reel* werd Johnny duizelig. Hij moest gaan zitten. Hij had niet gemerkt dat er meer nieuw aangekomenen waren: drie jongens van zijn jaar, jongens die door de jaren heen gezworen vijanden van Mitch waren geworden. De leider van de drie, Alan Protheroe, had Mitch eens uitgedaagd om te vechten. Mitch had hem uiteindelijk vernietigend verslagen. Johnny zag niet hoe ze Mitch in de gaten hielden. Dacht niet dat het eindexamenfeest een moment kon zijn om oude rekeningen te vereffenen, om het verleden op te rakelen in plaats van uit te kijken naar de toekomst.

Want Janice was binnengekomen. Zat naast hem. En ze kusten elkaar, ook al kwam juffrouw Dysart met een vermanend kuchje voor ze staan. Toen Janice zich uiteindelijk van hem losmaakte, stond Johnny op en trok haar overeind.

'Ik moet je iets vertellen,' zei hij. 'Maar niet hier. Kom.'

En hij had haar mee naar buiten genomen, om het gebouw heen naar waar de oude fietsenstalling stond – nu nauwelijks meer gebruikt. Het rookhoekje noemden ze het. Maar stelletjes kwamen er ook, gauw even zoenen in de lunchpauze. Johnny wees Janice een bank.

'Ga je me niet zeggen hoe geweldig ik eruitzie?'

Hij was bijna in trance van haar. Ze zag er inderdaad geweldig uit. In het licht dat vanuit de school viel leek haar huid te glanzen. Haar ogen waren donker en uitnodigend, haar jurk ruiste: lagen stof die verkend moesten worden. Hij kuste haar weer. Ze probeerde zich los te maken, hem te vragen wat hij haar wilde vertellen. Maar dat kon nu wel even wachten. De dromen, het verlangen, het duizelde hem. Hij raakte haar hals aan en streelde haar blote schouder. Hij liet zijn hand achter in haar jurk glijden. Haar moeder had die jurk gemaakt; hij wist dat er uren werk in waren gaan zitten. Hij zocht dieper en voelde het stikwerk van de rits loskomen. Janice hapte naar adem en duwde hem weg.

'Johnny...' Wanhopig achteromkijkend om de schade op te nemen. 'Oen, wat doe je nou?'

Zijn handen op haar benen duwden haar jurk omhoog tot boven haar knieën. 'Janice.'

Ze stond op. Hij stond ook op, duwde zich naar haar toe voor nog een kus. Ze draaide haar gezicht weg. Hij was één en al armen en benen die langs de hare gleden, langs haar nek en over haar rug... Hij rook naar bier en whisky. Dat vond ze niet lekker. Toen ze voelde hoe hij met zijn hand haar benen probeerde te spreiden, duwde ze hem weer van zich af en hij wankelde. Toen hij zijn evenwicht hervond was zijn glimlach veranderd in een geile grijns; daar kwam hij weer.

En ze haalde uit, balde haar hand tot een vuist en gaf hem een rechtse directe, verstuikte haar pols bijna. Ze wreef over haar knokkels en mimede woorden van pijn. Hij lag gestrekt op de grond, knock-out. Ze ging weer op de bank zitten en wachtte tot hij zou opstaan. Toen hoorde ze iets wat klonk als een opstootje en het klonk interessanter dan wat ze hier zou gaan meemaken.

Een vechtpartij. Of liever gezegd een afslachting. De bende van drie had Mitch op de een of andere manier in zijn eentje verrast. Ze waren aan de rand van het speelterrein met hem bezig, met achter hen het silhouet van The Craigs. De hemel was donkerblauw als een bloeduitstorting. Misschien had Mitch gedacht dat hij ze vanavond, juist vanavond, alle drie alleen aankon. Misschien hadden ze hem een revanche gevraagd en één tegen één beloofd. Maar het was drie tegen één en Mitch zat op zijn knieën terwijl het schoppen regende tegen zijn gezicht en ribben. Janice kwam eraan gerend, maar een tanig klein kereltje was haar voor, met armen en benen die als een windmolen rondgingen, een hoofd dat op een onbeschermde neus inbeukte, en fanatiek ontblote tanden. Janice stond versteld toen ze het kereltje herkende als Barney Mee, de joker van het hele stel. Wat hij aan vechtkunst en precisie tekortkwam, maakte hij goed met pure woede. Hij leek wel een machine. Het duurde maar een minuut, misschien minder, en aan het eind was hij uitgeput, maar kropen de drie schaduwen terug in de omringende duisternis, terwijl Barney zich op de grond liet zakken en op zijn rug naar de maan en de sterren ging liggen staren.

Mitch had zich overeind getrokken in zithouding, met één hand op zijn borst en de andere over een oog. Zijn beide handen zaten onder zijn eigen bloed. Zijn lip was gebarsten en uit zijn neus druppelde een rode straal. Hij spuugde en met de dikke klodder spuug kwam een halve tand mee. Janice stond boven Barney Mee. Zo klein zag hij er niet uit, nu hij daar zo uitgestrekt lag. Misschien... compact, maar ook heldhaftig. Hij opende zijn ogen en zag haar en grijnsde met zijn grote tanden.

'Kom eens hier liggen,' zei hij. 'Zal ik je wat laten zien.'

'Wat?'

'Als je blijft staan kun je het niet zien. Je moet gaan liggen.'

Ze geloofde hem niet maar ging toch liggen. Wat kon het schelen als haar jurk vuil werd, die hing van achteren toch al halfopen. Zijn gezicht was maar een paar centimeter van het hare.

'Wat moet ik dan zien?' vroeg ze.

'Daarboven,' zei hij en wees.

En ze keek. De lucht was niet zwart, dat was het eerste wat haar trof. Hij was donker, dat zeker, maar doorspekt met sporen van witte sterren en wolken. En de maan was enorm en eerder oranje dan geel.

'Vind je het niet ongelooflijk?' zei Barney Mee. 'Elke keer als ik kijk, denk ik dat weer.'

Ze keek hem aan. 'Jij bent ongelooflijk,' zei ze.

Hij nam het compliment met een glimlach in ontvangst. 'Wat ga je doen?'

'Na school, bedoel je?' Ze haalde haar schouders op. 'Weet ik niet. Een baan zoeken, denk ik.'

'Je moet gaan studeren.'

Ze keek hem aandachtiger aan. 'Waarom?'

'Je zou een goeie lerares zijn.'

Ze lachte hardop, maar heel even. 'Hoe kom je daarbij?'

'Ik heb je in de klas gezien. Je zou goed zijn, weet ik zeker. Kinderen zouden naar je luisteren.' Hij keek haar nu aan. 'Ik wel, in ieder geval,' zei hij.

Mitch rochelde nog wat bloed op. 'Waar is Johnny?' vroeg hij.

Janice haalde haar schouders op. Mitch haalde voorzichtig zijn hand van zijn oog. 'Volgens mij ben ik blind,' zei hij. 'En het doet pijn.' Hij boog zich voorover en begon te huilen. 'Het doet pijn in m'n hoofd.'

Janice en Barney stonden op en hielpen Mitch overeind. Ze haalden een van de leraren om hem naar het ziekenhuis te brengen. Tegen de tijd dat Johnny Rebus bijkwam, was alles voorbij. Hij zag Janice niet eens dansen met Barney Mee. Hij wilde alleen een lift naar het ziekenhuis.

'Ik moet hem iets vertellen.'

Uiteindelijk kwamen de ouders van Mitch en ze gaven Johnny een lift naar Kirkcaldy.

'Wat is er in godsnaam gebeurd?' vroeg de moeder van Mitch.

'Ik weet het niet. Ik was er niet bij.'

Ze draaide zich om om hem aan te kijken. 'Was er niet bij?' Hij schudde zijn hoofd, beschaamd. 'En hoe kom je dan aan dat blauwe oog...?'

Van zijn jukbeen helemaal tot onder aan zijn kin: een lang paars spoor. En hij kon niemand zeggen hoe hij eraan was gekomen.

In het ziekenhuis moesten ze lang wachten. Foto's, werd gezegd. Gebroken ribben.

'Als ik degene in m'n handen krijg die dat heeft gedaan...' zei de vader van Mitch, en hij balde zijn vuisten.

En toen later het slechte nieuws: het netvlies van één oog was losgeraakt, misschien erger. Mitch zou aan één oog blind worden.

En tegen de tijd dat Johnny bij hem mocht – gewaarschuwd dat hij niet te lang moest blijven, hem niet moe moest maken – had Mitch het nieuws gehoord en was hij ontroostbaar.

'Jezus, Johnny. Aan één oog blind, man!'

Het oog in kwestie was met gaas bedekt.

'Fucking Captain Hook godverdomme.' Een van de andere patiënten kuchte toen hij de vloek hoorde. 'En jij kan ook de klere krijgen!' riep Mitch naar hem.

'Jezus, Mitch,' fluisterde Johnny. Mitch greep hem bij zijn pols en kneep er hard in.

'Nou moet jij het doen. Voor ons allebei.'

Johnny likte aan zijn lippen. 'Hoe bedoel je?'

'Mij nemen ze niet meer, met één blind oog. Ik vind het verschrikkelijk, jongen, dat weet je wel.'

Johnny zat te trillen terwijl hij een uitweg probeerde te verzinnen. 'Goed,' zei hij, knikkend. Iets anders wist hij niet te zeggen en hij bleef het herhalen.

'Je komt ons natuurlijk opzoeken, hè?' was Mitch verdergegaan. 'Vertel je me alles. Dat zou ik willen... alsof we er samen bij waren geweest.'

'Oké, goed.'

'Je moet het voor mij in de plaats doen, Johnny.'

'Oké, tuurlijk.'

Mitch die opklaarde. 'Bedankt, maat.'

'Minste wat ik kan doen,' zei Johnny.

Dus hij had getekend. Janice had geen bezwaar gemaakt. Mitch had hem op het station uitgezwaaid. En dat was dat. Hij had Mitch en Janice geschreven en niets teruggehoord. Toen hij voor het eerst verlof kreeg, was Mitch nergens te bekennen en was Janice op vakantie met haar ouders. Later kwam hij erachter dat Mitch met de noorderzon was vertrokken en niemand scheen te weten waarom of waarheen. Johnny had zo'n vermoeden: die brieven, zijn bezoeken, herinneringen aan het leven dat Mitch nu moest missen...

Toen had zijn broer Mickey geschreven dat Janice hem had gevraagd Johnny te laten weten dat ze nu uitging met Barney Mee. Daarna was Johnny een tijdlang niet naar huis gegaan, had andere plekken gevonden om zijn verlof door te brengen, had zijn vader en zijn broer wat op de mouw gespeld om de ware reden te verbloemen, was het leger gaan beschouwen als zijn nieuwe tehuis... de enige plek waar de mensen hem begrepen.

Hij was in zijn geest steeds verder weggedreven van Cardenden en de vrienden die hij had gehad en de dromen die ooit binnen handbereik leken te liggen...

45

Het was donker. Cary Oakes had honger en het spel was nog niet voorbij.

In de gevangenis had hij allerlei wijze raad gekregen over hoe je uit handen van de politie kon blijven, allemaal van lui die gepakt waren. Hij moest zijn uiterlijk veranderen, wist hij, dat was met een bezoekje aan een kringloopwinkel snel geregeld. Jack, overhemd en broek voor nog geen twintig pond, met een platte tweedpet als extraatje. Zijn haar laten groeien ging immers niet zo snel. Toen hij zijn foto in de krant zag, paste hij nog een enkel detail aan en schoor zich in een openbaar toilet onberispelijk glad. Hij vond een paar lege plastic zakken en vulde ze met rommel. Toen hij zichzelf in een winkelruit bekeek, zag hij een ietwat bittere werkloze die toch geld had om boodschappen te doen.

Hij zocht de plekken op waar de armoedzaaiers rondhingen: opvangcentra in de buurt van de Grassmarket, de bank naast de toiletten bij de Tron Kirk, onder aan The Mound. Het waren veilige plekken voor hem. Mensen deelden een blikje en een sigaret en stelden geen vragen waar hij geen antwoord op kon verzinnen.

Hij voelde zich rillerig en gammel, het verblijf in het hotel had hem week gemaakt. De koude nacht in de heuvels was een aanslag op zijn krachten geweest. Het was niet gelopen zoals hij had gewild. Archibald leefde nog. Er waren twee geesten waar hij zich van wilde ontdoen, en allebei moest hij ze nog opruimen.

En Rebus... Rebus was meer gebleken dan het 'ongeleide projectiel' dat Jim Stevens hem had genoemd. Zoals de journalist hem had beschreven, had Oakes verwacht dat Rebus de strijd met blote handen aan zou gaan. Maar Rebus had goddomme een heel leger meegebracht. Oakes was ontsnapt dankzij geluk en het slechte weer. Of omdat de goden zijn missie wilden zien slagen.

Hij wist dat het nu moeilijker zou worden. In het centrum viel hij niet op, maar daarbuiten was het risico op herkenning groter. In de buitenwijken van Edinburgh bleef een vreemde nog altijd niet lang onopgemerkt. Het was alsof er overal mensen waren die de hele dag voor het raam zaten op te letten. Toch was een van die buitenwijken zijn eindbestemming, en al die tijd al geweest.

Hij had een bus kunnen nemen, maar besloot uiteindelijk te gaan lopen. Het kostte hem dik een uur. Hij passeerde de bungalow van Alan Archibald, in de stijl van de jaren dertig, met een erker en witgepleisterde muren. Geen teken van leven binnen. Archibald lag in het ziekenhuis, volgens een krant onder politiebewaking. Oakes had hem voorlopig uit zijn plannen geschrapt. Die oude zak zou misschien sowieso wel bezwijken in het ziekenhuis. Nee, hij volgde de stijgende en slingerende weg verder richting East Craigs. Hij was er pas twee keer eerder geweest, omdat hij wist dat het in de gaten zou lopen als hij zich ineens vaak in de buurt ging vertonen. Twee trips, een 's nachts en een overdag. Beide keren had hij aan het eind van Leith Walk een taxi genomen en zich een paar straten voor zijn bestemming laten afzetten, die hoefden zijn chauffeurs niet te weten. Midden in de nacht was hij helemaal naar de muur van het gebouw gelopen en had met trillende vingers het metselwerk bevoeld, alsof hij daarbinnen een hart wilde voelen kloppen.

Hij wist dat hij er was.

Kon het trillen niet bedwingen.

Wist dat hij daarbinnen was, want hij had opgebeld en zichzelf voorgesteld als de zoon van een kennis. Had hem gevraagd niets over het telefoongesprek te zeggen, hij wilde dat zijn bezoek een verrassing zou zijn.

Hij vroeg zich af of het inderdaad een verrassing zou zijn...

Hij bereikte het parkeerplaatsje. Kuierde erlangs, gewoon een vermoeide werkman op weg naar huis. Vanuit zijn ooghoeken keek hij uit naar politieauto's. Niet dat hij dacht dat ze het geraden zouden hebben, maar hij ging Rebus niet nog een keer onderschatten.

Geen politie, maar wel een auto die hij eerder had gezien. Hij bleef staan en zette zijn tasjes neer alsof hij ze wilde verwisselen, alsof ze zwaarder waren dan ze waren. En bestudeerde de auto. Een Vauxhall Astra. Zelfde kenteken. Oakes ontblootte zijn tanden en blies sissend zijn adem uit. Dit ging te ver, die klootzakken waren vastbesloten zijn plannen te saboteren.

Er zat maar één ding op. Hij voelde aan het mes in zijn zak, in de wetenschap dat er bloed zou moeten vloeien.

Hij had zich van de tasjes ontdaan en lag onder de auto toen hij voetstappen hoorde. Draaide zijn hoofd en zag ze dichterbij komen.

Hij schatte dat hij ruim anderhalf uur op de grond had gelegen. Zijn rug was verkleumd en het rillen was weer begonnen. Toen hij de sloten open hoorde klikken, rolde hij uit zijn schuilplaats, kwam overeind en trok de passagiersdeur open. Toen de bestuurder hem zag, wilde hij weer uitstappen, maar Cary Oakes had het mes in zijn rechterhand, terwijl hij Jim Stevens met de linker bij zijn kraag pakte.

'Ik dacht dat je blij zou zijn om me weer te zien, Jimbo,' zei Oakes. 'Nou, deur dicht en rijden met dat kreng.' Hij trok zijn jack uit en gooide het op de achterbank.

'Waar gaan we heen?'

'Niet lullen, rijden.' Zijn overhemd idem.

'Wat ben je aan het doen?' vroeg Stevens. Maar Oakes negeerde hem, maakte zijn broek los en gooide die ook achterin.

'Dit overvalt me allemaal een beetje, Cary.'

'Goh, je houdt wel van een geintje?' Ze reden van de parkeerplaats af en Oakes merkte dat hij ergens op zat. Haalde de blocnote en pen van de journalist onder zich vandaan.

'Aan het werk geweest, oom Jim?' Hij sloeg de blocnote open en zag tot zijn teleurstelling dat Stevens steno had gebruikt.

'Waarom ben je hem op gaan zoeken?' vroeg Oakes, terwijl hij de blaadjes van de blocnote één voor één in vieren begon te scheuren.

'Wie gaan opzoeken? Ik was op bezoek bij een oude buurvrouw van me, en –'

Het mes priemde in Stevens' zij. Hij liet het stuur los en de auto boog af naar de stoeprand. Oakes trok aan het stuur.

'Gas, Jim! Als deze auto stilstaat, ben jij dood.'

Stevens bestudeerde zijn handpalm. Die was rood van het bloed.

'Ziekenhuis,' kraakte hij, zijn gezicht vertrokken van de pijn.

'Als ik m'n antwoorden heb, dán mag je naar het ziekenhuis! Waarom ben je naar hem toe gegaan?'

Stevens leunde voorover op het stuur, hij had de auto weer in de hand. Oakes dacht dat hij flauw zou vallen, maar het was alleen de pijn.

'Details verifiëren.'

'Meer niet?' De blocnote werd uit elkaar getrokken.

'Wat anders dan?'

'Ja, kijk, dat is nou precies wat ík wil weten, Jim-Bob. En als je niet nog meer geprikt wil worden, ga je me iets vertellen wat ik kan geloven.' Oakes reikte naar de knop van de verwarming en zette die voluit.

'Voor het boek.'

'Het boek?' Oakes kneep zijn ogen samen.

'Ik heb niet genoeg materiaal met alleen die interviews.'
'Had je me eerst moeten vragen.' Oakes zei een tijdje niets.
'Waar gaan we heen?' Stevens hield met één hand het stuur vast, met de andere zijn zij.
'Op de rotonde rechtsaf, de stad uit.'
'De weg naar Glasgow? Ik moet naar een ziekenhuis.'
Oakes luisterde niet. 'Wat zei ie?'
'Wat?'
'Wat zei hij over mij?'
'Dat kun je zelf wel invullen.'
'Dus hij is nog helder?'
'Min of meer.'
Oakes draaide het raampje omlaag en liet de snippers verwaaien. Toen hij weer keek, graaide Stevens met zijn hand op de vloer.
'Wat ben je aan het doen?' Oakes richtte het mes.
'Kleenex. Ik dacht dat ik ergens een doos had liggen.'
Oakes bekeek zijn werk. 'Even tussen jou en mij, Jim, ik denk dat je het met papieren zakdoekjes niet gaat redden.'
'Ik voel me slap. Ik moet stoppen.'
'Rij door!'
Stevens' oogleden gingen moeizaam op en neer. 'Kijk eens of ze achterin liggen.'
'Wat?'
'Die doos zakdoekjes.'
Dus Oakes draaide zich om en rommelde door zijn kleren. 'Hier niet.'
Stevens zocht zijn zakken af. 'Ik moet toch iets...' Uiteindelijk vond hij een grote katoenen zakdoek en liet die in zijn overhemd glijden.
'Neem de afslag naar het vliegveld,' beval Oakes.
'Ga je ervandoor, Cary?'
'Ik?' Oakes grijnsde. 'Net nu ik me begin te vermaken?' Hij niesde en besproeide de voorruit met speeksel.
'Gezondheid,' zei Stevens. Het bleef even stil in de auto, toen lachten ze allebei.
'Da's grappig,' zei Oakes en veegde een oog af. 'Dat jij mij gezondheid wenst.'
'Cary, ik verlies veel bloed.'
'Je redt het wel, Jimbo. Ik heb al eens mensen zien doodbloeden. Je hebt nog uren in je.' Hij ging achterover zitten in zijn stoel. 'Dus daar was je dan, helemaal alleen, details checken...? Wie wist dat je erheen ging?'

'Niemand?'

'Je hoofdredacteur niet?'

'Nee.'

'En John Rebus?'

Stevens snoof. 'Waarom zou ik het hém vertellen?'

'Omdat ik je gepest had.' Oakes stak zijn onderlip uit. 'Sorry daarvoor, trouwens.'

'Waren het echt allemaal leugens?'

'Dat is iets tussen mij en mijn geweten, oom Jim.'

De auto reed over een bult en Stevens grimaste.

'Weet je wat ze over pijn zeggen, Jim? Ze zeggen dat je door pijn pas goed kleuren gaat zien. Dat alles er echt levendig uit gaat zien.'

'Dat bloed ziet er anders levendig genoeg uit.'

'Uniek,' zei Oakes zacht, 'zoiets zie je in heel de wereld niet.'

Ze naderden een volgende rotonde. Links passeerden ze Ingliston Showground, waar de grote Highland Shows plaatsvonden maar waar het grootste deel van het jaar niets te doen was. Ook vanavond niet.

'Vliegveld?' vroeg Stevens.

'Nee, linksaf.'

Dus dat deed Stevens; hij zag een bouwterrein opdoemen. Daar zou weer een nieuw hotel verrijzen, als aanvulling op het hotel bij de afslag naar de luchthaven. Rondom landbouwgebied en hier en daar een huis. Geen lampen in zicht, zelfs niet van opstijgende of landende vliegtuigen.

'Nergens een ziekenhuis hier,' zei Stevens, nu in de greep van de angst.

'Zet hem aan de kant.'

Stevens deed wat hem gezegd was.

'Er is op het vliegveld wel een dokter,' zei Oakes. 'Ik heb je auto nodig, je kunt het lopen.'

'Of beter, je kunt me afzetten.' Jim Stevens likte over zijn droge lippen.

'Of nog beter...' zei Cary Oakes. En zijn hand schoot uit en het mes ging opnieuw Stevens' zij in.

En nog eens, en nog eens, terwijl de woorden van de journalist zich verdraaiden tot een nieuw vocabulaire van doodsangst, overgave en pijn.

Oakes sleepte het lijk de wagen uit en dumpte het achter een berg aarde. Doorzocht zijn zakken en vond Stevens' cassetterecorder. Er was niet veel licht, maar hij wist hem open te maken en de tape eruit te halen. Liet de walkman liggen en hield de tape. Niet veel geld in Stevens' portefeuille; creditcards, maar daar wilde hij niet mee gepakt worden. Hij bukte zich weer en veegde met Stevens' jasje zijn vingerafdrukken van de recorder af.

Hij voelde de wind bijten. Als hij het lijk probeerde te verbergen, kon hij onderkoeld raken en doodgaan. Hij rende terug naar de auto, ging op de bestuurdersstoel zitten en trok op. De verwarming kon niet harder. Van het bloed plakte zijn onderbroek aan de stoel. Hij voelde het aan zijn huid. Zijn kleren kon hij nog niet aantrekken, die moest hij schoonhouden. Hij kon zich in Edinburgh niet vertonen met bloed aan zijn kleren.

Nog een advies uit de gevangenis. Misschien waren zijn medegevangenen toch nog niet zo stom.

Onderweg terug naar de stad stopte hij op de verlaten parkeerplaats van een supermarkt en gooide de tape in een vuilnisbak.

Toen was hij er weer vandoor. Hij wist dat hij ten minste een nacht had voordat het lijk gevonden zou worden. Een nacht waarin hij dankzij Jim Stevens' auto althans een dak boven zijn hoofd zou hebben.

46

Meldingen uit het westen gingen allemaal naar bureau Torphichen maar een nieuwtje verspreidde zich snel. Rebus reed met Roy Frazer mee naar de plaats delict. De hele rit zei Rebus maar één ding tegen de jongere man.

'Dat met Eddie Mearn heb je verprutst. Kan gebeuren. Kan het beste gebeuren als je nog jong bent en ervan kunt leren. Anders dreigt de waan van de onfeilbaarheid en gaan je collega's je een "wijsneus" noemen.'

'Jawel, inspecteur,' zei Frazer, fronsend alsof hij het advies in zijn geheugen probeerde te prenten. Toen reikte hij in zijn zak. 'Boodschap van brigadier Clarke.' Hij gaf Rebus het briefje aan en Rebus vouwde het open. Het duurde even voor hij er wijs uit kon worden, zijn hersenen draaiden toch al overuren. Maar uiteindelijk raakten de woorden hem met de kracht van een elektrische stoot.

Ik heb wat opgegraven. Joseph Margolies was niet zomaar een dokter. Hij heeft een tijd voor de gemeente gewerkt en was speciaal verantwoordelijk voor kindertehuizen. Ik weet niet of het wat betekent, maar ik vermoed dat jij hem aanzag voor een huisarts. Groetjes, S.

Hij las het briefje vijf, zes keer door. Hij wist niet zeker of het inderdaad iets betekende. Maar hij zag wel duidelijke verbanden opdoemen. En verbanden waren dingen om uit te zoeken...

De verantwoordelijke rechercheur van Torphichen was inspecteur Shug Davidson. Hij glimlachte even toen Rebus uit de auto stapte.

'Ze zeggen dat de dader altijd terugkeert naar de plaats delict.'

'Dat is niet grappig, Shug.'

'Wat ik hoor waren jij en de overledene niet direct boezemvrienden.'

'Uiteindelijk misschien toch wel,' zei Rebus. 'Hebben ze hem al weggehaald?'

Davidson schudde zijn hoofd. Het werk op de bouwplaats was

stilgelegd. Uit de ramen van de portakabin keken gezichten toe. Andere bouwvakkers dromden buiten rond, met helmen en bekers thee uit hun thermoskan. De voorman stond te klagen dat ze al twee weken achter lagen met het werk.

'Dan maken die paar uur ook niet veel meer uit, hè?' zei Davidson.

Rebus was onder het afzettingslint door gekropen. Het slachtoffer was dood verklaard. Het lijk werd gefotografeerd. De mensen van de technische recherche hadden het tafereel al op video gezet. Uniformagenten verspreidden zich vanaf de plaats delict, op zoek naar sporen. Davidson had de situatie goed onder controle.

'Enig idee?' vroeg hij aan Rebus.

'Eén, maar vrij sterk.'

'Oakes?' Rebus keek Davidson aan, die glimlachte. 'Ik lees ook kranten. Via via hoor ik dat Oakes een loopje met Stevens heeft genomen. Dan is Oakes ineens voortvluchtig na een aanval op Alan Archibald.' Hij onderbrak zichzelf. 'Hoe is het met hem trouwens?'

'Beter dan die arme sloeber hier,' zei Rebus, en liep naar het lichaam toe. Professor Gates stond gebukt – of 'bok', zoals hij het zelf noemde – over Stevens' hoofd. Hij begroette Rebus met een knikje maar ging direct verder met zijn inspectie van de plaats delict. Een lid van het forensische team hield een doorzichtige plastic zak op waarin Jim Stevens' bezittingen werden verzameld.

'Geen autosleutels?' vroeg Rebus. De vrouw met de zak schudde haar hoofd.

'Ook geen auto,' vulde Davidson aan.

'Stevens rijdt in een Vauxhall Astra.'

'Weet ik, John. Zitten ze achterheen.'

'Moet hier met de auto heen zijn gebracht. Oakes heeft er geen.'

'Vast een hoop bloed verloren onderweg,' zei Gates. 'Zijn overhemd en broek zijn doorweekt, maar er ligt niet zoveel onder hem.'

'U denkt dat ie ergens anders is gestoken?'

'Zo op het eerste gezicht.' Gates richtte zich tot de forensisch rechercheur. 'Laat inspecteur Rebus het apparaat eens zien.'

Ze haalde een metalen doosje uit de zak. Rebus bestudeerde het aandachtig, maar raakte het wijselijk niet aan.

'Dat is z'n recorder.'

'Ja,' zei Gates. 'En hij zat in zijn rechterzak, ver weg van de wonden en het bloed.'

'Maar er zit wel bloed op,' zei Rebus.

Gates knikte. 'En geen tape in.'

'De dader heeft de tape meegenomen?'

'Of de overledene vond hem belangrijk genoeg om hem eruit te halen, ook al was hij al gestoken en vermoedelijk dicht bij een shocktoestand.'

Rebus keek om naar Davidson. 'Enig spoor van een cassette?'

'Daar zijn ze naar op zoek.' Davidson gebaarde naar de uniformagenten. 'John, heb jij enig idee waar Stevens mee bezig was?'

'De laatste keer dat ik hem zag, was hij van plan in Oakes' verleden te gaan graven.'

'Vraag je je af wat ie gevonden heeft.'

Rebus haalde zijn schouders op. 'Oakes aanhouden móét nu prioriteit krijgen.'

'Was het al, na die aanval op jou.'

Rebus staarde omlaag naar het levenloze lichaam van Jim Stevens. Stevens, die Rebus al zo lang als een soort schaduw had begeleid, en met wie hij pas onlangs weer contact had gekregen.

'Ik begon hem net aardig te vinden,' zei Rebus. 'Dat is het gekke.' Hij keek Davidson aan. 'Ik heb zo'n gevoel dat het spel nog niet voorbij is, Shug. Nog lang niet.'

Een van Davidsons medewerkers kwam op een drafje op hen af. 'Auto is gevonden,' riep hij.

'Waar?' was Rebus Davidson voor.

De agent knipperde met zijn ogen en schudde zijn hoofd. 'Daar wordt u niet blij van...'

Jim Stevens' Astra stond bij een enkele gele lijn in een straat genaamd St. Leonard's Bank, net om de hoek van bureau St. Leonard. St. Leonard's Bank bestond uit één slordige rij tegen elkaar leunende huizen, elk met uitzicht op een gietijzeren hek met daarachter Holyrood Park en de Salisbury Crags. De auto stond voor een felroze geschilderd dubbel woonhuis van drie verdiepingen. De sleutel zat in het contact. Dat was het eerste wat een van de bewoners was opgevallen. Ze was bij de buren gaan vragen of iemand daar zijn sleutel in zijn auto had laten zitten. Toen ze weer ging kijken, bleken de portieren niet afgesloten. Ze had de deur aan de chauffeurskant opengedaan en gezien dat de stoel nat en bevlekt was. Had aan de zitting gevoeld en toen ze haar hand terugtrok was die kleverig rood...

'Zit ie ons te zieken, of hoe zit dat?' vroeg Roy Frazer. Bureau St. Leonard was uitgelopen, hoewel kennelijk meer uit nieuwsgierigheid dan om te helpen. Rebus begon de meesten van hen weg te jagen. Hij had drie leden van het forensische team meegebracht, de rest zou volgen als ze klaar waren op de bouwplaats. Commissaris Watson stond zich ook te vergapen, en natuurlijk te inspecteren of alles 'onder controle' was.

'Shug Davidson is eigenlijk de baas, chef,' liet Rebus hem weten. 'Die komt eraan.'

De Boer knikte. 'Akkoord, John. Maar zorg dat die auto hier z.s.m. wordt weggehaald, al was het maar naar onze eigen parkeerplaats. Het is al op Lowland Radio geweest. Als die wagen hier nog even staat, kunnen we kaartjes gaan verkopen.'

Dat klopte, de menigte rond de auto zwol aan. Rebus herkende een paar gezichten van Greenfield; de wijk was maar een klein stukje verderop.

Roy Frazer herhaalde zijn vraag.

'Hij daagt ons uit,' antwoordde Rebus. Hij ging kijken of de technische recherche al opschoot.

'Dit lag op de vloer onder de bestuurdersstoel,' zei een van hen. Hij hield een plastic zakje op met daarin een cassette, zonder label. Op de behuizing zat bloed met daarin één scherpe duimafdruk.

'Die moet ik hebben,' zei Rebus.

'We moeten eerst de vingerafdrukken opnemen.'

Rebus schudde zijn hoofd. 'Die afdruk is van het slachtoffer.' Hij glimlachte onwillekeurig. Slimmer dan ik dacht, Jim, dacht hij. Je tape heeft ie niet...

Dat hoopte hij althans.

'Nog iets,' zei een ander lid van het team en hij wees Rebus op een verzameling kleine vlekjes op de voorruit. 'Die zitten aan de binnenkant. Zo'n patroon is... iemand die heeft gehoest of geniest. Als het de dader was...'

'Heb je genoeg voor DNA?'

'Hele kleine kans, maar je weet nooit. Weet niet of dit relevant is.' Nu wees hij naar een blocnote op de vloer aan de passagierskant, met een metalen spiraal om de pagina's op hun plaats te houden. Nu hingen er alleen nog snippers papier aan, waar de bladzijden eruit waren gescheurd.

Rebus klopte de man op zijn schouder. Hij wilde niet zeggen: het maakt niet uit. Ik weet wie hem heeft vermoord. En misschien zelfs waarom... Toen hij bij de auto wegliep, droeg hij het cassettebandje in zijn plastic zak, en hij zag eruit als een kind dat zich voorzichtig uit de voeten maakt met een goudvis die hij op de kermis heeft gewonnen.

Omdat het daar rustiger was, gebruikte Rebus een van de verhoorkamers. Hij maakte de lade van een recorder open en hield de cassette voorzichtig aan de zijkanten vast toen hij hem erin schoof. Wie weet wat voor sporen er nog op zaten. Op zijn hoofd een Sennheiser en voor zich uitgespreid de inhoud van het dossier over Cary Oakes, plus de knipsels van zijn laatste kranteninterviews. Hij had Stevens' hoofdredacteur gebeld en de krant zou de niet gebruikte delen van de transcripten faxen. Om de paar minuten stak een uniformagent zijn of haar hoofd om de deur en gaf hem de laatste faxbladen aan, zodat de tafel vol raakte.

Siobhan Clarke ging zo ver dat ze hem een kop koffie en een BLT-sandwich bracht, maar liet hem verder met rust, precies zoals hij het wilde. Al zijn aandacht was gericht op het interview waar hij naar luisterde.

'Die kleine etter kwam bij ons met z'n ma... zij was de zus van m'n vrouw. Een vieze kleine etter, dat was ie.' De man klonk oud, kortademig.

'U kon niet met hem opschieten?' De stem van Jim Stevens bezorgde Rebus kippenvel. Hij keek om, maar Stevens' geest was nergens te bekennen, nog niet... Nu en dan achtergrondgeluiden: hoesten, stemmen, een televisieprogramma. Publiek... nee, toeschouwers. Toeschouwers bij iets wat klonk als een voetbalwedstrijd. Rebus liep terug naar het recherchekantoor en keek in de prullenbakken en bladerde door de kranten die opgevouwen en vergeten op de vensterbanken lagen, tot hij er een van de vorige dag vond. Halfacht: UEFA-Cupwedstrijd. Dat zou het wel zijn. Hij scheurde de tv-bladzijde uit de krant, nam die mee terug naar de verhoorkamer en zette de recorder weer aan.

'Ik had een hekel aan dat jong, om eerlijk te zijn. Zette de hele boel op stelten, meer niet. Ik bedoel, wij hebben de hele boel netjes op orde, alles gaat soepel, net zo... en dan komt er zo'n stel binnenvallen. Kon ze er moeilijk uit zetten, ze waren natuurlijk familie, maar ik liet ze donders goed weten dat ik er niet blij mee was. Hé, daar zat ik naar te kijken!'

Iemand had een ander station opgezet. Studiogelach. Rebus keek in de krant: een sitcom op de BBC.

Terug naar het geluid van het stadion en de commentator.

'Ik heb wat bonje gehad met dat jong.'

'Waarover?'

'Van alles: op tijd thuiskomen, stelen. Geld dat steeds verdween. Ik zette vallen voor hem op, maar ik kreeg hem nooit te pakken, daar was ie te gis voor.'

'Draaide het ooit op vechten uit?'

'Dat zou ik zeggen. Taai was ie wel, die kleine. U ziet hoe ik er nou bij zit, maar toen kon ik iedereen aan.' Hij hoestte luidruchtig; het klonk alsof hij zijn longen binnenstebuiten keerde. 'Geef me dat water eens aan, wil je?' De man nam een slok en liet een wind.

'Hoe dan ook,' ging hij verder. Hij nam niet de moeite om zich te verontschuldigen. 'Ik zorgde er wel voor dat ie wist wie de baas was. Het was mijn huis, vergeet dat niet.' Alsof Stevens hem tegensprak.

'U was de baas,' stemde Stevens in.

'Juist. Neem dat maar van mij aan.'

'En als u hem sloeg, was het alleen om 'm dat aan het verstand te brengen.'

'Precies wat ik zeg. En geloof maar niet dat ie een lieverdje was. Maar probeer dat die vrouwen maar eens wijs te maken.'

'Zijn moeder en haar zus?'

'Mijn vrouw, ja. Die zag in niemand ooit iets slechts, mijn Aggie. Maar ik moet het zeggen: ik zag zelfs toen al dat ie kwaad in zich had. Diepgeworteld kwaad.'

'En dat probeerde u eruit te slaan.'

'Ach, jong, dan had ik wel een moker mogen meebrengen. Trouwens: ik ben hem wel eens met een hamer te lijf gegaan. Taai was ie toen! Kon net zo goed uitdelen als opvangen.' Rebus dacht: het gif stroomt van de ene generatie naar de volgende. Of het om misbruik gaat of om geweld.

'Zat ie bij een bende?'

'Bende? Niemand wou iets van hem weten, jong. Hoe heet je ook alweer?'

'Jim.'

'En je zit bij de krant? Ik heb wel een paar van jullie gesproken toen ie opgeborgen werd.'

'En wat zei u tegen ze?'

'Dat ze 'm de elektrische stoel hadden moeten geven. We zouden hier ook een stuk beter af zijn als ze de galg weer invoerden.'

'Denkt u dat dat mensen afschrikt?'

'Als ze dood zijn, doen ze het niet meer, of wel, jong? Of dat geen afschrikking is?'

Er klonken geluiden alsof Stevens een kop koffie of thee werd gebracht.

'Ja, ze zijn hier goed voor me.'

Bejaardentehuis... Cary Oakes' oom... Hoe heette hij? Rebus zocht het op in het dossier: Andrew Castle. Ernaast de naam van het verzorgingshuis. Rebus pakte de telefoon, kreeg het nummer van het tehuis en belde op.

'Bij u woont een zekere Andrew Castle.'

'Ja?'
'Die had gisteravond bezoek.'
'Dat klopt, ja.'
'Heeft u die gast weg zien gaan?'
'Een ogenblik, met wie spreek ik?'
'Mijn naam is inspecteur Rebus. Ik bel u omdat de gast van meneer Castle inmiddels dood is en wij proberen na te gaan hoe hij zijn laatste uren heeft doorgebracht.'
Er werd op de deur geklopt. Shug Davidson kwam binnen en Rebus knikte dat hij moest gaan zitten.
'Jeetje,' was de vrouw van het verzorgingstehuis begonnen. 'Die journalist bedoelt u?'
'Die bedoel ik. Hoe laat is hij weggegaan?'
'Dat moet om...' Ze onderbrak zichzelf: 'Hoe is hij gestorven?'
'Hij is doodgestoken, mevrouw. Kunt u me nou zeggen hoe laat hij is weggegaan?'
Davidson was tegenover Rebus gaan zitten en draaide een paar faxvellen om zodat hij ze kon lezen.
'Even voor bedtijd... zeg een uur of negen.'
'Was hij met de auto?'
'Ik denk het wel, ja. Die stond hiervoor geparkeerd.'
'Heeft u iets gehoord van iemand anders die in de buurt rondhing?'
Ze klonk in de war. 'Nee, ik geloof het niet.'
'Niks verdachts gezien, de afgelopen paar dagen?'
'Jeetje, inspecteur, wat is er aan de hand?'
Rebus bedankte haar voor de moeite en zei dat er iemand langs zou komen om haar te horen. Toen legde hij de hoorn neer en zocht het adres van het tehuis in het stratenboek.
'Shug,' zei hij. 'Ik heb Stevens in een verzorgingshuis bij de rotonde van Maybury, waarschijnlijk van halfacht tot een uur of negen gisteravond.'
'Maybury kom je langs op weg naar het vliegveld.'
Rebus knikte. 'Ik denk dat Oakes er al was.'
'Waar?'
'Bij dat tehuis.'
'Wat deed Stevens daar?'
'Praten met de oom van Oakes. De tape, de vragen die Jim stelde... Ik denk dat hij al eens met die oom had gepraat, al wist waar hij met hem naartoe wou.'
'Hoe bedoel je?'
'De vragen gingen allemaal dezelfde kant op, zorgen dat die oom zich liet kennen als een sadist.'

'Wil je me vertellen dat die oom een psychopaat van Cary Oakes heeft gemaakt?'

Rebus haalde zijn schouders op. 'Dat hoor je mij niet zeggen. Wat ik wel denk is dat Oakes een wrok tegen hem heeft.' Hij dacht even na. *Ik heb een afspraak met mijn verleden. Een afspraakje met het lot... met iemand die niet wou luisteren...* Oakes' woorden tegen Stevens aan het eind van hun laatste interview. 'Alan Archibald woont ook die kant uit.' Hij sloeg de plattegrond weer open, wees Archibalds straat aan en toen de doodlopende straat waar het verzorgingshuis aan lag, een paar straten verderop. 'Ik dacht dat Oakes daarheen ging om Alan Archibalds huis te verkennen.'

'En nou denk je er anders over?'

'Hij is naar Edinburgh teruggekomen om oude rekeningen te vereffenen. Een oudere dan zijn oom is er niet.' Hij keek op naar Davidson. 'Ik denk dat hij hem te grazen wil nemen.'

Davidson wreef met zijn handpalm over zijn kaak. 'En Jim Stevens?'

'Was op het verkeerde tijdstip op de verkeerde plek. Als Oakes dacht dat Jim doorhad wat hij van plan was, moest hij met hem afrekenen. Oakes heeft de tape uit zijn recorder gehaald, alleen had Jim de tapes verwisseld. En Oakes heeft ook de pagina's uit Jims blocnote gescheurd. Die mochten wij niet lezen.'

'Maar we zouden er toch wel achter komen waar Stevens was geweest.'

'Uiteindelijk, ja.' Rebus tikte op de cassetterecorder. 'Maar zonder die tape had het een tijdje kunnen duren.'

Davidson begon overeind te komen. 'Lang genoeg om z'n plan uit te voeren?'

'Dan moet ie er snel bij zijn.' Rebus was ook overeind gekomen.

Terwijl Davidson de telefoon greep, sprintte Rebus de kamer uit.

47

De agenten in burger waren ter plekke. Mensen vinden die niet opvielen was nog niet zo eenvoudig, want het personeel bestond grotendeels uit vrouwen van middelbare leeftijd. Jonge, alert kijkende mannen met politiekapsels vielen uit de toon. De agenten kwamen van het Team Zware Criminaliteit. Andrew Castle moest op zijn kamer blijven. Bij hem waren twee mannen, een die met hem kaartte – inzet twee pence – en een die in de hoek zat waar hij de deur en het raam het best in het oog kon houden. De vitrage voor het raam dicht. Buiten zat nog een mannetje in een geparkeerde auto.

'Zou hij van een afstand proberen te schieten?' was een van de vragen tijdens de instructie. Die kans had Rebus klein geleken: voor zover bekend beschikte hij niet over een vuurwapen en bovendien was het voor hem een persoonlijke kwestie. Zijn oom moest het hoe en waarom weten voor er gemoord kon worden.

Een van de andere agenten liep in de gang buiten met een zwabber heen en weer. Rebus en Davidson waren tevreden.

Een andere vraag bij de instructie: 'Wat als we hem alleen maar afschrikken?'

Rebus' antwoord: 'Dan hebben we alleen een oude man het leven gered... voorlopig.'

Hij had de hele tape nog eens afgeluisterd en twijfelde er niet aan dat Oakes' oom vroeger – en waarschijnlijk nog steeds – van geen kant deugde, hoe zwak en afgetakeld hij nu ook was. Dat riep vragen op.

Stel dát Cary was opgevangen in een huis waar mensen om hem gaven, zou alles dan anders zijn gelopen? Waren mensen al vanaf de geboorte voorgeprogrammeerd tot moordenaars of waren er andere mensen – of omstandigheden – voor nodig om moordenaars van ze te maken, om het potentieel dat in de meeste mensen verborgen ligt naar buiten te halen?

Het waren geen nieuwe vragen, zeker niet voor hem. Hij dacht aan Darren Rough, de misbruiker die in zijn jeugd zelf was misbruikt. Niet alle slachtoffers van misbruik gingen dezelfde weg op, maar veel wel... En hoe zat het met Damon Mee? Waarom bleef hij van huis weg? Het mislukte huwelijk van zijn ouders? Angst nu hij zelf zou gaan trouwen? Of was hij weggelokt, of onder dwang van huis weggehouden?

En waarom was Jim Margolies gestorven?

En zou Cary Oakes in de val trappen?

My, my, my, said the spider to the fly...

Oakes was al veel te lang de spin geweest.

Rebus ging Alan Archibald opzoeken in het ziekenhuis. In het bejaardentehuis was voor hem niets te doen. Daar was hij, zoals een van de agenten van het TZC het zo treffend had gezegd, niet meer dan een 'sta-in-de-weg'. Oakes kende Rebus immers, dus kon zijn aanwezigheid daar alles bederven.

'Zodra er wat gebeurt, bellen we u.'

Rebus had de agent gedwongen zijn mobiele nummer achter op zijn hand te noteren. Hem daarna voor de zekerheid toch zijn visitekaartje gegeven. 'Voor het geval dat je per ongeluk je handen wast.'

Archibald lag aan het eind van een open zaal, met een scherm om zijn bed. Bobby Hogan van bureau Leith zat aan zijn bed te bladeren in een *Mass Hibsteria*.

'Staan er niet best voor, Hibs,' begroette Rebus hem.

Hogan keek op. 'Da's mijn club niet.' Hij zwaaide met het clubblad naar Rebus. 'Heeft iemand laten liggen.'

De twee schudden elkaar de hand en Rebus ging nog een stoel zoeken. Alan Archibald snurkte zachtjes, met drie kussens onder zijn hoofd.

'Hoe is het met hem?' vroeg Rebus. Archibalds hoofd zat in het verband en op een oor zat een gaaskompres geplakt.

'Dreunende koppijn.'

'Nou ja, hij heeft ook een paar dreunen gehad.'

'Ze hebben nog een paar tests gedaan, ze zeggen dat het wel goed komt.' Hogan glimlachte. 'Ook een geheugentest, maar zoals Alan zei mag hij op zijn leeftijd blij zijn dat hij kan onthouden wat voor dag het is, deuk in z'n kop of niet.'

Rebus glimlachte ook. 'Jij kent hem dus ook?'

'Met hem samengewerkt, jaren geleden. Daarom heb ik om deze dienst gevraagd.'

'Werkte je met hem toen zijn nicht werd vermoord?'

Hogan staarde naar de slapende Archibald. 'Dat heeft hem hele-

maal leeggetrokken, alsof zijn batterijen daarna finaal op waren.'
'Hij wou dat het Cary Oakes was.'
Hogan knikte. 'Ik denk dat het voor Alan iedereen had kunnen zijn, maar Oakes lag het meest voor de hand.'
'Is nog niet uitgesloten.'
Hogan keek hem aan. 'Alan gelooft er niet meer in.'
'Wat Oakes zelf zegt, daar kun je geen kant mee op. Hij verdraait alles.'
'Maar als hij dacht dat ie Alan van kant ging maken... waarom zou hij dan nog tegen hem liegen?'
'Voor de lol.' Rebus sloeg een been over het andere. 'Het enige wat hij heeft gedaan sinds hij in de stad is, is verhalen ophangen.' En nu had Rebus alleen nog verhalen te vertellen; andere agenten zouden Cary Oakes oppakken.
'Ben je ooit nog iets opgeschoten met die zelfmoord van Jim?'
Rebus keek Hogan aan. 'Wel iets, maar ik werd afgeleid.'
'Kun je me dat "iets" vertellen?'
Alan Archibald gromde en zijn lippen bewogen zich alsof hij iets proefde. Traag opende hij zijn ogen. Hij keek naar links en zag zijn twee bezoekers.
'Enig spoor van Oakes?' vroeg hij, met een droge, krakerige stem. Hogan schonk wat water voor hem in.
'Wil je nog wat pillen, Alan?'
Archibald wilde zijn hoofd schudden, kneep toen zijn ogen dicht van de plotseling opkomende pijn. 'Nee,' zei hij. Hogan hield het bekertje aan zijn lippen en het water druppelde aan beide kanten langs zijn kin. Hogan depte het met een zakdoekje op.
'Hij zou een geweldige verpleegster zijn.' Archibald knipoogde naar Rebus. Zijn blik stond wazig; Rebus vroeg zich af wat voor pijnstillers ze hem gaven. 'Ze hebben hem nog niet te pakken?'
'Nog niet,' erkende Rebus.
'Maar hij is bezig geweest, zeker?'
Rebus wist niet of het zuivere intuïtie was, of dat Archibald iets alarmerends in zijn stem had gehoord. Hij knikte, vertelde Archibald over Jim Stevens, het bejaardentehuis en de oom van Oakes.
'Die oom kan ik me herinneren,' zei Archibald. 'Die heb ik een tijdje terug gesproken. Ik denk dat ie Oakes nog erger haatte dan ik.'
'Je hebt het niet toevallig met Oakes over hem gehad, of wel?'
Archibald dacht een ogenblik na. 'Niet kort geleden. Ik kan hem genoemd hebben in een van de brieven die ik hem heb gestuurd.' Zijn ogen werden groot. 'Hoe wist Oakes waar hij zat? Denk je dat

ik...?' De pijn trok over zijn gezicht. 'Had ik op moeten letten. Maar ik dacht niet als een politieman, daar komt het op neer. Ik was met mijn eigen dingen bezig. Die oom interesseerde me eigenlijk niet, alleen wat ie me over Oakes kon vertellen. Ik had steeds die ene vraag in m'n achterhoofd... die ene vraag waar ik antwoord op moest hebben.'

'Ja,' stemde Rebus in.

'Ik vergat alles wat ik had geleerd.' In Archibalds ogen welden tranen op.

'Je moet jezelf geen verwijten maken,' zei Hogan en tikte hem op zijn schouder.

Archibald keek langs hem heen, naar de zittende gestalte van John Rebus. 'Of ie haar heeft vermoord of niet... kom ik nooit meer achter, hè?'

De tranen dropen over Archibalds wangen en langs zijn kin. Bobby Hogan depte ze op met het al vochtige zakdoekje.

'Al die jaren... stomme idioot om te denken dat ik...' Hij sloot zijn ogen en huilde zacht. De anderen op de zaal gaven geen krimp. Ze hoorden 's nachts misschien wel vaker iemand huilen. Bobby Hogan had beide handen van de oudere man vastgepakt. Zo te zien kneep Archibald erin met al zijn kracht.

Alan Archibald lag in het ziekenhuis omdat hij geobsedeerd was geraakt door een idee. Met wat hij nu wist, vroeg Rebus zich af of Jim Margolies ook geobsedeerd was geraakt. Er was voor hem niets te doen, dus hij keerde terug naar bureau St. Leonard. Het kostte een paar uur, vele telefoontjes en een boel gesteun voordat hij kreeg wat hij wilde.

Nu zat hij aan zijn bureau aantekeningen in zijn boekje weg te strepen. Wie hij ook sprak bij de inspectie voor de gezondheidszorg of het maatschappelijk werk, ze hadden allemaal gevraagd of het niet tot morgen kon wachten. Rebus had volgehouden van niet.

'Het gaat om een moordonderzoek,' was zijn enige overredingstactiek. En als hem naar details werd gevraagd, had hij gezegd dat hij die 'hangende het onderzoek' niet kon prijsgeven, op de toon van het soort rechercheur dat indruk op ze zou maken: de bureaucraat, de ambtenaar die het voorgeschreven onderzoekspad volgt, een pad dat niet in nachtelijk oponthoud voorziet.

Uiteindelijk had hij zelf naar de verschillende kantoren moeten rijden om de gevraagde informatie op te halen. Overal was hij te woord gestaan door de functionaris die hij aan de telefoon had gehad, en ze hadden hem allemaal chagrijnig en geïrriteerd aangestaard. Maar ze waren allemaal met de benodigde documenten op de proppen gekomen. Hetgeen voor Rebus als enige taak overliet terug te gaan naar St. Leonard en te beginnen met graven in de berg informatie over dokter Joseph Margolies.

Dokter Margolies was geboren in Selkirk en opgeleid in de Borders en op Fettes College. Hij had zijn medische opleiding voltooid aan de universiteit van Edinburgh, tussentijds werkend in Afrika als vrijwilliger voor een christelijke hulporganisatie. Hij was begonnen als huisarts en was toen les gaan geven in zijn specialisme, kindergeneeskunde. En uiteindelijk was hij, zoals Siobhan Rebus had geschreven, aangesteld om 'toezicht te houden' op de gemeentelijke kindertehuizen in Lothian, een baan die hem ook toegang verleende tot de particuliere tehuizen met gemeentelijke vergunning, zoals die van de kerken en jeugdhulpinstellingen.

Wat zijn functie concreet inhield was dat hij kinderen controleerde op symptomen van misbruik en werd opgeroepen om ze te onderzoeken in het geval van klachten. Bovendien werden sommige kinderen gekwalificeerd als 'moeilijke gevallen'; bij hen maakte een medische prognose deel uit van het behandelplan. Dokter Margolies kon een psychiatrische behandeling aanbevelen, of overplaatsing naar een gespecialiseerde instelling. Hij kon medicijnen en therapieën voorschrijven. Zijn bevoegdheden waren in feite praktisch onbegrensd. Zijn woord was wet.

Ongeveer halverwege door de documenten begon Rebus last te krijgen van zijn ingewanden. Hij had urenlang niet gegeten, maar hij dacht niet dat het daaraan lag. Niettemin dwong hij zichzelf om een frisse neus te gaan halen, aangevuld met fish-and-chips en een forse mok thee bij Brattisani's. Naderhand bleek hij bijna een uur van het bureau weggeweest te zijn, maar kon hij zich van die tijd niets herinneren: geen gezichten, geen stemmen. Het brein was elders geweest.

Hij herinnerde zich een recent geval van een priester die zich jarenlang aan kinderen had vergrepen. De kinderen werden door nonnen verzorgd en als er een klaagde, kreeg hij slaag van de nonnen, was hij een leugenaar en werd gedwongen te biecht te gaan – bij dezelfde priester die hij zojuist van misbruik had beschuldigd.

Rebus wist dat pedofielen hun ware aard vaak maanden en jaren geheim wisten te houden terwijl ze hun opleiding volgden voor functies in kindertehuizen en dergelijke. Ze doorstonden alle controles en psychologische tests en lieten hun masker pas later vallen. Hun behoefte was zo sterk dat ze de zwaarste obstakels overwonnen om eraan te voldoen. In sommige gevallen had die ook latent kunnen blijven als ze op een bepaald moment niet een geestverwant hadden ontmoet en de één de ander had aangespoord.

Zoals Harold Ince en Ramsay Marshall. Rebus was bereid te geloven dat geen van hen, als hij geïsoleerd was gebleven, de kracht had kunnen opbrengen om zelfs maar een begin te maken met het programma van systematisch misbruik dat ze samen opzetten. Juist die samenwerking als team had hun lusten en verlangens zo opgezweept en hun uiteindelijke misdaden zo weerzinwekkend gemaakt.

Rebus bladerde terug door alle documenten over dokter Margolies tot hij zeker wist wat hij zag.

Dat Margolies verantwoordelijk was voor de gemeentelijke kindertehuizen in de tijd van het Shiellion-schandaal.

Dat hij kort erna met pensioen was gegaan – vervroegd pensioen 'om gezondheidsredenen'.

Dat degenen die met hem werkten hem dapper vonden vanwege de manier waarop hij zich op de been had gehouden na de zelfmoord van zijn dochter.

Over die dochter kon Rebus niet veel vinden. Ze had zichzelf omgebracht toen ze vijftien was, geen afscheidsbrief nagelaten. Ze was een stil, teruggetrokken kind. De puberteit had haar geen goed gedaan. Ze maakte zich zorgen over de aanstaande examens. Haar dood was voor haar broer Jim een catastrofe geweest...

Ze was niet van een brug of iets dergelijks gesprongen. Ze had in de badkamer van het ouderlijk huis haar polsen doorgesneden. Haar vader had de deur ingetrapt en haar daar gevonden. Men had geconcludeerd dat ze haar daad diep in de nacht moest hebben verricht. Haar vader was altijd de eerste die 's ochtends opstond.

Rebus probeerde Jane Barbour op haar werknummer te bereiken. Vasthoudendheid en een enkel leugentje om bestwil waren de wapens waarmee hij haar mobiele nummer loskreeg. Toen ze opnam hoorde hij op de achtergrond luide muziek en gejoel.

'Leuk feestje?'

'Met wie spreek ik?'

'Inspecteur Rebus.'

Weer een golf van gejuich achter haar. 'Momentje, ik loop even naar buiten.' De geluiden stierven weg. Barbour ademde luidruchtig uit. Ze klonk aangeschoten. 'We zitten in de Police Club.'

'Wat is er te vieren?'

'Raad eens?'

'Veroordelingen?'

'Allebei die klootzakken. Niet één jurylid tegen.'

Rebus ging achteroverzitten. 'Gefeliciteerd.'

'Bedankt.'

'Cordover zal wel groen zien.'

'Laat ie barsten. Petrie doet morgen uitspraak. Die bergt ze voor altijd en eeuwig op.'

'Nou, nogmaals gefeliciteerd. Geweldig resultaat.'

'Waarom kom je ook niet? Drank genoeg hier –'

'Nee, maar bedankt. Het is wel toevallig. Ik bel je net over Ince en Marshall.'

'O?'

'Indirect dan. Dokter Joseph Margolies.'

'Ja?'

'Je weet wie hij is?'

'Ja.'

'Is hij als getuige opgeroepen?'

'Nee, dat niet. Jezus, wat is het hier buiten lekker zacht vanavond.'

Rebus vroeg zich af of het resultaat in de zaak haar roes helemaal verklaarde. 'Waarom is hij niet opgeroepen?'

'Gezien de feiten. Er zijn destijds natuurlijk klachten geweest van een paar Shiellion-kinderen, maar die geloofde niemand.'

'Maar ze werden toch wel medisch onderzocht.'

'Natuurlijk, door dokter Margolies. Ik heb hem meerdere malen gehoord. Maar die jongens stonden bekend als homo omdat ze nu en dan op Calton Hill werkten als schandknaap. Als ze uit Shiellion wegliepen, wist iedereen dat ze daar te vinden waren. Dus snap je, als er bewijs was gevonden van anale seks, dan was dat nog geen bewijs van misbruik. Volgens de officier van justitie dan, hè. Want volgens mij waren die jochies minderjarig en zorgafhankelijk, dus was iedereen die seks met ze had schuldig aan kindermisbruik.' Ze hield in. 'Eind van de preek.'

'Amen. Zul je blij zijn dat je van deze zaak af bent.'

'Ja, dus waarom zit jij er dan weer in te spitten?'

'Ik probeer hoogte te krijgen van die dokter Margolies.'

'Waarom?'

'Toen jij hem sprak, was hij toen behulpzaam?'

'Voor zover hij kon. Hij zei zelf dat die jongens al eerder op leugens waren betrapt, dus wie zou ze geloven? En veel van de klachten gingen over orale seks en masturbatie... nou, daar vind je in een medisch onderzoek weinig van, inspecteur.'

'Nee,' zei Rebus nadenkend. 'Dus hij heeft niet getuigd?'

'Niet voor de rechter. De officier vond het tijdverspilling. Had de zaak zelfs kunnen schaden als de jury erdoor was gaan twijfelen.'

'En in dat geval had Cordover hem natuurlijk ook willen verhoren.'

'Ja, maar hij vroeg er niet om en ik ging hem geen handje helpen.' Ze stopte. 'Jij denkt dat Margolies een doofpot-act heeft uitgehaald?'

'Waarom vraag je dat?'

'Ik heb het mezelf ook afgevraagd. Ik bedoel, je zou denken dat er op Shiellion mensen werkten die in de gaten hadden wat er gaande was. Maar niemand stak zijn hoofd boven het maaiveld uit.'

'Bang voor narigheid?'

'Of bang gemaakt door de Kerk. Dat is in het verleden wel vaker voorgekomen. Hoewel je ook een nóg erger scenario kunt bedenken.'

Rebus dacht er eigenlijk liever niet aan. Toch vroeg hij ernaar.

'Nou, gewoon,' zei ze. 'Dat mensen wisten wat er gaande was, maar het ze gewoon niks kon schelen. En als u me nu wilt excuseren, ga ik terug naar binnen, mezelf helemaal klem drinken.'

Rebus bedankte haar en hing op. Bleef met zijn hoofd in zijn handen zitten staren.

Mensen wisten wat er gaande was... maar het kon ze niks schelen...

48

Net als tijdens de rechtszaak zelf werden Ince en Marshall vastgehouden in Saughton Prison. Met dat verschil dat ze inmiddels schuldig waren verklaard en dus niet langer in voorarrest zaten. Als verdachten in voorarrest konden ze hun eigen kleren dragen, eten van buiten laten bezorgen en hun eigen gang gaan. Nu moesten ze wennen aan gevangeniskleding en alle andere gemakken van het eigenlijke gevangenisregime.

Ze hadden elk een aparte cel, met een lege cel ertussen om ze het communiceren moeilijk te maken. Rebus zag daar het nut niet van in: straks zaten ze waarschijnlijk toch weer samen in het programma voor zedendelinquenten.

Hij zat met een lastige keuze: Ince of Marshall? Natuurlijk, als hij met de een niet opschoot, stond hem niets in de weg om het met de ander te proberen. Maar dan moest hij het hele proces weer van voren af aan beginnen, dezelfde vragen stellen, dezelfde spelletjes spelen. De juiste keuze kon hem dat hele gedoe besparen.

Hij koos Ince. Zijn redenering: Ince was de oudste van de twee, en de intelligentste. En hoewel hij in het begin van hun samenwerking ongetwijfeld de leider was, had de leerling zich snel tot meester opgewerkt. In de rechtszaal was Marshall degene geweest die snoof en mensen dreigend aankeek en op de sentimenten van het publiek speelde, degene die een air had alsof hij met de rechtszaak niets te maken had.

Degene die geen spoor van schaamte vertoonde, ook niet als de slachtoffers hun verhaal deden.

Degene die onderweg terug naar de cellen een paar keer van de trap was gevallen.

Ja, Marshall had veel van Harold Ince geleerd, maar ook veel eigen ingrediënten toegevoegd. Hij was rauwer, immoreler, onverschilliger. Hij was degene die vond dat het andermans problemen waren, niet de zijne. Tijdens de rechtszaak had hij geprobeerd de occultist Aleister Crowley te citeren als bron voor zijn stelling dat alleen hijzelf het recht had te oordelen of zijn handelen goed of kwaad was.

De rechtbank was er niet van onder de indruk geweest.

Rebus zat in de bezoekerskamer een sigaret te roken. Hij had Patience gebeld en haar antwoordapparaat gekregen: daarop raadde ze bellers aan het mobiel te proberen. Dat deed hij en hij trof haar bij een vriendin. Een collega-arts met zwangerschapsverlof.

'Ik blijf misschien hier slapen,' liet Patience hem weten, 'dat heeft Ursula gevraagd.'

'Hoe is het met haar?'

'Ziek.'

'O jee.'

'Nee, nee: ziek omdat ze niet mag drinken. Komt goed, drink ik wel voor twee.'

Rebus lachte. 'Dan ga ik naar Arden Street,' zei hij. 'Laat het me weten als je naar huis gaat.'

'Denk je dat ik beter weg kan blijven?'

'Is misschien geen gek idee.' Hij bedoelde tot Cary Oakes was opgepakt. Hij hing op en belde bureau St. Leonard; daar kreeg hij de bevestiging dat de surveillancewagen nu voor het huis van Patience' vriendin stond.

'Daar komt ie niet omheen, John.'

Dus zat hij in de bezoekerskamer een sigaret te roken, het bordje aan de muur ten spijt, en liet de as op het tapijt vallen. De bewaarder bracht Harold Ince binnen. Rebus bedankte hem en vroeg hem net buiten de kamer te wachten. Niet dat Rebus iets van Ince verwachtte in de trant van geweld of een uitbraakpoging. Hij leek te berusten in zijn lot. Sinds Rebus hem in de rechtszaak had gezien, oogde zijn gezicht smaller en uitgezakt, alsof de fletse huid er vanaf hing. Zijn buik bolde op maar zijn borst week terug, alsof het hart eruit was gehaald. Rebus wist dat ten minste een van zijn slachtoffers zelfmoord had gepleegd. De man wasemde een geur uit: zwavel vermengd met Dettol.

Rebus bood hem een sigaret aan. Ince liet zich in een stoel zakken en schudde zijn hoofd.

'U hebt getuigd, niet?' De stem klonk dun en schel.

Rebus knikte en tikte zijn as op de grond. 'Uw advocaat probeerde me in reepjes te snijden.'

Een suggestie van een glimlach. 'Nou weet ik het weer. Lukte niet, of wel?'

'En nou bent u schuldig bevonden.'

'Kwam u me dat onder de neus wrijven?' Zijn blik kruiste die van Rebus een tel.

'Nee, meneer Ince, ik kom u om hulp vragen.'

Ince snoof en sloeg zijn armen over elkaar. 'Ja ja, ik ben nogal in de stemming om de politie te helpen.'

'Ik vraag me af of hij er al uit is,' vroeg Rebus, alsof hij hardop nadacht.

De rimpels in Ince' voorhoofd werden dieper. 'Wie?'

'Rechter Petrie. Een ouwe ijzervreter, die.'

'Dat heb ik gehoord.'

Behalve voor zijn kinderen, dacht Rebus bij zichzelf. *Hoewel...?*

'Ik gok dat het Peterhead wordt, voor jullie allebei,' zei hij. 'Daar ga je lang zitten. Daar zetten ze de zedendelinquenten neer.' Rebus ging overeind zitten. 'En daar zetten ze veel van de echt zware gevallen neer, die lui die kinderverkrachters in de dierenwereld nog lager inschatten dan wurmen.'

'Aahh...' Ince ging achteroverzitten en knikte. 'Dus dat is het: u komt me bang maken. Die moeite kan ik u besparen, want de bewakers bij het proces hebben me al lang en breed verteld wat me te wachten staat, welke gevangenis ik ook heen ga. Er waren er zelfs een paar die zeiden dat ze me zelf komen opzoeken.' Weer een vluchtige blik naar Rebus. 'Aardig, hè?'

Achter de stoere façade kon Rebus zien dat Ince doodsbang was. Bang voor het onbekende. Net zo bang als de kinderen moesten zijn geweest, elke keer als ze hem aan hoorden komen...

'Ik wil u niet bang maken, meneer Ince. Ik wil dat u me helpt. Maar ik ben niet gek, ik snap wel dat ik daarvoor iets moet teruggeven.'

'En wat zou dat dan zijn, inspecteur?'

Rebus stond op en liep naar de videocamera die de kamer bestreek.

'U heeft misschien al gezien dat ik dit gesprek niet opneem,' zei hij. 'Daar heb ik een goeie reden voor. Dit hoeft niemand te weten. Wat u me ook vertelt, gaat alleen mij aan. Het heeft niks met het opbouwen van een strafzaak te maken. Als ik het ooit zou gebruiken, was het mijn woord tegen het uwe, dus waardeloos in de rechtbank.'

'Ik ken de wet, inspecteur.'

Rebus draaide zich naar hem toe. 'Ik ook. Wat ik bedoel is: dit blijft onder ons. Ik zou me in de nesten werken als ik u officieel iets aanbood.'

'Wat aanbood?' Er klonk nu interesse door.

'Peterhead. Ik ken een paar slechte jongens die daar zitten. Daar heb ik nog wat van te goed.'

Het bleef stil terwijl Ince dit nieuws verwerkte. 'U wilt een goed woordje voor me doen?'

'Klopt.'

'Maar daar hoeven ze niet naar te luisteren.'

Rebus haalde zijn schouders op, ging zitten en liet zijn armen op de rand van het tafelblad rusten. 'Meer dan m'n best kan ik niet doen.'

'En ik moet maar van u aannemen dat u dat doet?'

Rebus knikte langzaam. 'Dat klopt, ja.'

Ince bestudeerde de ruggen van zijn handen die de tafel vasthielden.

'Nou, dat is een riant aanbod, moet ik zeggen.' Een vleugje humor in de stem.

'Zou je leven kunnen redden, Harold.'

'Of het zou een totale wassen neus kunnen zijn.' Hij stopte. 'Wat wou u me eigenlijk vragen?'

'Ik wil weten wie de derde man was.'

'Was dat niet Orson Welles?'

Rebus dwong zichzelf te glimlachen. 'Ik bedoel de avond dat Ramsay Marshall met Darren Rough naar Shiellion kwam.'

'Lang geleden. Toen was ik aan de drank.'

'Darren moest van jullie een blinddoek dragen.'

'O ja?'

'Vanwege die andere man. Misschien was het zijn idee. Omdat hij niet wou dat Darren hem herkende.' Rebus stak weer een sigaret op. 'Je had gedronken. Misschien met die man. Aan de praat geraakt. Uiteindelijk geheime dingen verteld.' Rebus nam Ince aandachtig op. 'Omdat je dacht dat je iets opmerkte...'

Ince likte aan zijn lippen. 'Wat?' Zo zacht dat het nauwelijks meer dan fluisteren was. Rebus liet zijn stem ook zakken.

'Je dacht dat hij net zo was als jullie. Je zag mogelijkheden. Hoe meer je met hem praatte, hoe scherper je het zag. Je vertelde hem dat Marshall met een of andere jongen langskwam. Misschien stelde je voor dat hij zou blijven.'

'Dat verzint u allemaal, of niet?'

Rebus knikte. 'Als je bedoelt dat ik er niks van kan bewijzen, ja, dan verzin ik het.'

'Die mogelijkheden waar u het over hebt... ik zou zeggen dat die in ons allemaal zitten.' Ince keek Rebus nu aan en zijn blik stond strakker. Hij sloeg zijn ogen niet neer. 'Heeft u kinderen, inspecteur?'

'Ik heb een dochter,' erkende Rebus, al wist hij dat het riskant was Ince een opening in zijn persoonlijk leven, in zijn hoofd, te geven. Maar Ince was nog geen Cary Oakes. 'Ze is al volwassen.'

'Ik durf te wedden dat er in uw relatie een moment is geweest dat u eraan heeft gedacht hoe het zou zijn om met haar naar bed te gaan, seks met haar te hebben. Niet dan?'

Rebus voelde de druk achter zijn ogen oplopen: woede en weerzin. Sterk genoeg om hem de rook weg te laten knipperen.

'Ik dacht het niet.'

Ince grinnikte. 'Dat zeg je tegen jezelf. Maar volgens mij lieg je dat, al weet je het zelf niet. Het is de menselijke natuur, niks om je voor te schamen. Misschien was ze vijftien, of twaalf, of tien.'

Rebus stond op. Hij moest in beweging blijven, anders zou hij Ince' hoofd de tafel in rammen. Hij wilde weer een sigaret opsteken, maar hij had de sigaret die hij aan het roken was nog maar half op.

'We hebben het niet over mij,' zei hij. Het klonk zelfs in zijn eigen oren slap.

'Nee? Misschien...'

'We hebben het over Darren Rough.'

'Ah...' Ince leunde achterover in zijn stoel. 'Die arme Darren. Hij stond op de lijst getuigen, maar ze hebben hem niet opgeroepen. Ik had hem graag weer eens gezien.'

'Zal niet meer gaan. Hij is vermoord.'

'Wat? Voor de rechtszaak?'

Rebus schudde zijn hoofd. 'Nee, tijdens. Ik was op zoek naar een motief, maar nu denk ik dat ik helemaal in de verkeerde richting aan het zoeken was.' Hij legde een hand op tafel en leunde voorover naar Ince. 'Ik heb de aanklacht bekeken, de dossiers doorgenomen. Alleen Marshall en jij; geen van de andere slachtoffers noemt een derde dader. Was het alleen die ene avond? Iemand die het maar één keer heeft geprobeerd?' Rebus ging weer achterover zitten. Hij had zijn sigaret eindelijk op en stak een nieuwe op met het peukje. Kettingroken was het nu. 'Ik had Darren getroffen in de dierentuin. Was erachter gekomen waar hij woonde. Dat lekte uit naar de kranten. Die derde man... die wist vast dat jullie hem niet zouden noemen in de rechtbank. Ik weet niet waarom, maar ik kan wel wat verzinnen. De enige over wie hij zich zorgen hoefde te maken was Darren. Gaf niks – voor zover hij wist, stond Darren overal buiten. Dan leest hij ineens in de krant dat Darren in de stad is en kan hij ook raden waarom: Darren werkt mee met de Shiellion-zaak. Het is nog altijd denkbaar dat hij iets heeft gezien of gehoord, misschien zelfs zonder het te weten. Het is denkbaar dat de derde man na het proces ooit zelf met zijn foto in de krant komt, en door Darren wordt herkend.

'Plotseling is er gevaar. Dus moet hij ingrijpen.' Rebus blies een dunne rookpluim in Ince' richting. 'We weten allebei over wie ik het heb. Maar voor mijn eigen geruststelling, hoor ik de naam liever van jou.'

'Is Darren daarom dood?'

Rebus knikte. 'Ik denk van wel.'

'Maar u hebt geen bewijs?'

Rebus schudde zijn hoofd. 'En daar zal ik ook wel niet aan komen, met of zonder jou.'

'Ik heb wel zin in een kop koffie,' zei Harold Ince. 'Met melk en twee klontjes suiker. Als u het bestelt, krijg ik er misschien een zonder spuug.'

Rebus keek hem aan. 'Iets eten misschien?'

'Ik hou erg van kip korma. Naanbrood, geen rijst. Sag aloo als bijgerecht.'

'Ik kan wat laten komen.'

'Ook dat graag zonder extra's.' Ince' stem had een zelfverzekerde toon aangenomen. Hij was er klaar voor.

'En in de tussentijd praten we verder?' vroeg Rebus.

'Als het u geruststelt, inspecteur... ja, laten we dan maar verder praten.'

49

Rebus zat in het donker in zijn woonkamer te nippen aan een glas whisky met water. Buiten op straat heerste de nachtelijke stilte, nu en dan onderbroken door het dof knerpende geluid van autobanden op de keien. Hij wist niet hoe lang hij er al zat, misschien een paar uur. Hij had een cd opgezet maar niet de moeite genomen om hem te verwisselen. Hij stond op repeat en was al drie, vier keer afgespeeld. 'Stray Cat Blues' had nog nooit zo smerig geklonken. Het raakte hem dieper dan het literaire en goedgemanierde 'Sympathy for the Devil', met zijn bijklank van vertwijfeling. In 'Stray Cat Blues' zat geen vertwijfeling maar een rauwe werkelijkheid: seks met een meisje van vijftien...

Toen de telefoon ging duurde het even voor hij opnam. Het was Siobhan, om een boodschap door te geven. Er was ingebroken in de flat van Patience.

'Hebben ze iemand gepakt?'

'Nee. Er zijn nog een paar uniformagenten. Ze wachten op iemand die weet hoe het alarm werkt...'

Rebus belde naar St. Leonard en liet een surveillancewagen komen om hem naar Oxford Terrace te brengen. De chauffeur rook dat Rebus whisky had gedronken.

'Feestje gehad, meneer?'

'Ach man, ik ben zo'n feestbeest.' Rebus' toon ontmoedigde verdere vragen van voor in de auto.

Het alarm stond nog te rinkelen. Rebus liep de trap af en duwde de voordeur open. De twee uniformagenten waren in de keuken, ver weg van het lawaai. Ze hadden thee gezet en doorzochten de keukenkastjes naar koekjes.

'Melk, geen suiker,' liet Rebus hen weten. Toen liep hij de gang in en schakelde met zijn sleutel het alarm uit. Een van de agenten gaf hem een mok aan.

'Goddank. We werden er helemaal gek van.'

Rebus stond de voordeur te inspecteren.

'Keurig gedaan,' zei de agent. 'Had een sleutel, zo te zien.'

'Het slot opengestoken, eerder.' Rebus liep terug de gang in. 'Maar het alarmslot kon hij niet opensteken...' Hij liep van kamer naar kamer.

'Is er iets weg, meneer?'

'Nou, in ieder geval heet water uit de koker, twee theezakjes en een beetje melk.'

'Misschien heeft het alarm hem afgeschrikt.'

'Als hij het ene slot kon opensteken, waarom het andere niet?' Rebus dacht dat hij het antwoord wel wist: omdat de inbreker genoeg wist toen hij zag dat het alarm aan stond.

Dat er niemand thuis was.

En hij wilde dat er iemand thuis zou zijn, Rebus of Patience, daar was het hem helemaal om te doen. Cary Oakes had niet ingebroken met de bedoeling om iets te stelen. Hij had heel andere plannen gehad...

Toen ze vertrokken, zette Rebus het alarm weer aan en sloot zorgvuldig niet alleen het yaleslot, maar ook de insteeksloten.

In het vak noemden ze dat de stal vergrendelen.

Hij liet zich door de surveillancewagen terugbrengen, met een omweg langs Sammy. Hij belde niet aan, hij wilde gewoon zien of alles in orde was. Ze zou niet alleen thuis zijn, Ned sliep bij haar. Niet dat Ned het Oakes erg lastig kon maken...

'Doe me een lol, wil je?' vroeg Rebus de chauffeur. 'Laat hier elk uur een wagen langsrijden tot het ochtend wordt.'

'Komt voor mekaar, inspecteur. Denkt u dat ie het nog eens zal proberen?'

Rebus wist niet eens of Oakes wist waar Sammy woonde. Hij wist niet of Stevens het had geweten. Hij zocht met de mobilofoon van de auto contact met het bejaardentehuis.

'Doodstil hier,' kreeg hij te horen.

Toen belde hij het ziekenhuis, kreeg een nachtverpleegster aan de lijn die hem verzekerde dat er iemand bij meneer Archibald zat en ja, die persoon was klaarwakker. Uit haar beschrijving maakte Rebus op dat het nog steeds Bobby Hogan was.

Iedereen was veilig. Op iedereen werd gelet.

De surveillancewagen zette hem af en hij beklom de trappen naar zijn flat. Terwijl hij zijn deur van het slot deed, dacht hij dat hij op de overloop onder hem een geluid hoorde. Hij keek over de balustrade, maar zag niets. De kat van mevrouw Cochrane misschien, die met het kattenluikje rammelde.

Hij deed de deur achter zich dicht en nam geen moeite het licht in de gang aan te doen. Hij wist de weg ook wel in het donker. Deed het licht in de keuken aan en zette water op. Zijn hoofd was wollig van de whisky. Hij maakte thee en nam die mee naar de woonkamer. Te laat om muziek op te zetten eigenlijk. Hij liep naar het raam en blies op de thee.

Zag een gedaante bewegen. Op het trottoir aan de overkant. De contouren van een man. Hij zette zijn handen op het raam en hield zijn hoofd ertussen om te proberen het licht van de straatlantaarn af te schermen.

Het was Cary Oakes. Hij wiegde enigszins heen en weer, als op muziek. En hij grijnsde van oor tot oor. Rebus keerde zich af van het raam en zocht zijn telefoon. Die zag hij nergens. Schopte wat boeken de vloer over. Waar was dat klereding?

Zijn gsm dan, waar was die? Hij was vergeten hem mee naar binnen te nemen, zat waarschijnlijk nog in zijn jaszak. Hij keek in de halkast: geen spoor. Keuken? Nee. Slaapkamer? Ook niet.

Vloekend rende hij terug naar het raam om te zien of Oakes was vertrokken. Nee, hij stond er nog, nu alleen met zijn handen omhoog, alsof hij zich overgaf. Toen zag Rebus dat hij twee glimmende voorwerpen in zijn handen had. En hij wist welke.

Zijn vaste telefoon en zijn mobiel.

'Klootzak!' brulde Rebus. Oakes was in de flat geweest, had het yaleslot beneden opengestoken én het slot van de voordeur.

'Klootzak,' spuwde Rebus uit. Hij beende naar de deur en trok die open. Halverwege de trap hoorde hij de benedendeur krakend opengaan. Was die op slot geweest? Dan had Oakes hem snel open gekregen.

Plotseling stond Oakes daar onder aan de trap, in het tegenlicht van een enkel peertje aan de muur. Alle muren waren bleek beige geschilderd zodat zijn gezicht er ziekelijk geel uitzag. Zijn tanden blonken en zijn tong hing uit zijn mond. Hij liet de telefoons op de vloertegels vallen en reikte in zijn broekband.

'Herinnert u zich deze nog?'

In zijn hand het mes. Met een strakke blik op Rebus kwam hij plechtig de trap op; zijn voeten klonken als schuurpapier op ruw hout.

Rebus draaide zich om en rende terug de trap op.

'Waar wou je heen, Rebus?' Hij lachte en maakte zich geen zorgen over de herrie. De buren waren studenten en bejaarden; waarschijnlijk dacht hij die allemaal samen wel aan te kunnen.

Mevrouw Cochrane had telefoon. Rebus dreunde in het voorbijgaan op haar deur, al wist hij dat het geen zin had. Ze was zo doof als een kwartel. De studenten naast hem: hadden die telefoon? Zouden ze zelfs maar thuis zijn? Hij rende zijn eigen deur binnen en deed die achter zich op slot. Het yaleslot klikte, maar hij wist dat het lang niet voldoende was om Oakes buiten te houden. Hij maakte het kettinkje vast al zou het, met het yaleslot, niet meer dan één forse trap overleven. Waar was de sleutel van het insteekslot? Normaal gesproken liet hij die in het slot. Hij keek op de grond en realiseerde zich toen dat Oakes hem meegenomen moest hebben. Hij had de sloten nagekeken en gezien dat zijn kansen verkeken waren als de deur op het insteekslot zat... Rebus hield zijn oog voor het spionnetje. Oakes' gezicht verscheen vanuit het niets. Rebus kon horen wat hij zei.

'Varkentjes, varkentjes, laat me binnen.'

Uit *The Shining*.

Rebus ging de keuken in en opende de bestekla. Hij vond een dertig centimeter lang Sabatier-mes met een zwart heft. Nog nooit gebruikt, dacht hij. Hij voelde aan het lemmet en sneed in zijn duim.

Goed genoeg.

Rebus had wel vaker te maken gehad met aanvallers met een mes. De meesten had hij kunnen bepraten. De anderen had hij aangekund... Maar dat was toen en dit was anders. Terug in de hal besloot hij voor het offensief te kiezen. Met het vleesmes in de hand schoof hij de ketting los en gooide de deur open. Hij verwachtte direct een aanval maar die bleef uit. Hij keek alle kanten op maar zag Oakes niet op de overloop.

'Varkentje gaat wandelen.'

Oakes' stem, halverwege de trap naar de eerste verdieping. Rebus had de deur achter zich gesloten, rustig, probeerde kalm te blijven. Zijn ogen boorden zich in die van Oakes, terwijl hij vanuit zijn ooghoek Oakes' mes in de gaten hield.

'Oei, is dát even een joekel,' spotte Oakes. Hij liep achteruit de trap af, schijnbaar zeker van zijn zaak. 'Die heeft frisse lucht nodig, Rebus. Lekker naar buiten.'

Hij draaide zich om en draafde de buitendeur uit. Rebus dacht even na. Zijn telefoons lagen daar. Hij moest zijn mobiel pakken en direct bellen om versterking. Toen dacht hij aan Alan Archibald en Patience en Janice... en aan het graf van zijn ouders. Aan Jim Stevens. Er moest een eind aan komen. Hij moest Oakes in het oog houden, mocht hem niet nog eens laten ontsnappen.

Hij bukte, stak z'n mobiel in zijn zak en begaf zich naar de deur. Oakes stond op het trottoir te knikken.

'Net wat ik dacht. Wij tweeën.'

Hij liep weg. Rebus volgde. Ze liepen in stevig tempo, maar geen van beiden vond het nodig zijn pas te versnellen. Oakes bleef omkijken naar zijn achtervolger. Hij leek tevreden over de gang van zaken. Rebus kon er geen logica in ontdekken maar was op zijn hoede. Tot dan toe had Oakes niets gedaan zonder reden. In Rebus' hoofd bonkten een paar woorden rond: Maak het af! Dit is de laatste ronde...

'Goed voor de bloedsomloop, zo'n wandeling voor het ontbijt. Helpt tegen het Schotse eten. Ik heb je koelkast gezien! Goddomme, ik had nog meer eten in mijn cel in Walla Walla. Maar wel whisky naast je stoel in de woonkamer, compliment.' Hij lachte. 'Wat ben jij er voor een, Sam Spade of zo?'

Rebus zei niets. Oakes was een stuk jonger dan hij, en fitter. Rebus had er geen enkel belang bij zichzelf met kletsen te vermoeien.

Ze staken Marchmont Road over, en gingen door Sciennes Road langs het kinderziekenhuis. Rebus vervloekte zichzelf omdat hij in zo'n stille buurt woonde. De pubs waren allemaal leeggelopen en de frietzaakjes waren dicht. Geen clubs, nog geen massagesalon. Toen, aan de overkant, twee jonge mannen onderweg naar huis; na een avond duchtig drinken zakten ze nog net niet door hun knieën. De ene knauwde op een kebab. Ze bleven naar de zonderlinge achtervolging staan kijken. Oakes hield zijn mes in zijn zak vast, maar Rebus zwaaide met het zijne.

'Bel de politie!' riep hij naar ze.

Oakes lachte alleen, alsof zijn maatje dronken was en voor de gein met een rubberdolk rondliep.

De ene man grinnikte; de andere, die met kebabsaus op zijn kin, bleef kauwend staan staren.

'Ik meen het serieus!' riep Rebus, onbezorgd of hij iemand wakker zou maken. 'Bel de politie!'

Hij had geen tijd om ze zijn legitimatie te laten zien. Hij mocht Oakes niet kwijtraken. Hij kon nog zoveel slachtoffers maken als hij hem ook maar een seconde uit het oog verloor.

Dus liepen ze door en lieten de twee jongemannen ver achter zich.

'Tegen de tijd dat die thuiskomen,' zei Oakes, 'denken ze nergens meer aan. Pakken ze een biertje uit de koelkast en hebben ze Jerry Springer op tv. Zo gaat het tegenwoordig, Rebus. Het kan niemand nog een reet schelen.'

'Niemand behalve mij.'

'Niemand behalve jou. Ooit afgevraagd waarom?'

Rebus schudde zijn hoofd. Oakes moest maar praten, hoe meer hij praatte, hoe meer energie hij verbruikte.

'Nooit over nagedacht? Komt omdat je een godverdomde mammoet bent, man! Dat weet iedereen – jij zelf, je bazen, je collega's. Je vriendin de dokter waarschijnlijk zelfs. Wat heeft zij: doet het graag met uitgestorven diersoorten?' Oakes lachte weer. 'Voor het geval je het weten wil: ik heb in de nor aan mijn conditie gewerkt. Ik kan bankdrukken tot je een ons weegt. Ik kan dag en nacht zo doorgaan. En jij? Je hebt vast ook de conditie van een opgegraven mammoet.'

'Soms heb je aan je mentaliteit genoeg.'

Ze sneden nu af via nauwe straatjes, tot ze uitkwamen op de Causewayside.

'Waar gaan we naartoe?'

'Zijn er bijna, Rebus. Moet je natuurlijk niet te veel uitputten, hè, zo'n ouwe Schotse mammoet?' Hij lachte. Op de Causewayside reden auto's. Rebus zorgde ervoor dat ze hem met zijn mes zagen. Misschien zouden ze stoppen bij een telefooncel of een surveillancewagen aanhouden. Maar hij wist dat de kans klein was – hier kwamen niet veel politiewagens. Agenten te voet ook niet. Ze zouden naar huis rijden en dan misschíén de politie bellen.

En misschíén kwam er dan iemand van St. Leonard een kijkje nemen.

Dan zou het te laat zijn. Wat voor spel er ook werd gespeeld, hij had het gevoel dat de finale was aangebroken. Om de een of andere reden moest hij denken aan... Nee... hij wist waar ze waren. De andere kant van Salisbury Place, op de hoek van Minto Street.

'Hier was het, niet?' vroeg Oakes, stilstaand omdat Rebus ook stil was blijven staan. 'Ze stak de straat over of zoiets?'

Sammy... die de straat overstak toen ze werd aangereden. Twintig meter verderop in Minto Street.

Rebus staarde Oakes aan. 'Hoezo?'

Oakes haalde alleen zijn schouders op. Rebus probeerde zich weer te concentreren op dít moment. Hier ging het om, aan Sammy denken kon later. Hij moest Oakes niet meer met hem laten spelen.

'Hij knalde haar de lucht in, hè?' zei Oakes. Hij had zijn handen in zijn zakken, alsof ze gewoon een praatje stonden te maken. Rebus wist niet meer in welke zak Oakes het mes had. Zijn rechterhand met zijn eigen wapen hing slap omlaag, voorlopig nutteloos. Ze stak over en ze... ze had geen schijn van kans.

Hij realiseerde zich dat hij hier sinds de dag na de aanrijding niet meer was geweest. Hij had deze straat gemeden.

En op de een of andere manier had Oakes geweten welk effect deze plek op hem zou hebben. Rebus knipperde een paar keer met zijn ogen en probeerde zijn hoofd leeg te maken.

'Je bent bij haar gaan kijken, hè?'

'Wat?' Rebus kneep zijn ogen samen.

'Je bent eerst naar de flat van je vriendin gegaan en daar zag je dat ik er was geweest. Toen ben je direct bij je dochter gaan kijken. Maar je bent er niet naar binnen gegaan, wel?'

Het was alsof hij in de ogen van een duivel keek. 'Hoe weet je dat?'

'Anders was je niet hier.'

'Hoezo niet?'

'Omdat ík er ben geweest, Rebus. Eerder op de avond.'

'Je liegt.' Rebus' stem klonk droog, zijn keel brandde. Hij probeert je uit je evenwicht te krijgen, zelfde truc als bij Archibald...

Oakes haalde alleen zijn schouders op. Ze stonden op de hoek. Op de hoek schuin tegenover hen stonden twee auto's naast elkaar voor het stoplicht. Taxi op de binnenbaan, jonge amateurracer die naast hem zijn motor liet brullen. De taxichauffeur zat te kijken naar de vechtpartij die op uitbreken stond: voor hem niets bijzonders.

'Je liegt,' herhaalde Rebus. Hij liet zijn vrije hand in zijn zak glijden en haalde de gsm tevoorschijn. Toetste met zijn duim en hield het toestel op zodat hij tegelijkertijd Oakes in de gaten kon houden.

'Aan haar benen had ze toch niks,' was Oakes begonnen. De telefoon ging over. 'Wordt niet opgenomen zeker?'

Het zweet droop Rebus in de ogen. Maar als hij zijn hoofd schudde om de druppels af te schudden zou Oakes dat opvatten als een antwoord.

De beltoon stopte.

'Hallo?' De stem van Ned Farlowe.

'Ned! Is Sammy daar? Is alles in orde?'

'Wat? Ben jij dat John?'

'*Is alles in orde?*' Hij wist het antwoord al, maar wilde het toch horen.

'Natuurlijk is alles –'

Oakes viel naar hem uit en trok het mes uit zijn rechterzak. Het miste Rebus' borst op een paar centimeter. Rebus deed een stap terug en liet de mobiel vallen. Hij had een groter bereik. De taxichauffeur had zijn raampje omlaag gedraaid.

'Hé daar, uitscheien!'

'Uitsnijen zul je bedoelen,' siste Oakes. 'Uitsnijen en in stukken hakken.' Hij haalde nog eens uit met zijn mes. Rebus probeerde het weg te schoppen en verloor bijna zijn evenwicht. Oakes lachte hem uit. 'Je moet nodig op dansles, maat.' Een snelle stoot en hij raakte

Rebus' arm. Rebus voelde zijn zenuwen gevoelloos worden: de voorbode van de pijn. *Maak het af.*

Rebus kwam een stap naar voren en maakte een schijnbeweging met het mes zodat Oakes opzij moest springen. Ze waren de stoeprand genaderd. Rebus zag dat de stoplichten achter Oakes begonnen te knipperen. Oakes kwam naar voren en haalde uit naar Rebus' borst. Zijn overhemd spleet open met een dun fluitend geluid. Warm bloed op zijn arm en druppels uit de nieuwe wond.

Van rood naar oranje.

Naar groen.

Rebus viel uit met zijn voet en trof Oakes met zijn zool vol op de borst. Oakes wist nog uit te halen voordat hij achterover de weg op vloog, waar de jonge autoracer, die van het gevecht niets had meegekregen, met dreunende stereo en een vriendin die hem om de nek hing, net demonstreerde hoe snel hij vanuit stilstand kon optrekken. De auto schepte Oakes, brak zijn heup en wierp hem de lucht in; Rebus hoopte dat hij bij het neerkomen nog wat botten brak. De bolide kwam gierend tot stilstand en de jongeman stak zijn hoofd door het raampje. Hij zag messen. Haalde zijn voet van de koppeling en scheurde ervandoor.

Rebus nam niet de moeite het kenteken te noteren. Hij zette zijn voet op de hand waarmee Oakes zijn mes vasthield, forceerde zijn vingers los, pakte het mes en stopte het in zijn zak. De taxi stond nog voor het stoplicht.

'Bel de politie! Agent vraagt versterking!' riep Rebus naar de chauffeur. Hij klemde zijn gewonde arm tegen zijn borst.

Oakes rolde op de grond heen en weer, zijn hand op zijn heup en zijn tanden ontbloot; geen grijns dit keer maar een grimas van pijn.

Rebus kwam overeind, deed een stap terug en schopte hem in zijn kruis. Oakes kreunde en kokhalsde en Rebus gaf hem nog een schop, en hurkte toen bij hem neer.

'Ik wou dat ik kon zeggen dat je die nog tegoed had voor Jim Stevens,' zei hij. 'Maar om heel eerlijk te zijn had je die nog tegoed van mij.'

Rebus bracht een uur door op de Eerste Hulp – vier hechtingen in zijn arm, acht in zijn borst. De wond in de arm was het diepst, maar ze waren beide schoon. Oakes was niet ver weg, hij werd behandeld voor verschillende breuken en fracturen. Bewaakt door zes brave borsten van het TZC.

Rebus werd met een surveillancewagen naar zijn flat gebracht, waar hij zijn telefoon zocht – voordat een van de studenten ermee vandoor ging – en een flinke slok whisky nam. Toen nog één.

De rest van de nacht bracht hij door op het bureau. Daar typte hij met één hand zijn verslag en werd uitgevraagd door commissaris Watson, die uit zijn bed was gebeld; hij had een onwillige vettige haarlok die heen en weer flapperde als hij zijn hoofd bewoog.

Het stond nog lang niet vast of Oakes in staat van beschuldiging kon worden gesteld voor de moord op Jim Stevens. Dat zou afhangen van het forensisch onderzoek: vingerafdrukken, vezels, speeksel. Stevens' cassette was ingepakt en overgedragen aan de witjassen.

'Maar hij hangt voor de aanval op Alan Archibald, en op mij?' vroeg Rebus zijn meerdere.

Boer Watson knikte. 'Die in de Pentlands, ja.'

'En die poging tot moord van drie uur geleden?'

De Boer rommelde wat met zijn papieren. 'Je zegt het net zelf, de meeste getuigen zullen zeggen dat ze jóú met een mes hebben gezien, hem niet.'

'Maar de taxichauffeur...'

De Boer knikte. 'Die zal de doorslag geven. Laten we hopen dat hij zegt wat ie moet zeggen.'

Rebus begreep waar zijn baas naartoe wilde. 'Commissaris, u gelooft toch dat ik handelde uit noodweer?'

'Natuurlijk, John. Spreekt vanzelf.' Maar de Boer keek hem niet in de ogen.

Rebus probeerde te bedenken wat hij kon zeggen, maar besloot dat het de moeite niet waard was.

'Die van het TZC hebben de pest in,' voegde de Boer glimlachend toe. 'Die hebben een hekel aan een anticlimax.'

'Ik laat het misschien niet merken, maar vanbinnen heb ik zó'n medelijden met ze.' Rebus draaide zich om naar de deur.

'Geen ziekenhuisbezoek, John,' waarschuwde de Boer. 'Straks valt ie nog uit bed en zegt ie dat ie geduwd werd.'

Rebus snoof, liep de trap af en zocht de parkeerplaats op. Nog even en het zou licht worden. Hij slikte nog wat pijnstillers zonder water, stak een sigaret op en staarde in de richting van Holyrood Park. Daar stonden ze: Arthur's Seat, de Salisbury Crags. Je zag ze niet altijd, maar dat wilde niet zeggen dat ze er niet waren.

In het donker verloor je gemakkelijk je evenwicht... kon iemand je gemakkelijk van achteren besluipen...

Rebus liep de parkeerplaats af richting St. Leonard's Bank. Stevens' auto was weggehaald en werd op Howdenhall onderzocht. Aan het eind van het straatje was een gat in het hek dat toegang gaf tot het park zelf. Rebus liep de helling af naar Queen's Drive. Toen hij die was overgestoken begon hij te klimmen. Zonder straatverlichting moest hij voorzichtiger lopen. Op gevoel meer dan op zijn ogen vond hij het begin van Radical Road, waarboven de grillige rotsen van de Crags zelf uittorenden. Rebus negeerde het pad en bleef klimmen tot hij boven op de Crags aankwam, waar de stad zich onder hem uitstrekte in een patroon van oranje natriumlampen en geelwit halogeenlicht. Het beest begon zich werkelijk te roeren: auto's op weg naar de stad. Toen hij omkeek, zag hij dat de lucht een lichtere tint zwart was dan de rotsmassa eronder. Sommige mensen zeiden dat Arthur's Seat hen deed denken aan een leeuw in hurkzit, klaar voor de aanval. Alleen viel hij nooit aan. Er stond ook een leeuw op de Schotse vlag, niet gehurkt maar klimmend...

Was Jim Margolies hier speciaal gekomen om naar beneden te springen? Rebus dacht dat hij nu het antwoord wist. En hij wist het vanwege de eetafspraak van hem en zijn vrouw eerder die avond, aan de andere kant van het park van waar zij woonden.

Dat, en dat met die witte vierdeurs...

50

Dokter Joseph Margolies woonde met zijn vrouw in een vrijstaand huis in Gullane, met een onbelemmerd uitzicht over de golfbaan van Muirfield. Rebus speelde geen golf. Hij had het als jongen een paar keer geprobeerd, sleepte met grote moeite een halve set golfclubs rond de plaatselijke baan en verloor een handvol ballen in Lamphlars Pond. Hij kende collega's die het spel waren gaan beoefenen in de veronderstelling dat het hun carrière goed zou doen, zolang ze hun meerderen maar lieten winnen.

Des te minder zin had Rebus erin gekregen.

Siobhan parkeerde de auto en zette het radionieuws uit. Het was tien uur 's ochtends. Rebus had in Arden Street een paar uur weten te dutten en had Patience gebeld om haar te laten weten dat Cary Oakes achter tralies zat.

'Blijf in de auto,' droeg hij Siobhan op terwijl hij zich naar buiten wurmde. Viel nog niet mee met een arm in het verband en hechtingen in zijn borst die begonnen te schrijnen als hij zich uitrekte.

Mevrouw Margolies deed open. Van dichtbij leek ze op haar zoon. Zelfde platte kin, zelfde spleetogen. Ze glimlachte zelfs net als hij.

Rebus stelde zich voor en vroeg of hij haar man kon spreken.

'Hij is in de kas. Is er iets mis, inspecteur?'

Hij lachte naar haar. 'Niks aan de hand, mevrouw. En paar vragen, meer niet.'

'Komt u maar mee,' zei ze en deed een stapje terug om hem binnen te laten. Ze had een blik op zijn arm geworpen maar was niet van plan er iets over te zeggen. Dat had je met sommige mensen, die stelden niet graag vragen... Terwijl hij haar door de gang volgde, keek hij door de deuropeningen naar binnen en zag alle tekenen van een ordelijk huishouden: breiwerk op een stoel, tijdschriften in een rek, afgestofte ornamenten, spiegelende ramen. Het huis dateerde uit de jaren dertig. Van buiten leek het geheel schuil te gaan onder de puntdaken en dakranden. Rebus vroeg hoe lang ze er al woonden.

'Ruim veertig jaar,' antwoordde mevrouw Margolies trots.

Dus dit was het huis waarin Jim Margolies was opgegroeid. En zijn zus ook. Uit het dossier wist Rebus dat ze zich in de badkamer het leven had benomen. Vaak besloten families in zo'n situatie het huis te verkopen en ergens anders te gaan wonen. Maar andere gezinnen besloten juist te blijven, wist hij, omdat er in het huis iets van hun geliefde achterbleef wat onherroepelijk verloren zou gaan als ze verhuisden.

De keuken was ook kraakhelder, nog geen kop-en-schotel op het afdruiprek. Op de koelkast een boodschappenlijstje, vastgehouden door een magneetje in de vorm van een theepot. Alleen stonden er geen boodschappen op het lijstje. Mevrouw Margolies vroeg of hij misschien thee bliefde. Hij schudde zijn hoofd.

'Nee dank u.' Hij glimlachte nog steeds, maar nam haar aandachtig op. Dacht: vaak weet de vrouw ervan... Dacht: sommige mensen stellen niet graag vragen...

Achter de keuken was een soort bijgebouw met twee ingebouwde kasten – beide open en gevuld met tuingereedschap – en de achterdeur, die ook open stond. Buiten kwamen ze in een ommuurde tuin die zo te zien intensief werd bijgehouden. Er was een rotspartij met ernaast bloembedden, door een gladgeschoren grasveld gescheiden van een lange en smalle moestuin. Achter in de tuin stonden bomen en struiken en verscholen in een hoek een kleine kas waarin zich het silhouet van een man bewoog.

Rebus draaide zich naar zijn gids. 'Dank u, nu vind ik het wel.'

Hij stak het grasveld over. Het was alsof hij over een hoogpolig berbertapijt liep. Hij keek een keer om en zag hoe mevrouw Margolies hem vanuit de deuropening nakeek. In een naburige tuin werd een vuur gestookt. De rook kringelde over de muur, wit en scherp. Rebus liep erdoorheen naar de kas. Toen hij naderde spitste een zwarte labrador zijn oren, ging half rechtop zitten en blafte weinig enthousiast. Hij had een grijze neus en dito snorharen en maakte een verwende indruk: te veel voer en te weinig beweging in z'n laatste jaren. De deur van de kas schoof open en een oudere man tuurde over de halvemanen van zijn brilletje naar de bezoeker. Lang, grijs haar, zwarte snor, precies zoals Jamie Brady hem had beschreven, de man die Darren Rough in Greenfield was gaan opzoeken.

'Ja? Kan ik u helpen?'

'Dokter Margolies, ik ben inspecteur John Rebus.'

Margolies stak zijn handen op. 'U vergeeft me wel als ik u geen hand geef.' Zijn handen zaten onder de potgrond.

'Idem,' zei Rebus en gebaarde naar zijn arm.

'Ziet er niet best uit. Ongeluk?' Niet zo terughoudend als zijn vrouw. Maar zij had misschien al een halve eeuw ervaring met vragen inslikken. Rebus gaf de labrador een aai over zijn kop. Zijn zware staart bonkte dankbaar op de grond.

'Vechtpartij,' legde Rebus uit.

'Plichtshalve, hoop ik? We hebben elkaar al eens ontmoet, of niet?'

'Die wedstrijd van Hannah.'

'Ah, ja.' Hij knikte langzaam. 'Toen wilde u Ama spreken.'

'Toen, ja.'

'Gaat het over haar?' Margolies trok zich terug in de kas. Rebus volgde hem en zag dat de oude man zaailingen aan het verpotten was. Het was warm in de kas, ondanks de bewolking van die dag. Margolies vroeg Rebus de deur achter zich dicht te doen.

'Houden we de warmte binnen,' legde hij uit.

Rebus schoof de deur dicht. De beschikbare ruimte werd grotendeels ingenomen door tuintafels met daarop bladen met rijen zaailingen. Op de grond een zak potgrond. Dokter Margolies schepte erin met een zwarte plastic bloempot.

'Hoe voelt het om weg te komen met moord?' vroeg Rebus.

'Pardon?' Margolies pakte een plantje en zette het in zijn nieuwe pot.

'Darren Rough.'

'Wie?'

Rebus pakte Margolies de pot uit handen. 'Het zal een heidens karwei worden om het te bewijzen. En eerlijk gezegd denk ik niet dat het zal lukken. Dus ik denk echt dat u ermee weg gaat komen.'

Margolies ontmoette zijn blik en wilde de pot terugpakken.

'Het spijt me,' zei hij. 'Ik heb geen flauw idee waar u het over heeft.'

'U bent in Greenfield gezien. U vroeg naar Darren Rough. Toen reed u weg in uw witte Mercedes. In Holyrood Park is rond het tijdstip dat Darren werd vermoord een grote witte auto gezien. Ik denk dat Darren daar een schuilplaats zocht, maar het leek u een ideale plek voor een moord.'

'U spreekt in raadsels, inspecteur... Weet u tegen wie u het heeft?'

'Ik weet precies tegen wie ik het heb. Ik weet dat uw beide kinderen zelfmoord hebben gepleegd. Ik weet dat u betrokken was bij het kindermisbruik op Shiellion.'

'Pardón?' Nu met een lichte trilling in de stem. Een zaailing die tussen perkamentdroge vingers door glipte.

'Over Harold Ince hoeft u zich geen zorgen te maken, die houdt zich aan zijn afspraak. Mij heeft hij alles verteld, maar daarmee kan ik in een rechtszaak niets beginnen en hij zal verder niemand iets zeggen. Hij heeft verklaard dat u die avond op Shiellion was. Ince had vaak met u gepraat, had u leren kennen. Hij had u verteld wat hij deed met zijn pupillen. Hij wíst dat u er niets van zou zeggen, omdat u net zo was als hij. Hij begreep hoe handig het voor hem zou zijn als een dokter, de man die de kinderen medisch moest onderzoeken, bij de hele onderneming betrokken kon worden.' Rebus boog zich naar Margolies' oor. 'Hij heeft me alles verteld, dokter Margolies.'

De drankjes na werktijd die de tongen losmaken. Dan komt Ramsay Marshall met een nieuwe jongen aan, Darren Rough. De jongen krijgt een blinddoek op zodat hij de dokter niet herkent – Margolies' eis. Zweten en beven... weten dat alles na deze nacht anders zal zijn...

En daarna: eerst misschien een afkeer van zichzelf, of alleen angst voor ontdekking. Later was het hem te veel geworden en had hij onder het mom van gezondheidsproblemen gekozen voor vervroegd pensioen.

'Maar zo kwam u nog niet van Ince af. Hij chanteerde u, samen met Marshall.' Rebus had zijn stem tot een fluistertoon laten zakken en zijn lippen raakten Margolies' oren bijna. 'Weet u wat? Ik gun het u zo verdomde graag dat hij u al die jaren heeft uitgezogen.' Rebus zette een stap terug.

'U weet nergens iets van.' Margolies' gezicht was bloedrood. Onder zijn geruite shirt ging zijn borst op en neer.

'Ik kan het niet bewijzen, maar dat is niet precies hetzelfde. Ik wéét het, en daar gaat het mij om. Ik denk dat uw dochter erachter is gekomen. Dat de schaamte haar te veel is geworden. U was 's ochtends altijd het eerst op; ze wíst dat u degene zou zijn die haar vond. En daarna is Jim er op de een of andere manier ook achter gekomen en ook hij kon er niet mee leven. Hoe kunt u er eigenlijk wél mee leven, dokter Margolies? Hoe kunt ú leven met de dood van uw beide kinderen, en de moord op Darren Rough?'

Margolies pakte een spitvork en zette die op Rebus' keel. Zijn gezicht was vertrokken in een masker van woede en frustratie. Zweetdruppels dropen van zijn voorhoofd. En de dikke wolken rook buiten leken hen af te snijden van de wereld.

Margolies zei niets, er klonken alleen onverstaanbare geluiden vanachter zijn samengeklemde kaken. Rebus bleef rustig staan, met een hand in zijn zak.

'Wat?' zei hij. 'U gaat mij ook vermoorden?' Hij schudde zijn hoofd. 'Denk even na. Uw vrouw heeft me gezien. Voor het huis zit een collega op me te wachten. Hoe wou u zich daaruit praten? Nee, dokter Margolies, u gaat mij niet vermoorden. Ik zei al: ik kan niets bewijzen van wat ik u net zei. Het is iets tussen u en mij.' Rebus haalde zijn hand uit zijn zak en duwde de spitvork opzij. De zwarte labrador keek door de deur toe. Kennelijk voelde hij aan dat niet alles in orde was; hij fronste naar Rebus alsof hij teleurgesteld was in hem.

'Wat wilt u?' stamelde Margolies terwijl hij zich met beide handen vastgreep aan de plantentafel.

'Ik wil dat u voor de rest van uw leven weet dat ik het weet.' Rebus haalde zijn schouders op. 'Dat is alles.'

'U wilt zeker dat ik mezelf van kant maak?'

Rebus lachte. 'Dat krijgt u niet voor elkaar, lijkt me. U bent oud, u gaat binnenkort toch wel dood. Als het zo ver is, gaan Ince en Marshall misschien nog eens nadenken of ze u iets verplicht zijn. Dan blijft er van uw reputatie helemaal niets over.'

Margolies keek hem aan en in zijn ogen stond nu zuivere, geconcentreerde haat.

'Aan de andere kant,' zei Rebus, 'als er toch bewijsmateriaal komt bovendrijven, mag u ervan uitgaan dat ik binnen de kortste keren hier terug ben. Dan bent u de millenniumwisseling aan het vieren, of krijgt u net een lintje van de koningin, en dan ziet u mij binnenlopen.' Hij glimlachte. 'Ik blijf nog wel even in de buurt, dokter.'

Hij schoof de deur van de kas open en ontweek de hond. Liep terug naar het huis.

Het voelde totaal niet als een overwinning. Als er geen bewijs opdook, zou Darren Rough geen recht worden gedaan en kwam er geen proces. Maar Rebus wist dat hij had gedaan wat hij kon. Mevrouw Margolies was in de keuken en pretendeerde niet dat ze er iets anders had gedaan dan wachten tot hij terugkwam.

'Alles goed?' vroeg ze.

'Prima, mevrouw.' Hij liep de gang in richting de voordeur. Ze volgde hem op de voet.

'Nou ja, ik vroeg me alleen maar af...'

Rebus deed de deur open en draaide zich naar haar om. 'Waarom vraagt u het uw man niet, mevrouw Margolies?'

De vrouw weet het vaak, maar stelt liever geen vragen.

'Er was trouwens nog één ding, mevrouw...'

'Ja?'

Uw man is een gewetenloze moordenaar. Hij opende zijn mond en deed hem weer dicht; de woorden kwamen niet. Hij schudde zijn hoofd en liep het tuinpad op.

Siobhan Clarke bracht hem naar het huis van Katherine Margolies, in de buurt van de Grange in Edinburgh. Een statig halfvrijstaand huis met drie verdiepingen in Georgianstijl, in een straat waar de helft van de huizen waren verbouwd tot *bed & breakfast*. De witte Mercedes stond voor het hek geparkeerd. Rebus keek Clarke aan.

'Ik weet het,' zei ze. 'In de auto blijven.'

Katherine Margolies zat kennelijk niet op bezoek van hem te wachten.

'Wat wilt u?' Zo te zien wilde ze hem op de drempel te woord staan.

'Praten over de zelfmoord van uw man.'

'Wat is daarmee?' Haar gezicht smal en hard, haar handen lang en dun als slagersmessen.

'Ik denk dat ik weet waarom hij het heeft gedaan.'

'En wie zegt u dat ík dat zou willen weten?'

'U weet het al, mevrouw Margolies.' Rebus haalde diep adem. Nou ja, als zij de zaken op haar drempel wilde bespreken... 'Wanneer is hij erachter gekomen dat zijn vader een pedofiel was?'

Ze sperde haar ogen open. Uit het buurhuis kwam een vrouw naar buiten die op het punt stond haar jack russell uit te gaan laten. 'Komt u binnen,' zei Katherine Margolies op scherpe toon, terwijl haar ogen de straat op en af schoten. Hij liep naar binnen en ze bleef met over elkaar geslagen armen tegen de deur geleund staan.

'Nou?' zei ze.

Rebus keek om zich heen. De vloer in de hal was van grijs marmer, geaderd met zwarte streken. Een royale stenen trap strekte zich uit naar boven. Schilderijen aan de muren en volgens Rebus geen reproducties. Ze scheen niet te hebben opgemerkt dat zijn arm in het verband zat, interesseerde zich blijkbaar helemaal niet voor hem.

'Is Hannah niet thuis?' vroeg hij.

'Ze is op school. Maar goed, ik weet niet –'

'Dan zal ik het u zeggen. Het liet me maar niet los, de dood van Jim. En ik zal u zeggen waarom. Ik heb het zelf meegemaakt, dat ik aan de rand van zo'n diepe afgrond stond en mezelf afvroeg of ik het lef zou hebben ervan af te springen.'

Haar gezicht stond wat zachter.

'Dat kwam meestal door de drank,' ging hij verder. 'Die heb ik momenteel wel onder controle, denk ik. Maar ik heb er twee dingen van geleerd. Ten eerste moet je ontzettend dapper zijn om het voor elkaar te krijgen. Ten tweede moet je een loodzware reden hebben om niet door te gaan met leven. Want als het erop aankomt, is doorgaan met leven de makkelijkste keuze. Ik kon geen reden bedenken waarom Jim dood zou willen, geen enkele reden. Maar er moest een reden zijn. Dat liet me maar niet los. Er móést een reden zijn.'

'En die hebt u nu gevonden, denkt u?' In het koele halfduister van de hal blonken haar ogen vochtig.

'Ja.'

'En u vond dat u die met mij moest delen?'

Hij schudde zijn hoofd. 'Ik wil alleen graag dat u bevestigt dat ik het goed zie.'

'En dan kunt u het achter u laten?' Ze wachtte tot hij knikte. 'En met welk recht, inspecteur Rebus? Welk recht hebt u om rustig te kunnen slapen?'

'Ik kan nooit rustig slapen, mevrouw Margolies.' Voor hem was het – en misschien kwam het door het licht – alsof hij haar zag aan het eind van een lange tunnel, zodat zij wel scherp in beeld was maar alles tussen en rondom hen vaag en duister werd. Terwijl er aan de randen toch van alles bewoog en samenkwam: de geesten, allemaal verzameld in een eendrachtig gehoor. Jack Morton, Jim Stevens, Darren Rough... zelfs Jim Margolies. Ze kwamen hem zo levend voor dat hij nauwelijks kon geloven dat Katherine Margolies ze niet zag.

'De nacht dat Jim stierf,' ging Rebus verder, 'was u gaan eten bij vrienden in Royal Park Terrace. Ik heb me dat afgevraagd... van Royal Park Terrace naar The Grange.'

'Wat is daarmee?' Ze keek nu eerder verveeld dan iets anders. Rebus dacht dat ze zich groothield.

'De snelste weg is door Holyrood Park. Bent u zo ook naar huis gereden?'

'Denk het wel.'

'In uw witte Mercedes?'

'Ja.'

'En Jim stopte de auto, stapte uit...'

'Nee.'

'De auto is gezien.'

'Nee.'

'Omdat er iets was waar hij niet mee kon leven, iets over zijn vader wat hij misschien maar net had ontdekt...'

'Nee.'

Rebus zette een stap in haar richting. 'Het regende pijpenstelen die avond. Hij zou niet zijn gaan lopen. Dat is uw versie, mevrouw Margolies: dat hij midden in de nacht is opgestaan, zich heeft aangekleed en is gaan lopen. Helemaal naar de Crags is gaan lopen, alleen maar om zich ervan af te gooien.' Rebus schudde zijn hoofd. 'Mijn versie is geloofwaardiger.'

'Vindt u misschien.'

'Ik ben helemaal niet van plan om het van de daken te gaan schreeuwen, mevrouw Margolies. Ik wil gewoon weten of het zo is gebeurd. Hij had met een van de slachtoffers van Shiellion gepraat. Hij was erachter gekomen dat zijn vader betrokken was geweest bij het misbruik van kinderen daar en hij was bang dat het zou uitkomen, bang dat de schande ook over zijn hoofd zou komen.'

Ze ontplofte. 'Jezus christus, hoe stom kun je zijn! Daar heeft het allemaal niks mee te maken. Waar haalt u dat gedoe met Shiellion allemaal vandaan?'

Rebus beheerste zich. 'Zegt u het maar.'

'Snapt u het niet?' Ze huilde nu. 'Het ging om Hannah...'

Rebus fronste. 'Hannah?'

'Zijn zus heette Hannah. Onze Hannah is naar haar genoemd. Voor Jim was het een soort wraak op zijn vader.'

'Had dokter Margolies dan...' Rebus kon het woord niet over zijn lippen krijgen. 'Met Hannah?'

Ze veegde haar gezicht af met de rug van haar hand zodat haar mascara vlekte. 'Hij zat aan zijn eigen dochter. Misschien was het maar één keer, God mag het weten, maar het kan ook jaren zijn doorgegaan. Toen ze er een eind aan maakte...'

'Wist ze wie haar als eerste zou vinden?'

Ze knikte. 'Jim wist wat er was gebeurd... wist waarom ze het had gedaan. Maar daar praat natuurlijk niemand over.' Ze keek hem aan. 'Dat doe je gewoon niet, hè? Niet in beschaafde kringen. Dus hij probeerde het uit zijn hoofd te zetten, en te accepteren dat er niets aan te doen was.'

'Ik geloof niet dat ik het helemaal begrijp.' Maar hij begon iets te begrijpen, bijvoorbeeld waarom Jim Darren Rough in elkaar had geslagen. Afgeleide woede, die hij niet op zijn vader maar op Darren Rough had gekoeld.

Ze zakte tegen de deur omlaag tot ze op haar hurken zat, met haar armen om haar knieën geslagen. Rebus liet zich op de onderste tree van de trap zakken en probeerde het te bevatten: Joseph Margolies had zijn eigen dochter misbruikt... hoe zou hij dan terecht zijn gekomen bij een jongen als Darren Rough? Manipulatie door Ince misschien, of gewoon lust en nieuwsgierigheid, de gedachte aan meer verboden vruchten...

Katherine Margolies' stem was weer rustig geworden. 'Ik denk dat Jim bij de politie is gegaan om z'n vader langs een andere weg iets te zeggen, te zeggen dat hij het nooit zou vergeten, nooit zou vergeven.'

'Maar als hij het al die tijd heeft geweten van zijn vader, waarom dan zelfmoord plegen?'

'Dat zeg ik u! Vanwege Hannah.'

'Zijn zus?'

Ze lachte fel en zonder humor. 'Hè, hè!' Ze moest even op adem komen. 'Onze dochter, inspecteur. Ik bedoel onze dochter Hannah. Jim had... zat er al een tijd mee.' Ze haalde diep adem. 'Dan merkte ik dat hij niet sliep. Werd ik 's nachts wakker en lag hij daar in het donker, met zijn ogen open, naar het plafond te staren. Op een avond heeft hij het me verteld. Hij vond dat ik het moest weten.'

'Waar zat hij mee?'

'Dat hij op zijn vader begon te lijken. Dat het aangeboren was of zo, een genetische afwijking waar hij geen greep op had.'

'Hannah, bedoelt u?'

Ze knikte. 'Hij zei dat hij die gedachten probeerde weg te drukken, maar dat ze toch kwamen. Hij keek naar haar en zag haar niet meer als zijn dochter.' Haar ogen volgden de patronen op de vloer. 'Hij zag iets anders, iets waar hij naar verlangde...'

Eindelijk drong de waarheid tot Rebus door. De angsten die Jim Margolies had moeten doorstaan, het verleden dat hem had achtervolgd en de mogelijkheid dat de geschiedenis zich zou herhalen. Waarom hij op zoek was geweest naar jong uitziende prostituees. Hoe bang hij moest zijn geweest om af te glijden. *Niet in beschaafde kringen.* Als je Margolies of Petrie moest heten om bij de beschaafde kringen te horen, wilde Rebus er niets mee te maken hebben.

'Hij was de hele avond al stil,' ging Katherine Margolies verder. 'Ik had hem een paar keer naar Hannah zien kijken en ik zag hoe bang hij was.' Ze wreef haar ogen met beide handen uit en keek op naar het plafond alsof ze er meer troost zocht dan de luchter en kroonlijst konden bieden. Het geluid dat aan haar keel ontsnapte deed denken aan een gekooid dier.

'Onderweg naar huis zette hij de auto aan de kant en ging ervandoor. Ik ging hem achterna en hij stond daar gewoon. Ik had niet direct in de gaten dat hij op de uiterste rand van de Crags stond. Hij moet me hebben gehoord. Toen was hij ineens verdwenen. Het was net een stunt, een truc van een illusionist. Toen begreep ik pas wat het was. Hij was gesprongen. Ik voelde me... ach, ik weet niet eens hoe ik me voelde. Verdoofd, bedonderd, verbijsterd.' Ze schudde haar hoofd, ook nu nog onzeker van haar gevoelens tegenover de man die zichzelf had omgebracht om niet toe te geven aan zijn dierlijke driften. 'Ik ben teruggelopen naar de auto. Hannah vroeg waar haar pappa was. Ik zei dat hij een stuk was gaan wandelen. Ik ben naar huis gereden. Ik ben hem niet gaan zoeken. Ik deed helemaal niks. God weet waarom niet.' Nu haalde ze haar handen door haar haar.

Rebus stond op en duwde een deur open. Die gaf toegang tot een deftige eetkamer. Karaffen op een glimmend gepoetst buffet. Hij pakte er een en rook eraan, en schonk een groot glas whisky in. Nam het mee naar de hal en gaf het Katherine Margolies aan. Ging terug om er voor zichzelf ook een te halen. Snapte nu ook het verloop: Jane Barbour die Jim had verteld dat Darren Rough terug naar Edinburgh kwam, Jim die het dossier had opgegraven en geïntrigeerd was geraakt door de onbekende derde. Die wist dat zijn vader in de kindertehuizen had gewerkt. Die Darren Rough had uitgehoord terwijl zijn wereld om hem heen instortte...

'Weet u,' sprak zijn weduwe. 'Jim was niet bang voor de dood. Hij zei dat er een koetsier was.'

'Koetsier?'

'Die je meenam naar waar je heen ging als je dood was.' Ze keek naar hem op. 'Kent u dat verhaal?'

Rebus knikte. 'Een oud Edinburghs volksverhaal.'

'U gelooft zeker niet in geesten?'

'Dat wil ik ook weer niet zeggen.' Hij hief zijn glas. 'Op Jim,' zei hij. Hij keek rond, maar er was geen geest te bekennen.

51

Een week daarna werd Rebus opgebeld door Brian Mee.

'Hoe is het, Brian?' Hoewel hij het aan de toon van zijn stem wel kon raden.

'Shit, John, ze is bij me weg.'

'Dat spijt me voor je, man.'

'O ja?' Het ongeloof klonk door in de lach die volgde.

'Echt waar, ik vind het rot voor je.'

'Maar ze heeft het toch tegen je gezegd?'

'Via een omweg.' Rebus zweeg. 'En weet je waar ze zit?'

'Schei uit, John. Ze zit bij jou.'

'Wat?'

'Je hebt me wel verstaan. Ze zit bij jou.'

'Dat is nieuws voor me.'

'Ze kent daar verder niemand.'

'Genoeg bed & breakfasts, kamers te huur...'

'Ze logeert niet bij jou?'

'Zweer ik je.'

Het bleef lang stil aan de lijn. 'Shit man, het spijt me. Ik zit me hier suf te piekeren.'

'Daar sta ik niet gek van te kijken.'

'Denk je dat het de moeite waard is om haar te komen zoeken?'

Rebus blies zijn adem uit. 'Wat denk je zelf?'

'Ik denk dat ze van me gehouden heeft.'

'Maar nu niet meer?'

'Anders was ze er niet vandoor gegaan.'

'Zit wat in.'

'Zelfs als ze Damon vindt, denk ik niet dat ze terugkomt.'

'Misschien heeft ze alleen wat tijd nodig.'

'Aye, tuurlijk.' Brian Mee snoof. 'Weet je? Ik vond het wel geinig dat mensen me Barney noemden. Ik weet trouwens ook waarom.'

'Ik dacht dat je zei dat je het niet snapte?'

‘O, maar ik wist het wel. Barney Rubble. Omdat ik mensen aan hem deed denken. Dat zei iemand een keer tegen me, die noemde me niet alleen “Barney”, maar “Barney Rubble”.’

Rebus glimlachte. ‘Maar je vond het toch leuk?’

‘Nou, niet echt. Ik vond het wel prettig dat ik een bijnaam hád. Een soort identiteit, weet je? Da’s beter dan niks.’

Rebus’ glimlach werd breder. Hij zag Barney Mee, de kleine vechtersbaas die zich in de mêlee gooide om Mitch te redden. De jaren die het heden scheidden van die jeugdherinnering leken weg te vallen. Het was alsof de twee naast elkaar konden bestaan, met het verleden als een altijd aanwezige schaduw van het hier en nu. Niets verloren, niets vergeten, alles nog goed te maken.

Maar als dat zo was, hoe kon hij dan verklaren dat dokter Margolies nooit terecht zou staan en maar een handvol mensen van zijn misdaden zou weten? En hoe te verklaren dat de officier van justitie Cary Oakes enkel scheen te kunnen vervolgen voor de poging tot moord op Alan Archibald? Al het forensisch bewijsmateriaal dat hem in verband bracht met Jim Stevens kon weggeredeneerd worden. Vingerafdrukken en vezels in Jims auto: Oakes was eerder met hem meegereden. Sterker nog, drie agenten hadden hem met Stevens van het vliegveld zien wegrijden. Het dossier over Stevens bleef openstaan, maar er werden geen mensen op gezet. Iedereen wist wie hem had vermoord. Maar zonder een bekentenis hadden ze geen poot om op te staan.

‘Laten we het houden bij onze sterkste zaak,’ had de officier gezegd. Dat betekende dat de aanval op Rebus ook werd afgedaan, al was de taxichauffeur bereid geweest om te getuigen.

‘Te veel mogelijke tegenargumenten voor de advocaten,’ had de officier gezegd. Rebus probeerde het niet persoonlijk op te vatten. Hij wist dat de strafvervolging een spel op zich was, waarbij de beste kon verliezen en de valsspeler winnen. Hij wist dat het de taak van de politie was de feiten te onderzoeken en te presenteren. Dan was het de taak van advocaten als Richie Cordover om alles zodanig te verdraaien dat ze jury’s en getuigen konden voorspiegelen dat de aarde plat was en de maan was gemaakt van kaas.

‘Hé, John?’ was Brian Mee verdergegaan.

‘Barney.’

Daar moest Brian om lachen. ‘Kom nog eens een weekend stappen hier, alleen jij en ik, ja? Doen we een duet bij de karaoke en oefenen we weer eens wat versierpraatjes.’

‘Klinkt goed, Barney. Ik bel je nog.’ Dat zou niet gebeuren, wisten ze beiden.

'Oké dan, dat is afgesproken.'
'Hou je haaks.'
'Het beste, John. Leuk je weer eens gesproken te hebben...'

Weer was er een pedofiel vrijgelaten uit de gevangenis, ditmaal in Glasgow. GTP had een bus geregeld en was vertrokken naar Renfrew, waar hij zich volgens de geruchten had verstopt. Enkele jongere leden van het gezelschap hadden de gelegenheid te baat genomen voor een avondje uit dat was geëindigd in massale straatgevechten.

Dat had, althans in sommige kringen, de hoop gewekt dat de negatieve publiciteit de organisatie de das om zou doen. Maar Van Brady ging rustig door met het geven van interviews en persconferenties en hield haar aanvraag voor financiering door de Loterij overeind. Voor de journalisten was het erg prettig dat ze vrijwel uitsluitend in soundbites praatte, al moest de toon geregeld worden getemperd om ze voor publicatie geschikt te maken.

Er werd een herdenkingsdienst voor Jim Stevens gehouden. Rebus ging erheen. Hij vermoedde dat Stevens in zijn loopbaan misschien wel met driekwart van de rouwenden in de clinch had gelegen. Toch waren er grafredes en droevige gezichten, die Rebus het gevoel gaven dat Jim het zo nooit gewild zou hebben. Naderhand had hij zelf nog een nachtwake gehouden in de achterkamer van de Oxford Bar, met een stuk of vier van de meest luidruchtige, botte en grappige pennenlikkers in de stad. Ze hadden tot in de vroege ochtend zitten drinken en hun gelach had de muziek van de *ceilidh*-band in de hoek bijna overstemd.

Rebus stommelde de weg naar Oxford Terrace af, smeet zijn kleren in de wasmand en nam een douche.

'Je stinkt nog steeds,' klaagde Patience toen hij in bed klom.

'Tradities moet je onderhouden,' zei Rebus. 'Edinburgh heet niet voor niks de "Ouwe Stinker".'

Tot zijn verbazing wilde Cal Brady hem spreken. Brady was vrij op borgtocht in afwachting van het proces dat hem te wachten stond wegens diverse geweldsmisdrijven tijdens de kloppartij in Renfrew. Het telefoontje kwam die ochtend zo onverwacht dat Rebus het bureau uit liep zonder iemand te zeggen waar hij heen ging. Ze ontmoetten elkaar op Radical Road. Cal wilde niet te ver van huis afspreken maar ook niet in een politiebureau, ergens waar ze vrijuit konden praten.

Er stond een strakke wind die in Rebus' oren beet. Nu en dan flitste er een zonnestraal door als de snel voortglijdende wolken opengingen om direct weer dicht te trekken. Cal Brady had felgekleurde bloeduitstortingen onder beide ogen en een gesprongen lip. Zijn linkerhand zat in het verband en hij hinkte nauwelijks zichtbaar onder het lopen.

'Zware wedstrijd, zeker?'

'Die Glaswegians...' Cal schudde zijn hoofd.

'Ik dacht dat het in Renfrew was?'

'Renfrew, Glasgow, man, het is allemaal hetzelfde. Krankjorum, stuk voor stuk, die lui. Die houden niet op voor ze het vel van je gezicht hebben gevreten.' Hij rilde en trok zijn spijkerjack strakker om zich heen.

'Je kan hem ook dichtknopen,' opperde Rebus.

'Hè?'

'Je jack... als je het koud hebt.'

'Aye, maar dat ziet er stom uit. Levi-jacks moet je open dragen.' Daar had Rebus geen antwoord op. 'Ik hoor dat u zelf ook een paar prikken hebt gehad.'

Rebus keek naar zijn arm. Geen mitella meer, alleen nog een kompres met pleister. Nog een week of zo voordat de hechtingen opgelost waren. 'Waar wou je het over hebben, Cal?'

'Die verdomde aanklacht.'

'Wat is daarmee?'

'Wordt waarschijnlijk zitten, met mijn strafblad.'

'En dan?'

'Zit ik niet op te wachten.' Hij trok met een schouder. 'Kan u me niet matsen?'

'Een goed woordje voor je doen, bedoel je?'

'Aye.'

Rebus stak zijn handen in zijn zakken, alsof hij er ontspannen bij stond. In werkelijkheid was hij al vanaf het moment dat hij op de ontmoetingsplaats arriveerde, vijf minuten voor Brady, op zijn hoede geweest, bedacht op een valstrik of hinderlaag. Lessen die Cary Oakes hem had geleerd. 'Waarom zou ik dat doen?' vroeg hij.

'Kijk. Ik ben geen verklikker, oké?'

Rebus knikte instemmend, zoals kennelijk van hem werd verwacht.

'Maar ik hoor dingen.' Hij wachtte even. 'Niet dat ik eropuit ben, maar soms kan ik het niet helpen.'

'Zoals?'

'Helpt u me dan?'

Rebus bleef staan, schijnbaar om het uitzicht te bewonderen. 'Ik zou ze kunnen zeggen dat je er een van mij bent. Dat je belangrijk bent.'

'Maar dan hoef ik nog niet echt uw verklikker te worden, toch? Daar gaat het om.'

Rebus knikte. 'Maar je hebt me iets te bieden?'

Cal keek rond, alsof ze zelfs hier afgeluisterd konden worden. Hij liet zijn stem zakken en Rebus moest dicht bij hem gaan staan om hem boven de wind uit te kunnen verstaan.

'U weet dat ik voor meneer Mackenzie werk?'

'Je bent zijn bangmaker.'

Dat prikkelde Brady. 'Soms heeft ie van mensen geld te goed. Die dingen gebeuren in het bedrijfsleven.'

'Tuurlijk.'

'Ik maak zijn debiteuren bewust van de risico's die ze nemen.'

Rebus glimlachte. 'Mooie uitdrukking.'

Brady keek weer om zich heen. 'Petrie,' zei hij, alsof dat alles verklaarde.

'Weet ik,' zei Rebus. 'Charmer had geld te goed van Nicky Petrie en die kreeg een pak slaag bij wijze van laatste waarschuwing.'

Maar Brady schudde zijn hoofd. 'Had geld te goed van zijn zus.'

'Ama?' Brady knikte. 'Maar waarom dan Nicky in elkaar slaan?'

Brady snoof. 'Dat wijf is een ijspegel. Hebt u misschien niet gemerkt. Maar ze houdt van haar broertje. Ze is dól op die kleine Nicky...'

'Dus in feite was het een boodschap aan haar?' Rebus dacht erover na en moest denken aan iets wat Ama bij de schoonheidswedstrijd tegen hem had gezegd. *Wie heeft er nu weer geld van me te goed?* 'Waarom had ze dat geld niet aan haar vader gevraagd?'

'Schijnt dat ze d'r pa nog niet zou vragen hoe laat het is, en hij het niet zou zeggen, al had ie aan elke arm een horloge.'

'Ik snap nog niet wat ik hiermee te maken heb.'

'Die flat van hen.'

'Wat is daarmee?'

'Daar woont zíj ook. Die blonde waar u naar op zoek was.'

Rebus staarde Brady aan. 'Die woont in die flat?' Brady knikte. 'Weet je hoe ze heet?'

'Volgens mij Nicola.'

'Hoe weet je dat allemaal?'

Brady haalde zijn schouders op. 'Die kunnen hun mond niet houden, dat clubje van hen.'

Rebus dacht aan die avond op de boot. Die dronken vent die op het punt stond iets te zeggen toen Ama Petrie tussenbeide kwam...

'Zij weten van die Nicola?'

'Allemáál.'

Wat betekende dat ze allemaal tegen Rebus hadden gelogen... inclusief de broer en zus, Nicky en Ama.

'Is het Nicky's vriendin?'

Brady haalde zijn schouders weer op.

'Of die van Ama misschien?'

'Daar bemoei ik me niet mee,' zei Brady en gaf met een wegwerpgebaar te kennen dat hij er niet op in wilde gaan.

'En jij, Cal? Woon je nog samen met Joanna?'

'Gaat u niks aan.'

'En hoe is het met Billy? Denk je niet dat hij beter af was bij zijn vader?'

'Dat wil Joanna niet.'

'Heeft iemand Billy gevraagd wat hij wil?'

Brady verhief zijn stem. 'Dat is nog maar een kind. Hoe moet hij nou weten wat het beste voor hem is?'

'Ik durf te wedden dat jij wel wist wat je wilde toen je zo oud was als hij.'

'Misschien wel,' gaf Brady na even nadenken toe. 'Maar dan durf ik met u te wedden dat ik het niet kreeg.' Hij lachte. 'En misschien krijg ik het nog steeds niet. Wou u weten wat ik daarvan vind?'

'Nou?'

'Kijk maar.'

En Rebus keek, en Cal Brady ritste zijn gulp open, haalde zijn penis tevoorschijn en begon vanaf Radical Road naar beneden te plassen. Op veilige afstand van de voorstelling zag het er voor Rebus uit alsof hij piste op Holyrood en Greenfield en St. Leonard, piste in een grote boog over de hele stad.

En als Rebus het had gekund, had hij op dat moment misschien met hem meegedaan.

52

Na een klus later die middag, op weg terug naar het bureau met Siobhan Clarke, reed Rebus om via de New Town. Clarke vroeg hem wijselijk niet waarom: dat zou hij wel zeggen als hij er klaar voor was, en niet eerder.

Het was laat in de middag en ze stonden met de knipperlichten aan tegen de stoeprand. Rebus twijfelde over Nicky Petrie. Gaan opzoeken of niet gaan opzoeken? Zou de vriendin er zijn? Zou Petrie weer een snoer van leugens en halve waarheden aaneenrijgen? Siobhan deed haar mond net open om iets te zeggen toen ze zag hoe zijn handen het stuur vastgrepen.

Vanuit het gebouw waarin de Petries woonden kwam een vrouw de trap af. Nu pas zag Rebus de taxi die stond te wachten. Ze stapte in. Hij had maar een glimp van haar opgevangen: lang, elegant. Blond pagekapsel. Zwarte jurk en panty met daarover een opbollende zwarte wollen jas. Rebus zette de knipperlichten uit en trok achter de taxi op, en begon Siobhan de situatie uit te leggen.

'Waar denk je dat ze naartoe gaat?'

'Maar één manier om daarachter te komen.'

De taxi zette koers richting Princes Street, stak over en reed kalmpjes The Mound op. Stoplichten bovenaan, toen rechtsaf Victoria Street in. De Grassmarket was de bestemming. Nicola betaalde de chauffeur en stapte uit. Ze keek ietwat onzeker om zich heen. Haar gezicht was als een masker.

'Beetje zwaar opgemaakt,' merkte Clarke op. Rebus zocht een parkeerplaats. Toen hij er geen zag, liet hij de auto bij een gele streep staan. Als hij een bon kreeg, was er vast nog wel plaats voor bij de andere in het handschoenenvak.

'Waar is ze heen?' vroeg hij terwijl hij uitstapte.

'De Cowgate af, volgens mij,' zei Clarke.

'Wat moet ze daar in godsnaam?'

De Grassmarket zelf was geyuppificeerd, maar de buurt direct daarachter was nog altijd het domein van de daklozen en verschoppelingen van de stad. Dat zou ongetwijfeld veranderen als de politici hun nieuwe parlementsgebouw even verderop betrokken.

Ze stonden op de straathoeken of zaten op de trappen van leegstaande kerken: broeken met touw dichtgebonden, harde stoppels, schaarse tanden en gebogen ruggen. Nu Rebus en Clarke de hoek om kwamen, zagen ze hoe de vrouw zich maar al te traag voortbewoog door een haag van bewonderaars, van wie maar een enkeling het waagde haar om kleingeld of een sigaret te vragen.

'Valt graag op,' zei Clarke.

'Kan haar niet schelen waar.'

'Eén ding dat me niet lekker zit...'

Maar Nicola keek om toen ze werd nagefloten en nu zag ze hen. Ze keek snel weer voor zich, drukte haar zebraleren schoudertas stevig tegen zich aan en versnelde haar pas.

'Onopvallend volgen, heet dat,' zei Clarke.

'Ze kent ons,' siste Rebus. Ze zetten een drafje in en volgden het trottoir onder de George IV Bridge. Ze droeg platte schoenen en rende goed, ondanks de hinderlijke lange jas. Ze zag een gat in het verkeer en wipte naar de overkant. De Cowgate was een ramp: een smalle kloof tussen hoog oprijzende gebouwen. Als het verkeer drukker werd kon de koolmonoxide geen kant op. De hechtingen in zijn borst remden Rebus af.

'Guthrie Street,' zei Clarke. Die richting liep Nicola in. Die leidde naar Chambers Street, waar ze haar achtervolgers makkelijker zou kunnen afschudden. Maar toen ze de steile steeg insloeg, kwam er net iemand om de hoek. De botsing gooide haar bijna omver. Er viel iets op de grond maar ze rende verder. Rebus hield in om het op te rapen. Een korte blonde pruik.

'Wat krijgen we nou?'

'Dat is wat ik had willen zeggen,' zei Clarke. Voor hen begon Nicola moe te worden; ze zocht steun bij de muur nu ze de steile helling opklom. Ze hinkte ook, had zich bij de botsing verstapt. Uiteindelijk bleef ze op de hoek van Chambers Street staan, nu met lichtbruin haar in plaats van blond; ze gaf het op en stond met haar rug tegen de muur uit te hijgen. Make-up uitgelopen door het zweet. Achter het masker zag Rebus nu iemand die hij maar al te goed kende.

Niet Nicola maar Nicky. Nicky Petrie.

Petries woorden: *Kouwekakstad, wat valt er anders nog te beleven?*

Rebus' hart stond in brand nu hij voor hem bleef staan. Hij kon nauwelijks een woord uitbrengen.

'Wij moeten eens praten, meneer Petrie.' Hij kwakte de pruik terug op Petries hoofd. Nicky nam het ding met overdreven afschuw van zijn hoofd en begroef zijn gezicht erin. Het zweet was moeilijk meer te onderscheiden van de tranen.

'O god, o god, o god,' bleef hij maar zeggen.

'Waar is Damon Mee?'

'O god, o god, o god.'

'Ik denk niet dat Hij nu veel voor je kan doen, Nicky.'

Rebus bekeek Nicky's kleren. Het konden kleren van Ama zijn: broer en zus hadden ongeveer dezelfde bouw, Nicky was maar net iets langer en breder. De zwarte jurk leek hem strak te zitten.

'Is dit een hobby van je, Nicky? Je verkleden als vrouw?'

'Kan geen kwaad,' kwam Clarke tussenbeide. 'We zijn allemaal anders.'

Nicky keek haar aan en knipperde met zijn ogen om beter te kunnen zien.

'Jij kunt zelf anders ook wel een make-over gebruiken, schat,' zei hij.

Ze glimlachte. 'Zit misschien wat in.'

'Wie maakt je op, Nicky?' vroeg Rebus. 'Ama?'

Hij ging rechtop staan. 'Doe ik allemaal zelf.'

'En dan ga je hier in de buurt flaneren? Heen en weer terwijl ze je allemaal aangapen?'

'Ik verwacht niet dat u –'

'Niemand vraagt u wat u verwacht, meneer Petrie.' Hij richtte zich tot Clarke. 'Haal jij de auto even.' Gaf haar de sleutels. 'Meneer Petrie hier moet maar even mee naar het bureau.'

Petrie sperde zijn ogen open van angst. 'Waarom?'

'Om een paar vragen te beantwoorden over Damon Mee. En om uit te leggen waarom u al die tijd tegen ons hebt gelogen.'

Petrie wilde wat zeggen, maar beet op zijn lip.

'Dan niet,' zei Rebus. En tegen Clarke: 'Haal de auto.'

Rebus verhoorde Nicky Petrie een halfuur en gaf iedereen die wilde komen gluren de kans de kamer binnen te komen. Petrie zat daar met zijn hoofd in zijn handen en keek niet op terwijl een stoet rechercheurs en uniformagenten langstrok met commentaar op zijn schoenen, zijn panty of zijn jurk.

'Ik kan een broek en een overhemd voor je laten halen,' bood Rebus aan.

'Ik snap wel waar u mee bezig bent,' zei Petrie toen ze alleen waren. 'U kunt me vernederen wat u wil, deze dame kletst niet.' Hij wist een uitdagend glimlachje op te brengen.

'Je vader komt toch binnenwalsen om je te redden,' merkte Rebus op en zag met genoegen de kleur wegvloeien uit de lippen van de jongeman.

'Mijn vader heb ik niet nodig.'

'Kan zijn, maar we zullen toch contact met hem opnemen. Beter dat hij het van ons hoort dan van de pers.'

'De pers?'

Rebus lachte blafferig. 'Denk je dat ze zo'n kans aan zich voorbij laten gaan? Niks hoor, dame, u komt eindelijk op de cover. Gefeliciteerd. Make-up een beetje bijwerken en pruik op, dan betalen ze je er misschien nog voor ook.'

'De kranten hoeven het toch helemaal niet te weten,' zei Petrie zacht.

Rebus haalde zijn schouders op. 'Politiebureaus zijn zo lek als een mandje. Al die mensen die je hier hebben gezien... Ik steek er mijn hand niet voor in het vuur dat ze hun mond dichthouden.'

'Klootzak.'

'Je zegt het maar, Nicky.' Rebus boog zich naar hem toe. 'Het enige wat ik hoef te weten is waar ik Damon Mee kan vinden.'

'Dan kan ik u niet helpen,' zei Nicky Petrie met het laatste restje waardigheid dat hij bezat.

Plan Twee: Ama Petrie.

Ze kwam als een wervelwind het bureau binnenstormen. Cal Brady had gelijk: haar broertje was haar achilleshiel.

'Waar is ie? Wat hebben jullie met hem uitgespookt?'

Rebus keek haar uiterlijk volkomen onverschillig aan. 'Zou ík dat niet moeten vragen?'

Ze leek hem niet te begrijpen.

'Damon Mee,' legde Rebus uit. 'Nicky was hem tegengekomen bij Gaitano's en nam hem mee naar de boot waar u net een feestje gaf. Dat was de laatste keer dat hij in leven is gezien, mevrouw Petrie.'

'Daar heeft Nicky niets mee te maken.'

Ze zaten in dezelfde verhoorkamer nu Nicky Petrie naar de cellen beneden was afgevoerd. Ook dezelfde verhoorkamer waar Harold Ince voor het eerst was ondervraagd. Ince was tot twaalf jaar veroordeeld, Marshall tot acht, grotendeels uit te zitten in Peterhead. Had Rebus daar iemand gekend, dan had hij inderdaad een goed woordje kunnen doen voor Ince. Maar hij kende niemand van dat tuig daar...

'Waar heeft Nicky niets mee te maken?'

'Het is mijn schuld, niet die van hem.'

Rebus begreep het: ze dacht dat Nicky zich op de een of andere manier had vastgepraat, was doorgeslagen. Ze onderschatte hem. De zwakke plek die Cal Brady kende: ze hield te veel van haar broer.

Rebus ging achteroverzitten; dit spel kende hij. Hij vroeg haar of ze iets wilde drinken. Ze schudde heftig haar hoofd.

'Ik wil een verklaring afleggen,' zei ze kortaf.

'Dan wilt u er misschien een advocaat bij hebben, mevrouw Petrie.'

'Hoepel op.' Ze stopte plotseling. 'Is Nicky hier? In dit bureau?'

'Veilig in de cel.'

'Veilig?' Haar stem trilde. 'Arme Nicky...' Ze had droge ogen maar haar gezicht stond strak.

'Wist Damon Mee dat Nicky niet echt een vrouw was?'

'Dat moet toch wel?'

Rebus haalde zijn schouders op. 'Uw broer speelt het anders vrij overtuigend.'

Ze stond zichzelf een vluchtig glimlachje toe. 'Hij zei altijd dat hij het meisje had moeten zijn en ik de jongen.'

Rebus wist dat Nicky op zijn twaalfde van huis was weggelopen. Sindsdien alsmaar op de loop geweest...

'Vertelt u eens wat er op de Clipper gebeurde?'

'We hadden allemaal gedronken.' Ze keek hem aan. 'U weet hoe het er op feestjes aan toe gaat.'

Ze probeerde een sfeer van ons kent ons te scheppen. Te laat, maar Rebus knikte toch.

'Toen kwam Nicky beneden aanzetten met die ruwe bolster.'

'Ruwe bolster?'

'Of moet ik geile beer zeggen? Ik ben geen snob, inspecteur.'

'Natuurlijk niet. Ik neem aan dat u allemaal op de hoogte was van Nicky's... voorkeuren?'

'Ons clubje, ja. Er waren een paar stellen op de dansvloer. Nicky en die Damon gingen ook dansen.' Haar blik was wazig: ze haalde zich het tafereel voor ogen. 'Nicky had zijn hoofd op Damons schouder gelegd en ik ving even een blik van hem op... en hij zag er zo gelúkkig uit.' Ze kneep haar ogen dicht.

'En hoe ging het verder?'

Ze deed haar ogen weer open en staarde naar het tafelblad. 'Alfie en Cherie waren ook aan het dansen. Alfie was zo dronken als het maar zijn kon. Hij trok voor de grap Nicky's pruik van zijn hoofd. Nicky ging achter hem aan en ze renden de hele zaal door. En die Damon stond daar maar, alsof hij door de bliksem was getroffen. Hij zag eruit... op dat moment vonden we het allemaal hilarisch. Zijn gezicht was om in te lijsten. Toen rende hij naar de trap. Nicky zag wat er gebeurde en ging achter hem aan...'

'Het werd knokken?'

Ze keek hem aan. 'Heeft ie dát tegen u gezegd?' Ze glimlachte. 'Zo'n schat... U hebt hem toch gezien, inspecteur. Die zou nog geen vlieg kwaad doen. Nee. Toen ik op het dek kwam, had die Damon Nicky tegen de grond gewerkt. Hij kneep met alle macht zijn keel dicht en bonkte hem tegelijkertijd met zijn hoofd op het dek. Tilde hem op... en kwakte hem weer neer. Ik heb een lege wijnfles gepakt en hem ermee voor zijn hoofd geslagen, van opzij. Niet bewusteloos of zo. De fles brak niet eens, zoals in de film. Maar hij liet Nicky los en trok zich overeind.'

'En toen?'

'Toen begon ie te wankelen. Hij viel over de reling en in het water. Het was raar... het dek is maar net boven water... je hoorde bijna niks toen ie in het water viel.'

'En wat deed u?'

'Ik moest kijken hoe het met Nicky was. Ik heb hem mee terug naar beneden genomen. Hij had pijn in zijn keel, maar ik kreeg er toch een cognac in.'

'Ik bedoelde: wat deed u met Damon?'

'O, die...' Ze dacht terug. 'Nou ja, toen ik weer buiten kwam, was hij nergens meer te bekennen. Ik ging ervan uit dat hij naar de kade was gezwommen.'

Rebus staarde haar aan. 'Weet u wel zeker dat u dáárvan uitging?'

'Om eerlijk te zijn... weet ik niet eens zeker wát ik dacht. Die kerel was weg en hij kon Nicky geen pijn meer doen, dat was voor mij genoeg. Dat was het enige waar het mij om ging. Dus als Nicky u iets anders heeft verteld, heeft ie dat alleen gedaan om mij te beschermen. Zet mij maar in de cel, en laat Nicky naar huis gaan.'

'Bedankt voor het advies.'

'U laat hem toch wel gaan?'

Hij stond op en boog zich over de tafel naar haar toe. 'Ik ken Damons ouders. Ik heb hun verdriet gezien. Daar kan uw broertje zich nog geen flauwe voorstelling van maken.'

Ze keek woedend naar hem op. 'En waarom zou ie?'

Hij kon wel duizend antwoorden bedenken en wist dat ze die allemaal zou pareren. In plaats daarvan zei hij dat hij een schriftelijke verklaring van haar nodig had. Dat hij iemand langs zou sturen om die op te nemen. Hij draaide zich om naar de deur.

'En dan laat u Nicky toch gaan, of niet, inspecteur?'

Zijn ene kleine genoegdoening: hij vertrok zonder een woord.

Epiloog

Later die avond realiseerde hij zich dat hij voor de tweede keer die dag op de Cowgate liep, verder naar het oosten ditmaal, voorbij het gesloten mortuarium, in de richting van de bouwplaats aan de rand van Holyrood. Erachter kon hij een paar torenflats in Greenfield ontwaren, en daarachter de Salisbury Crags. De zon was ondergegaan, toch was het nog lang niet donker. De avondschemering kon in deze tijd van het jaar een eeuwigheid duren. De slopers waren in elk geval naar huis. Waar alles precies moest komen, kon hij niet zeggen, maar hij wist dat er naast het parlementsgebouw een kantoor van een krant en een amusementspark gepland waren. Die zouden allemaal klaar zijn voor de eenentwintigste eeuw, was voorspeld. Schotland was klaar voor het nieuwe millennium. Rebus probeerde in zichzelf een sprankje hoop te ontdekken, maar dat bleek te zijn uitgedoofd door zijn eigen vertrouwde cynisme.

Het schemerde niet meer, het was donker. De schaduwen leken rond hem op te rijzen terwijl in de verte een klok werd geluid. Het bloed dat in de stenen was gesijpeld, de botten die hier eeuwenlang kriskras begraven lagen, de verhalen en gruwelen van vroeger en nu... het zou allemaal door de stalen kaken van de graafmachines worden opgegraven en naar de oppervlakte borrelen, nu de stad zich moeizaam opwerkte om weer de hoofdstad van een natie te worden.

Schei uit, John, zei hij tegen zichzelf. Het is de Old Town, meer niet.

Cary Oakes zat in de bezoekerskamer in Saughton Prison te wachten. Ze hadden hem niet geboeid en hij had maar één bewaker bij zich. Eén bewaker was bijna een vernedering. Toen ging de deur open en kwam zijn advocaat binnen. 'Solicitors' noemden ze die hier. Cary glimlachte en boog zijn hoofd bij wijze van begroeting. De advocaat was jong en zag er gretig maar verlegen uit. Eerste zaak misschien, maar dat was oké. Een jonkie, die hard moest werken om zich waar te maken... die had de uren er wel voor over, schakelde graag een tandje bij. Vers bloed, daar hield Cary wel van.

Hij wachtte tot de man had plaatsgenomen en klaarzat, blocnote voor zich, pen in de aanslag. Klaar voor zijn act.

'Ik ben onschuldig, God sta me bij. En dat moet jij ook doen: mij bijstaan. Als we goed samenwerken, kunnen we bewijzen dat ik niks heb gedaan.' Hij boog zich naar voren en liet zijn ellebogen op tafel rusten. 'Hier ga jij naam mee maken. Ik voel het, jij bent mijn man.'

Hij trakteerde hem op een gulle glimlach.

VERANTWOORDING

Voor de vertaling van de motto's is geput uit de volgende uitgaven:
Nikolaj Gogol, *Dode zielen*, vertaling Arthur Langeveld (Veen, 1991, 2007).
Andrew O'Hagan, *Vermist*, vertaling Annelies Jorna (Elmar, 1998).
Kate Atkinson, *Achter de schermen*, vertaling Tineke Funhof (Atlas, 1996).

NAWERK IAN RANKIN

Kat & Muis
In Edinburgh zijn twee meisjes ontvoerd en op brute wijze vermoord. Nu wordt een derde vermist. John Rebus werkt aan deze slopende zaak. Hij rookt en drinkt te veel, en zijn vrouw heeft hem verlaten, met hun dochtertje. Dan beginnen de boodschappen: knopen in stukjes touw en kruisen van lucifershoutjes – een puzzel die alleen Rebus kan oplossen.

Blindeman
In een dichtgetimmerd kraakpand wordt het dode lichaam van een junkie gevonden. Domweg het zoveelste slachtoffer van een overdosis, is de eerste reactie van inspecteur Rebus. Tot steeds meer tekenen op moord wijzen. Rebus bijt zich vast in de affaire en legt een ontluisterend netwerk bloot, dat tot in de hoogste kringen van Edinburgh reikt.

Hand & Tand
Een seriemoordenaar houdt Londen in zijn greep. Rebus heeft de ongelukkige reputatie een expert op het gebied van seriemoord te zijn en moet 'dus' in Londen het onderzoek vlot trekken. Maar Scotland Yard zit niet te wachten op bemoeials. Rebus moet vechten tegen vooroordelen en een bloeddorstige maniak.

De Gehangene
Edinburgh is een toeristenstad én een moderne metropool waarin de misdaad welig tiert. Het is een broeinest van crimes passionnels, rampzalige misstappen en onderhuids gekoesterde afgunst. In deze bundel staan de twee gezichten van Edinburgh centraal, met als rode draad de onvolprezen laconieke inspecteur John Rebus.

Ontmaskering / Strip Jack
De populaire politicus Gregor Jack wordt in een Edinburghs bordeel betrapt met een prostituee. Rebus sympathiseert met de jonge politicus. Wie is er nou nooit gezwicht voor verleiding? Dan verdwijnt Jacks vrouw. Iemand wil Gregor Jack kapotmaken, en Rebus wil weten waarom.

Zwartboek
Een ambitieuze politieman wordt het slachtoffer van bruut geweld; er is een mysterieuze hotelbrand en Rebus' broer roept zijn hulp in. Rebus zit in zijn maag met een boekje vol gecodeerde aantekeningen van de overleden collega. Corruptie? Afpersing? Het lijkt alsof niemand wil dat het raadsel wordt opgelost. Toch komt Rebus langzaam verder...

Vuurwerk
Tijdens het fameuze festival van Edinburgh wordt een lijk gevonden in Mary King's Close, de plek waar eeuwen geleden pestlijders stierven. Een macabere historische parallel? Het slachtoffer blijkt de zoon van een notoire gangster te zijn. De man zit achter de tralies, maar zijn macht en invloed lijken nu groter dan voordat hij door Rebus werd gearresteerd.

Laat maar bloeden
Alsof de Schotse winter niet erg genoeg is, raakt Rebus verstrikt in een web van intriges dat meer vragen dan antwoorden oplevert. Is de dochter van de burgemeester ontvoerd of weggelopen? Waarom versnippert een gemeenteraadslid documenten die al jaren oud papier zijn? En waarom nodigt een invloedrijke politicus Rebus uit voor kleiduivenschieten?

Gerechtigheid
Bible John vermoordde drie vrouwen en stal drie trofeeën. Johnny Bible moordt om de glorie van zijn naamgenoot te stelen. Olieman Allan Mitchison stierf voor zijn principes en Lenny Spaven om iets te bewijzen. Inspecteur Rebus moet vier zaken oplossen om één moordenaar te pakken. Eén fout kan fataal zijn, voor zijn baan of zijn leven...

Door het lint
Rebus is belast met archiefonderzoek naar oorlogsmisdaden. Door een bendeoorlog kan hij 'ontsnappen'. Edinburgh wordt overgeno-

men door agressieve nieuwe criminelen die onder meer vluchtelingen tot prostitutie dwingen. Als Rebus zich ontfermt over een getraumatiseerd Bosnisch meisje, raakt hij nog meer gebeten op bendeleider Tommy Telford.

Lazarus
Is Rebus eindelijk te ver gegaan? Zijn baas tegenspreken kan geen kwaad, maar een volle mok van het beste uit de automaat in haar richting valt niet te negeren. Rebus moet terug naar de politieacademie voor herscholing. Daar wordt hij geconfronteerd met een cold case. Intussen moet Rebus' collega Siobhan Clarke het opnemen tegen Rebus' oude vijand Cafferty.

Een kwestie van bloed
Rebus komt net uit het ziekenhuis, met zijn verbrande handen nog in het verband, wanneer een collega zijn hulp inroept voor een dodelijke schietpartij op een school. Twee tieners zijn vermoord door een psychotische ex-militair. Omdat Rebus zelf ex-SAS is raakt hij gefascineerd door de zaak. Hij begint eraan te twijfelen of de militair wel de moordenaar is. Is er een verband met de brand die een einde maakte aan het leven van de stalker van Rebus' collega Siobhan Clarke?

De rechtelozen
Een neergestoken illegaal in een achterbuurt: racisme of iets heel anders? Inspecteur Rebus' moeizame onderzoek zit algauw even vast als zijn carrière. Zijn collega Siobhan waagt zich ongezond dicht bij een veroordeelde verkrachter. Dan duiken er twee skeletten op onder een pub. Is er verband met de zaak waar Rebus aan werkt?

Gedenk de doden
Het is juli 2005 en de G8-leiders zijn verzameld in Schotland. Door alle protestmarsen, demonstraties en rellen is de politie op oorlogssterkte. Iedereen is op straat, maar inspecteur Rebus niet, want die heeft strikte orders het bureau te bemannen. Rebus houdt zich koest, totdat een parlementslid zelfmoord pleegt en er een seriemoordenaar actief lijkt te zijn.

Laatste ronde
Anderhalve week voor zijn afscheid wordt Rebus opgezadeld met een van de ingewikkeldste zaken uit zijn loopbaan. In Edinburgh is een dissidente Russische dichter vermoord. Is hij een slachtoffer van

zinloos geweld? Omdat een belangrijke Russische investeerder in de stad op bezoek is, wordt er bij Rebus op aangedrongen de moord discreet te onderzoeken.